Stand By!

Bywyd a gwaith Sam Jones

R. Alun Evans

Argraffiad cyntaf 1998

ISBN 1 85902 603 6

ⓗ R. Alun Evans ©

Dymuna'r cyhoeddwyr gydnabod cymorth Adrannau Cyngor Llyfrau Cymru.

Argraffwyd yng Nghymru gan
Wasg Gomer, Llandysul, Ceredigion

Hoffwn gyflwyno'r llyfr i dri theulu:

Teulu'r diweddar Dr Sam Jones

Teulu'r BBC ym Mangor

ac i'm teulu innau am arfer hir amynedd.

CYNNWYS

RHAGAIR

Un dydd, ddim mor bell yn ôl â hynny, daeth R. Alun Evans draw i'm gweld yn f'ystafell yn y coleg. Yr oedd am ysgrifennu llyfr am Sam Jones a'i gyfraniad i ddarlledu.

'Syniad da,' meddwn innau.

'Gan y bydd gofyn imi wneud gwaith ymchwil ar y pwnc, rhyw feddwl yr oeddwn i y gallwn i weithio am radd uwch, a lladd dau aderyn ar yr un pryd,' meddai yntau.

'Syniad gwell fyth,' meddwn innau.

A dyna sut y daeth Alun i ddechrau ar y gwaith mawr o chwilio am fanylion fyrdd am Sam Jones a manylion fyrdd am ei gyfraniad arbennig i hanes darlledu'r BBC yng Nghymru.

Profodd Alun yn fuan iawn ei fod yn ymchwilydd arwrol o ymroddgar, ac yn olrheiniwr gwybodaethau tan gamp. Âi ar ôl ffynonellau ysgrifenedig, a llafar, gan gywain gwybodaethau gan bobl a gofiai Sam Jones a chan elwa ar dapiau sain o raglenni radio a rhai tapiau fideo o raglenni teledu. Yr oedd y ffaith ei fod ei hun wedi treulio blynyddoedd anrhydeddus iawn ar staff y BBC o gymorth mawr iddo wrth olrhain trywyddau trwy weinyddiaeth gymhleth y gorfforaeth. Yn fuan iawn yr oeddwn yn ystyried Alun fel un yn haeddu'r teitl o Trydydd (sef un o dri) Prif Ymchwilydd Ynys Brydain.

Un peth yw hel defnyddiau. Ar ôl yr hel daw'r gwaith sylweddol iawn o ddidol a threfnu'r hyn a gasglwyd, ac o ysgrifennu'r cyfan yn eglur. Wrth i'r penodau ymddangos, yr oeddwn i'n cael fy rhyfeddu gan ddiwydrwydd di-ball Alun a chan ei ffordd hynod o ddiddorol o ysgrifennu. Y gwaith mawr a gyflawnodd, trefn y cyfansoddiad, a'r mynegi diddorol, dyma'r nodweddion, hefyd, a wnaeth argraff ar yr arholwyr a ddyfarnodd ddoethuriaeth glodwiw iddo am ei gyfanwaith gorffenedig.

Yr wyf yn ei chyfrif yn anrhydedd fy mod i'n cael cyflwyno'r gwaith pwysig hwn i sylw darllenwyr Cymru.

Yr Adran Gymraeg,   Gwyn Thomas
Prifysgol Cymru,
Bangor

CYDNABYDDIAETH

Sgwrs anffurfiol gyda John Roberts Williams y tu allan i Fryn Meirion, canolfan y BBC ym Mangor er 1935, rai misoedd cyn i mi ymddeol o'r BBC yn 1995, oedd yr ysgogiad i'r gyfrol hon. Cytunai'r ddau ohonom y dylid ysgrifennu cofiant i Sam Jones i ddathlu canmlwyddiant ei eni (yr oedd y ddau ohonom yn olynwyr i Sam Jones fel Pennaeth i'r BBC ym Mangor), ac ystyriwyd sut orau i gael y maen i'r wal. Awgrymwyd yn ddiweddarach gan Dr Meredydd Evans y dylid ehangu'r astudiaeth i gynnwys hefyd hanes dechrau a datblygu darlledu yng Ngogledd Cymru.

Gan nad oeddwn yn meddu ar ddisgyblaeth yr hanesydd, awgrymwyd fy mod i'n derbyn canllawiau'r Brifysgol wrth ymgymryd â'r gwaith. Dewisais gofrestru fel myfyriwr ymchwil rhan-amser yn yr Adran Gymraeg ym Mhrifysgol Cymru, Bangor – a hynny, ymhlith rhesymau eraill, am fod cyrsiau'r Adran honno'n cynnwys agweddau ar y Cyfryngau Torfol. Cytunodd yr Athro Gwyn Thomas i gyfarwyddo'r ymchwil. Y mae fy nyled a'm diolch iddo'n fawr, am ei ddiddordeb o'r dechrau ac am ei gyfarwyddyd manwl a doeth.

Hoffwn gydnabod cefnogaeth Rheolwr BBC Cymru, Geraint Talfan Davies, i'r gwaith. Cefais rwydd hynt i bori yn archifau'r BBC yng Nghaerdydd lle cefais gymorth parod yn y Ganolfan Gofnodi gan Meinir Rees a chan Iris Cobbe, ac yn y Ganolfan Archifau yn Caversham dan gyfarwyddyd Gwyniver Jones. Gwnaed awgymiadau buddiol am ffynonellau posib yn y Llyfrgell Genedlaethol gan Dafydd Ifans o'r Adran Llawysgrifau, a chan D. Brynmor Jones yn Llyfrgell Ganolog Caerdydd, tra oeddwn yn chwilio trwy ôl-rifynnau'r *Western Mail*. Yn Nulyn bu Bryan Lynch, Archifydd presennol Radio Telefis Éireann, yn gysylltwr gwerthfawr ar yr ochr Wyddelig o'r ymchwil.

Ond fe ddigwyddodd y rhan fwyaf o'r gwaith ymchwil yn Adran Archifau Prifysgol Cymru, Bangor, lle cedwir papurau personol Sam Jones. Yr Archifydd, Tomos Roberts, fu'n fy nghyfeirio at y ffynonellau perthnasol. Bu'n hynod amyneddgar wrth ddelio â'm gofynion a'm hanghenion yn y lle difyr hwnnw.

Y mae copïau o'm traethawd ymchwil, 'Hanes a Bywyd Sam

Jones, a Hanes Dechrau a Datblygu Darlledu yng Ngogledd Cymru –
BBC Bangor 1935-1963', i'w gael yn y Llyfrgell Genedlaethol ac yn
Llyfrgell Prifysgol Cymru, Bangor. Nodir yno'n fanwl yr holl
ffynonellau y dyfynnir ohonynt.

Ar wahân i gefnogaeth fy nheulu fy hun, cefais hefyd gefnogaeth
parod gan deulu Sam Jones a oedd yn cynnwys cefnogaeth ariannol
gan ei unig fab, Dafydd Jones. Dyfarnwyd i mi Gymrodoriaeth Huw
Wheldon gan Brifysgol Cymru, Bangor, ac rwy'n ddiolchgar am yr
haelioni hwn.

Diolch hefyd i Gyngor Llyfrau Cymru am gefnogi'r fenter i
gyhoeddi ac i'w Hadran Olygyddol am gywiro'r proflenni; i Brynmor
Jones am y gwaith manwl o fynegeio ac i Wasg Gomer, yr hynaws
Dyfed Elis-Gruffydd a Mairwen Jones yn arbennig felly, am bob
awgrym. Gan i mi fyw yn Llandysul am gyfnod gwyddwn yn dda am
draddodiad y wasg hon ac am drylwyredd y gwaith. Diolch hefyd i
Elgan Davies am gynllunio'r clawr ac i Aled P. Jones am ei
ffotograffwaith. Yn y cyswllt hwnnw, rwy'n diolch i'r BBC ac i
Brifysgol Cymru, Bangor, am yr hawl i atgynhyrchu lluniau ac i Mrs
Vivienne Hughes, Mrs Helen Griffiths, Mrs Tom Evans a Dr
Meredydd Evans am luniau unigol.

Beth bynnag yw diffygion yr hyn a gyflwynir, dylid cofnodi i mi
gael pleser anghyffredin wrth ymgymryd â'r gwaith ac rwy'n
ddiolchgar i bawb a hwylusodd y ffordd ymlaen trwy awgrym neu
atgof am y gŵr o Glydach.

R. Alun Evans

CYFLWYNIAD

Ymhlith yr elfennau a effeithiodd ar ddatblygu darlledu yng Ngogledd Cymru y mae mynyddoedd, rhyfeloedd, Eidalwr, Gwyddelod, ymgyrchoedd gwleidyddol a phwyllgorau Prifysgol, ond yn bennaf oll, y diffyg ewyllys ar ran y corff a oedd yn darlledu ym Mhrydain o 1922 ymlaen i ofalu am fuddiannau ardal o boblogaeth gymharol denau.

Dechreuodd y *British Broadcasting Company* ddarlledu yn Chwefror 1922 ar drosglwyddydd i Lundain yn unig, y 2LO. I Gaerdydd yr aeth yr orsaf Gymreig gyntaf. Agorwyd yr orsaf honno, 5WA, ar Chwefror 13, 1923. Hi oedd y bedwaredd Brif Orsaf ym Mhrydain i'w thrwyddedu. Roedd y stiwdio yng nghysgod y castell ac uwchben sinema yn 19, Castle Street, Caerdydd. Stiwdio fechan, ddeunaw troedfedd sgwâr, oedd hi a ddefnyddiid fel swyddfa i Reolwr yr Orsaf yn ystod y dydd ac fel lle i ddarlledu ohono gyda'r nos. Roedd yr hyn a ddarlledid yn cael ei ddarlledu yn Saesneg. A dyna ran o'r drafferth. Darlledu masnachol, lleol a di-Gymraeg oedd y darlledu cyntaf o Gymru.

Anfonwyd Mr Rex Palmer o'r Brif Swyddfa yn Llundain i ddod o hyd i safle i'r orsaf, ac i drefnu ar gyfer ei hagor. Fe arhosodd yng Nghaerdydd am chwe wythnos i ofalu fod pob dim yn rhedeg yn esmwyth. Fe'i olynwyd ym Mawrth 1923 gan Major A. Corbett-Smith, gŵr lliwgar. Yn ôl Dr John Davies, 'a man of huge exuberance [who] had a manic streak'. Yn 1924 fe drosglwyddwyd Corbett-Smith i'r Brif Swyddfa yn Llundain, ac fe anfonwyd cyn-Athro Cynorthwyol o Goleg Brenhinol y Llynges yn Dartmouth i gymryd ei le yng Nghaerdydd. Ei enw oedd Mr Ernest Robert Appleton MA (Oxon.).

Bydd enw'r gŵr hwn yn digwydd yn fynych wrth olrhain datblygiad darlledu yn y wlad yr anfonwyd ef iddi 'to establish a new spirit of friendship' rhwng gwrandawyr yr orsaf. Yn fuan wedi iddo gyrraedd Caerdydd ym Mawrth 1924 fe symudwyd y stiwdio o Castle Street i 39, Park Place a'i hagor yno ar Fai 22, 1924.

Byddai'n un mlynedd ar ddeg cyn agor stiwdio yn y gogledd – yn Nachwedd 1935; un mlynedd ar ddeg o frwydro i goncro mynyddoedd o ragfarn a oedd yn fwy o rwystr na chopaon Eryri. 'Unsurmountable technical difficulties' oedd yr ateb yn ddieithriad, meddai Dr Iorwerth Peate ar y rhaglen radio *Babi Sam*, pan fyddai ef yn holi penaethiaid peirianyddiaeth y BBC am y posibilrwydd o godi trosglwyddydd ar gyfer gogledd Cymru. Ac roedd pobl y gogledd yn rhy barod i dderbyn yr esboniad hwnnw.

Llwyddodd yr Eidalwr, Guglielmo Marconi, i draws-yrru negeseuon o Ogledd Cymru yn 1914 wedi iddo gwblhau gorsaf Waunfawr. Traws-yrru negeseuon oedd o, nid darlledu rhaglenni. Yn anffodus i Marconi, meddiannwyd yr orsaf gan y Llywodraeth ar ddechrau'r Rhyfel Mawr (1914-18).

Daethai Marconi i Brydain yn 1896. Ei fwriad o'r dechrau oedd anfon negeseuon o un man i'r llall heb ddefnyddio gwifrau (*wireless*) a'u hanfon yn rhatach na chwmnïau ceblau. Sylweddolodd fod yr hyn a ddarganfuwyd gan Maxwell, yr Athro David Edward Hughes, Hertz, Branly, Lodge ac eraill yn fodd i wneud hyn, ond ni dderbyniwyd dim o'i arddangosiadau ef gan ei bobl yn yr Eidal. Daeth i Brydain, ac yno, trwy gefnogaeth ac arweiniad Cymro o'r Bontnewydd, Caernarfon, William Preece, prif beiriannwr y Swyddfa Bost, y dechreuodd ar y fentr fawr.

Fe wnaeth Marconi gannoedd o arbrofion yn Lloegr, yn Ffrainc, yn Ne Cymru ac yng Nghanada. Yr oedd costau'r arbrofion yn trymhau ac fe welodd mai meddiannu trafnidiaeth negeseuon yr Americanwyr oedd y ffordd ymlaen; cael un orsaf yng ngorllewin Prydain ac un gyfagos i Efrog Newydd, heb ddim ond yr Iwerydd yn eu gwahanu. 'I went to look for a suitable site in the west of England [sic] and found it on the slopes of Cefn Dhu.'

Dyma'r orsaf, ger Waunfawr yn Arfon, a feddiannwyd gan y Llywodraeth yn 1914. Ni ddechreuodd cwmni Marconi weithredu'r safle'n fasnachol hyd 1920. Ar y dechrau dyma'r orsaf draws-yrru fwyaf a phwysicaf o'i bath, sef, *The Carnarvon* [sic] *Long Wave Transatlantic Transmitting Station*. Pan ail-feddiannwyd yr orsaf oddi wrth y Llywodraeth yn 1918 fe fu arbrofi pellach, ac ar Fedi 22, 1918 fe anfonwyd neges am y tro cyntaf i Awstralia; neges uniongyrchol o Gymru gan Brif Weinidog Awstralia, y Gwir Anrhydeddus William Morris Hughes, a oedd ar ymweliad â Phrydain.

Ganed W. M. Hughes yn Llundain. Yr oedd ei dad, William Hughes, yn saer coed o ogledd Cymru, a'i fam, Jane Morris, yn hanu

o deulu o ffermwyr yn Sir Drefaldwyn. Fe anfonwyd y neges am 3.15
y bore (GMT) a'i derbyn am chwarter wedi un y prynhawn, amser
Sydney, yn Wahroonga, talaith De Cymru Newydd:

> To Sydney for publication.
> I have just returned from a visit to the battlefields where the glorious
> valour and dash of the Australian troops saved Amiens and forced back
> the legions of the enemy, filled with greater admiration than ever for
> these glorious men and more convinced than ever that it is the duty of
> their fellow-citizens to keep these magnificent battalions up to their
> full strength. W. M. Hughes. Prime Minister.

Ond mater gwahanol i anfon neges o ogledd Cymru i Dde Cymru
Newydd, yn Awstralia, oedd darlledu rhaglenni o dde Cymru i ogledd
Cymru. Yr oedd y dull a ddefnyddid i ddarlledu'n wahanol i'r dull a
ddefnyddid i drosglwyddo neges o Waunfawr i Awstralia.

Ychwanegwyd at y nifer o orsafoedd lleol gan y Cwmni Darlledu,
ac yn eu plith daeth Abertawe (5SX) yn is-orsaf i 5WA yn 1924, gan
drosglwyddo rhaglenni i'r dref honno (dinas, bellach) ac i'r
gymdogaeth. Roedd y *British Broadcasting Company* hefyd yn
cynllunio ar gyfer patrwm gwahanol o ddarlledu, a hwnnw i fod yn
batrwm rhanbarthol. Y prif nod oedd tanlinellu unoliaeth y genedl
Brydeinig, ac er pob ymdrech gan rai Cymry i bwysleisio
pwysigrwydd cydnabod Cymru'n genedl, rhan o *West Region* ar y cyd
â gorllewin Lloegr oedd Cymru o 1927 hyd 1935. Pennaeth y *West
Region* oedd Ernest Robert Appleton. Rhoddai'r argraff ar y dechrau
ei fod mewn llawn gydymdeimlad â'r iaith Gymraeg a chafodd ei
urddo, dan yr enw 'Goleuni'r Bannau', i Orsedd y Beirdd yn yr
Eisteddfod Genedlaethol ym Mhwllheli yn 1925.

Yn 1925 hefyd fe sefydlwyd Comisiwn Brenhinol dan gadeir-
yddiaeth yr Arglwydd Crawford i gasglu tystiolaeth am ddyfodol
darlledu ym Mhrydain. Penderfynwyd ar system o ddarlledu
cyhoeddus ac felly, yn 1927, y daeth y *British Broadcasting
Corporation* i fod. Prin ac achlysurol oedd rhaglenni Cymraeg, a
doedd dim un Cymro Cymraeg ar staff y BBC yng Nghymru. Daeth
pwyso cynnar o du Cylch Dewi, Caerdydd, am well darpariaeth i'r
Cymry Cymraeg, a threfnwyd gydag Appleton i'r Cylch fynd yn
gyfrifol am raglenni Cymraeg ar eu cyfer. Ond, ar y cyfan, prin oedd
nifer y Cymry Cymraeg a ymddiddorai mewn darlledu. Deuai

cymaint, os nad mwy, o raglenni Cymraeg o orsaf 2RN a ddarlledai o Little Denmark Street, Dulyn, yn Iwerddon ag o Gymru ei hun. Agorwyd gorsaf 2RN yn Little Denmark Street ar Ionawr 1, 1926 gan symud i Henry Street, y tu cefn i adeilad enwog y GPO yn O'Connell Street, yn Hydref 1928. Rheolwr cyntaf yr orsaf oedd Seamus Clandillon, canwr Gwyddelig adnabyddus, Arolygwr Yswiriant Iechyd wrth ei alwedigaeth. Ei ddirprwy, fel Cyhoeddwr, yn 2RN oedd Seumas Hughes, sef y gŵr cyntaf i ganu'r anthem genedlaethol, 'The Soldier's Song', yn gyhoeddus.

Y sawl a drefnai'r darllediadau Cymraeg o Ddulyn oedd W. S. Gwynn Williams, a oedd bryd hynny yn olygydd y cylchgrawn *Y Cerddor Newydd;* gŵr o Langollen ydoedd a ddaeth yn 1947 yn Gyfarwyddwr Cerddorol cyntaf Eisteddfod Ryngwladol Llangollen.

Gwnaed sawl cyfeiriad ganddo yn *Y Cerddor Newydd* at brinder cerddoriaeth Gymraeg ar y radio ac at ddiffygion derbyniad radio yng ngogledd Cymru. Yn ei nodiadau golygyddol yn rhifyn Rhagfyr 1926 fe ddywed y Golygydd ei fod wedi ei wahodd i lunio 'a Memorandum on the Influence of Welsh Music on the Preservation of the Welsh Language, and Welsh Music as an Element of Culture' i Bwyllgor Adrannol y Bwrdd Addysg. Dri mis yn ddiweddarach, yn rhifyn Mawrth 1927 o'r cylchgrawn, y mae W. S. Gwynn Williams yn datgan:

> The authorities of the Irish Broadcasting Station at Dublin have decided, in view of the many letters that have been received from Welsh listeners, to give a regular Welsh Hour the first Friday in each month at 8.30 p.m., and we have agreed to be responsible for the preparing of the programmes. These will be the first *regular* Welsh programmes ever to be broadcast, and it is significant that it is the Celtic Station of Ireland that is the first to realize Wales's possibilities and to attempt to supply her needs.
>
> The need for well-conceived Welsh programmes, and also for a Welsh National Broadcasting Station, has been repeatedly made clear during the last two years to the British authorities by one organisation or another of importance in Wales but, in spite of the distinct character of the country and the fact that the whole of North and Mid-Wales is served by no station at all at crystal range, little has been done to lessen the national injustice.

Yr unig gyfeiriad at y darllediadau Cymraeg yn llyfr Maurice Gorham ar hanes swyddogol Radio Éireann, *Forty Years of Irish Broadcasting,* yw'r frawddeg 'Programmes in Welsh were broadcast once a month, apparently for the benefit of listeners in North Wales'. Fe gytunodd gorsaf 2RN i glymu'r cwlwm Celtaidd yng ngwanwyn 1927, gyda'r rhaglen yn dechrau am 8.00 p.m. Sgwrs, yn Saesneg, gan W. S. Gwynn Williams ei hun fyddai'r chwarter awr cyntaf, a'i dilyn gan – 'Rhaglen Gymraeg (Welsh Programme)' – hyd 9.30 p.m. Cerddorfa'r Orsaf Wyddelig, dan arweiniad W. S. Gwynn Williams, oedd yn cyfeilio a byddai criw o Gymry – yn eu plith artistiaid fel y Brodyr Francis, Ceinwen Rowlands, Gwen Price, Bessie Davies, Gwladys Dodd, Gwladys Williams, Beti Davies (a ddaeth yn ddiweddarach yn Mrs Beti Gwynn Williams, gwraig W. S. Gwynn Williams), Gwennie Roberts, Beatrice Jones, Ernest Williams, Robert Davies, Meirion Morris, Eifion Thomas, Howel Davies, Jabez Trevor, John Foulkes a'r canwr penillion Jacob Edwards – yn croesi o Gaergybi i Ddulyn yn eu tro gan wneud rhywfaint o iawn am yr 'insipid pot-pourris of Welsh' a geid o Gaerdydd.

Gan fod trosglwyddydd y BBC wedi ei leoli yng ngorllewin Lloegr, yn Washford Cross, Gwlad yr Haf, doedd yr ychydig Gymraeg, hyd yn oed, a ddarlledid o'r trosglwyddydd hwnnw ddim yn glywadwy yng ngogledd Cymru. Yr oedd yn rhaid i'r Gogledd ddibynnu ar wasanaeth darlledu Saesneg o Lerpwl, o Fanceinion, ac o Daventry, a'r unig Gymraeg a glywid yn dod o Ddulyn. Cyhoeddodd yr *Irish Radio News* erthygl ym Mawrth 1928 yn nodi ymateb da o Gymru i raglenni Cymraeg 2RN. Pan ddaeth y rhaglenni cyson i ben am y tro yn ystod yr haf 1928 derbyniwyd llythyr o Dywyn, Meirionnydd i 2RN yn mynegi siom:

> I am very sorry for this, and I am sure my feeling is shared by thousands of Welshmen. I don't know what induced you to come to this decision and I very much hope that you will not be obliged to cut out the broadcasts completely. We have come to look upon your programmes as an expression of sympathy of you Gaels with us Welshmen who are forced to live under the selfish yoke of the selfish Saxon.

O Fawrth i Fehefin 1929 darlledid *Welsh Lessons* ar 2RN gan yr Athro John Lloyd-Jones, pennaeth cyntaf yr Adran Gymraeg yng Ngholeg y Brifysgol, Dulyn, a chanodd Mrs Lewis Warden Owens *Welsh Songs* ar 2RN ar Orffennaf 2, 1929. Nid oes cofnod o raglenni Cymraeg o Ddulyn ar ôl hyn.

Ar Awst 29, 1927, cyhoeddwyd adroddiad *Y Gymraeg Mewn Addysg a Bywyd* gan Bwyllgor Adrannol a benodwyd gan Lywydd y Bwrdd Addysg i ymchwilio i safle'r iaith Gymraeg, gyda phwyslais ar y defnydd o'r iaith i'r dyfodol ym myd addysg. Dyma'r pwyllgor y lluniodd W. S. Gwynn Williams ei 'Femorandum' iddo. Yr oedd yr adroddiad yn chwyrn ei ddyfarniad am ddiffyg polisi iaith y BBC:

> Credwn fod polisi'r BBC heddiw yn fwy perygl nag odid ddim arall i fywyd yr iaith ... Y mae'r awdurdodau sy'n gyfrifol am ffurf ac ansawdd y rhaglenni yn camddeall yr hyn y mae'r Cymry yn gofyn amdano.
>
> Gellir sylweddoli druenused cyflwr y Gymraeg yn ei gwlad ei hun pan ddywedwn mai'r unig raglen Gymraeg reolaidd ydyw honno a roddir unwaith yr wythnos o Orsaf Dulyn gan Lywodraeth Iwerddon.

Honnodd Appleton yn *The Western Mail*, drannoeth cyhoeddi'r Adroddiad, mai dim ond chwech o raglenni Cymraeg a ddarlledwyd 'from that station'. Yr oedd yr Adroddiad, meddai, wedi anwybyddu'n llwyr y cynlluniau i gyflwyno rhaglenni Cymraeg yr oedd ef wedi eu nodi i'r pwyllgor, ar lafar ac yn ysgrifenedig. Ym marn Appleton, rhoi manteision yr iaith Gymraeg yn gyntaf a phobl Cymru yn ail yr oedd yr Adroddiad. Yr oedd ef yn hyderus fod y BBC yn agosach at y bobl nag unrhyw gorff academaidd. Mewn cyfweliad â'r *Daily Telegraph* esboniodd Appleton:

> Welsh programmes are given from the Cardiff station about once a fortnight, and from Swansea more frequently – about once a week – while talks in Welsh are given from both stations. The statement that the only regular Welsh programme is that given once a week by the Dublin station is therefore dependent on the significance attached to the word 'regular'. I can only say that the BBC is in closer touch with the people than is any academic body.

Y corff academaidd nesaf i ddwyn pwysau ar y BBC oedd Pwyllgor Darlledu Llys Prifysgol Cymru. Dau brif nod y pwyllgor dylanwadol hwn oedd sicrhau mwy o Gymraeg trwy benodi Cymry Cymraeg i staff y BBC a, hefyd, i sicrhau gwasanaeth teilwng i ogledd Cymru.

Gŵr a ddylanwadodd yn drwm ar y trafodaethau, er na wyddai'r pwyllgor ei hun hynny, ac a ddylanwadodd yn ddiweddarach ar ddechrau a datblygiad darlledu yn y Gogledd, oedd un o'r Cymry

Cymraeg cyntaf i'w benodi ar staff y BBC, yr Iberiad bach o Glydach, Cwm Tawe – Sam Jones. Fe'i penodwyd, yn rhan-amser, ym mis Tachwedd 1932.

A dyna agor un o'r penodau mwyaf cyffrous yn hanes darlledu yng Nghymru hyd y dydd hwn.

'Sammy Bach'

Ar Dachwedd 30, 1898, ganed nawfed plentyn Mary Ann Jones, gwraig Samuel Cornelius Jones. Galwyd aelod diweddaraf teulu mawr y Corneliaid o Ca' Graig, Clydach, yn Samuel. Ymysg ei deulu, a'i gyfoedion, fe'i gelwid wrth yr enw Sammy Bach. Yn ddiweddarach yn ei fywyd, a chyda'r un elfen o anwyldeb, fe gyfeirid at y gŵr hwn trwy Gymru benbaladr fel Sam Jones, BBC.

Clydach yw prif bentref y parsel o blwyf rhwng y ddwy afon Clydach, Cwm Tawe. Enw'r plwyf yw Rhyndwyclydach. Yn Adroddiad y Cyfrifiad am 1821 'Rhyndroi Clydach' yw'r ffurf arno. Plwyf yw hwn rhwng dwy afon. Nant sy'n codi ar Fynydd-y-gwair, ar y ffin rhwng Caerfyrddin a Morgannwg, yw'r naill sy'n llifo trwy Gwm Clydach a Chraig Cefn-y-parc i Dawe yn Aberclydach ym mhentref presennol Clydach. Mae'r nant arall yn codi ger Gwaun-caegurwen ac yn rhedeg trwy Gwm-y-gors (Cors Feisach) i Dawe ym Mhontardawe.

Yn ei draethawd buddugol *Clydach a'r Cylch* y mae'r Parchedig T. Valentine Evans yn nodi ambell ymgais leol i esbonio'r enw. Y mae'r awdur wedi bod yn holi hynafiaethwyr adnabyddus:

> medd M—n, "Ystyr yr enw Clydach yw Clyd ac Iach gyda'r llythyren 'i' yn y gair olaf wedi ei cholli er mwyn persain". S—r a dywed [sic] "Ystyr Clydach yw lle clyd, cysgodle, *a sheltered glade*". Ond gyda phob dyledus barch i'r awdurdodau uchod, tybiem glywed yr afonig yn sisial: 'Mi bia yr enw, ac nid y lle.'

Y mae Valentine Evans ei hun yn cynnig 'dwfr rhededog'. Yr awdurdod ar enwau afonydd yw R. J. Thomas. Y mae ef yn nodi y ffurfiau Cleidach, Cloidach:

> Y mae'r enw hwn, a gynenir yn gyffredin *Clidach, Cleidach* neu *Cloidach,* yn digwydd yn dra aml yn y Deau. Ni wyddys am un engh.[raifft] ohono yng Ngogledd a Chanolbarth Cymru . . . Y mae'n

berffaith amlwg mai Gwydd.[eleg] yw tarddiad yr enw hwn. Hyd lan môr gorllewin Iwerddon digwydd y ffurfiau llafar *cladach, clodach,* gan olygu 'traeth gwastad caregog', *Irish Names of Places,* tt.394-6; fe'i ceir hefyd yno fel enw afon neu nant neu bentref ar lannau'r cyfryw yn y ffurfiau *Cladagh, Clydagh, Cloydagh,* ac weithiau fe'i harferir yn arbennig i ddynodi cornentydd gwyllt gyda gwelyau caregog. Ymddengys mai'r ystyr hon sydd i'r enw yng Nghymru.

Yn naear Clydach yr oedd cyfoeth o fwynau, glo carreg yn arbennig. Ychwanegwch at hynny weithfeydd alcam, todd-dai, morthwylfeydd, odynau calch, odynau priddfeini, dwy efail, gwaith nwy a gwaith trydan ac fe welir y rheswm am y twf cyson ym mhoblogaeth yr ardal yn ystod y bedwaredd ganrif ar bymtheg. Y boblogaeth a gofrestrwyd yn 1801 oedd 720. Erbyn 1831 roedd cynnydd i 1137. Yn 1871: 2208; 1881: 3529; 1891: 4018; 1901: 4462; 1911: 6994. Ac er y cynnydd fe gadwodd y Cwm ei Gymreictod. Yn *Arwr Glew Erwau'r Glo,* mae Hywel Teifi Edwards yn disgrifio'r Cymreictod hwnnw:

O'r cenedlaethau buddugoliaethus hynny nad ildiodd i ddylanwadau estron, na gormes meistri, nac amodau byw diraddiol, na chaledwaith na phrinder disgynnodd teip arbennig o Gymro, yn ôl Islwyn Williams, a'r teip hwnnw a aethai â'i fryd fel llenor: 'dynion hapus, afieithus, ffraeth eu tafod a miniog eu hymadrodd, dynion eofn, cyflym eu parabl, braidd yn gellweirus, yn byrlymu o hiwmor, dynion balch eu hysbryd, heb ofni neb na dim, ac eto'n gynnes a charedig'.

Teulu felly oedd yn byw yn 16, Ca' Graig (Heol y Graig erbyn heddiw), Clydach; teulu Samuel Cornelius Jones a'i wraig Mary Ann, rhieni 'Sammy bach'. Ganed iddynt, rhwng 1887 a 1905, bymtheg o blant.

Doedd dim yn anghyffredin yn y cyfnod hwnnw i godi teuluoedd mawr fel hwn. Collwyd Willie, Mathew, Evan Roberts a Cordelia yn ifanc iawn a bu farw tri baban heb eu henwi. Ond fe oroesodd wyth o blant yn 16, Ca' Graig. 'Sammy' oedd yr ieuengaf ond un. Ganed yr hynaf, David Robert, ar Ragfyr 23, 1887; Hannah Mary ar Ionawr 25, 1889; Cornelius ar Chwefror 20, 1890; Ifor (y brawd mawr a aeth yn weinidog gyda'r Bedyddwyr) ar Fehefin 17, 1892; Annie ar Chwefror 8, 1896; Garfield flwyddyn yn ddiweddarach ar Chwefror 19, 1897; Samuel ar Dachwedd 30, 1898 a Gwenhwyfar ar Hydref 4, 1905.

Gweithiwr alcam oedd tad Sam Jones wrth ei alwedigaeth ac o blith y bechgyn fe ddilynodd David ei dad i waith Glanrafon cyn symud yn ddiweddarach i waith y Raven, Garnant. Roedd perchennog y gwaith, John Player, yn byw yn y plas mawr, Plas Gwernfadog, ac wedi cyfnod yn edrych ar ôl y ceffylau fe ddaeth Cornelius yn *chauffeur* iddo. Fe aeth Ifor a Garfield i'r lofa yn bedair ar ddeg oed cyn i'r naill fynd i'r weinidogaeth a'r llall yn ddiweddarach i werthu glo. Priodi'n lleol a wnaeth y merched gan barhau traddodiad y teulu yn y capel ac yn yr ardal. Symudodd Gwen i'r Bont-faen i fyw. Sammy oedd yr unig un o'r plant i gael addysg ysgol uwchradd.

Bedyddwyr o hil gerdd oedd y teulu hwn. Yr oeddynt yn flaenllaw yng nghychwyn yr achos yn yr ardal, a chyn hynny arferai y cyndeidiau gerdded dros y mynydd o Glydach i Langyfelach. Yn yr ail ganrif ar bymtheg yr oedd y Bedyddwyr yn 'wasgaredig dros rannau helaeth o wlad Morgan a Myrddyn, ac yn eu plith preswyliai rhai ohonynt, ym mhlwyf Llangyfelach'. Roedd hi'n adeg gythryblus ar grefydd ymneilltuol, yn adeg o erledigaeth, ac o'r herwydd yr oedd yn rhaid cyfarfod i addoli yn y dirgel. Man cyfarfod y brodyr o Làngyfelach oedd y Fagwyr. Yr oedd y preswylydd, David Jenkins, yn gyfaill calon i'r Bedyddwyr a chadwodd ei dŷ yn agored iddynt i ymgynnull ynddo i addoli, a hynny pan oedd cynddaredd y gelyn yn ei ffyrnigrwydd mwyaf. Gellir dyddio dechreuad yr achos yn y Fagwyr rywbryd o 1657 i 1677. Ganrif yn ddiweddarach y codwyd yr addoldy cyntaf pan adeiladwyd Bryn Salem yn 1777. Yn 1779 fe ymgorfforwyd dau ar bymtheg o aelodau yn eglwys reolaidd yno. Gan fod y tŷ'n dadfeilio adeiladwyd tŷ newydd, ac o faintioli mwy, yn 1815, ac adeiladwyd Salem, Llangyfelach, yn 1877. Yr oedd Bedyddwyr Arminaidd yng Nghapel y Cwar, Clydach, erbyn 1795 'ac ymhen amser cydsyniodd eglwys y Cwar i gymeryd eu lle ym Methania (1854), sef cangen o Salem'. Aeth Bethania yn rhy fychan a phenderfynwyd codi capel ynghanol y pentref. Gosodwyd carreg sylfaen ar y capel hwnnw, sef Calfaria, ar Fai 18, 1868 a'i agor ar Fai 18, 1869.

Ymhlith swyddogion Calfaria, Clydach yn 1900 fe restir Cornelius Jones, tad-cu Sam Jones. Yn dilyn cyfres o bump erthygl gan Sam Jones yn *Y Cymro* rhwng Tachwedd 8, a Rhagfyr 6, 1956 fe anfonodd Mrs Mary A. Powell, mam y Barnwr Dewi Watkin Powell, lythyr ato am y dyddiau cynnar yng Nghalfaria:

Cofiaf yn dda eich rhieni a chwi i gyd, fel plant, yng Nghalfaria ac yn eistedd, rhai ohonoch, wedi eich gwisgo mewn cotiau felfed a choleri bach gwynion arnynt wrth ochor yr organ, y tu arall i blant George Davies os cofiaf yn iawn. Mae brith gof gennyf am eich tadcu a'ch mamgu a dyna garedig y buont, meddai Nhad wrthym droion [sic], i William fy mrawd, ar brynhawn Suliau rhwng yr Ysgol Sul a'r Cwrdd Pump. Roedd eich tadcu'n brawddegu'n bert ac yn siarad dipyn bach ar flaen ei dafod onid ydoedd? Ac y mae eich tad a'ch mam yn fyw iawn yn fy ngof, eich tad yn canu ar ochr y galeri yn y Côr a'ch mam yn un fach bert a gwallt cyrliog gyda hi.

Bu bywyd y capel yn dynn iawn yng ngwead Sam Jones o'r dechrau. A pha ryfedd? Y capel oedd canolfan gweithgarwch y pentref, a hynny ar bob dydd o'r wythnos. Dyma batrwm a oedd yn weddol gyffredin yng nghymoedd y De ar droad y ganrif:

Ar y Sul 9.30 – Cwrdd Pobl Ifanc yn y festri i ymarfer siarad a
              gweddïo'n gyhoeddus
       10.30 – Gwasanaeth, a phregeth
        2.00 – Yr Ysgol Sul
        5.00 – Band of Hope yn y festri
        6.00 – Gwasanaeth pregethu yn y capel
        7.30 – Ysgol Gân
    Nos Lun: Cwrdd Gweddi
  Nos Fawrth: Y Gymdeithas Lenyddol
 Nos Fercher: Band of Hope ac yna'r Penny Reading
    Nos Iau: Seiat neu'r Zennanah
  Nos Wener: Cyfarfod yr 'Independent Order of Good Templars'
              (Dirwest)
 Nos Sadwrn: Y Rechabiaid

Bron bob nos roedde ni yn rhywle, os nad yng Nghalfaria [yna] mewn rhyw eglwys arall... a dwi'n sicr nad oedde'ni, blant Clydach, ddim yn credu ei fod o'n fwrdwn, a'i fod yn galed arno'ni yn mynd i'r capel. Roedde ni'n mynd dair gwaith y Sul . . . a meddwl amdano'ni o bob enwad – roedd 'na Mission yno – English Mission mewn lle fel Clydach, ac roedd plant Hebron, plant Carmel, plant Calfaria i gyd yn mynd i'r English Mission bob nos Wener. O'dd dim raid i ni fynd. O'dd 'da ni ddim byd i wneud â nhw, ond oedde'ni yn mynd wyddoch chi. Oedde'ni yn mwynhau. Canu pethe ofnadw' fel *Throw out the lifeline* a *There's a fountain full of blood* a chanu ar dop ein lleisie wyddech chi.

I deulu'r Corneliaid yr oedd dilyn y Corau yn anhraethol bwysicach na dilyn yr un tîm pêl-droed neu griced:

> . . . ac hyd yn oed rygbi. A dilynem bob rihyrsal o eiddo'r Corau yn ddifwlch . . . A sôn am ganu, yr oedd gennym ni gôr bach perffaith adref ar yr aelwyd hefyd. Bob nos Sul arferem ganu ar ôl yr oedfa ac o'r atgof am hynny, yn wir, y tarddodd y rhaglen *Wedi'r Oedfa.*

Byddai ei fam a Gwen, ei chwaer ieuengaf, yn canu soprano; Hannah Mary ac Annie yn altos; David a Cornelius yn helpu eu tad fel tenoriaid, a Garfield, Ifor a Sam yn canu bas. Bas ysgafn oedd Sam Jones mae'n rhaid gan fod rhai o'i ffrindiau Coleg yn ei gofio yn ddiweddarach yn canu tenor yng Nghôr Coleg Bangor:

> Ar ysbeidiau rhwng y canu adroddai fy nhad am ryfeddodau pwysig a diddorol a ddarllenasai amdanynt yn *Y Genhinen* a'r *Cymru Coch* a'r *Darian*; gwahoddid ni i ddatgan sylwadau ar bregethau'r dydd; dysgem eitemau ar gyfer Cwrdd Chwarter y plant ac ar gyfer steddfod fach y capel. Bywyd llawn a phleserus iawn oedd ein bywyd ni'r plant.

Yn wyth mlwydd oed ffansïodd Sam Jones ei hun yn bregethwr:

> Yn y Band of Hope y cychwynodd y peth pan ofynodd Mr Stephens, un o'r gwŷr da a geisiai gadw trefn ar dwrr [*sic*] mor anhrefnus, a oedd rhywun yn cofio rhywbeth o bregeth Mr Evans, y gweinidog, y Sul cynt. Saethodd fy llaw i'r awyr – a dyna ddwyn Sammy ger bron a'i osod ar ben y sedd. Ac er mawr syndod i mi fy hun, ac i'r gweddill o'r plant ac, yn sicr, i ffyddloniaid oedrannus y Band of Hope, adroddais y bregeth ar ei hyd, yn nhafodiaith Cwm Tawe . . . O'r Band of Hope daeth dyrchafiad. Daeth y gwahoddiad i draddodi pregeth o'r eiddo fy hun yng Nghwrdd Chwarter yr Ysgol Sul. Ymysg fy mrodyr a'm chwiorydd ystyrrid y peth yn hwyl fawr – ond i mi, dyma fy nghyfle i ddangos fy metel. Yr unig un a wyddai'r gyfrinach am y testun a rhediad y bregeth oedd mam. Ni'n dau a'i lluniodd hi.
>
>   Gwawriodd y dydd mawr a chapel Calfaria dan ei sang yn ôl yr arfer bryd hynny. 'Sammy Jones i bregethu.' Ac i lan â mi. Prin y gwelwn dros oriel y pulpud ond oddi tanaf yn rhywle fe wyddwn fod rhes o saint y set fawr yn barod i borthi. Hanes Joseff a'i frodyr oedd y bregeth a chawswn help mawr oddi isod fel y neshawn at y cleimacs. Oedd, yr oedd gen i gleimacs, wrth gwrs.
>
>   'Chi'n gwpod beth 'nethon nhw ag e?' gofynais [*sic*] gan boethi iddi.

'Na wyddom ni ddim Sammy bach,' medda un hen bererin a wyddai ei Feibl tu ôl ymlaen. 'Na wyddom ni. Gwed ti wrtho' ni.'

'Wel,' meddwn innau, 'fe ddweda i wrthoch chi beth 'nethon nhw. Fe wpso nhw fe i'r twll.'

Ac yn y fan yna y gorffennodd y bregeth i bob pwrpas gan i'r gynulleidfa floeddio chwerthin, a'r pregethwr bach yn ei ddagrau nes cael ei gysuro gan ei ffrind pennaf a'i arwr mwyaf, ei weinidog, Y Parchedig T. Valentine Evans:

> Os arweiniwyd yr eglwys yng Nghalfaria erioed gan ysbryd Duw bu hynny pan ddewiswyd T.V. Evans yn weinidog. Yr oedd yn bwyllog a gofalus. Gosodai y cyfrifoldeb am weini amgylchiadau'r eglwys ar ei Swyddogion a chyfiawnhawyd ef yn hynny. Ni ollyngwyd ef i lawr ganddynt. Llwyddodd i sicrhau eu hedmygedd a'u cydweithrediad mwyaf calonnog, a bu hynny yn fendith i'r eglwys ac i'r achos yn gyffredinol.

Ganed Mr Evans yn Llandybïe ar Chwefror 14, 1861. Ymaelododd â'r Methodistiaid a dechrau pregethu gyda'r enwad hwnnw ar Ebrill 9, 1876 yn bymtheg oed. Tra oedd yn Athrofa Trefeca fe newidiodd ei farn ar y pwnc o fedydd. Gadawodd Drefeca yn 1880, ar ei ail flwyddyn, ac fe'i bedyddiwyd ar Hydref 11, 1880 yng Nghalfaria, Aberdâr a'i dderbyn y mis hwnnw i Athrofa Pont-y-pŵl. Ar Fehefin 4, 1882, rhoddodd eglwys Calfaria, Clydach, alwad unfrydol iddo a derbyniodd yntau. Fe'i hordeiniwyd ar y Sul a'r Llun, Awst 6 a 7, 1882. Ymddeolodd yn Rhagfyr 1927 a bu farw ar Ionawr 12, 1935, a'i gladdu ym Methania.

Tad Syr Emrys Evans, Prifathro Coleg y Gogledd, Bangor yn ddiweddarach, oedd y Parchedig Valentine Evans. Fel ei dad o'i flaen fe fyddai gan Syr Emrys gryn lawer o ddylanwad ar hynt Sam Jones, ac ar ddyfodol darlledu yng Nghymru.

Er cymaint oedd ymlyniad Sam wrth ei weinidog ac wrth ei gapel yr oedd yna ddiddordebau eraill hefyd. Pan ddaeth dyddiau ysgol, er mai Cymry oedd yr athrawon 'ni chlywsem air o Gymraeg yn yr ysgol yng Nghlydach'.

Yr ysgol gyntaf ac unrhyw lun arni a godwyd yng Nghlydach oedd Ysgol James Gellionnen. Yr oedd y Parchedig John James, a redai'r ysgol, yn sgolor gwych mewn Groeg a Lladin. Cyn hynny, ac mewn adeiladau amhwrpasol, ceid ysgolfeistri a oedd 'yn ddiffygiol iawn mewn mwy nag un ystyr'. Yn 1861 fe alwodd gweinidog Hebron, y

Parchedig Esay Owen, bwyllgor i ystyried codi ysgol yng Nghlydach. Cafwyd darn o dir gan stad Mr Miers, perchennog tir yn ardaloedd Abertawe a Chastell-nedd, ac agorwyd ysgol Clydach ym Medi 1862 dan nawdd y *British and Foreign School Society*.

Byddai Sam Jones wedi cychwyn yn yr ysgol hon yn 1904/5. Er na chlywodd air o Gymraeg yno, ei dystiolaeth yw fod yno athrawon rhagorol ond eu bod yn glynu wrth y syniad a'r drefn bryd hynny mai trwy gyfrwng yr iaith Saesneg y dylid dysgu plant. Ychydig iawn o sôn am farddoniaeth Gymraeg a glywodd yn yr ysgol. Ond gofalodd ei dad ddysgu iddo beth o farddoniaeth ei wlad ei hun. Ac yn byw yn yr un stryd, neu hewl, â Sam yr oedd dau englynwr campus – y tad a'r mab, Perllennog ac Ap Perllennog. Pwy sydd i ddweud nad oedd gan y ddau yma rywbeth i'w wneud â'r weledigaeth a drodd ymhen amser yn *Ymryson y Beirdd* ar y radio?

Addysg yn Saesneg yn yr ysgol a chwarae yn Gymraeg; dyna oedd hanes Sam Jones a'i ffrindiau. Ond er chwarae yn Gymraeg, enwau Saesneg oedd i gêmau'r plant ar y pryd. Yr oedd y 'Cat and Dog' yn gêm boblogaidd; darn o bren wedi ei naddu'n fain oedd y gath, a ffon oedd y ci. Y gamp oedd taflu'r 'Cat' i gylch crwn ar y ddaear o ryw ddecllath o bellter. Os llwyddid i wneud hynny ni châi aelod o'r tîm arall gynnig ar daro'r 'Cat'. Pe disgynnai'r 'Cat' ar linell y cylch câi'r tîm arall gynnig arni; o fethu'r cylch yn gyfan gwbl, deuai tri chynnig i'r tîm arall. Gêm arall oedd 'Weak Horses'. Gêm beryglus ond hwyliog oedd hon. Yr oedd pump ymhob tîm. Byddai'r cyntaf o'r rhain yn gwyro'i ben ar y wal a'r pedwar arall yng nghwt ei gilydd yn yr un ystum. Neidiai'r tîm arall fesul un ar eu cefnau, a'r gamp oedd dal y straen. Pan geid ceffyl gwan fe syrthiai pawb yn bendra-mwnwgl. Gêm arall eto oedd 'Twopenny Loaf'. Yn y chwarae hwn byddai un bachgen yn gwyro gan afael yn ei fferau ac fel y neidiai'r gweddill drosto gadawent eu capiau ar ei gefn. Y gamp y tro hwn oedd peidio â tharo'r capiau i lawr.

Gêmau syml ryfeddol oeddynt ac iddynt un fantais fawr, sef nad oedd angen prynu offer ar eu cyfer – ac fe olygai hynny gryn dipyn yn y byd oedd ohoni. Un arall o'r gêmau poblogaidd yng Nghlydach oedd chwarae 'Bando'. Byddid yn chwilio am brennau addas yn y coed i wneud ffon, ac yna defnyddid pêl, tun neu garreg fel yr oedd hi'n gyfleus. Ar gyfaddefiad Sam Jones ei hun bu chwarae Bando yn baratoad ardderchog ar gyfer chwarae hoci yng Ngholeg Bangor flynyddoedd yn ddiweddarach.

Nodwedd arall o'r bywyd cymdeithasol bryd hynny oedd y pererindodau i ben mynydd Gelliwastad. Gwelid rhyw hanner cant o wragedd a phlant yn mynd gyda'i gilydd am bicnic i'r mynydd gan ferwi dŵr o'r ffynnon ar y copa i wneud te. Byddai'r tadau wrth eu gwaith yng nghrombil y ddaear neu yn y ffatrïoedd. Ond wedi i'r bechgyn fod yn ymosod ar berllan Mr Morris, y ficer, y tadau fyddai'n estyn y gernod. Dyna oedd y drefn. Yr oedd Mr Morris yn disgwyl i'r plant ddwyn yr afalau; yr oedd y tadau'n disgwyl i'r plant ddwyn yr afalau ac yr oedd y plant yn disgwyl cael cernod, neu goten, am ddwyn yr afalau. Dyna ran o ffabrig bywyd y cwm.

Ar raglen radio *Lle bûm yn chwarae gynt* bu Sam Jones yn dweud wrth Cledwyn Jones, y cyflwynydd, am ei ddyddiau cynnar yng Nghlydach, Cwm Tawe:

> Rhowch fi i lawr ar sgwâr y pentre. I sgwâr y pentre y byddem i gyd yn mynd ar adegau pwysig; man cychwyn y 'brakes' ddiwrnod trip yr Ysgol Sul; man croeso i fand y pentre ar ôl ennill mewn rhyw gystadleuaeth neu'i gilydd . . . ac o'r fan honno fe â' i ganllath neu ddwy i'r Radidoc . . . Ddechrau'r ganrif roedd Clydach yn bentre hollol Gymreig. Cymraeg oedd ein hiaith, oddigerth ychydig o fân grachach a Saeson a oedd yn gweithio yng ngwaith nicel y Mond. Ond roedd plant rheiny yn hollol Gymraeg. Pobol oedd y rhain wedi dod o Wlad yr Haf, Hwlffordd ac yn y blaen ond roedd yn rhaid i'w plant siarad ein hiaith ni – plant Clydach – doedd gennym ni ddim digon o Saesneg i wastraffu arnyn nhw. Ac felly Cymry go iawn oedd y plant yn dwyn enwau fel Sumerhays, Lovering, Greensway, Saunders, Mulchay, ie a MacTavish. A pheth arall, roedd yr hen frodorion yn benthyca geiriau a thermau Saesneg a'u gwneud nhw'n Gymraeg. Pan fildiwyd y cnel – 'canal' yn mynd yn cnel – trwy Gwm Tawe fe godwyd *aqueduct* iddo dros afon Clydach. Nid oedd pobol Clydach am dderbyn y gair Saesneg. O na! roedd yn rhaid creu gair Cymraeg ac fe aeth yr *aqueduct* yn Radidoc . . . yno bûm yn chware gynt. Nofio, neu 'oifad', ar hirddydd haf yn y cnel. Cael reid ar y bade – y bate – oedd yn cario glo o byllau bach Ystalyfera, Ynysmeudwy ac ar hyd y cwm i lawr i ddociau Abertawe. Mynd 'on board' y bâd gwag wrth y loc yn ymyl y stesion a chael ein cario; ceffylau braf yn tynnu i'r loc nesaf yn ymyl gwaith y Mond . . . Fe af o gwmpas y pentre a gweld, mewn dychymyg, bosteri wedi eu gosod ar barwydydd, ar ambell i hen giat neu adfeilion rhyw fwthyn, posteri a'r geiriau bras arnynt CLYDACH'S GREAT SEPTEMBER FAIR. Mae'r ffair ar ddyfod. Ond rhaid cael arian i fynd i ffair ac o ba le y daw? Rhyw

geiniog yr wythnos oedd arian poced. Fedrech chi ddim mynd ymhell mewn ffair, hyd yn oed y dyddiau hynny, am geiniog. Diolch i'r Drefn roedd dyfodiad y ffair yn ddyfodiad tymor y mwyar duon hefyd – diwedd mis Medi. Byddai fy mrawd Garfield a minnau yn codi gyda'r wawr – roedd ugeiniau o blant eraill eisiau arian i fynd i'r ffair cofiwch – i gasglu mwyar. Dringo i lechweddau mynydd Gelliwastad, i fyny i Benrhedyn, lan i Graigfelen, draw i gaeau y tirfeddianwr – Mr Player – a chael ein dal ambell dro gan John y Ffarm. Colli'r jwg neu'r tun a'r mwyar duon a'r dagre yn llifo. Mynd o gwmpas y tai i werthu'r mwyar – tair ceiniog y peint. Roedd gennym *syndicate*; ceiniog i mi; ceiniog i Garfield a cheiniog i mam. Enillion ar ôl casglu prysur a chaled am ddyddiau – tua swllt yr un. Cofiwch, roedd y swllt yna yn help sylweddol i mam. Wyth o blant i'w magu a'r arian yn brin.

Diwrnod y ffair yn dod; llond poced o 'docyns'. Fe gawsech fynd ar y *swings* am ddimau; ar y *round-abouts* am geiniog a digon ar ôl i brynu 'ffyrings' i fynd adre.

Fe fyddai'r bechgyn hefyd yn pysgota yn afon Clydach – pysgota efo'u dwylo. Doedd dim arian i brynu offer fel gwialen a rîl a lein. Ei ffefryn o bwll oedd Pwllyn Bach y Sand, lle dysgodd Sam Jones nofio. Ond roedd rhaid gadael pleserau plentyndod a throi am yr Ysgol Sir yn Ystalyfera.

Llwyddodd i basio'r *Scholarship*, diolch i ymdrechion ei athrawon. Dysgai David Rees gerddoriaeth yn Ysgol Clydach. Dysgai glasuron y meistri i'r plant. Cyn dechrau canu fe adroddai'r stori yn fanwl i'r plant yn gyntaf a daeth gweld llunio'r canŵ yn *Hiawatha's Wedding Feast*, er enghraifft, yn eglur iawn iddynt. Yr oedd gan Sam Jones barch mawr i'r hen ysgolfeistr hefyd – David James, y gŵr a'i tynnodd drwy bwnc astrus fel mathemateg ac a ddysgodd iddo allu gwerthfawrogi '*Elegy*', Thomas Gray. Yr oeddynt yn athrawon gwych, ond ni siaradent Gymraeg â'r plant. Fe fyddai ar ei ennill yn hynny o beth o fynd i'r Ysgol Sir yn Ystalyfera.

Er mwyn ei alluogi i fynd yno roedd y brodyr eraill wedi mynd i weithio i'r glofeydd a'r gwaith alcam. Fe fyddai wedi mynd i'r ysgol uwchradd yn 1910/11. Enw'r ysgol oedd Ystalyfera County Intermediate School. Yn 1913 yr aelodau o'r staff oedd y prifathro, pump athro cynorthwyol, pedair athrawes gynorthwyol a thri athro'n ymweld i ddysgu Celf, Coginio, Gwaith Coed a dau athro arall yn ymweld ar gyfer Hyfforddiant Corfforol.

Yr oedd y Gymraeg wedi ei chynnwys yn y cwricwlwm o'r dechrau, a phenodwyd i'r ysgol er 1897 athrawon a oedd yn hyddysg yn y Gymraeg. Doedd pob ysgol uwchradd ddim mor flaengar ac roedd O. M. Edwards wedi dwyn sylw at yr esgeuluso a'r diofalwch mewn rhai ardaloedd. Yn ei adroddiad ar waith yr ysgol yn 1905 dywedasai'r Prif Arolygydd, Mr Owens:

> It was his experience that no linguists sprang up from districts where Welsh was neglected, and it had been proved that a knowledge of Welsh was of inestimable advantage in acquiring a foreign language.

Fis Hydref 1912 fe hysbysodd Clerc y Cyngor Sir lywodraethwyr yr ysgol fod bwriad i symud yr ysgol i Bontardawe a'i galw yn 'Pontardawe Higher Elementary School'. Fe wrthwynebwyd y bwriad a thros y blynyddoedd fe brofwyd nad ofer oedd ffydd y llywodraethwyr yn y sefydliad. Yr oedd hwn yn Gorff Llywodraethol a oedd wedi hen arfer â bod yn annibynnol ei farn. Ym Mai 1913 fe benodwyd Mr Henry Rees, BA, BAL, yn brifathro; myfyriwr yn y Middle Temple a brodor o'r Alltwen. Dechreuodd ar ei ddyletswyddau ar Awst 1, 1913 wedi cyfnod yn dysgu Saesneg ym Mhontypridd. Bu ei dad, y Parchedig Rees Rees, yn weinidog parchus ar gapel Annibynnol yr Alltwen 1881-1910 ac yn llywodraethwr yr ysgol.

Yr oedd dyletswyddau Mr Henry Rees yn amrywiol. Nid yn unig yr oedd yn sicrhau bod safon dysgu ac agweddau academaidd yr ysgol yn briodol ond fe ofalai hefyd fod yr ysgol yn tyfu ymhob cylch i gyfarfod â'r cynnydd cyson yn nifer y disgyblion, y galw diddiwedd am ehangu'r cwricwlwm a lledu'r gweithgarwch cymdeithasol. Fe lwyddodd i wneud hynny mewn tair ffordd – trwy gynyddu'r staff, trwy ehangu'r adeiladau a thrwy sicrhau mwy o offer ar gyfer dysgu. Yr oedd Mr Rees yn ŵr boneddigaidd, dewr ei farn, a chanddo ddylanwad ar ei ddisgyblion:

> Whenever he felt it was his duty to say something that was unpopular, he said it with sweet reasonableness. His qualities as an administrator were no doubt accentuated by his legal training.

Yn y sesiwn 1912-13 roedd yna 182 o ddisgyblion yn Ysgol Ystalyfera (83 o fechgyn a 99 o ferched). Y flwyddyn ganlynol, wedi penodiad Mr Henry Rees, cododd y rhif i 211 (92 o fechgyn a 119 o ferched). Yr oedd bron i drigain o'r plant wedi eu hesgusodi rhag talu ffïoedd addysg. Erbyn Mawrth 1914, y pynciau a ddysgid yno oedd Cymraeg, Saesneg, Hanes, Ffrangeg, Lladin, Mathemateg, Cemeg, Ffiseg, Botaneg, Daearyddiaeth, Gwaith Coed, Gwyddor Cartref, Hyfforddiant Corfforol, Cerddoriaeth a Chelf.

Yr athrawon, ymhen blynyddoedd, a ddeuai'n bennaf i gof Sam Jones:

> criw o athrawon na bu eu caredicach erioed yn yr un ysgol rwy'n siwr. Buont i gyd, chwarae teg iddynt, yn dosturiol iawn wrthyf fi.
>
> Dyna Henry Rees, y prifathro, a erfyniai mor daer arnaf i fynd i'r weinidogaeth; John Morgan a'i hynawsedd eithriadol a'i amynedd mawr gyda chreadur nad oedd ganddo fawr o glem ar Ffiseg, y pwnc a ddysgai ef. A dyna Ben Jones, yr athro Cymraeg. Ystyriwn fy mod yn dipyn o ffefryn ganddo ef.

Nid yw Sam Jones yn sôn o gwbl am chwaraeon yn yr ysgol. Yn hytrach mae'n cofio'n fanwl am yr awr ginio am y byddai, wedi bwyta ei dafell o fara menyn a chaws, yn cael y fraint o fynd â phaned o de i Mr Ben Jones. Byddai'r athro yn ei holi a oedd wedi gweld *Y Darian* yr wythnos honno ai peidio. Cyn pen dim fe fyddai crwtyn bychan a'r athro Cymraeg yn eistedd i drafod problemau'r dydd yng Nghymru. A dyna hogi ei feddwl a'i farn ar gyfer yr ysfa a oedd ynddo i newyddiadura:

> Dyna pryd y dechreues i ysgrifennu i'r papurau wyddoch chi a chychwyn ar fy ngyrfa fel newyddiadurwr yn nes ymlaen. O'n i'n ffrindie mawr efo riportar bach, yn ei helpu o i gario negeseuau, a chael ambell geiniog am wneud hynny ynte, a sgrifennu ambell i riport iddo fo. Ac yn yr ysgol, sgrifennu adroddiadau am y ffwtbol a'r criced i'r papur lleol – y *Llais Llafur* yn y dyddiau hynny.

Ar yr aelwyd yr oedd ei dad yn gofalu bod yr un diddordeb yn cael ei borthi yn ogystal â'i ddiddordeb mewn llenyddiaeth:

> Yn fy mlwyddyn olaf i yn y County School yn Ystalyfera daeth Kate Roberts (Dr Kate Roberts erbyn hyn) yno yn athrawes, ac os cofiaf yn iawn yr oedd hi yn un o'r beirniaid a roes wobr imi am ysgrifennu stori fer i gylchgrawn yr ysgol. Stori yn Saesneg gyda llaw. Dyna'r tro cyntaf a'r tro olaf imi gystadlu ar unrhyw destun llenyddol.

Yr oedd y sgolor bach yn ymwybodol o aberth ei rieni a'i frodyr a'i chwiorydd ar ei ran. Yn ychwanegol at hynny, gyda gwres Diwygiad

1904-05 yn tyneru ond heb lwyr ddiflannu o'r tir, fe fu'n llygad-dyst i ymdrech ei frawd hŷn, Ifor, i'w addysgu ei hun. Fe aeth ef i'r lofa yn bedair ar ddeg oed ac wedi diwrnod caled o waith byddai'n mynychu'r Cwrdd Gweddi a'r Gyfeillach yn gyson a brwdfrydig iawn. Penderfynodd adael y lofa er mwyn mynd i'r coleg i'w gymhwyso ei hun ar gyfer y weinidogaeth Gristnogol. Unwaith eto y fam a gadwodd y gyfrinach yn ei chalon. Dychmyger llawenydd y teulu pan gyhoeddodd hi wrth y bwrdd swper un noson fod Ifor â'i fryd ar fod yn weinidog gyda'r Bedyddwyr.

Yr oedd y Parchedig Valentine Evans wedi sylwi ers tro ar frwdfrydedd Ifor yn y Cyrddau Gweddi a doedd penderfyniad y glöwr ifanc i'w gynnig ei hun i'r weinidogaeth ddim yn syndod i Mr Evans. Anfonwyd ei enw ymlaen a threfnwyd i Ifor draddodi ei bregeth brawf yng nghapel Ainon, Birchgrove. Y mae ei ddwy ferch, Beti a Mary Jones – dwy nith i Sam Jones – yn ffyddlon ac yn weithgar yng nghapel Calfaria, Clydach hyd heddiw a thrwy hynny'n parhau traddodiad 'teulu'r Corneliaid' yn eu heglwys.

Nid oedd Sammy bach yn y capel noson y bregeth brawf, ond fe gafodd y plant lleiaf yn 16, Ca' Graig aros ar eu traed yn hwyr i glywed yr hanes. Gofalu am y bwyleri ym mhwll y Graig Ola' a wnâi Ifor, a gwaith digon caled ydoedd. Ond bellach yr oedd yn rhaid taclo Saesneg a Hanes a Groeg a Lladin ar ben hynny. Deuai adref o'r pwll am chwech o'r gloch y nos ac yna byddai'n gwargamu tros ei lyfrau hyd oriau mân y bore. Yr oedd yn gweithio, gweithio'n ddi-baid. Derbyniwyd ef i ysgol ragbaratoawl y Gwynfryn, Rhydaman yn ddisgybl i Gwili.

Trefnodd aelodau capel Calfaria ddarlith i'w helpu i dalu'r treuliau a chasglodd ei gyd-weithwyr ym mhwll Craig Ola' arian ar ben y pwll iddo pan ymadawai â'i waith yno am y tro diwethaf. Prynai lyfrau yn Abertawe dan gyfarwyddyd y gweinidog ac er mwyn arbed arian fe gerddai'r llanc bob cam yno dros Fynydd y Gwair, taith o ryw ddeng milltir, rhwng Clydach a Rhydaman. Dyna sut y bu hi am dair blynedd, a Mr Henry Rees yn annog y brawd iau i ddilyn yr un llwybr.

Ond nid felly y bu. Hwyrach fod y chwerthin adeg pregeth Joseff yn dal i ganu yng nghlustiau Sammy Bach. Digon prin. Pan ddaeth hi'n adeg i ymadael â'r ysgol yn Ystalyfera yr oedd y Rhyfel Mawr yn dal yn ei anterth. Ym Medi 1917 fe benderfynodd Sam Jones wisgo lifrai'r brenin. Fe aeth rhyw hanner dwsin o lanciau i ffwrdd efo'i gilydd i'r Crystal Palace yn Llundain, yn y lle cyntaf, i'w cymhwyso eu hunain i fod yn *signallers* yn y Llynges.

Mae'n ddigon teg dyfalu ei fod wedi trafod yn ddwys ei benderfyniad i fynd i'r lluoedd arfog efo'i rieni ac efo'i weinidog. Yr oedd yn gam anferth i'w gymryd. Does dim sôn ei fod wedi crwydro y tu hwnt i fynydd Gelliwastad ac Ystalyfera cyn hyn – gydag ambell drip Ysgol Sul i lan y môr yn Abertawe hwyrach. A dyma fentro i weld mwy na glan y môr Bro Gŵyr, i siarad iaith a oedd yn bur anghyfarwydd iddo ac i brofi ffordd o fyw a fyddai'n wahanol iawn i batrwm Ca' Graig. Gwirfoddoli a wnaeth a hynny, o bosib, dan ddylanwad un o'i athrawon.

Ymunodd â'r llynges ar Fedi 3, 1917. Erbyn Medi 10 yr oedd yn dysgu ei grefft ar fwrdd *HMS Victory* yn y Royal Naval Barracks, Portsmouth. Cofnodir ei fod yn bum troedfedd pump a thri chwarter o daldra, ei wallt yn frown, ei lygaid yn frown, ei wedd yn olau. A rhoddwyd iddo rif – WALES Z 4501. Fe ddywedodd Mr Celfryn Jones, nai i Sam Jones, wrthyf, am y cyfnod wedi'r hyfforddiant, fod tipyn o ofid ar yr aelwyd yng Nghlydach pan aeth tair wythnos i fis heibio heb air oddi wrtho. Yr oedd ar goll ar y môr mawr ac aed i ofni'r gwaethaf. Yna daeth y neges ei fod yn fyw ac iach. Y tebyg yw ei fod yn ysgrifennu adref yn wythnosol o Portsmouth gan ei fod ar dir sych a than hyfforddiant. Yna'n ddirybudd byddai wedi ei anfon ar fwrdd llong i rywle yn y Môr Canoldir, ac ni fedrai gysylltu â'i deulu am rai wythnosau. Nid oedd ef ei hun, pan ddychwelodd i'r lan, byth yn sôn am y cyfnod hwnnw. Ychydig o'i hanes a geid ganddo a dim byd am beth ddigwyddodd i'r hanner dwsin o ffrindiau a adawodd Gwm Tawe am y Palas Grisial wrth ymuno â'r Llynges, ac eithrio'r atgof am ganu emynau Cymraeg dan arweiniad Lewis Clee (brawd W. D. Clee, arweinydd côr enwog Ystalyfera) cyn cychwyn ar y *Church Parade*.

Nid yw'n cyfeirio at y cyfnod hwn mewn unrhyw fanylder wrth sgrifennu ei *Curriculum Vitae* wrth adael y Coleg nac wrth adael ei swydd fel athro. Yn 1932 pan oedd yn gwneud cais am swydd yn y BBC, ac wrth adael y *Western Mail*, ym mharagraff olaf ei gais y mae:

> Joined R.N.V.R. as a schoolboy. Served principally in the Mediterranean on different types of boats as Convoy signaller. Also served on HMS *Kildavin* as well as various merchant ships.

Yng nghofnod swyddogol y Weinyddiaeth Amddiffyn fe roddir ei enw – Samuel Jones; dyddiad a man ei eni – 30 November 1898, Glamorgan – a'i swydd wrth ymuno – Student. Yna ceir y disgrifiad personol ohono a'i rif.

Ar Ionawr 20, 1918 fe'i trosglwyddwyd o'r enwog *HMS Victory* yn Portsmouth i'r *HMS Vivid* yn Devonport a bu'n gysylltiedig â'r *shore establishment* hwnnw nes gadael y Llynges ar Chwefror 10, 1919. *Ordinary signalman* oedd ei ddosbarthiad fel morwr, a byddai'n dda iawn gan ei deulu wybod fod ei gymeriad tros y deunaw mis yn 'Very good throughout'.

Ei ddyletswyddau oedd anfon negeseuon o long i long, neu o long i borthladd, gan ddefnyddio baneri, a thrwy fflachio golau mewn Morse Code. Fe fyddai wedi ei hyfforddi ar fwrdd yr *HMS Victory* i anfon a derbyn neges semaffor neu, os oedd derbynnydd y neges ymhellach i ffwrdd, i godi cyfres o faneri ar y mastiau. Yr oedd hwn yn waith cyfrifol.

Fe fyddai'n derbyn gorchymyn i ddweud wrth longau eraill yn y confoi, er enghraifft, i newid cwrs a dweud ar ba gyflymdra y dylid hwylio. Hwyrach mai'r gorchymyn oedd fod y gelyn ar y gorwel, ac yna neges arall i danio. Yr oedd yn rhaid gweithio'n gyflym ac yn gywir gan ddysgu'r cod cydwladol a chod y Llynges er mwyn gweithio ar longau rhyfel ac ar longau masnach yn ôl y galw. Ar ôl Mawrth 1917 bu colledion trwm i longau masnach gwledydd Prydain. Penderfynodd y Morlys gryfhau'r amddiffyniad i longau masnach trwy osod llumanwr, *signaller*, o'r llynges ar fwrdd y llong fasnach gan orchymyn i'r llongau deithio mewn confoi. Gan nad oedd llongau masnach yn arfer hwylio'n glòs at longau eraill byddai presenoldeb y llumanwr ac un swyddog arall o'r llynges ar fwrdd llong fasnach yn allweddol. Byddai eu gorchymynion o long i long, yn arbennig felly mewn niwl neu wedi iddi dywyllu, yn sicrhau fod pob llong yn deall yr arwyddion ac yn ymateb yn brydlon. Gelwid y llumanwyr yn 'Bunts!' am eu bod yn trin a thrafod y *bunting*. Dyma'r gwaith a gyflawnwyd gan Sam Jones am y deunaw mis y bu oddi cartref ac ar ddiwedd y cyfnod hwn yn ei hanes:

No W.Z/4501 Able Seaman (AB) Samuel Jones of the Royal Navy Volunteer Reserve was awarded the Victory Medal and the British War Medal.

Dychwelodd i Glydach i fod yn ddisgybl-athro yn ei hen ysgol. Tra bu'r brawd bach ar y môr, yr oedd Ifor, y brawd mawr, yn 1916 wedi ei dderbyn i Goleg y Bedyddwyr, Bangor. Daeth yn adnabyddus drwy'r eglwysi ac estynnwyd iddo amryw alwadau. Salem, Llansawel a ddewisodd, ac yno yr ordeiniwyd ef Awst 28, 1919. Does ryfedd yn y byd, felly, i Sam Jones benderfynu mai hel ei bac am Fangor a wnâi yntau yr hydref hwnnw, gan ddilyn yn ôl troed ei frawd.

Yn y Coleg ym Mangor hefyd yr oedd dau o feibion y Parchedig Valentine Evans – Emrys yn ddarlithydd yn Adran y Clasuron, a Noel yn fyfyriwr. Doedd Coleg y Brifysgol Abertawe ddim eto wedi agor, a hyd yn oed pe buasai, yr oedd Sam wedi cael blas ar grwydro'r byd. Ond sut y gallai'r teulu fforddio ei gadw a'i gynnal mewn coleg am dair neu bedair blynedd? Doedd dim rhaid poeni; yr oedd Sam bellach yn hunangynhaliol. O leiaf, doedd o ddim yn ddibynnol ar ei rieni i wneud aberth pellach. Fel cyn-aelod o'r lluoedd arfog fe fyddai'n derbyn grant sylweddol, yn ogystal â'r swm o £25 y flwyddyn y gallai ei hawlio am ymrwymo i fod yn athro. Cyffredin oedd amgylchiadau ariannol y mwyafrif o'r myfyrwyr ac edrychid ar y bechgyn fu yn y Rhyfel Mawr fel 'cyfoethogion'. Yr oedd y teulu wrth eu bodd o'i gael adre'n holliach o'r llynges a chafodd bob anogaeth ganddynt i fynd ymlaen â'i addysg gan ddilyn esiampl ei frawd. Felly, Bangor amdani.

Ychydig a feddyliodd, mae'n siŵr, y byddai'n treulio rhan helaeth o'i oes yn y ddinas honno. Fel pob man arall ar ddiwedd y Rhyfel Mawr yr oedd dinas Bangor, ac yn sicr yr oedd Coleg Bangor, yn ceisio addasu i normalrwydd ar ôl erchyllterau'r brwydro. Yr oedd ymdeimlad dwfn o'r colledion, 'Y rhwyg o golli'r hogiau,' ys dywed R. Williams Parry. O'r rhai a arbedwyd fe fyddai yna nifer fechan o fyfyrwyr yn dychwelyd at eu desgiau wedi i'r cyfnod yn lifrai'r brenin dorri ar eu cwrs academaidd, ond byddai nifer fawr yn troi at fyd addysg uwch am y tro cyntaf wedi blynyddoedd mewn byddin, awyrlu a llynges. Yr oedd ym Mangor hefyd nifer o fyfyrwyr a fyddai'n parhau â'u cyrsiau wedi iddynt fod yn wrthwynebwyr cydwybodol i ryfel; rhai wedi parhau yn y Coleg trwy gyfnod anodd yng ngŵydd eu cyd-fyfyrwyr gan y byddai rhai o'r rheini, merched yn arbennig, yn gweld arwyddion o lwfrdra ynddynt. Yr oedd eraill ohonynt wedi bod yn y carchar oherwydd eu safiad yn erbyn rhyfel.

Hydref 1919 oedd hi. Yr oedd Coleg y Brifysgol, Bangor yn ail-agor am flwyddyn newydd, a chyfnod newydd yn ei hanes. Yr oedd

Sam Jones eisoes yn cynllunio ar gyfer y daith o Glydach i'r gogledd. Yn wir, fe aeth ati i drefnu nid yn unig ar ei gyfer ei hun ond ar gyfer y gweddill o fyfyrwyr y de a fyddai'n gwneud yr un daith. Fe gymerodd arno'i hun i ysgrifennu at Gofrestrydd y Coleg yn gofyn am restr o enwau a chyfeiriadau y darpar-fyfyrwyr o'r de oedd i gofrestru ar ddechrau'r tymor ym Mangor, yna fe anfonodd lythyr at bob un o'r rhain – ac ychydig cymharol oedd yna ohonynt – i ddod i'w gyfarfod yng Nghyrddau Ordeinio ei frawd, Ifor, yn Llansawel (Briton Ferry). Hynny a fu, ddiwedd Awst. Yr oedd Sam Jones wedi paratoi rhestr o gyfarwyddiadau manwl a nodi, er enghraifft, lle yr oedd pob un i ymuno â'r trên – doedd dim bysiau rhwng de a gogledd yr amser hynny, a chyfoethogion yn unig oedd yn gyrru ceir. Nodai hefyd sut yr oeddynt i ddod o hyd i'w gilydd, ymhle y byddid yn newid trenau, faint o amser oedd am baned rhwng dau drên. Gorffennai ei lith gyda'r anogaeth wresog iddynt gadw'n glòs gyda'i gilydd ar ôl ymsefydlu ym Mangor. Yn anffodus, ychydig ddyddiau cyn i'r tymor ddechrau fe gododd anhawster – Streic Reilffordd. O ganlyniad yr oedd criw'r de yn cyrraedd Bangor rhyw dair wythnos ar ôl pawb arall.

Un o'r criw oedd Henry William Davies o Bont-rhyd-y-fen, un a fu'n athro yn Aberafan wedyn. Mewn llythyr at Sam Jones yn 1972 mae'n cofio'r cyfarfod yng nghapel y Bedyddwyr, Llansawel:

> Wyt ti'n cofio i ni gael cylch-lythyr o Fangor i eistedd arholiad yn *Hygiene* (Iechydaeth), Daearyddiaeth (Affrig) etc. ond oherwydd streic y Rheilffordd bu'n amhosibl i ni ymddangos mewn pryd i'r Arholiad. Buom yn lwcus am mai ffug-arholiad oedd a chawsom noson lawen ddifyr iawn pan ddarllenwyd yr atebion mewn tŷ bwyta ym Mangor yn ddiweddarach.

Yr oedd y Coleg yn addasu ar gyfer amgylchiadau gwahanol cyfnod o heddwch. Yr oedd angen ystwythder ac arloesi. Amlhaodd nifer y myfyrwyr yn ddramatig o 147 yn y flwyddyn 1917 (y nifer lleiaf ers 1891) i 672 yn 1921 (ffigwr na chyrhaeddwyd wedyn hyd 1946 – eto ar ddiwedd cyfnod o ryfela). Cynhelid cyrsiau arbennig i gyn-filwyr ac yr oedd y cynnydd sydyn yn nifer y myfyrwyr yn achosi cymhlethdodau i'r gwahanol adrannau o ran cynnal seminarau a gosod traethodau. I wrthweithio'r duedd at or-arbenigo oddi mewn i bynciau fe gyflwynwyd system Anrhydedd wahanol, system ddwbl a elwid yn Uwch ac Is-Anrhydedd. Ymgais arall i gyflawni'r un bwriad oedd cynllun yr Athro R. L. Archer i sefydlu Astudiaethau Dinesig. Y pwrpas oedd pwysleisio'r agweddau mwyaf hiwmanistig yn y cyrsiau Celfyddydol, i feithrin gwerthfawrogiad mwy deallus o'r bywyd cenedlaethol ac i roi i'r myfyriwr:

> an insight into the life of the society in which he has to play a part, a knowledge of the nature and conditions of social progress, and the inspiration of a social ideal.

Cofrestrodd Sam Jones yn Adran y Celfyddydau i astudio Saesneg, Cymraeg a Hanes. Un arall o fyfyrwyr y flwyddyn gyntaf yn 1919, ac un a gyrhaeddodd y coleg ar gefn ei feic o Glan'rafon ger Corwen mewn pryd i ddechrau'r tymor, oedd W. D. Williams.

Mae'n cofio bod mewn dosbarth Lladin a oedd mor niferus fel bod yn rhaid ei rannu'n dri. Gosodwyd W. D. Williams yn nosbarth pennaeth yr Adran, Dr Edward V. Arnold, a oedd ar y staff er 1884 ac a barhaodd yno hyd ei ymddeoliad yn 1924. Yr oedd yn ŵr abl, yn ôl cofiannydd y coleg, yr Athro J. Gwynn Williams, ac yn ŵr nad ofnai ddadl – 'he was apt to smite friend and foe, hip and thigh, with a rare impartiality'. I W. D. Williams y dosbarth Lladin hwn oedd:

> y dosbarth mwyaf annifyr y bûm i ynddo erioed. Ond ym mhle, debygech chwi, y disgynnodd Sam? Wel, ar ei draed wrth gwrs, yn nosbarth Emrys Evans, darlithydd a ddaeth wedyn yn Brifathro'r coleg . . . Dyma un o'r ffactorau a wnaeth iddo deimlo'n gartrefol o'r dechrau ac yn un o'r rhai blaenllaw y gwelech eu henwau ar yr hysbys-fyrddau fel ysgogwyr y pethau yma ac ysgrifenyddion y clybiau a'r cymdeithasau acw.

Rhaid caniatáu i fardd ryddid ei ddychymyg oherwydd yn ôl cofnod swyddogol y coleg Cymraeg, Saesneg a Hanes oedd y pynciau a astudiodd Sam Jones yn ei flwyddyn gyntaf ym Mangor; does dim sôn am Ladin (os nad oedd Lladin yn bwnc gorfodol heb ei nodi), a dim cysylltiad â mab hynaf ei weinidog. Yr oedd hynny i ddod eto.

Deuai Sam Jones i gysylltiad â mab arall ei weinidog, Noel, yn nhîm rygbi'r coleg. Y tymor hwnnw Noel Evans oedd capten y tîm rygbi. Ar Dachwedd 8, 1919 y mae hanes am Sam Jones yn chwarae i'r coleg – yr ail dîm yn ôl pob tebyg – yn erbyn Ruthin Grammar School yn Rhuthun. Fe enillodd y coleg o chwe phwynt (dau gais) i ddim – 'B. R. Samuels and Sam Jones scored a try each for the 'Varsity'.

Sgoriodd Sam Jones gais arall ar Ragfyr 6, 1919 yng Nghaer yn erbyn Coleg Hyfforddi Caer. Chwarae fel canolwr yr oedd o ran safle ar y maes. Erbyn y tymor canlynol yr oedd yn chwarae ar yr asgell yn erbyn Coleg y Brifysgol, Caerdydd yn y brifddinas. Ar Chwefror 24, 1920 fe gollwyd i Gaerdydd o wyth pwynt ar hugain i ddim. Er i gapten Caerdydd alw tîm Bangor 'the pluckiest of Rugger teams' yng nghylchgrawn Coleg Bangor, colli a wnaeth yr hogiau glew ar eu tomen eu hunain ym Mharc Penrhyn ar y Sadwrn, Chwefror 28, o 0-3 i Goleg y Brifysgol, Aberystwyth. Erbyn y flwyddyn golegol 1920-21 Sam Jones oedd ysgrifennydd y Clwb Rygbi. Yr oedd wedi ennill ei 'colours' yn y tymor 1919-20.

Un arall a enillodd 'liwiau' yn ei thymor cyntaf yn y coleg, fel cefnwr arbennig o gadarn a thalentog i dîm hoci'r merched, oedd Maud Griffith o dafarn y 'Goat', Llanwnda. Ymhen blynyddoedd fe fyddai'r fyfyrwraig addawol yma o Ysgol Sir Caernarfon yn dod yn wraig i Sam Jones. Fel ei darpar ŵr, yr oedd hithau wedi pasio arholiad y Bwrdd Cymreig Canolog (CWB) ac fe gwblhaodd ei matríc yn 1920. Fe ddaeth hi i'r coleg ar Hydref 2, 1919 a'i phynciau yn y flwyddyn gyntaf oedd Lladin, Cymraeg a Ffrangeg. Fe raddiodd yn 1922 mewn Cymraeg a Ffrangeg gan ennill ei thystysgrif dysgu gyda gradd dosbarth cyntaf yn 1923.

Yn ei adroddiad terfynol ar 'Maudie Anne Griffith' (er mai Maud Ann sydd ar ei thystysgrif geni) dywed yr Athro Archer na ellid bod wedi derbyn y fyfyrwraig hon i'r Adran Addysg yn ei blwyddyn gyntaf, ac yn y ddwy flynedd ganlynol nid oedd yn ymddangos y byddai'n ennill ei gradd, ond fe wnaeth, gan ddatblygu i fod yn un o aelodau mwyaf llwyddiannus ei blwyddyn. Y mae'r Athro yn llawn clod iddi am ei hymarferiadau dysgu mewn ysgolion yng Nghaergybi, Bangor a Chaernarfon ac yn gweld ynddi hi ddeunydd athrawes Ffrangeg tan gamp.

Doedd dim amheuaeth o gwbl am ei gallu ar y cae hoci. Yr oedd hi eisoes wedi cynrychioli Ysgolion Gogledd Cymru cyn dod i'r coleg. Hi oedd capten y tîm hoci pan enillwyd pob gêm y tymor hwnnw ac eithrio'r rownd derfynol am Gwpan y Prifysgolion pan gollwyd i Brifysgol Manceinion. Yng Nghylchgrawn y Coleg, yn y nodyn am Glwb Hoci'r merched, fe estynnir gair o ddiolch arbennig i:

Miss Maud Griffith, who has proved such an able and efficient captain. Her captaincy throughout has been marked by thorough sportsmanship.

Does dim angen dychymyg bardd i ddeall pam y collodd y Clwb Rygbi chwaraewr dawnus ac ysgrifennydd cydwybodol yn nhymor 1921-22 pan benderfynodd Sam Jones atgyfodi ei ddiddordeb yn y gêm Bando gan ymuno â thîm hoci'r dynion! Yr oedd chwaraeon a bywyd cymdeithasol y coleg wedi mynd â bryd Sam Jones. Ond, er tegwch, yr oedd o hefyd yn bwrw ymlaen â'i waith academaidd. Saesneg, Cymraeg a Hanes oedd ei bynciau yn y ddwy flynedd gyntaf, sesiwn 1919-20 a 1920-21. Yn ystod ail dymor ei ail flwyddyn bu'n absennol o'r coleg oherwydd salwch ei fam. Aeth adref ar Fawrth 4, 1921 i fod wrth ei hochr yn ei gwaeledd. Er pob gofal, bu farw ei fam ar Fawrth 14, a dychwelodd Sam i'r coleg drannoeth i sefyll arholiad, gan fynd adref eto i'r angladd. Erbyn hynny yr oedd y tymor ar ben.

Byddai wedi ffeirio anghysur yr arholiad sawl gwaith drosodd am yr ing o golli ei fam yn hanner cant a phump mlwydd oed. Onid ei fam oedd wedi ei helpu efo'r bregeth am Joseff? Onid iddi hi y bu'n codi'n gynnar i hel mwyar duon? Onid ati hi y rhuthrai adref o'r ysgol i ddweud ei stori? Yr oedd y teulu clòs wedi ei fylchu; yr ymdrech o roi genedigaeth i bymtheg o blant wedi ei llethu. Ymhen blynyddoedd fe gofiai gweddw ei frawd Ifor am Sam Jones fel bachgen wyth mlwydd oed yn dangos ei allu cynnar fel arweinydd ac hefyd am ei gonsýrn am ei fam wrth arwain addoliad ar yr aelwyd ar nos Sul:

O'dd e'n doti pob un i wneud rhywbeth; ei dad i ddarllen; Ifor i weddïo 'Ti'n gweld, pregethwr wyt ti'n mynd i fod' medde fe. Fel o'dd e'n gwpod alla' i ddim â gweud wrthoch chi. O'dd mo'i fam yn cael gwneud ryw lawer; 'wedi blino', medde fe.

Yr oedd Sam Jones, y myfyriwr, yn gadael Ca' Graig y tro hwn yn fwy penderfynol nag erioed o wneud rhywbeth ohoni mewn bywyd.

Yn yr Adran Gymraeg yr oedd Sam Jones yn mynychu darlithoedd yr Athro Cadeiriol, Syr John Morris-Jones. Ifor Williams oedd Athro Llenyddiaeth Cymru a'r darlithydd cynorthwyol yn yr Adran oedd R. Williams Parry. Yn yr Adran Hanes yr Athro oedd John Edward Lloyd. Daeth ef i Fangor yn 1892, naw mlynedd yn unig ar ôl sefydlu'r coleg. Bu'n Ysgrifennydd a Chofrestrydd, yn Athro Hanes

ac yn un o'r aelodau mwyaf blaenllaw ar Gyngor y coleg. Yn yr
Adran honno hefyd yr oedd A. H. Dodd, J. Alun Thomas a Thomas
Richards, yr enwog 'Doc Tom', a phan ddaeth hi'n adeg sgrifennu
geirda i Sam Jones fe wnaed hynny gan John Edward Lloyd a chan
ddarlithydd ifanc mewn Hanes Modern, A. J. Turberville, a aeth yn
ddiweddarach yn Athro Hanes i Brifysgol Manceinion.

Gan mai ar fod yn athro yr oedd bryd Sam Jones o'r dechrau y
mae'n bosib iddo letya am y ddwy flynedd gyntaf ym Mhlas Menai
lle'r oedd yr Athro (Daddy) Archer yn teyrnasu. Pan sgrifennodd Sam
Jones erthygl ddienw yn 1953 yn cofféu Archer fe ddywedodd:

> Deuthum i'w adnabod yn y blynyddoedd a ddilynai'r Rhyfel Mawr
> 1914-18. Yn y blynyddoedd ansicr hynny yr oedd bechgyn adran y T.T.
> (Teachers' Training) yn digwydd bod y fintai fwyaf anwar a fu yn yr
> adran na chynt na chwedyn. Oni chofia'r hen efrydwyr hynny am y
> dyrfa wyllt a thrystfawr honno a'r hen 'Dadi' yn ein canol yn ceisio
> deall ac yn medru maddau y cwbwl?

Mae'n cyfeirio at Blas Menai fel 'aelwyd mewn gwirionedd'.
Erbyn Ebrill 1921 y mae wedi gadael Plas Menai ac yn lletya yn 5,
Mountain View. Y tebyg yw iddo deimlo fod angen newid arno ar ôl y
brofedigaeth o golli ei fam. Ei gyd-letywyr ym Mountain View, am y
wal â'r coleg, oedd E. Cadvan Jones o ardal Ffestiniog, Emrys O.
Evans o Bentrefoelas ac Ithel Davies o Lanbryn-mair. Meddai'r olaf
o'r tri:

> Bachgen aflonydd oedd Sam; bywiog ac ar fynd o hyd. Yn gyfeillgar â
> phawb heb fachu'n dynn iawn wrth neb. Ac yr oedd yn hynod o
> ymdrechgar i geisio cael rhyw bethau i fynd yn y coleg. Ddaeth o
> 'rioed i'r blaen, fel Llywydd y Myfyrwyr na dim byd felly, ac mae'n
> amlwg i mi nad oedd hynny yn uchelgais nac yn nod ganddo fo . . .
> Welech chi ddim o Sam yn eistedd yn hir yn unman; roedd o ar
> gerdded byth ac yn dragywydd.

Llywydd y Myfyrwyr y sesiwn hwnnw, 1920-21, oedd Lewis E.
Valentine ac yr oedd Sam Jones yn aelod o Gyngor y Myfyrwyr
(SRC). Ar y rhaglen radio *Babi Sam* y mae W. D. Williams yn ei gofio
yn drefnydd dihafal ac yn 'bur amlwg yn y Côr, dan arweiniad
Caradog Roberts i ddechrau ac E. T. Davies wedyn. Canu'r tenor
ucha'; ddim yn ganwr mawr ond yn un reit dda am gyrraedd y nodau
ucha'.'

Nid dyna ddiwedd ei ddoniau cerddorol. Y mae ei gyd-fyfyrwyr, Ithel Davies a W. D. Williams a T. Ceiriog Williams yn cofio gydag anwyldeb y delyn fach (*auto harp*) y byddai'n ei chanu. Y mae yna wal o flaen y rhes dai ym Mountain View, a dyna lle byddai Sam Jones, ar noson o haf, yn eistedd ar y wal yn canu'r delyn fach ac yn diddori'r merched oedd mewn hostel gyferbyn:

> Byddai'n arferol yn y dyddiau pell hynny fyned o amgylch hosteli'r merched ar ôl rhyw ginio arbennig i'w serenadio, a byddai'n ofynnol rhoddi rhybudd swyddogol i'r awdurdodau fod hyn i gymryd lle, ac fe siersid y merched i beidio ag agor ffenestr na symud y llenni, na chwaith i gydnabod eu diolchgarwch trwy roddi'r golau ymlaen ... A Sam fyddai'n cyfeilio i ni ar ryw delyn fechan, un fflat ei siâp, rhyw ddeunaw modfedd o hyd a dau ohonom yn ei dal iddo, tra rhedai ei fysedd dros y tannau. Roedd ganddo glust i fiwsig.

Mae'r cyfeiriad at y delyn fach yn ddiddorol am nad oes yma unrhyw awgrym at y byddardod a fyddai, ymhen ychydig flynyddoedd, yn gryn dramgwydd iddo. Cyn colli golwg ar y delyn fach, y mae sawl cyfeiriad ysgafn ac ysgyfala at ei ddawn mewn gwahanol rifynnau o gylchgrawn y coleg a oedd erbyn hynny dan ei olygyddiaeth ef ei hun! Dan y pennawd 'The Chronicle of the Scribe Roski' fe geir sôn am 'one Samjo who did make music on a ten-stringed instrument, and his voice was as one wailing in the wilderness, for he toiled exceeding hard'. Ac yn y golofn lythyrau: 'Novice (5, Mountain View) – Yes, you are quite right, it is always best to take a course of lessons before performing on the harp in public'. Ac eto: 'We congratulate S-m J-n-s on acquiring the title of "Telynor Bangor". Wales need not be concerned as to her musical future while the spirit of troubadours exist.' Y tymor wedyn ceir awgrym am lyfr *Zimple Zephyrs on the Zither*, by Zamuelovitch. Ac ym Mehefin y mae sôn am 'Telynor Mountain View'.

Dylid nodi un cyfeiriad cerddorol arall, mwy difrifol y tro yma. Dan olygyddiaeth W. S. Gwynn Williams fe ddaeth y cylchgrawn *Y Cerddor Newydd* i fod ym Mawrth 1922, olynydd i *Y Cerddor*. Yn y rhifyn Ionawr 1923 o *Y Cerddor Newydd* y mae erthygl am Goleg Bangor gan Sam Jones. Sôn y mae o yn yr erthygl am yr eisteddfod oedd i'w chynnal ym Mangor ar ddydd Gŵyl Dewi. Yr oedd yr Eisteddfod wedi tyfu mewn poblogrwydd, a bu'n rhaid ei chynnal er

1919 (adeg y chwyddo sylweddol yn rhif y myfyrwyr fel y daeth y cyn-aelodau o'r lluoedd arfog i'r coleg) yn Neuadd Prichard Jones. Ac yn yr erthygl ceir yr wybodaeth ddiddorol yma:

> From the Inter-Collegiate Eisteddfod of Bangor has grown the Welsh Inter-Varsity Eisteddfod, for it was at a meeting of the Central Students' Representative Council, held at Cardiff, November, 1921, that the Bangor delegates brought forward the proposal that 'an annual Inter-Varsity Eisteddfod be held'. (sef yr Eisteddfod Ryng-golegol)

Ac mae'r Eisteddfod 'Ryng. Gol.', fel pethau eraill y bu'r Sam Jones ifanc ynglŷn â nhw, yma o hyd.

Ond nid yw'r erthygl hon i *Y Cerddor Newydd* yn ddim ond un o lawer o erthyglau a sgrifennai Sam Jones erbyn hyn i wahanol wythnosolion y cylch, ac i rai papurau dyddiol yn ardal Lerpwl, Manceinion a Chaerdydd. (Fe ysgrifennodd ddwy erthygl arall i *Y Cerddor Newydd* am 'Music – its uses and abuses', ac eto 'Hungarian Critic on Folk Music', o'i gyfnod fel athro yn Lerpwl.)

Ar adeg dathlu chwarter canrif o wasanaeth i'r BBC, yn 1958, fe ddywed golygydd y *North Wales Chronicle* y byddai Sam Jones yn galw'n gyson yn y swyddfa yn ystod ei gyfnod fel myfyriwr. Byddai'n cynnig iddynt '. . . some interesting news photographs and he was always inquisitive about journalistic mysteries'. Yr erthygl gynharaf yw honno yn Nhachwedd 1922 'From a Correspondent' am gêm rygbi rhwng y Brifysgol a'r Coleg Normal. Er mawr siom i'r gohebydd, y Normal a enillodd o un cais i ddim. Fe sgrifennai hefyd adolygiadau ar berfformiad y Gymdeithas Ddrama Saesneg. Ni chychwynnwyd Cymdeithas Ddrama Gymraeg y Coleg hyd 1923. Ffurfiwyd pwyllgor dan nawdd 'Y Cymric', Cymdeithas Gymraeg y coleg, i drefnu perfformiad o 'Asgre Lân' (R. G. Berry) ar gyfer yr wythnos Ryng-Golegol ym mis Mawrth 1923. Llwyddwyd i ddarbwyllo R. Williams Parry i fod yn gynhyrchydd. Ond nid yw'r gohebydd ifanc o Glydach wedi adolygu'r perfformiad hwnnw.

Yn 1923 y mae'n sgrifennu i'r *Liverpool Daily Post* am y gêm hoci ryngwladol yn Llandudno rhwng Cymru ac Iwerddon. (Chwaraeodd ef ei hun mewn prawf terfynol hoci rhyngwladol, yn ôl ei nai Celfryn Jones.) At y ddau bapur a nodwyd eisoes y mae Sam Jones hefyd yn anfon deunydd i'r *Western Mail* yng Nghaerdydd, er nad yw papur y de, y papur a gylchredai yng Nghlydach, yn dangos fawr o ddiddordeb yn anturiaethau Coleg y Gogledd – ddim eto beth bynnag. Ar un achlysur y mae'n adolygu disgiau gramaffon i'r *Manchester Guardian.* Ond y *Chronicle,* papur Bangor a'r cylch, oedd barotaf i ddefnyddio ei baragraffau am fywyd cymdeithasol y Coleg ar y Bryn.

Tybed a oedd gan ei gyd-letywr, Ithel Davies, rywbeth i'w wneud â'r ysfa i newyddiadura? Sosialydd o argyhoeddiad dwfn oedd Ithel Davies bryd hynny ac meddai ef am y cyfnod yma: 'bûm yn ysgrifennu llawer i'r *North Wales Chronicle*, papur Bangor a'r cylch, ac i'r *Dinesydd*, papur y chwarelwyr yng Nghaernarfon'. Yr oedd dau ohebydd yn 5, Mountain View a'r ddau'n gohebu am wahanol resymau – Ithel Davies i hybu Sosialaeth, a Sam Jones i hysbysebu digwyddiadau'r coleg (yn ddadleuon, yn ddramâu, yn adolygiadau, yn adroddiadau am y meysydd chwarae), ac i ennill ceiniog neu ddwy.

Does dim arwydd amlwg fod Sosialaeth Ithel Davies yn apelio rhyw lawer at ei gyd-letywr. Nid yw'n ymuno â'r Gymdeithas Sosialaidd a ffurfiwyd ganddo yn 1921 nac â Phlaid Lafur Prifysgol Cymru a ffurfiwyd yn 1922. Nid yw'n weithgar ychwaith gyda chymdeithasau Cymraeg y coleg fel 'Y Cymric' a'r 'Gymdeithas Ddrama Gymraeg'. Tystiolaeth ei gyd-fyfyrwyr yw ei fod yn gogwyddo'n bendant iawn at y Cymdeithasau Seisnig fel y 'Literary and Debating Society' a'r 'XXX Club'.

Clwb dethol o sêr y coleg oedd yr 'XXX Club', dethol a Bohemaidd yn ôl W. D. Williams, sy'n haeru fod yr ochr Saesneg i fywyd y coleg yn apelio mwy at Sam Jones na'r ochr Gymraeg. Fe fyddai Ithel Davies yn cytuno â'r farn honno. Honnai ef nad oedd Sam Jones yn teimlo'n hollol gartrefol yn y Gymraeg er bod 'eithaf Cymraeg gan Sam ac 'falle mai diffyg hyder oedd yn cyfrif am hyn'.

Efallai hefyd fod y cyn-forwr yn teimlo'n fwy cartrefol yng nghwmni'r criw aeddfetach, yn ôl oedran, a ddaethai'n fflyd i Fangor yn 1919 wedi gweld y byd yn lifrai'r brenin. Ond gyda threigliad y blynyddoedd yr oedd y rhai hynny'n mynd yn llai a llai mewn nifer a'r coleg yn Gymreiciach o'r herwydd. Nid yw W. D. Williams yn cofio i Sam Jones erioed gymryd rhan yn nadleuon y Cymric. Ar un wedd, roedd hynny'n beth rhyfedd ond, ar y llaw arall, ni allai un myfyriwr fod ynghlwm â phob cymdeithas. Mae'n ymddangos mai dewis yr ochr Saesneg a wnaeth Sam er nad yn llwyr ar draul y pethau Cymraeg. Mae'n amlwg ei fod wedi dadlau dros yr Eisteddfod yng Nghyngor y Myfyrwyr ac fe fyddai gyda Chymry eraill yn y Côr, yn

'The Christian Union', a'r timau chwarae. Yn fwy arwyddocaol, yn ei erthygl olygyddol yng nghylchgrawn y Coleg, yn Rhagfyr 1923, y mae'n amddiffyn y Dair G ('Y Gymdeithas Genedlaethol Gymraeg'). Moses Gruffydd oedd enaid arweiniol y gymdeithas hon. Fe'i ffurfiwyd ychydig cyn Etholiad Cyffredinol 1923. Roedd yr aelodaeth yn agored i bob Cymro a Chymraes yn y coleg sydd 'yn caru gwlad ac iaith, ac yn barod i weithio er mwyn hyrwyddo eu buddiannau'.

Yr haf hwnnw, yn ystod yr Eisteddfod Genedlaethol yn yr Wyddgrug, fe ymosodwyd yn ffyrnig ar y Dair G ym mhapurau'r de wedi i'r Gymdeithas gynnal cyfarfod ar faes y Brifwyl. 'Wild hot heads, fanatical idealists, budding de Valeras . . .' dyna rai o'r cymalau a hyrddiwyd gan y Wasg ddeheuol 'to quote but a few rich epithets hurled at our heads' meddai Sam Jones yn ei erthygl olygyddol. Y mae'r ymadrodd 'our heads' yn awgrymu ei fod yn aelod o'r Dair G neu, o leiaf, yn gefnogol i'w bodolaeth. Â yn ei flaen i grynhoi bwriadau'r gymdeithas fel ymgais waraidd corff o fyfyrwyr i wneud yr hyn sydd o fewn eu gallu i gyfoethogi eu cenedl, gan roi ar waith yr hyn a ddysgwyd yn y Brifysgol er budd yr ymdeimlad o les cenedlaethol. Fe agorodd y Dair G ei gweithgarwch ym Mangor gyda darlith gan y Parchedig Thomas Shankland ar 'Hawliau Cymru i Wladwriaeth Rydd'. Cafwyd darlithoedd gan Miss M. Kimberley Davies ar 'Gerddoriaeth yng Nghymru' a chan Mr Owen Parry ar 'Dyfiant yr ysbryd cenedlaethol yng Nghymru yn y bedwaredd ganrif ar bymtheg'. Yn ei anerchiad ef i'r gymdeithas anogodd yr Athro Robert Richards AS y myfyrwyr i ddwyn yn nes y berthynas rhwng y Brifysgol a'r werin, gan dalu'n ôl y ddyled i'r werin.

At rifyn Rhagfyr 1922 daethai Sam Jones yn gyd-olygydd y cylchgrawn *The Magazine of the University College of North Wales* gyda Miss M. M. Copland. O dan eu golygyddiaeth hwy y mae mwy o Gymraeg yn y cylchgrawn nag a fu, y mae cynnydd sylweddol yn y farddoniaeth a gynhwysir ac fe ychwanegir gofod i hynt a helynt y cyn-fyfyrwyr.

Yn eu herthygl gyd-olygyddol olaf ym Mehefin 1923 fe ddywedir y bydd y rhan fwyaf o'r darllenwyr wedi ennill rhyw label academaidd neu'i gilydd. 'If this is all we will have achieved and secured during our stay, then it would have been better if we had never come to Coll. at all.' Delfryd addysg Prifysgol, meddai'r golygyddion, yw cynhyrchu gwŷr a gwragedd a fedr edrych ar fywyd

o safbwynt cytbwys, pobl sy'n meddu ar feddyliau eang ac ar
egwyddorion cadarn; rhai gyda'r gallu i fynegi barn bendant. Yr oedd
y ddau olygydd yn aelodau o Undeb y Cenhedloedd Unedig ac yn eu
plith yr oedd myfyrwyr teyrngar i'r syniad o 'ddaear newydd', yn
cysegru eu bywyd i achos heddwch ac i sefydlu gwareiddiad mwy
cywir.

Yr oedd Sam Jones yn cyd-olygu'r cylchgrawn yn ei flwyddyn olaf
yn y coleg hefyd, 1923-24, a'i gyd-olygydd y tro hwn oedd Miss
Florence Hall. Erbyn hyn y mae sôn am gyfnod newydd yn y coleg fel
y daw diwedd i'r 'ex-service regime'. Er y newid, fe erys yr ochr
ysgafn i weithgarwch creadigol y myfyrwyr, fel y dengys yr englyn
hwn a gynhwyswyd i'r ddarlith gynnar:

DAL NEINAR

Deffro, mileinio mal anwar – cwyno
    Fel ceneu'n aflafar,
    Rhuthrwn a'r gŵn ar y gwar,
    Newynu i ddal neinar!

Yn nhymor y gwanwyn fe sonia'r erthygl olygyddol am y bwriad i
gyhoeddi cyfrol o farddoniaeth a sgrifennwyd gan y myfyrwyr. Yr
oedd Sam Jones wedi ymgymryd â'r gwaith o gasglu'r cerddi,
Cymraeg a Saesneg, yn y gobaith o'u cyhoeddi cyn y delai ei yrfa
golegol i ben. Fel pe na bai hynny'n ddigon – a manion fel pasio
arholiadau – yr oedd yn dal i sgorio goliau i'r tîm hoci. Fe sgoriodd yr
unig gôl yn erbyn Fflint, ac o safle'r hanerwr canol fe helpodd ei
goleg i guro Llandudno a churo'r Rhyl. Ac yn y gystadleuaeth Ryng-
golegol cafwyd gêm gyfartal ag Aberystwyth, colli i Gaerdydd a
churo Abertawe. Hoci yn y gaeaf a'r gwanwyn, a thennis a chriced (ef
oedd wicedwr y tîm) yn yr haf; dyna fel yr oedd hi arno. 'Dim munud
yn segur – ac eto'n gwneud dim gwaith.'

Ond yr un peth y teimlodd Sam Jones cyn falched ohono â dim a
wnaeth ym Mangor oedd cyhoeddi *A Bangor Book of Verse:
Barddoniaeth Bangor,* ym Mai 1924. Fel detholwr y mae'n cyfeirio
ato'i hun. Fe gyflwynir y gyfrol i'r Athro Syr John Morris-Jones ac i'r
Athro Herbert Wright, yr Athro Saesneg, am eu cymorth yn
cynhyrchu'r llyfr a gyhoeddwyd gan Jarvis a Foster, Bangor. Dilyn
esiampl Rhydychen a Chaergrawnt yr oedd wrth gasglu'r deunydd. Fe

gyfyngodd ei ddetholiad i fyfyrwyr 1923-24 ac mae'n pwysleisio y dylai'r darllenydd ystyried mai nifer cymharol fychan o fyfyrwyr oedd ym Mangor o'i gymharu â phrifysgolion Prydain.

At ei gilydd yr oedd yr adolygiadau ar y llyfr yn ffafriol. Yr oedd adolygydd *Y Darian*, Llywelyn, yn credu fod 'y beirdd ifanc yn obeithiol iawn, yn canu'n gynnil ac yn goeth, ac nid oes yr un gân ddichwaeth yn y llyfr'. Yn y *Wrexham Leader* yr oedd 'Cyswyn' yn canmol yn gyffredinol ond yn nodi sawl enghraifft o ddiofalwch ynglŷn ag atalnodi yma a thraw. Llongyfarch y detholwr yr oedd y *Swansea Evening Post* ar gael y blaen ar golegau eraill Cymru. Croesodd Gwenallt a Sam gleddyfau ynglŷn â hynny gan i Gwenallt honni fod *A Book of Aberystwyth Verse* dan olygyddiaeth Charles Davies ac Edward K. Prosser wedi ei baratoi ymhell cyn iddo ef adael y coleg yn 1924. Yn llawysgrifen Sam Jones ar waelod y llythyr hwnnw y mae 'Cyhoeddwyd *A Bangor Book of Verse: Barddoniaeth Bangor* fisoedd cyn llyfr Aberystwyth'. A rhwng gwŷr Cwm Tawe a'i gilydd ar y pwynt hwnnw!

Doedd dim lle yn y detholiad i'w gyd-letywr Ithel Davies nac i T. Rowland Hughes. Ychydig iawn o gysylltiad a fu rhyngddo â Rowland Hughes yn nyddiau'r coleg ond bu'r ddau'n gyfeillion agos ymhen blynyddoedd. Yn ddiweddarach na theyrnasiad Sam Jones y daeth Rowland i'r amlwg yn y coleg gan ddod yn Llywydd y Myfyrwyr yn 1925-26. Y tebyg yw na wnaeth o ddim cynnig cerddi i'r detholwr eu hystyried. Yr oedd y ddau'n ffyddlon yng nghapel Penuel, capel y Bedyddwyr, ar y Sul ond yr oedd Rowland wedi canolbwyntio'n llwyr ar ei astudiaethau academaidd ers dod i'r coleg. Yn ddiweddarach y deuai ei ddawn lenyddol i'r amlwg.

Rhodder y gair olaf am y gyfrol *A Bangor Book of Verse: Barddoniaeth Bangor* i R. Williams Parry a'i hadolygodd yng nghylchgrawn y coleg:

> Nid gormod yw dywedyd fod y gyfrol hon yn gryn glod i'w hawduron ac i'r coleg. Gyda phleser, a pheth syndod, y sylweddolwyd fod yn ein plith gynifer o feirdd addawol. Wrth fwrw golwg gyffredinol dros farddoniaeth Gymraeg y gyfrol, rhyfedda'r darllenydd ei thrist. Ymhlith ei thestunau y mae min yr hwyr, y nos, awel Ionawr, dolef y gwynt, hiraeth, a'r Iorddonen. Lle mae'r gobaith ysgafn-galon a gysylltir yn gyffredin â thymor ieuenctid? Y gwir yw fod cyfoeth ieuenctid, fel cyfoeth miliwnyddion byd, yn dwyn ei benyd o bryder, a

gofal, ac anesmwythyd . . . Y mae tristwch yn foeth na all neb ond yr
ieuanc ei fforddio. Nid rhyfedd gan hynny, mai canu lleddf a geir
fynychaf yn y gyfrol hon . . . Saif baled Mr William Jones ar ei phen ei
hun, a chamgyweiriaf yn fawr os na bydd ei 'Lanc Ifanc o Lŷn' yn
mynu [sic] lle ym mhob blodeuglwm telynegion o hyn ymlaen . . .

Oes ryfedd fod y detholwr ymhen blynyddoedd wedi creu *Ymryson y
Beirdd* ar radio? Does syndod chwaith iddo greu'r *Ymryson Areithio* i
Golegau Cymru. O'i dymor cyntaf ym Mangor bu Sam Jones yn
ffyddlon i ddadleuon y 'Literary and Debating Society'. Ceir cofnod
o'r ddadl ar Chwefror 11, 1921 pan gynigiai 'That direct action is
justifiable'. Collwyd y cynnig o 78 pleidlais i 51. Yn dadlau yn ei
erbyn y noson honno yr oedd Ithel Davies a Moses Gruffydd. Siaradai
eto o'r llwyfan – byddai'n codi'n gyson o'r llawr mewn dadleuon – ar
Ionawr 27, 1922, i wrthwynebu'r cynnig 'That democracy is no
security for equality and liberty'. Enillodd y ddadl hon o 63 pleidlais i
48. Enillodd eto, gan ddadlau ochr yn ochr â Margaret Copland, ar
Dachwedd 10, 1922, o blaid y testun 'That the Versailles Treaty is one
of the tragedies of history'. Ac wedi i'w yrfa golegol ddod i ben
parhaodd i gynrychioli Bangor – 'Mr Sam Jones represented us at the
Liverpool debate'. Dychwelodd i'r Coleg o Lerpwl ar gyfer y ddadl ar
Dachwedd 6, 1925, rhwng y cyn-fyfyrwyr a'r myfyrwyr cyfredol i
gynnig 'That civilization is a fraud'.

Ei gofio mewn ffug-etholiad a wnaeth T. Ceiriog Williams:

a'i ddwylo fo yn mynd fel melin wynt. A mi fydde fo'n credu ei fod o
waed Ffrengig; oedd rhaid i'r dwylo 'ma siarad efo'i lais ynte . . .
roedd [yn] rhaid i chi fod yn gyflym iawn, yn slic iawn. A 'dwi'n siwr
mai Sam roddodd yr ateb yma; rhywun yn gofyn cwestiwn, cwestiynau
gwirion . . . ac atebion smart. A'r cwestiwn a ofynwyd oedd 'Pam mae
merched yn cau llygada wrth gusanu?' Ac medde Sam yn reit sydyn
'Wel, rwy'n deall yn iawn. 'Dwi ddim wedi eu gweld nhw yn gwneud
hynny efo fi ond 'dwi'n deall yn iawn pam mae nhw'n cau eu llygad
pan ddo' nhw wyneb yn wyneb â chi'!

Yr oedd Sam Jones wedi bod flwyddyn yn fwy yn y coleg na'r
disgwyl gan iddo roi gormod o sylw, efallai, i'r ochr gymdeithasol! Ei
ffordd ef o gyfaddef hynny oedd dweud 'Yn y Coleg yr oeddwn yn
llawer rhy brysur i weithio'. Cawsai 'bres bach reit ddel i fynd â'r
genethod am de i gaffi Robert Roberts' (a dyna lond ceg o Ogledd gan

Sowthyn) o'i newyddiadura. Fe enillodd ei dystysgrif addysg – ail ddosbarth – yn ei drydedd flwyddyn, 1922-23, gan raddio y flwyddyn ganlynol, yn haf 1924, mewn Cymraeg a Hanes.

Yr oedd mwy nag un o'r myfyrwyr yn cael anhawster i ddilyn teithi meddwl Syr John Morris-Jones yn ei ddarlithoedd. Cyfaddefodd T. Ceiriog Williams iddo geisio goresgyn y broblem o ddilyn yr Athro gan fynd trwy holl bapurau'r arholiad ar y pwnc, sef Cymraeg, am yr ugain mlynedd flaenorol. Wedyn, dewisodd allan ohonynt y cwestiynau a ddeuai amlaf i'r wyneb:

> Un arall a fethodd ddilyn Syr John oedd yr annwyl Sam Jones (BBC), ac wedi i mi ddweud wrtho am fy nghynllun gofynnodd a gâi ddod ataf i Blas Menai i drafod y cwestiynau ar ddau brynhawn yr wythnos. Enghraifft dda o'r dall yn tywys y dall! Daeth bore'r arholiad. Eisteddai Sam yng ngwaelod Neuadd Pritchard Jones [sic] a minnau tua'r pen uchaf. Derbyniodd ef y papur o'm blaen i, a chedwais fy ngolwg arno'n bryderus a'm calon yn curo. A dyma Sam yn troi, a gwên fawr, orfoleddus, ar ei wyneb, ac yn chwifio'r papur yn ei law. Oeddynt, yr oeddynt yno! Wel am lwc, ynte? Cawsom ein dau BA ar ôl ein henwau.

Bu ar ymarfer dysgu yn Ysgol Cefnfaes, Bethesda, ac mewn gwahanol ysgolion ym Mangor, Caernarfon a Wrecsam. Yr Athro Archer fu'n ei asesu o'r dechrau. Y mae ei sylwadau arno, fel ar bawb, yn graff ac weithiau'n grafog.

O'i ymarfer cyntaf, yn ôl ym Mawrth 1920, fe ddywed yr aseswr fod yma addewid gadarn ac, er y duedd i fynd yn rhy agos at y dosbarth, fe gedwid disgyblaeth dda.Yn dilyn tair wythnos o ymarfer dysgu yn y Boys National School yn Wrecsam ym Medi 1922 fe awgrymir mai huotledd yw ei brif rinwedd. Mae ganddo synnwyr digrifwch o flaen dosbarth o blant ond yr oedd ar goll ('at sea') pan ddaeth hi'n fater o ddysgu Cymraeg i Saeson uniaith. Wedi cyfnod yn y Boys National School, Bangor a'r Boys Council School yng Nghaernarfon yn niwedd Ionawr a dechrau Chwefror 1923 mae'r feirniadaeth yn fwy llym. Barnai Archer fod Sam Jones yn dioddef o ormodedd o egni di-reol. Y mae'n gwneud gormod o ddefnydd o ffordd sarcastig o ofyn cwestiynau diangen; yn aros yn rhy hir am atebion, a hynny'n arwain at ddiflastod yn y dosbarth:

He is an exaggeration of the South Wales temperament – energetic, bubbling, impulsive: just as intellectually he has abundant interests but has never in his life sat down to reflect over the ideas which rush through his brain.

Credai'r Athro y byddai ei ddosbarth wedi ei ddychryn gan y 'showerbath of words'. Er hynny mae'n cael y marc B.

Yn ei asesiad terfynol ar Sam Jones, wedi cyfnod pellach o ymarfer dysgu yn Ysgol Friars Bangor, ym Mai 1923, fe ddywed yr Athro Archer bod y darpar-athro hwn wedi ei eni ag egni eithriadol, a byrbwylldra. Nid yw ei allu deallusol wedi ei ddisgyblu'n briodol, ac o'r herwydd y mae bob amser yn mynd o chwith; 'his intuitive judgements are right, but he cannot stop at a point long enough to analyse it.' Ni wn a welodd Sam Jones y sylwadau hyn, ond un o'i gryfderau fel cynhyrchydd radio, ymhen blynyddoedd, oedd ei allu i ddadansoddi syniadau tros gyfnod o amser. Yr oedd profiadau bywyd wedi ei aeddfedu.

Mae asesiad yr Athro Archer yn nodi gweithgarwch y myfyriwr efo'r Undeb Cristnogol a'i egni ym myd chwaraeon. 'He is thus a motor engine turned muscular Christian.' Fel athro fe all drin dosbarth, rhedeg y gweithgareddau a bod yn boblogaidd. Fe fydd yn siarad gormod ond, 'to pursue the motor metaphor, superfluous petrol will lead to much back-firing'. Yn nhyb yr Athro Archer fe fydd Sam Jones yn ddyn defnyddiol iawn. A dyna ei air olaf.

Daeth Maud Ann Griffith allan o'r pair yn uwch ei marc ac uwch ei chlod. O un yr oedd cryn amheuaeth, yn yr adroddiad arni, a fyddai'n graddio, fe nodir ei bod hi'n ddymunol ei hagwedd o flaen y dosbarth, yn dangos meddylgarwch wrth drin ei phwnc; mae ganddi'r cefndir a'r gallu llafar i wneud y pwnc yn ddiddorol; mae hi'n esbonio'n glir ac mae'r dysgu'n drylwyr. Am y rhesymau hyn fe enillodd hi radd dysgu Dosbarth Cyntaf.

Yr oedd y ddau adroddiad, ar Sam Jones ac ar Maud Griffith, yn well na llawer; yn fanwl, yn fachog ac yn hollol onest. A phan fu farw'r Athro R. L. Archer, yn Nhachwedd 1953, y mae Sam Jones yn talu gwrogaeth i gymeriad:

na fydd i mi byth anghofio ei garedigrwydd na'i hynawsedd . . . yr oedd calon y Sais hwn a ddaeth yma o du draw Clawdd Offa yn curo

gan gymaint caredigrwydd fel y bu iddo lwyddo i gydymdeimlo ac
hefyd adnabod a deall bechgyn ifainc a ddaethai o gefn gwlad Cymru.
Llwyddodd i ennill iddo'i hun gongl gynnes yn serch eu calon.
Tyfasant hwy i'w barchu, ei edmygu a'i garu.

Gyda dyddiau coleg yn dirwyn i ben y mae Sam Jones yn cofio am
ddau achlysur, ar wahân i farwolaeth ei fam, a barodd siom iddo yn y
cyfnod hwn. Ar nodyn ysgafn mae'n sôn (mewn nodyn at aelodau y
'Thirty Club', adeg dathlu'r hanner canmlwyddiant yn 1958/59), am
ymweliad Dug Windsor, ar y pryd yn Dywysog Cymru, â'r coleg yn
1923 i agor yr adeiladau gwyddoniaeth newydd. Torrodd aelodau o'r
'XXX Club' trwy rengoedd yr heddlu i wahodd y Dug i fod yn aelod
anrhydeddus o'r Clwb. 'To my eternal regret I failed to get myself
into the photograph taken of that incident!'

Y siom arall oedd iddo losgi proflenni y *Bangor Book of Verse;*
trosedd anfaddeuol yn ei olwg, gan fod y proflenni hynny'n frith o
nodiadau Syr John Morris-Jones, gyda'i sylwadau manwl ar bob
cerdd a gynhwyswyd. 'Ar ôl hynny, er mawr ofid yn aml i'r wraig, bu
arnaf ofn llosgi'r un tamaid o bapur o'r bron – rhag ofn.'

Yn ystod ei flwyddyn olaf ym Mangor gofynnodd Sam Jones am
lythyrau cymeradwyaeth. Ar Fai 21, 1924, ysgrifennodd y Prifathro,
Syr Harry Reichel, ar ei ran i gefnogi cais Sam Jones 'for the Associate
Wardenship of the University Settlement, Liverpool'. Y mae'r Athro
John Edward Lloyd yn cadarnhau fod Sam Jones yn meddu ar y
doniau i ddysgu Hanes. O'r un adran daw llythyr gan A. J. Turberville,
cyd-fyfyriwr i Sam Jones yn y blynyddoedd cynnar cyn i Turberville
gael ei benodi'n ddarlithydd Hanes Modern, sy'n ychwanegu fod Sam
Jones bob amser yn dangos fod ganddo feddwl annibynnol, yn un a
oedd ganddo ddiddordeb dilys yn agweddau ehangach ei waith 'and
there was a clear note of individuality both in his essays and in his
contribution to discussion classes'. Yr oedd yn seren lachar yn y
'Literary and Debating Society', yn aelod o'r 'Gymdeithas Ddrama
Saesneg' gan ddangos 'distinct histrionic capacity', yn gysylltiedig â
gwaith yr Undeb Cristnogol (a ddaeth yn ddiweddarach yn *Student
Christian Movement*) ac yn ohebydd answyddogol i'r Wasg. 'In short,
Mr Jones has proved himself to be a man of earnest character, distinct
ability, considerable versatility and wide interests.'

Y llythyr cymeradwyaeth arall oedd un gan Gofrestrydd y coleg, yr

Uwch-gapten W. P. Wheldon, a bwysleisiodd allu sylweddol Sam fel trefnydd, ei synnwyr cyffredin a'i ddylanwad iach ar ei gyd-fyfyrwyr.

Yr oedd y ferch a gafodd ddylanwad iach arno yntau, sef Maud Griffith, ar ôl iddi dreulio cyfnod ym Mharis, wedi ei derbyn yn athrawes yn y Central School, Kettering yn Swydd Northampton. Ar Fedi 8, 1924 dechreuodd Sam Jones ar ei yrfa fel athro yn Ysgol Harrington Road yn Lerpwl. Hyd y gwyddai bryd hynny, yr oedd ei ddyddiau ym Mangor wedi dod i ben.

'Cyfnod y Blydi Niwsans'

(A) DYSGU A NEWYDDIADURA (1924-32)

Canol dauddegau'r ganrif hon oedd y cyfnod mwyaf cyffrous posibl ym mywyd Cymry Lerpwl. Dyma adeg y llif mwyaf o Gymry i'r ddinas ac o'r herwydd yr oedd bywiogrwydd a gweithgarwch y sefydliadau Cymraeg a Chymreig yn eu hanterth.

Yn ei gyfrol *Liverpool Shipping* y mae George Chandler yn honni bod Lerpwl wedi peidio â bod yn ddinas Seisnig er 1870:

> There were now almost as many Irish in the Liverpool area as in most Irish cities, and as many Welsh as in any Welsh city.

Ar ôl y Rhyfel Mawr 1914-18 y bu'r dynfa i Lerpwl ar ei chryfaf. Erbyn hynny yr oedd dros hanner cant o gapeli ac eglwysi a neuaddau cenhadol wedi eu codi ar lannau Mersi ar gyfer gofynion y Cymry crefyddol. Datblygodd y lleoedd hynny'n ganolfannau cymdeithasol yn ogystal â bod yn fannau i addoli ynddynt. Ni fyddai'n anarferol yn y cyfnod hwnnw i wahodd mawrion y pulpud i Lerpwl i ddarlithio, neu feirniadu mewn eisteddfod ar y Sadwrn, ac i bregethu mewn Cyrddau Mawr ar y Sul. Ni fyddai'n anarferol ychwaith fod mwy nag un o'r 'cewri' yno'r un pryd – pobl fel D. Tecwyn Evans, E. Tegla Davies, Elfed Lewis a Dyfnallt Owen – a hyd yn oed wedyn fe fyddai'r ysgoldy'n llawn ar gyfer y ddarlith, neu'r capel yn llawn ar gyfer y bregeth. Yr oedd ''Steddfod y G'lomen Wen' a ''Steddfod y Plant' yn eu bri, a Gwasg y Brython yn brysur. Lerpwl, bryd hynny, oedd prifddinas Gogledd Cymru ac eisoes yr oedd pobl 'y pethe' yn paratoi ar gyfer yr Eisteddfod Genedlaethol a oedd i'w chynnal yno yn 1929.

Yr oedd y dauddegau hefyd yn gyfnod o ddirwasgiad. I ganol tlodi'r ddinas, yn llythrennol felly, y daeth Sam Jones ym Medi 1924 i ddechrau ar ei yrfa fer fel athro ysgol. Hwyrach mai ei gysylltiad â'r Undeb Cristnogol yn y coleg a'i harweiniodd i gynnig am swydd yn Ysgol Harrington Road ac i letya yn yr *University Settlement* yn Nile

Street. Y mae adeilad yr ysgol wedi ei ddymchwel ers blynyddoedd, ond y mae'r llyfr lòg ar gael. Yn hwnnw cofnodir bod Samuel Jones wedi ei eni ar Dachwedd 30, 1890 (sydd yn anghywir, 1898 yw blwyddyn ei eni); iddo raddio ym Mangor, ac ennill Tystysgrif Athro a Diploma mewn Addysg yn y coleg gan ddechrau ar ei waith, ar *supply,* ar Fedi 8, 1924.

Adeilad wrth gefn Harrington Dock oedd yr ysgol, Harrington Council Primary School, a hynny ym mhen deheuol ardal y dociau. Dim ond Doc yr Herculaneum oedd ymhellach i'r de. Er 1908 yr oedd cyswllt uniongyrchol rhwng Ysgol Harrington Road a'r *University Settlement*.

Yr oedd y syniad o *Settlement* (Sefydliad) wedi ei drafod ym Mhrifysgol Lerpwl, o du aelodau y *Christian Union* yn bennaf, ym mlynyddoedd cynnar yr ugeinfed ganrif. Cymerwyd y camau ymarferol cyntaf yn Ionawr 1906 pan ddaeth y Parchedig Kelman, o Sefydliad Prifysgol Caeredin, i annerch cyfarfod yn Lerpwl. Yn fuan wedi hynny fe ffurfiwyd pwyllgor i gynllunio 'Sefydliad' tebyg, i ddynion yn unig, yn Lerpwl. Yr oedd yna Sefydliad ar gyfer y merched yn unig, y *Victoria Settlement*, ar waith yn Netherfield Road er 1897:

> The Liverpool University Settlement was founded by a small group sharing a belief that poverty was not an act of God but a disease of the industrial system. The main impulse seems to have come from an undergraduate organization, the Liverpool University branch of the Christian Union (forerunner of the SCM). The members felt that they should share their advantages with those worse off than themselves.

Agorodd y 'Sefydliad' ei ddrysau ym Medi 1906 yn 129, Park Street gan symud i Nile Street yn 1913 i safle a oedd am y pared â Hostel David Lewis. Dyma'r adeilad lle'r oedd Sam Jones yn lletya.

Warden cyntaf y 'Sefydliad' oedd Frederick James Marquis a ddaeth yn ddiweddarach yn Iarll Woolton. Ganed F. J. Marquis yn Awst 1883 ym Manceinion ac aeth i Brifysgol y ddinas honno cyn dechrau ar ei waith fel *Sometime Warden University Settlement, Liverpool* o 1906 hyd 1920. Fe'i hurddwyd yn farchog yn 1935, yn Iarll yn 1939 ac yn aelod o'r Cyfrin Gyngor yn 1940. Yn ystod yr Ail Ryfel Byd, adeg y dogni bwyd, bu'n Weinidog yn y weinyddiaeth fwyd 1940-43, yn aelod o'r Cabinet Rhyfel ac yn Weinidog dros y weinyddiaeth Adlunio (*Minister of Reconstruction*) 1943-45. Ar ei arfbais y mae'r arwyddair *Fortitudine Virtute Dabitur* – Y mae cryfder yn ddyledus i rinwedd.

Warden y 'Sefydliad' pan oedd Sam Jones yn Lerpwl oedd Dr Ernest S. Griffith, a ddaeth yn ddiweddarach yn Llyfrgellydd y *Library of Congress* yn Washington. Yn 1922 y daeth yn Warden yn Lerpwl ac yn ei adroddiad cyntaf fe ddywed:

> The distinctive idea of the University Settlement is the presence of men and women of trained minds and sympathetic hearts in the midst of the most challenging problem of modern society – the problem of poverty. The Settlement is distinct from a university in its location; from the ordinary club, or educational centre, in its emphasis upon research into the causes of poverty and upon experiments in its remedy.

O'r flwyddyn 1908 ymlaen yr oedd Warden y 'Sefydliad' yn un o Reolwyr Ysgol Harrington Road. Yr oedd yr ysgol mewn ardal ddifreintiedig. Yma'r oedd slymiau Lerpwl, ac fe gafodd Sam Jones gryn fodlonrwydd ar weithio mewn ardal o'r fath. Yn fuan wedi Deddf Addysg (Cyflenwi Prydau Bwyd) 1906, a Deddf Archwiliad Meddygol i Blant 1908, fe gynhaliwyd arbrofion gan y 'Sefydliad' yn Ysgol Harrington Road. Ar sail llwyddiant yr arbrofion hynny fe estynnwyd yr arbrofion i ysgolion eraill fel Beaufort Street, West Derby Road a St. James' Council School. Yn 1910, er enghraifft, fe agorwyd clinig deintyddol yn Ysgol Harrington Road a daeth clinigau o'r fath yn sail werthfawr i'r gwasanaeth iechyd yn ninas Lerpwl.

Oherwydd y cysylltiad ffurfiol rhwng yr ysgol a'r 'Sefydliad' fe fyddai Sam Jones, felly, yn dysgu yn ystod y dydd ac yn rhedeg clwb ieuenctid gyda'r nos yn y Ganolfan yn Nile Street. O ganlyniad, nid oedd ganddo lawer o amser hamdden i fwynhau bwrlwm y bywyd Cymraeg. Yn ei phortread ohono i gystadleuaeth yn Eisteddfod Genedlaethol Caerdydd 1978 y mae 'Siwan' yn sôn am ei gyfnod yn Lerpwl:

> Un o'i oruchwylion oedd casglu bechgyn oddi ar y strydoedd i mewn i'r clwb ac adrodd storïau wrthynt fin nos. Ysgrifennydd y Settlement oedd Frederick Marquis a ddaeth yn ddiweddarach yn Lord Woolton, ac un arall a ymddiddorai'n fawr yn yr achos oedd y diweddar George M. Ll. Davies oedd yn gysylltiedig â Maes yr Haf, yn y Rhondda, yn ystod blynyddoedd y dirwasgiad.

Daeth plant slymiau Lerpwl yn agos iawn at galon Sam Jones, ac un o'i drysorau oedd copi o linellau gan ddau o'i ddisgyblion lleiaf, rhywbeth roedd yn ei werthfawrogi am onestrwydd naturiol y syniadau:

Our baby's face,
Oh! What a disgrace!
It's all over the place
Is our baby's face.

Neu

Our little Tommy,
He is but two.
He is at present
In bed with 'flu.

Yn Adroddiad Blynyddol y 'Sefydliad' 1923-25 ar dudalen 21 o dan y pennawd *Wales* fe restrir J.T. Edwards ac S. Jones. Y mae enw Sam Jones yno eto fel Cynrychiolydd Ysgol Harrington Road ac fel aelod o bwyllgor y '*Parliamentary Debating Society*'; y mae'n un o bedwar ar bwyllgor Cyn-ddisgyblion Harrington, yn un o ddau ar bwyllgor chwaraeon yr ysgol ac fe'i enwir ar y pwyllgor sy'n trefnu gwersylloedd haf. Nid yw ei enw ar y Pwyllgor Radio nac ar y Pwyllgor Cyhoeddusrwydd ond y mae 'S. Jones' yn un o nifer ar Bwyllgor Carchar Walton. Ei ddyletswydd yn y fan honno oedd cynnal dosbarth ar bnawniau Sul efo'r 'bechgyn Borstal'. Drwy gynnal dosbarth yn gyson fe fyddai'n taro perthynas arbennig â'r carcharorion, yn sgrifennu adroddiadau am yr ymweliadau, ac yn cynghori'r bechgyn wedi iddynt gael eu traed yn rhydd o Walton gan eu helpu i setlo'n ôl i fywyd mwy normal:

Apart from the immediate fact that, wisely handled, such activity can be of vital importance to the boy, the total accomplishment gains, over a long period, considerable consequence.

Yn y gyfrol *The Two Nations,* lle ceir y geiriau uchod, fe bwysleisir y tebygolrwydd y byddai'r dynion a oedd yn gysylltiedig â'r 'Sefydliad' yn cyrraedd safleoedd o bwys yn eu meysydd galwedigaethol ymhen amser, gan ddod yn gyfrifol am fywyd a gwaith eu cyd-fforddolion. Dwy brif ystyriaeth a fyddai gan y Warden wrth gyf-weld ymgeisydd am le yn y 'Sefydliad' – beth sydd gan yr unigolyn i'w gyfrannu i'r 'Sefydliad' ac, yn bwysicach fyth, beth all y 'Sefydliad' ei roi i'r unigolyn, a thrwyddo ef i'r nifer mawr difreintiedig yn y gymdeithas. Y mae yna werthoedd, meddid, i waith y rhai sy'n byw yn y 'Sefydliad', gwerthoedd sydd yn cynyddu wrth i'r dynion hynny eu paratoi eu hunain ar gyfer dyletswyddau uwch mewn cymdeithas, a hynny o fod wedi deall, a phrofi, problemau tlodi; deall beth yw byw ynghanol slymiau, a deall cymdeithas oddi isod.

Ar do'r adeilad yn Nile Street yr oedd yna gwrt tennis. Yn ystod yr haf fe fyddai Sam Jones yn goruchwylio chwaraeon yn y fan honno. Yn ystod y gaeaf byddai'n defnyddio dawn y cyfarwydd i adrodd straeon wrth y plant ac yn creu gweithgarwch o bob math ar eu cyfer.

Y mae gweithio efo natur yn hytrach nag yn ei herbyn yn wireb addysgiadol sylfaenol a bu'r athro ifanc o Glydach yn rhan o arbrawf y Warden i sefydlu clybiau i fechgyn y strydoedd cefn, a'r clybiau hynny'n hunangynhaliol. Yn hytrach na chyfarfod ar gornel stryd fe gynigid ystafell i'r bechgyn yn y 'Sefydliad' yn Nile Street. Fe fyddent hwy eu hunain yn dewis arweinydd o'u plith, a hwnnw oedd yn gyfrifol am gyfarfod â'r Warden i drafod unrhyw fater. Ond gan y bechgyn eu hunain y byddai'r gair olaf. Daeth cyferbyniadau â chlybiau a reolid gan oedolion yn fuan i'r amlwg. Byddai'r clybiau a reolid gan y bechgyn eu hunain yn gosod rheolau llawer llymach arnynt eu hunain, gan fynnu safonau uchel mewn materion mor amrywiol â smocio, iaith weddus, ymddygiad cyffredinol a sbortsmonaeth. Yn yr arbrawf hwn fe welwyd, er syndod, fod canran yr aelodaeth am fwy na blwyddyn mewn clybiau hunangynhaliol deirgwaith yn uwch na'r clybiau a reolid gan oedolion. Ond fe fyddai dynion y 'Sefydliad' yn eu hyfforddi mewn chwaraeon, yn eu helpu i drefnu gweithgareddau, yn dysgu dosbarthiadau – ond nid byth yn rheoli.

O fewn wythnosau i adael y coleg, felly, yr oedd yr egni y soniodd yr Athro Archer amdano i'w deimlo yng ngweithgarwch Sam Jones yn Nile Street liw nos ac yn Harrington Road liw dydd.

Wedi dechrau ar ei waith yn yr ysgol ar Fedi 8, 1924 fe gadarnhawyd y penodiad, yn ôl y drefn ar y pryd, dri mis yn ddiweddarach, ar Dachwedd 12, 1924. Y mae llyfr lòg yr ysgol yn nodi'r ychydig droeon y bu'n absennol am ei fod yn sâl neu'n ymweld â'r deintydd. Fe nodir hefyd y troeon y byddai Sam Jones yn tywys grŵp o blant i Neuadd Picton i glywed darlith neu i *Recital*. Erbyn Ebrill 12, 1926 y mae 'Mr Jones in charge of Standard 3' ac ar

Ragfyr 22 yr un flwyddyn y mae'n chwarae rhan Siôn Corn i ddosbarth y babanod!

Dyma'r cofnod am Chwefror 11, 1927:

> Mr Sam Jones finishes duty here today leaving the profession for work in journalism.

Ac yn llyfr cofnodion y *Liverpool University Settlement* ceir y cofnod hwn:

> February 14, 1927:
> The Warden reported there was now a vacancy for one resident.

Fel yn ei ddyddiau coleg yr oedd Sam Jones wedi bod yn ysgrifennu'n gyson i'r Wasg tra bu yn Lerpwl. Fe gyhoeddwyd rhai degau o erthyglau ganddo yn y *Liverpool Daily Post*, a *The Western Mail* a'r *Liverpool Echo*. Fe gyhoeddwyd un erthygl hefyd yn *The Sunday Times,* erthygl fer am ddysgu Gaeleg yn Inverness. Amrywiol iawn oedd ei gyfraniadau cyson i'r wythnosolion a'r papurau dyddiol. Canolbwyntiai ar wahanol agweddau o fywyd Cymry Lerpwl neu ar ei brofiadau personol. Enghraifft o'r ail fath o gyfraniad oedd ei erthygl gyntaf ar Chwefror 25, 1925 i'r *Liverpool Daily Post* – *Memories of a former student,* erthygl am wythnos ryng-golegol.

Erbyn 1925 yr oedd wedi ffurfio Cymdeithas Cyn-fyfyrwyr Bangor, ac ar gais Prifathro'r coleg, Syr Harry Reichel, wedi bod yn codi arian yn y Gymdeithas honno i goffrau cronfa'r rhai a laddwyd yn y Rhyfel Mawr, sef cronfa i helpu i adeiladu y *Memorial Arch* ym Mangor:

> Could you raise, say, from £5 to £10 in the Liverpool district from Old Students?

Un o'r rhai cyntaf i annerch y Bangor Old Students Club oedd Syr Harry Reichel, a'i bwnc – *The intellectual re-birth of Wales.* Sam Jones oedd sefydlydd Cymdeithas y Cyn-fyfyrwyr a bu'n Llywydd arni. Yr ysgrifenyddes oedd Mrs Dan Thomas. Yn nhŷ Mr a Mrs Dan Thomas yn Ducie Street, Lerpwl, y cynhelid pwyllgorau'r Gymdeithas; tŷ a oedd hefyd yn gartref a'i ddrws bob amser led y pen ar agor i Gymry'r ddinas. Câi Sam Jones ei lety am ddim yn y David Lewis Club, yn Renshaw Street, fel cydnabyddiaeth am ei wasanaeth i'r 'Sefydliad' ond fe gofiai, ymhen blynyddoedd, am letygarwch aelwyd groesawgar Dan Thomas. Yn y dyddiau hynny yr oedd Mr Thomas yn ŵr amlwg iawn yn y Blaid Lafur ac ymhlith ei hareithwyr huotlaf ar Lannau Mersi. Yng nghylchoedd Llafur Lerpwl fe elwid y Cymro pybyr yn *Red Hot Dan*! Yn sicr yr oedd croeso cynnes ar yr aelwyd:

> Nid anghofiaf byth ei haelioni a'i garedigrwydd mawr ef a'i briod radlon.

Dyna atgof Sam Jones ddeng mlynedd ar hugain yn ddiweddarach. Yn nes ymlaen symudodd Mr Dan Thomas i Borthmadog a dod yn un o ffigurau amlycaf Plaid Cymru. Ar nos Sul, yn bennaf, y byddai Sam Jones yn cael ei draed yn rhydd i alw heibio. Fe fyddai, fynychaf, wedi bod yng Ngharchar Walton yn y prynhawn i gyfarfod â'r 'bechgyn Borstal' ac i'w cyfarwyddo, a'r tebyg yw y byddai wedi mynychu oedfa yn un o gapeli'r Bedyddwyr yn Lerpwl, yn Everton Village, yn Edge Lane, neu yn Earlsfield Road, cyn mynd i bwyllgora neu i gymdeithasu yn Ducie Street. Yno hefyd fe gâi ddeunydd ar gyfer ei erthyglau i'r wasg. Caewyd capel Everton Village ar Sul olaf y flwyddyn 1954 a chaewyd capel Edge Lane ar Sul, Awst 7, 1988. Yn nyddiau eu hanterth yr oedd saith o gapeli Bedyddwyr Cymraeg yn Lerpwl. Erbyn y flwyddyn 1997, nid oes gymaint ag un yn aros.

Fe fyddai'n ysgrifennu i *The Western Mail* fel *'a Liverpool Correspondent'*. Y mae'n sôn am faterion ieithyddol – y ffaith fod y Gymraeg yn cael ei derbyn fel un o'r ieithoedd tramor yn Arholiad Prifysgolion Gogleddol Lloegr. Mae ganddo erthyglau am arlunwyr, am actorion, am weinidogion, am Sasiwn, am Gymry Labrador, am ddarlith gan R. Williams Parry i Gymdeithas Lenyddol Fitzclarence Street, Lerpwl, ar 'Eifion Wyn', am y *Liverpool Choral Union,* ac un pwt am ddynion o Lerpwl a oedd wedi clywed 'a language which nobody could understand' ar y radio. Cymraeg oedd yr iaith honno, a phrin oedd rhaglenni Cymraeg y cyfnod yng Nghymru, heb sôn am Lerpwl.

Un o'r erthyglau mwyaf annisgwyl, ar ryw gyfrif, yw honno am ddawnsio gwerin yng Nghymru :

> Hugh Mellor, of Conway, was the lecturer at the demonstration of folk-songs and dances given recently in Liverpool in aid of the Cecil Sharpe Memorial Fund.

Fel Llywydd y Dydd yng Ngŵyl Werin Bae Colwyn ar Hydref 13, 1962, yr oedd Sam Jones yn cyfeirio at yr arddangosiad hwn yn Lerpwl o ddawnsio gwerin:

> Mae fy meddwl yn mynd yn ôl dros bymtheg mlynedd ar hugain i 1925 pan oeddwn i'n athro yn Lerpwl ac yn sgrifennu tipyn i'r papurau dyddiol ac wythnosol. Yr oeddwn i newydd fod yn gwrando ar ddarlith ar 'Y Ddawns Werin' yn cael ei thraddodi gan ŵr a oedd yn byw'r pryd hynny rywle tuag Abergele – Mr Hugh Mellor. Minnau'n gofyn iddo ar ôl y ddarlith, pam nad oedd yna ddawnsiau Cymreig, ac wrth gwrs fe aeth ati i egluro am y diwygiad Methodistaidd ac yn y blaen, ac yr oedd y dawnsiau Cymreig wedi diflannu o'r tir medde fe. A dyma fi'n gofyn iddo tybed nad oedd yna rai olion yn rhywle.
> Wyddoch chi beth wnawn ni, meddwn i, mi sgrifenna i i'r papurau i ofyn a oes rywun yn gwybod rhywbeth am y ddawns werin Gymreig. A dyna fu, mi sgrifenais [sic] i'r papurau.

Fe geir cadarnhad o'r digwyddiad, os nad yr union ddyddiad, gan Hugh Mellor ei hun mewn cyhoeddiad arall i Gymdeithas Dawns Werin Cymru:

> In the early days of 1926 I was lecturing at the University Settlement in Liverpool. After the lecture a number of us sat round a fire until the small hours, and amongst other subjects Welsh folk-dancing was mentioned. Were there any Welsh dances? If so, what were they like? . . .
> Mr Sam Jones, the well-known journalist, who was then doing free-lance work, became, in a short time very enthusiastic, and suggested that a press campaign should be started. I was not much enamoured of such methods of publicity, but as all my private inquiries and correspondence seemed to be coming to an end, I agreed to his suggestion: after all, it could do no harm and might bring something of value to light.

Fe gadwodd Sam Jones at ei air. Yr oedd enw da Cymru yn y fantol! Fe ofynnwyd i'r darllenwyr anfon gwybodaeth yn uniongyrchol at Hugh Mellor. Daeth nifer o lythyrau i'w sylw ond heb fod o fudd:

> But one letter of interest did come. A letter from Mrs Gryfydd [sic] Richards of Llanover, asking if I had ever heard of the 'reel' which used to be danced there.

Y cam nesaf oedd i Sam Jones, tra oedd adref ar wyliau yng Nghlydach, drefnu i gyfarfod â Hugh Mellor yn y Fenni. Yr oedd o hefyd wedi trefnu bod Mrs Richards (Pencerddes y De) yn dod atynt, a dyna ddechrau cofnodi rhai o ddawnsiau Llanofer. Yn fuan wedyn yr oedd Mellor wedi ei wahodd i Gwm Tawe:

> We had an amusing experience on the first morning. Having been assured that the publican of a certain small inn in Swansea 'knew all about the old dances' we explored the streets until at length we found the hostelry.

Gan ddisgwyl cyfarfod â hen begor yn ei bedwar-ugeiniau fe setlodd Sam Jones ac yntau yn y gornel nes cael eu cyfarch gan 'a sprucely groomed gentleman with spats and a waxed moustache' (yng Nghwm Tawe!) a chael dim mwy gan yr 'arbenigwr' hwn ar ddawnsio gwerin na disgrifiad o'r *polka* a'r *waltz*. Ond yr oedd gwell i ddod, a'i fam, pan oedd hi byw, a'u rhoddodd ar y trywydd y tro yma. Fe gofiai hi i'w mam hithau ddweud wrthi am deulu oedd yn dawnsio cyn Diwygiad '04-05:

> Minnau'n mynd i holi a dod o hyd i ŵyr yr hen ledi – ac yr oedd o'n cofio.
> Wyddoch chi beth oedd yn digwydd yn y cartref hwnnw ambell dro? Roedd yr hen ledi yn cael ei ffrindiau, a arferai ddawnsio gyda hi ddiwedd y ganrif ddiwethaf, i'w chartref ambell brynhawn – doedd neb yn gwybod wrth gwrs – paned o de, ac yna symud y celfi er mwyn dawnsio yn y gegin. A'r bachgen bach yn cael bod yno – fe oedd yr unig un a oedd wedi gweld yr hen ledis wrthi.
> Ac er fod y bachgen bach hwnnw wedi tyfu i fyny, roedd o'n cofio ambell i step – doedd o ddim yn cofio'r alawon o gwbl, ond roedd o'n cofio ambell i step. Ac fe aeth Hugh Mellor ati i roi'r hyn a oedd y bachgen yn gofio ar lawr, ac yn y llyfr yma heddiw, fe welwch chi ddisgrifiad o'r ddawns – DAWNS CLYDACH.

Mewn erthygl, heb ddyddiad wrthi, yn ei lyfr lloffion ef ei hun, dan y pennawd 'Merrie Wales' fe geir disgrifiad o'r ddawns hon:

> The woman clutches her partner firmly round the waist, and much of the dance consists of unsupported whirling on the part of the women and solemn leg-lifting on the part of the man.

Wedi cofnodi Dawns Llanofer a dawns Ffigwr Wyth, dan gyfarwyddyd Mrs Gruffydd Richards, a chofnodi eto Ddawns Clydach, ac alawon gwerin gan hen ŵr yn ei nawdegau, a glywodd 'Dai Cantwr' a

'Shoni 'Sgubor Fawr' yn eu canu, fe aeth Sam Jones â Mellor i ardal Treffynnon a Mynydd Helygain gan fod yn 'hanner llwyddiannus' yno. Ar drywydd Dawns Cadi Ha' yr oedd y ddau yn y gogledd-ddwyrain ond:

> Cawsom y bedwaredd ddawns gan Lady Lewis, Caerwys. Dawns y Tymhorau oedd hon, ond nid yw'n gyflawn, ac mae'n debyg iddi gael ei benthyg o Loegr.

Derbyniodd lythyr gan y Fonesig, wedi ei arwyddo 'Ruth Lewis':

> I enclose the tunes and songs for Cadi Ha. Will Fiddler always played both tunes – perhaps there are two figures. An old lady at the workhouse sang the second song 'Fy ladal i' and she remembered the colliers from Mostyn going about the county in May dressed up in white trousers, their shirt sleeves tied up with red ribbon and carrying branches – each tried to jump the highest.
>
> Will Fiddler told me that the Holywell Party of Cadi Ha used to tour N. Wales in May to collect as they went along for their expenses. When they got to Bala lake it looked so black that they put their hands into the water to see if they would come out black.
>
> The folk lore of Cadi Ha is a very long chapter and is to be found all over the world in the spring rites to assure a succesful harvest . . . it was of course originally a religious (pagan) rite.

Cyfnod oedd hwn, cofier, pan nad oedd gan fawr neb yng Nghymru ddiddordeb yn y grefft o ddawnsio gwerin, nac mewn cofnodi dawnsiau. Nid oedd Lois Blake wedi dechrau hyd yma ar ei chyfraniad sylweddol hi yn y maes arbennig hwn. Yr oedd yna elfen gref o arloesi yn yr hyn a wnaeth Sam Jones ac fe gofnodir ei frwdfrydedd – gair sy'n nodweddu'r dyn ym mhopeth a wnâi – mewn llythyr gan Dr Mary Davies, un o gyd-ysgrifenyddion cyntaf y Gymdeithas Alawon Gwerin, a merch i Mynorydd (William Davies), at Dr J. Lloyd Williams. Dyddiwyd y llythyr ar Hydref 15, 1926:

> Sam Jones is very keen to give a practical demonstration of the Welsh folk dances that he has collected; not that they are many but that they exist is what he wants to prove.

Fe â'r llythyr ymlaen i esbonio fod Sam Jones yn dysgu'r dawnsfeydd hyn i'w blant yn y dosbarth yn Ysgol Harrington Road, Lerpwl. Byddai'n ffordd ardderchog o danio diddordeb plant, a chaent hwyl wrth ddysgu pethau o'r fath. Sonnir ymhellach yn llythyr Dr Mary Davies am y posibilrwydd o gael yr arddangosfa o'r dawnsiau Cymreig prin a gofnododd Sam Jones, yn Neuadd Powys, Bangor, ar adeg cynnal un o gyfarfodydd y Gymdeithas Alawon Gwerin.

Yn yr Eisteddfod Genedlaethol yng Nghaergybi yn 1927 yr oedd Sam Jones yn gweithredu fel beirniad gyda Hugh Mellor a Syr Richard Terry ar y gystadleuaeth ddawns i blant heb fod dros ddeuddeg oed. Yn wir, Sam Jones a draddododd y feirniadaeth o'r llwyfan, ac fe atgoffodd y gynulleidfa fod y Cymry, ar un adeg, yn ddawnswyr penigamp gan ddawnsio:

> for the sheer delight of it whenever opportunity occurred. 'But,' said Mr Jones, 'the time came when Puritanism swept village dancing out of existence on the absurd plea that it was the device of the devil . . .
>
> 'Surely,' said Mr Jones, 'these dances are a delightful antidote to the jazz of today. They are clean and healthy and the product of a pure-minded democracy.'

Ychydig a feddyliodd Hugh Mellor y noson honno yn Lerpwl y byddai'n tanio dychymyg a chwilfrydedd y gŵr ifanc o Glydach yn y grefft o ddawnsio gwerin. Ond yn fwy na dim, uchelgais Sam Jones oedd profi i'r Sais fod yng Nghymru draddodiad o ddawnsio. Ei awydd i ddyrchafu ei genedl, waeth ym mha faes, oedd wrth wraidd ei ymchwil.

Dirwyn i ben yr oedd ei ddyddiau yn Lerpwl. Ar Ionawr 14, 1927 fe ysgrifennodd Sam Jones at Syr William Davies yn dweud ei fod yn deall fod J. T. Jones (John Eilian) yn ystyried cymryd swydd newyddiadurol ym Mesopotamia ac o ganlyniad y byddai yna swydd yn wag ar staff olygyddol *The Western Mail*. Wedi sôn am ei yrfa cyn belled, y mae'n atgoffa Syr William ei fod wedi cyfrannu'n gyson i golofnau *The Western Mail* ar agweddau Cymreig Glannau Mersi ac i'r golofn 'Wales Day by Day'. Cefnogwyd ei gais am y swydd gan ddau o Goleg Bangor. Yn ôl y cyntaf o'r ddau, y Prifathro, Syr Harry Reichel, yr oedd gan Sam Jones gymhwyster arbennig ar gyfer newyddiaduraeth a llenydda. Mae'n sôn, mewn llythyr cymerad-wyaeth, am ei gyfnod fel golygydd cylchgrawn y coleg ac am y *Bangor Book of Verse: Barddoniaeth Bangor* gan ddweud fod llwyddiant y fentr honno wedi peri syndod a balchder iddo ef fel Prifathro.

Daeth yr ail eirda gan R. Williams Parry:

> I introduced him to Mr Ellis Hughes at the Swansea National
> Eisteddfod. I do not know what advice Mr Hughes gave him. It is
> fairly obvious that he is still very keen on a journalistic career. To my
> mind he is born for the work.

Ar Ionawr 19, 1927 fe anfonodd Syr William Davies lythyr at Sam
Jones i'r *University Settlement* yn Nile Street:

> Dear Mr Jones,
>   I have decided to engage you for the position on our editorial staff
> vacated by Mr J. T. Jones, at a salary of £5.0.0 per week. Your duties
> will commence on Sunday, February 20th next.
>   Yours sincerely,
>   William Davies, Editor.

Flynyddoedd yn ddiweddarach, ar ei ymddeoliad o'r BBC yn 1963,
fe ddywedodd Sam Jones wrth Emyr Jones, a gofnododd ei eiriau
mewn erthygl yn y *North Wales Chronicle,* ei fod wedi dysgu mwy
am fywyd yn ystod ei dair blynedd gwta yn y *Settlement* nag a wnaeth
yn ystod gweddill ei fywyd:

> Men of excellent calibre turned to the need of others with an
> unselfishness that had to be seen to be believed.

Fe ddywedodd wrth y gohebydd fod y cyfnod o ddysgu yn y slymiau
wedi rhoi boddhad iddo, ond yr oedd yr ysfa i ysgrifennu yn gryfach
greddf. Yr adeg honno yr oedd newyddiaduraeth yn broffesiwn hynod
ansicr. Peth anarferol, a dweud y lleiaf, oedd troi cefn ar sicrwydd byd
addysg i fod yn ddyn-papur-newydd. Ond yr oedd am ddilyn ei reddf.
Y mae T. Ceiriog Williams yn cofio y tro diwethaf iddo ei weld cyn i
Sam Jones ymadael â Lerpwl am Gaerdydd:

> Yr oedd tri ohonom yn cydletya – Idris Jones, Percy Binney a minnau,
> a daeth neges oddi wrth Sam yn ein gwahodd i fynd i gaffe yn y ddinas
> i gael paned o goffi ac i gwfwrdd rhai o'i gyfeillion. A dyna hwyl a
> gawsom yng nghwmni rhyw griw o Fohemiaid 'go iawn', yn artistiaid
> a gwŷr llenyddol, dynion ifanc barfog, gwalltog (a chofier fod hyn
> mewn dyddiau pan nad oedd trimins felly yn ffasiynol). Cyn pen dim
> yr oeddym oll yn un gwmnïaeth, barablus, lawen, a Sam fel tad yng
> nghanol ei dylwyth. Un felly oedd o, un diddan, gwibiog fel arian byw,

yn llawn syniadau, yn arllwys allan ei holl galon a'i enaid ym mha beth bynnag yr ymaflai ei law ynddo.

Un rheswm arall dros fynd i Gaerdydd, nad oedd a fynno â dysgu na dirwasgiad, oedd y ffaith fod Maud Griffith wedi symud o'r Central School, Kettering yn y gwanwyn 1926 i lenwi swydd dros-dro yn Ysgol Sir y Merched, Aberdâr gan symud eto ar ôl tri mis, ym Medi 1926, i Ysgol Sir Penarth. Yn Kettering bu'n dysgu hefyd mewn ysgol nos am y cyfnod y bu yn y dref honno. Fe ychwanegai hynny ryw bum swllt yr wythnos at swm ei chyflog o £187.13.0 y flwyddyn. Ym Mhenarth yr oedd codiad yn y cyflog i £228.0.0 y flwyddyn.

Ond y bonws mwyaf gwerthfawr iddi hi fyddai cael Sam Jones yn nes i Benarth na Lerpwl. Diolch i *The Western Mail* yr oedd hynny i ddigwydd ar Chwefror 20, 1927 – blwyddyn Eisteddfod Genedlaethol Caergybi a blwyddyn sefydlu y *British Broadcasting Corporation* yn lle'r *British Broadcasting Company*. 1927 hefyd oedd blwyddyn cyhoeddi *Y Gymraeg Mewn Addysg a Bywyd*, sef adroddiad Y Bwrdd Addysg, a dynnodd flewyn o drwyn y BBC am eu diffyg darpariaeth yn Gymraeg; adroddiad, yn ôl adroddiadau mewnol y Gorfforaeth, a oedd yn 'ill-informed and inaccurate'.

Beth am Gymreigrwydd *The Western Mail*? Yr oedd Syr William Davies, brodor o Dalyllychau, Sir Gaerfyrddin wedi rhoi cymeriad Cymreig, onid Cymraeg ar brydiau, i'r papur. Trwy'r golofn, *Wales Day by Day*, rhoddodd nawdd i brydyddion Cymraeg o bob gradd trwy gyhoeddi eu gwaith. Un o'r prydyddion hynny oedd Dr Iorwerth C. Peate:

> Gofalai bob amser fod Cymry Cymraeg ar ei staff, yr enwocaf ohonynt, yn ddiau, ym myd newyddiaduraeth oedd Owen Picton Davies, awdur *Atgofion Dyn Papur Newydd* (Lerpwl, 1962), un arall o feibion Sir Gaerfyrddin, gŵr o gadernid meddwl a lledneisrwydd ysbryd a fu'n gefn ac yn gynghorwr i lawer o Gymry yn eu tro.

Is-olygydd *The Western Mail* oedd Picton Davies, a hynny wedi cyfnod yn Olygydd *Yr Herald* yn y Gogledd. Yr oedd iddo hefyd y teitl 'Director of Studies', a byddai'n hyfforddi newyddiadurwyr ifanc, ond ni bu Sam Jones yn ei ddosbarth. Gan iddo ef raddio, a chan iddo eisoes brofi yn ei erthyglau achlysurol fod ganddo syniad am newyddiaduraeth, cafodd beidio â mynd i'r dosbarthiadau ffurfiol. Ond, er hynny, yr oedd merch Picton Davies – y ddiweddar Fonesig

Enid Parry – yn cofio am Sam Jones yn dod i'r tŷ am gynghorion gan ei thad. Fe gofiai, a hithau ar y pryd yn ferch ddeuddeg oed, fod Sam Jones wedi mynd â hi i'r Opera i weld *La Bohème*; cofiai hynny'n bennaf am iddi hi grio yn yr Opera, ar gyfrif y stori, a methu stopio crio. Ond bu Sam Jones yn 'ffeind' wrthi hi gan ddangos sensitif-rwydd a ddaeth yn amlwg dro ar ôl tro tros y blynyddoedd.

Merch ifanc dair ar ddeg oed oedd 'Siwan', a anfonodd bortread o Sam Jones i gystadleuaeth ym Mhrifwyl Caerdydd 1978, yn y cyfnod hwn. Yr oedd hi'n ddisgybl, meddai hi, yn Ysgol Sir y Merched, Penarth lle'r oedd Maud Griffith yn athrawes Gymraeg a Ffrangeg. Y mae 'Siwan' yn dwyn i gof sut y byddai Maud Griffith yn trefnu i blant yr ysgol ymweld â swyddfa *The Western Mail*:

> Roedd Sam Jones ar y pryd yn un o is-olygyddion y papur ac yn awyddus am unrhyw 'gopi' oedd yn adlewyrchu diddordebau'r ieuainc. Roedd yn un o'r rhai oedd yn gyfrifol am seilio cystadleuaeth Traethawd Dygwyl Ddewi'r papur ac yn feirniad yn ystod y blynyddoedd cyntaf.
>
> Hoffai'n arbennig ochor ysgafnach bywyd ysgol, a chael blas aruthrol ar gyhoeddi 'howlers' o ysgolion Cymreig, er enghraifft – 'Breton is French spoken with a Welsh accent.'

Y mae'r awdures yn cofio hefyd sut y byddai Maud Griffith yn ysgrifennu llythyr Cymraeg i'r *South Wales Echo* bob nos Sadwrn dan y ffug-enw 'Gwenno'. Llythyrau er mwyn y Cymry ieuanc oedd yn darllen y papur oedd y rhain 'a doniol oedd ambell i gyfeiriad at "fy nghyfaill S".'

O fewn mis union i ddechrau ar ei waith fel newyddiadurwr yr oedd y 'cyfaill S' yn llunio cyfres o erthyglau a ddaeth yn gyfres boblogaidd eithriadol dan y pennawd 'Sunday Sketches in Wales'. Naill ai'r oedd wedi cynnig y syniad ei hun, (ac o ddarllen eu cynnwys y mae hynny'n bosibl), neu'n fwy tebygol, yr oedd y newyddian cymharol yn gweithredu dan orchymyn y Golygydd. Y mae'r brwdfrydedd sydd yn y gwaith yn nodweddiadol o Sam Jones, a rhedodd y gyfres yn ddi-dor o Fawrth 19, 1927 hyd Orffennaf 21, 1928 – naw a thrigain o erthyglau ar foreau Sadwrn am oedfaon y Sul cynt.

Fe fyddai'r gohebydd, fel arfer yng nghwmni un arall y cyfeirir ato, neu ati, fel 'my companion', yn ymweld â chapeli ac eglwysi a neuaddau efengylaidd Cymru gan roi argraffiadau'r ymwelydd o'r fro, ac amlinelliad o'r oedfa. Ond pwrpas yr erthyglau, yn bennaf, oedd crynhoi'r bregeth. Fe fyddai'r gohebydd yn cyfeirio weithiau at y codwr canu, y cyhoeddwr neu'r organydd. Yn achlysurol fe fyddai'n cyfeirio at unigolion yn y gynulleidfa, ambell i 'borthwr', neu blentyn, neu wrandäwr astud. Wrth ddatblygu'r gyfres fe wrandawodd ar naw deg o wahanol bregethwyr y prif enwadau, ac ar gant a thri ar hugain o bregethau ac anerchiadau i blant tra oedd yn mynychu cant tri deg pump o oedfaon. Fe fyddai'n fynych yn mynd i oedfa'r bore mewn un capel ac yn mynychu oedfa'r nos mewn capel, neu eglwys, arall.

Gair o werthfawrogiad a geir yn ddieithriad yn y gyfres, boed hynny am y canu neu'r bregeth.

Fe ddechreuodd Sam Jones y gyfres 'Sunday Sketches in Wales' yng Nghalfaria, Clydach. Dyma'r capel lle'i magwyd. Y pregethwr ar y Sul Mawrth 14, 1927 oedd y gweinidog, y Parchedig T. Valentine Evans. Oedfa'r plant oedd oedfa'r bore ac y mae'r gohebydd yn dwyn i gof y pregethau hynny a glywodd yn blentyn gan y gweinidog hwn y mae'n cyfeirio ato fel 'this tall, stately man with his crown of silvery hair'. Y mae 'Mr Evans ni' yn dal i ddangos y nodweddion hynny a swynai blant Clydach chwarter canrif yn gynharach ac o ran y plant nid oes dim byd wedi newid:

> There were those four small heads bunched uncomfortably together; four tiny hands gripping a small hymn-book; four little boys singing under difficulty, but who cared?

Mae'r capel yn llawn, y mae Dafydd (David Roderick) yn porthi'r bregeth, a honno'n grefftus ei gwead ac yn syml ei hiaith. Symlrwydd, ym marn y gohebydd, yw hanfod gwyleidd-dra.

Y Sul canlynol y mae Sam Jones yn gwrando ar Wil Ifan, enillydd y bryddest ym Mhrifwyl Pwllheli yn 1925, ac fe anogir darllenwyr y golofn i ddarllen y bryddest. Y mae yna ddisgrifiad o ddefnydd y pregethwr o'i wyneb llawn angerdd – 'his very face speaks of a desire to convince his listeners, that borders nigh on agony'. Clywodd ddweud fod Wil Ifan yn seicolegydd – ond y clod uchaf i'r pregethwr hwn, a oedd hefyd yn annerch y plant yn oedfa'r bore, oedd ei fod yn fwy na seicolegydd: 'he is a child'.

Mae'r ddwy erthygl gyntaf yn y gyfres 'Sunday Sketches in Wales' yn dod dan enw 'Sam Jones B.A.' ond mae'r radd yn cael ei hepgor o Ebrill 2, 1927 hyd ddiwedd y gyfres. Er bod yna gyfeiriadau at drai ym myd crefydd nid yw'r trai wedi prin gyffwrdd, hyd yn oed, â'r mannau lle bu ef yn cofnodi. Cynulleidfaoedd mawr mewn capeli ac eglwysi mawr yw'r dewis yn bennaf, ac weithiau gynulleidfaoedd mawr mewn capeli bach. Yn Eglwys Bresbyteraidd y Mudiad Ymosodol yng Nghastell-nedd y mae Sam Jones yn ei gael ei hun mewn cynulleidfa o ddwy fil, gyda 'hundreds of young people on both sides of the gallery'. Yn Eglwys y Santes Fair, Abertawe, y mae yna 'a vast congregation in this huge edifice' a'r gynulleidfa'n dechrau ymgynnull hanner awr cyn y gwasanaeth.

Bu tros y ffin i Loegr deirgwaith – i Lerpwl bob tro. Ar ei ymweliad cyntaf yn Ebrill 1927 fe glywodd dri phregethwr. Yn Eglwys y Presbyteriaid Heathfield Road, 'the outpost of the great Welsh trek', fe glywodd y Parchedig J. H. Howard yn y bore a'r Parchedig Roger Jones yn y prynhawn, dau a wnaeth argraff fawr arno ond:

> I must confess that my primary object in Liverpool was to hear the stalwart of stalwarts, The Rev. J. O. Williams, M.A. (Pedrog). You all know Pedrog whatever be your denomination.
>
> The Kensington Congregational Church is situated in a crowded neighbourhood of poor aspect – a strange setting for the little chapel of humble men. If ever was felt the spirit of an old world Welsh chapel it was felt here. This little edifice is a remnant of long ago; tradition clings to its very walls, and in the pulpit is the embodiment of tradition. And yet Pedrog is ever young. Suerly Pedrog is the Peter Pan of the Welsh Pulpit!

Ymhlith yr hoelion-wyth eraill a glywodd yr oedd E. T. Jones, Llanelli; Crwys; Dr Thomas Charles Williams; J. Williams-Hughes; Dr Martyn Lloyd Jones; Lewis Valentine (un o nifer o'i gyd-fyfyrwyr ym Mangor); Peter Price; Dr Tecwyn Evans; R. G. Berry; Cynan; sawl esgob, ac ar Fehefin 9, 1928 – Tom Nefyn:

> It is by no means a reflection on any church in Wales when I state that last Sunday was the happiest I have spent since, over a year ago, I started this itinerary, I visited Ebenezer, Tumble, where the Rev. Tom Nefyn Williams ministers. I went to Tumble expecting great things; I found them. In fact, my hopes and expectations were surpassed.

Wrth grynhoi'r pregethau ymhob man lle y bu, yr hyn y mae'n llwyddo i'w gyflawni yw dangos pa mor berthnasol i amgylchiadau cymdeithas tua diwedd ugeiniau'r ganrif hon yw neges yr efengyl Gristnogol. Y mae yna amrywiaeth yn null y pregethwyr o draddodi a chryn dipyn o sôn am 'yr hwyl'; y mae yna amrywiaeth lleoliad; amrywiaeth rhwng yr hen do a'r moderniaid; amrywiaeth yng nghefndir y pregethwyr; amrywiaeth yn y tywydd; amrywiaeth yn y testunau; amrywiaeth yn niben yr oedfaon o'r 'Cwrdde Mawr' i'r dathliadau hanner canrif, ac o'r Sasiwn i'r oedfa Undodaidd honno lle'r oedd criw o ffermwyr barfog wedi crynhoi wrth ddrws y capel. A'r amrywiaeth yma, mae'n siŵr, a sicrhaodd rediad hir i'r gyfres.

Fe ddaeth y gyfres i ben ym Mhontyberem gyda Sam Jones yn ymuno â'r gynulleidfa yng nghapel Caersalem i wrando ar y Parchedig R. J. Jones.

Os yw'r amrywiaeth a nodwyd yn nodweddu'r gyfres, yna cysondeb y canmol yw nodwedd arall y 'Sunday Sketches'. Fe ganmolir dysg y pregethwyr, eu didwylledd, eu paratoi gofalus a'u gofal tros yr aelodau. Weithiau y mae Sam Jones yn mynegi ei farn fod yr eglwysi'n hawlio gormod gan y gweinidogion a'r offeiriaid:

> there is one factor upon which I would like to express a definite opinion, and that is the prodigious, the unreasonable demands made upon our ministers.

Yn yr un erthygl y mae'n nodi:

> it is certain that it will be an evil day for Wales when the Church loses its hold on the nation.

Fe ddywed am sawl un o'r pregethwyr fod byd addysg wedi colli athro da, neu ddarlithydd galluog, pan aeth y rhain i'r pulpud. Ond beth bynnag am eu gallu, y mae'n gwbl amlwg fod y newyddiadurwr yn un sydd mewn llawn gydymdeimlad â'r gwrthrych. O bosibl, gellid dweud bod y pulpud wedi colli pregethwr da pan aeth Sam Jones i ddysgu, i newyddiadura ac, yn ddiweddarach, i ddarlledu. Nid crynhoi pregethau yn unig a wnaeth. Y mae'n dadansoddi cynnwys y pregethau hefyd ac yn dehongli'r hyn y mae profiad y gwrandäwr yn ei ychwanegu at unrhyw oedfa. 'I am a lover of gossip,' meddai, 'for gossip at its best can turn to the essay.' Y mae'n canmol cynulleidfa Bethlehem, Gwaelod y Garth:

They are as much a big family in their worship as they are in their daily lives, and besides being excellent listeners they are also delightful gossips and raconteurs.

Yn Y Tabernacl, Caerdydd yr oedd ef ei hun wedi ymaelodi, ond o Fawrth 1927 hyd Orffennaf 1928 ni chafodd lawer o gyfle i fod yn bresennol. Fe rydd yr argraff o fod wedi mwynhau crwydro o enwad i enwad, ac awgryma fwy nag unwaith mai peth da fyddai i'r enwadau glosio at ei gilydd. Bryd hynny ni fyddai'r awgrym eciwmenaidd hwnnw mor boblogaidd ag ydyw yn niwedd y ganrif. Yr oedd ei frawd, Ifor, wedi symud o Lansawel i Soar, Ystalyfera yn 1925 ac fe fyddai Sam Jones yn ymwybodol o fagad gofalon bugail trwy fod mewn cysylltiad agos â'i frawd. Diau fod tipyn o drafod y pregethwyr rhwng y ddau.

I brofi ymhellach ei fod yn garwr clecs fe honnodd mewn erthygl i'r *South Wales Echo,* dan yr is-bennawd 'Beginner's Luck', fod ei 'scoop' cyntaf wedi peri syfrdandod i'r genedl gyfan. Digwyddodd hynny yn Eisteddfod Genedlaethol Caergybi 1927.

Ar fore'r Coroni, trwy'r dirgel ffyrdd y mae newyddiadurwyr yn eu troedio, yr oedd *The Western Mail* wedi dod o hyd i enw bardd y goron. Ar ei ffordd i'r Pafiliwn y bore Mawrth, Awst 2, 1927, fe gyfarfu Sam Jones â'r bardd a datgelodd hwnnw ei fod wedi ysgrifennu llythyr at yr Archdderwydd yn dweud y byddai'n gwrthod cael ei arwisgo i'r seremoni:

> Nid oes gennyf wrthwynebiad i aelodau'r Orsedd i'w gwneud eu hunain yn destun gwawd, ond fe ddewiswn beidio â chael fy nghoroni yn hytrach na'm bod i na'm brodyr o feirdd yn gocynau hitio i'n ffrindiau tros Glawdd Offa.

Trawodd Sam Jones fargen â'r bardd na ddatgelai ei fwriad i neb arall. Drannoeth cyhoeddwyd hanes coroni Caradog Prichard – heb ei wisg borffor! Elfed oedd yr Archdderwydd, a'i farn ef oedd fod bardd y goron o fewn ei hawliau ac nad oedd yr Orsedd am orfodi unrhyw un i weithredu'n groes i'w egwyddor.

Drannoeth yr oedd gan Sam Jones 'exclusive' arall. Ar y nos Fawrth digwyddodd daro ar Ysgrifennydd y Brifwyl tra oedd yn mynd am dro cyn noswylio. Agorodd hwnnw ei geg am ryw anghydfod ynglŷn â'r Corau Cymysg. Yr oedd 'haul a hwyl Holyhead' i bylu eto, ac ar eu ffordd i'r maes drannoeth fe ddarllenai'r eisteddfodwyr am 'Chief Choral Controversy'. Nid oedd un côr o Gymru yn y gystadleuaeth. Deuai'r corau o Doncaster, o Henffordd ac o Ddulyn. Cododd helynt pan stopiodd arweinydd Dulyn ei chôr hanner ffordd trwy'r trydydd darn gosod am nad oeddynt yn cael hwyl ar ei ganu. Rhoddodd bryd o dafod i'r côr ar y llwyfan a dechrau eto. Y Gwyddelod a enillodd, er mawr siom i'r Saeson, a bu protest!

Yr oedd eisteddfod Caergybi'n llawn o gynnwrf. Nid oedd teilyngdod am y gadair. Yn *The Western Mail* cyhoeddai'r bras-bennawd 'Another Surprise at the Eisteddfod'. I wneud iawn am siom y dorf o beidio â gweld seremoni cadeirio fe anfonodd Elfed y ddau fardd Meurig Prysor a Chynan i gyrchu Pedrog, yr Archdderwydd etholedig, i eistedd yn y Gadair wag ac fe'i hurddwyd yn Archdderwydd yn y fan a'r lle.

Cafodd 'Special Correspondent' papur y De wythnos i'w chofio. Ac fel pe na bai ei dair sgŵp yn ddigon, fe greodd gynnwrf hefyd drwy gyfeirio at stori'r Americaniaid na chafodd eu derbyn i'r Orsedd am fod Elfed wedi anghofio eu galw. Pan geisiwyd gwneud iawn am hynny drannoeth fe fethwyd, meddai'r gohebydd, am fod y 'domineering Americans' wedi pwdu. Siomwyd y dorf yng Nghaergybi am na chadwodd Winston Churchill ei air i'w hannerch ond, ar y dydd Iau, yr oedd Lloyd George yn areithio 'like a skilled musician who is complete master of his instrument'. Lwc mwnci o wythnos, yn wir, i ohebydd ifanc.

Ymhen llai na deufis, yn nechrau Hydref 1927, yr oedd Sam Jones yn ei ôl ym Môn i adrodd am wasanaeth angladd y Parchedig Ddoctor Thomas Charles Williams. Y diwrnod hwnnw fe wnaeth gymwynas fawr â gohebydd y *Manchester Guardian* trwy gyfieithu'r anerchiadau Cymraeg yn fyrfyfyr i'r Saesneg. Wrth longyfarch Sam Jones ar ei Ddoethuriaeth yn 1963 y mae'r gohebydd hwnnw o'r *Manchester Guardian,* Asa Davies, yn dwyn i gof yr achlysur ym mynwent Llantysilio, Môn:

> We had met when you came to Conway for the bridge centenary (1927) and a still more vivid memory is of the help you gave me in getting for the *Manchester Guardian* some atmosphere in my report of the funeral of Dr Thomas Charles Williams. You translated, for my special benefit, Lloyd George as he orated, standing by the coffin in

the little chapel before the cortege wound its way to Llantysilio, the Strait-lapped graveyard. Lloyd George, you may recall, once or twice thumped the coffin.

Yn Ionawr 1929 gwnaeth Sam Jones gais am swydd yn Llundain – 'to organise and conduct the appeal to found the London Welsh Headquarters' ond tynnodd ei gais yn ôl cyn y cyfweliad rhag ofn i'w gefnogwyr feddwl ei fod, byth a hefyd, yn cynnig am swyddi. Arwydd pellach o ansefydlogrwydd yw ei fod yn datgelu wrth gyfaill, yr awdures Dorothy Edwards, ei fod yn poeni am ei arddull ysgrifennu. Atebodd hithau:

> I know you are all the time up against the idiotic and unfair dogma in everyone's minds that one can't be both a journalist and an artist.

Arddull hamddenol, ansoffistigedig y dylid anelu ati yn ei barn hi, gan sefyll gam yn ôl o'r gwaith a bod yn hunanfeirniadol. Dawn y cyfarwydd, dawn dweud sydd yn dod gyntaf, ac wedi meistroli'r ddawn honno rhaid ffurfioli'r arddull heb golli cynhesrwydd y bersonoliaeth.

Wedi cyfres fer o'i law i *The Western Mail* am gymeriadau cefn gwlad, y mae'r Parchedig Albert Dring yn ysgrifennu ato o Gaerdydd i ganmol ei arddull:

> the style is unmistakably Sam Jones. It is the pen-painting of a real artist, introducing many colours but perfectly blending reds and greys (humour and pathos).

Dilyn pen-cipar wrth ei waith oedd un o'r erthyglau yn y gyfres hon. George Hamilton, pen-cipar Cwrt yr Ala, oedd y gŵr hwnnw. Ysgrifennodd erthygl arall am ddal tyrchod daear, neu wahaddod, yng nghwmni George Martin o'r Wenfô. Yn yr erthygl amdano ef ceir disgrifiad doniol o'i goesau bach dinesig yn gorfod trotian i gadw ochr yn ochr â'r brasgamwr o heliwr. Cymhariaeth arall ganddo yw'r un rhwng wyneb gerwin y dyn a'i agwedd dyner at yr anifail y mae'n ei hela:

> 'Blind!,' said George Martin. 'Don't you believe it. He can see as well as you or me. Better perhaps. Here, look!' And out of his big canvas satchel came a tiny, furry thing, its blackish-grey coat glistening in the winter sunshine.

Profiad newydd arall i'r gohebydd oedd mynd efo 'Cemlyn' i bysgota-nos am sewin ar un o afonydd Cymru, nad yw'n ei henwi. Ceir ganddo ddisgrifiad o'r cyffro o fachu, a dal sewin pwys – yn null gorau'r pysgotwr i 'festyn', oherwydd y mae'n cyfaddef yn ei frawddeg olaf mai prin naw owns oedd y pysgodyn! Ond ni ellir bychanu'r profiad o fod wedi taflu pluen a dal rhywbeth, waeth beth fo'r maint. Eto yng nghefn gwlad, y mae'n gweld tŵr bwthyn to gwellt wrth ei waith. Gwelodd Sam Jones ei gyfle i wneud rhaglenni radio ar y cymeriadau gwledig yma, a darlledwyd rhaglen am y daliwr tyrchod daear a'r tŵr gwellt yn y *Welsh Interlude*. Darlledwyd y gyntaf yn y gyfres ar nos Fercher, Ionawr 27, 1932.

Gwnaeth ymgais i atgyfodi'r daith o gwmpas capeli Cymru drwy ymweld â chapel Soar y Mynydd ac yna fynd i oedfa dan-ddaear yng nglofa Mynydd Newydd, Fforestfach, fis Hydref 1932. Bore Llun oedd hi, a'r glowyr yn cynnal oedfa ar ddechrau eu shifft waith, fel y gwnaent bob bore Llun. Twll yn yr wyneb glo oedd y capel 'a hwnnw wedi ei oleuo gan lampau tua hanner cant o goliars'. Fe wahoddwyd yr ymwelydd i ddweud gair ond, oherwydd emosiwn y digwyddiad hynod hwn, ni ddeuai geiriau'n rhwydd y bore hwnnw. Y mae Sam Jones yn cyfaddef na chafodd hi'n anoddach erioed i roi dwy frawddeg ynghyd ac aeth y gynulleidfa ar ei gliniau i ganu 'Ymgrymed pawb i lawr/ I enw'r addfwyn Oen'.

Ar Dachwedd 2, 1932 fe ysgrifennodd Nantlais ato o Rydaman i longyfarch Sam Jones ar ei ysgrif ar 'Soar y Mynydd'. Y mae'r ysgrif honno'n ddisgrifiad o bedwar person – y pregethwr (Y Parchedig John Roberts, Caerdydd); ffarmwr Nantstalwyn, Tregaron, a oedd yn arwain y ffordd; gwas sifil, a Sam Jones ei hunan – yn anelu am gapel Soar y Mynydd, ar gefn ceffylau, i ymuno â gweddill y gynulleidfa, ac yna i wrando ar y Parchedig John Roberts yn pregethu am 'dangnefedd Duw, yr hwn sydd uwchlaw pob deall'. Ac meddai Nantlais yn ei lythyr:

> meddyliwn o hyd mai gŵr trigain oed oeddech o leiaf, a barfog gyda hynny!! Hyd oni welais chwi yng nghartref Islwyn synnais weld gŵr ifanc yn dod allan o'r cysgodion i'm cyfarch.

Yr oedd 'y gŵr ifanc' erbyn hyn yn cael ei dynnu'n nes at ofynion darlledu. Yn Eisteddfod Genedlaethol Bangor, 1931, Sam Jones oedd y sylwebydd radio ar seremoni'r cadeirio. Mewn llythyrau i'r Wasg ar y pryd fe'i canmolwyd am ei sylwebu anymwthgar, ei sensitifrwydd wrth sefyll ar ymylon digwyddiad, a'i fedr wrth ddewis ychydig eiriau dethol i gyfleu awyrgylch y seremoni. Yn 1931 hefyd, gyda'r Gorfforaeth dan bwysau i Gymreigio'r gwasanaeth darlledu, fe benodwyd nifer o ymgynghorwyr ar wahanol baneli. Sefydlwyd panel drama, panel cerdd, panel llenyddiaeth, panel Eingl-Gymreig, panel celf a chrefft, a phanel 'Materion Cyffredinol'. Y mae Sam Jones yn ei gael ei hun ar y panel olaf hwn yn un o saith yng nghwmni pobl fel y Capten Ernest Evans AS, a'r Capten Geoffrey Crawshay. Pan benodwyd Sam Jones i swydd ran-amser fel Cynorthwy-ydd Cymreig yn Park Place, pencadlys y BBC yng Nghymru, ar Dachwedd 1, 1932 yr oedd cyfnod y 'blydi niwsans' ar fin dechrau.

Wrth adael y *The Western Mail* a'r *South Wales Echo* fe gyflwynwyd iddo gadair led-orwedd ac astell lyfrau gan y staff golygyddol. Talwyd teyrngedau iddo gan J. A. Sandbrook, golygydd *The Western Mail*, a chan Ellis Hughes (prif ohebydd) a D. R. Prosser (golygydd newyddion). Yr oedd y technegwyr am ei gyfarch hefyd a gwnaed hynny 'around the stone' ar awr ginio gyda phrif oruchwyliwr y papur yn llywyddu – gŵr o'r enw J. E. Jones, a ddefnyddiai'r enw barddol Cemlyn. (Tybed ai'r Cemlyn hwn fu'n dysgu Sam Jones i bysgota sewin?) Cyflwyniad digymell, a thra anghyffredin, oedd hwn ar ran y staff technegol gyda thad y 'capel' newyddiadurol, T. A. Archer, yn cyflwyno cesyn lledr iddo, a 'Jock' Wilson yn cyflwyno pìn ysgrifennu i'r un y dywedwyd amdano gan ei gyd-newyddiadurwyr nad oedd neb yn mwynhau newyddiadura cymaint â Sam Jones.

(B) DARLLEDU (1932-35)

A fyddai'n mwynhau darlledu i'r un graddau ag y mwynhaodd newyddiadura? Fe fyddai'n ymwybodol o'r holl drafod ar wendidau'r Gorfforaeth Ddarlledu yn y cyfnod hwn, y diffyg Cymreigrwydd yn benodol felly. Fe gofnodir yr hanes hwnnw'n llawn yn llyfr Dr John Davies, *Broadcasting and the BBC in Wales*. Yma, fe gyfeirir at y cefndir mewn perthynas â darlledu yng Ngogledd Cymru ac â chyfraniad Sam Jones i ddarlledu o'r cyfnod yr ymunodd ef â'r BBC.

Ar Dachwedd 2, 1932 yr oedd yr Athro Henry Lewis yn ysgrifennu ato o Sgeti, Abertawe am ei swydd newydd:

Llongyfarchiadau. Ai hwn yw y job y buoch yn sôn wrthyf amdano? Rwy'n deall bod llawer iawn o ffrwgwd wedi bod ynglŷn ag ef rhwng pawb a phopeth.

Y ffrwgwd oedd bod dau geffyl blaen yn y ras – Sam Jones a Haydn Davies, athro ysgol, o'r Rhondda yn wreiddiol. Yr oedd Thomas Jones, Dirprwy Ysgrifennydd y Cabinet, yn casglu gwybodaeth, yn gyfrinachol, am y ddau ymgeisydd. Cefnogid Haydn Davies gan John Davies, o Gymdeithas Addysg y Gweithwyr. Ysgrifennodd ef at Thomas Jones gan ddweud fod Sam Jones yn 'witwat' a feddai ar ryw ddawn barod i siarad ac ysgrifennu ond nad oedd ganddo safonau diwylliannol. Ar sail y dystiolaeth honno fe ysgrifennodd Thomas Jones at Ddirprwy Gyfarwyddwr y BBC, Syr Charles Carpendale, yn ei gynghori na ddylid ar unrhyw gyfrif benodi Sam Jones gan fod Haydn Davies 'of much heavier metal'. Yr oedd E. R. Appleton, Cyfarwyddwr Rhanbarth y Gorllewin, a'r ymgynghorydd Edgar Jones, cyn-Brifathro Ysgol Sir y Barri, yn mynnu penodi Sam Jones. Dyna a ddigwyddodd. Penodwyd Haydn Davies yn ddiweddarach i swydd yn Adran Ysgolion y BBC. Yr unig Gymry Cymraeg ar staff y BBC yn 1932 oedd peiriannydd o'r enw Penry Williams, a dwy ysgrifenyddes.

Bedair blynedd, bron i'r diwrnod, cyn i Sam Jones dderbyn y swydd ran-amser o fod yn 'Welsh Assistant' ar gyflog o £200 y flwyddyn yr oedd Cofrestrydd Prifysgol Cymru'n ysgrifennu at y 'British Broadcasting Commission' (sic) yn nodi enwau chwech o bobl a benodwyd gan Lys y Brifysgol i gyfarfod â swyddogion y BBC i drafod yr argymhelliad a wnaed yn y Llys mai'r unig ateb boddhaol i broblem darlledu yng Nghymru oedd sefydlu gorsaf newydd 'all-Welsh'. Y chwech a benodwyd oedd y Dirprwy Ganghellor, yr Anrhydeddus W. N. Bruce; y Gwir Anrhydeddus David Lloyd George; Syr Walford Davies; yr Henadur William George; yr Henadur William Jenkins a'r Athro W. J. Gruffydd. Ymateb Rheolwr Peirianyddol y BBC oedd fod hyn yn 'annoying and silly' ond y byddai'n llawn cystal cyfarfod â'r ddirprwyaeth. Ar y nodyn a ysgrifennwyd ganddo at y Cyfarwyddwr Cyffredinol y mae eraill, fel y Rheolwr Rhanbarthau a'r Rheolwr Rhaglenni, yn ychwanegu eu sylwadau, sydd lawn mor ddirmygus, ond yn dod i'r casgliad na ellid gwrthod cyfarfod â'r chwe Chymro – 'but we could easily refuse to give them what they ask for.' Fe gredai Syr John Reith, y Rheolwr

Cyffredinol ei hun, mai chwilio am hysbysrwydd yr oedd y ddirprwyaeth ac y dylid croesawu'r cyfle i esbonio'r sefyllfa i'r dynion hyn. Trefnwyd cyfarfod yn Llundain ar Dachwedd 30, 1928.

Ni fedrai David Lloyd George fod yn bresennol y diwrnod hwnnw ond yr oedd ei frawd, yr Henadur William George, yno ac yn dadlau y dylid edrych ar y mater o safbwynt cenedl ac nid o safbwynt masnachol. Gofynnodd ar ei ben i'r Arglwydd Clarendon, a oedd yn cadeirio'r cyfarfod, pe gellid sefydlu gorsaf i Gymru a ellid sicrhau gwasanaeth i Ogledd Cymru. Ychwanegodd yr Athro W. J. Gruffydd ei bod hi'n amhosibl derbyn rhaglenni yn y Gogledd fel roedd hi. Wrth longyfarch E. R. Appleton, Cyfarwyddwr yr orsaf yng Nghaerdydd, a oedd yn bresennol yn y cyfarfod, ar yr hyn a gyflawnwyd eisoes fe gredai'r Athro y dylid anelu at ddatblygiad pellach. Wrth ymateb ar ran y BBC fe ddywedodd Syr John Reith fod y Gorfforaeth yn cydymdeimlo â'r delfryd ond yr oedd yr hyn y gofynnid amdano'n dechnegol amhosibl oherwydd y cyfyngu ar donfeddi gan Gyngor Cydwladol Undeb y Darlledwyr. Ni ellid lleoli trosglwyddydd i Gymru yn unig ond, pe byddai'r dydd yn gwawrio y gellid ad-drefnu gorsafoedd, ni fyddai hawliau Cymru'n cael eu hanwybyddu na'u hanghofio. Yr oedd y BBC yn llygad ei le i ganolbwyntio ar Dde Cymru, meddai Reith, gan fod y boblogaeth yno lawer yn fwy nag yn y Gogledd. Nid oedd y Capten Roger Eckersley, Rheolwr Rhaglenni Cynorthwyol, gŵr a gafodd gryn ddylanwad ar y cynlluniau i ganoli, yn rhag-weld fod unrhyw ffordd o wasanaethu'r gogledd bryd hynny ac y byddai'r rhan honno o'r wlad yn ddibynnol ar orsaf Daventry 5XX neu, i raddau llai, mewn datblygiad rhanbarthol, ar drosglwyddydd ger Manceinion.

Bod yn llais i'r gohebu cyson a oedd yn y wasg i'r diffygion amlwg yn y gwasanaeth darlledu ar gyfer Gogledd Cymru roedd Llys y Brifysgol. Ni ddywedodd Eckersley ddim na wyddai'r ddirprwyaeth ers dwy flynedd. Yr oedd dibyniaeth chwe sir y Gogledd ar Daventry yn fater yr oedd Saunders Lewis wedi galw sylw ato yn y *Manchester Guardian* yn Hydref 1926. Wrth gefnogi ymgyrch i sefydlu gorsaf ddarlledu yn Wrecsam fe sylweddolai Mr Lewis fod radio mewn sefyllfa ddelfrydol, pe mynnai, i uno diwylliant cenedl. Ar yr un adeg cwynai'r *Liverpool Post and Mercury* fod y gogledd wedi ei anwybyddu'n llwyr ac mai darparu stiwdio yn y gogledd oedd y peth lleiaf y dylid ei ystyried i unioni'r cam. Yn yr un cyfnod yr oedd

Cymdeithas Sir Gaernarfon wedi pasio penderfyniad i bwyso am orsaf yn y gogledd gan gwyno yr un pryd fod y 'di-wifr' yn ddylanwad cwbl Seisnig a bod hynny'n cael effaith ar yr ifanc. Ym misoedd cyntaf 1927 yr oedd Awdurdodau Lleol eraill yn cefnogi Cymdeithas Sir Gaernarfon. Bu'n fater trafod ym Mhwyllgorau Addysg Caerdydd, Sir Fynwy, Sir Gaerfyrddin, Abertawe a Sir Ddinbych. Dyma'r cyfnod pryd yr oedd cyfeiriadau mynych yn y wasg at ddarpariaeth Gorsaf 2RN yn Iwerddon ar gyfer yr iaith Gymraeg. Mae'r Gwyddelod yn dangos y ffordd ymlaen, meddid, ac y mae Mr W. S. Gwynn Williams yn darganfod cerddorion talentog ac yn eu cyflogi i ddarlledu yn Gymraeg yn gyson o Ddulyn.

Ysbardunwyd ysgrifennydd Cyngor Cenedlaethol Cymru tros Gerddoriaeth, Mr MacLean, i gwyno bod miloedd o bentrefwyr yng Ngogledd Cymru'n ddibynnol ar Daventry am unrhyw ddarlledu ac, o ganlyniad, anaml iawn y gallent wrando ar gyngerdd yn eu hiaith eu hunain. Ychwanegodd Iorwerth Peate y gwyddai am lawer o ogleddwyr na ddeallent air o Saesneg ac y dylid penodi Cymro Cymraeg yn Gyfarwyddwr Rhaglenni. Felly'n unig y gellid cynhyrchu rhaglenni Cymraeg mewn meysydd fel drama, pwnc a anwybyddid yn gyfan gwbl.

Soniwyd eisoes am Adroddiad y Bwrdd Addysg, *Y Gymraeg Mewn Addysg a Bywyd.* Yr oedd y papurau dyddiol Llundeinig yn rhyfeddu at y ffaith fod Llywodraeth Iwerddon, trwy orsaf 2RN, yn darparu cymaint yn well ar gyfer Cymru na'r BBC. Bu'n fater o bwys yng ngholofnau'r *Daily Express,* y *Daily Telegraph* a'r *Daily Sketch* er bod yr olaf o'r rhain yn datgan 'Welsh would be of rather less use than Hindustani' yn y byd mawr sydd y tu hwnt i fryniau'r Gogledd.

Darlledwyd rhaglen Gymraeg, un rhaglen cofier, o Daventry ar Fedi 19, 1927 gan ofyn i'r gwrandawyr faint o gefnogaeth oedd i'r syniad o wasanaeth Cymraeg ei iaith. Dyma sylw a ymddangosodd yn y *Manchester Guardian:*

> The response to the request has been poor. Only 140 letters have been received at the Cardiff station, and between 30 and 40 at Savoy Hill. It would appear, therefore, that an all-Welsh station is not in general demand.

Yr oedd yr un papur yn cyhoeddi, yn Ebrill 1928, fod Cyfundeb Annibynwyr Arfon wedi galw am yr un sylw o Gaerdydd i raglenni

Cymraeg ag a geid o Ddulyn. Ailgodwyd y gri am orsaf ddarlledu yn y Gogledd gan Bwyllgor Addysg Sir y Fflint gan awgrymu lleoliad – Wrecsam neu Fae Colwyn. Ond yn Nhachwedd 1928, ychydig ddyddiau cyn i ddirprwyaeth Llys y Brifysgol gyfarfod â phenaethiaid y BBC, yr oedd y Postfeistr Cyffredinol yn cyhoeddi yn y Senedd nad oedd bwriad gan y BBC i godi gorsaf yn y Gogledd.

Dyfal donc oedd hi, ac ymhen blwyddyn union, yn Nhachwedd 1929, aeth dirprwyaeth arall o'r Brifysgol i bwyso ar Syr John Reith. Yr oedd yr Alban i dderbyn ei throsglwyddydd ei hun yn Falkirk, a gofynnwyd pam fod y wlad honno'n cael ystyriaeth ffafriol a Chymru ddim yn cael trosglwyddydd. Esboniwyd nad oedd cymhariaeth rhwng sefyllfa'r ddwy wlad gan fod rhannau o Ogledd yr Alban yn methu derbyn Daventry.

Yn ystod y flwyddyn ganlynol, 1930, er mwyn egluro'r sefyllfa i wrandawyr Cymru, ac i geisio gwrthbrofi'r cyhuddiad o driniaeth annheg, fe gyhoeddodd y BBC bamffledyn – *Y Gwasanaeth Darlledu yng Nghymru* – a gynhyrchwyd gan olygydd *Y Cerddor*, Mr J. Griffiths. Dosbarthwyd tair mil o gopïau o'r pamffledyn yn y ddwy iaith i wahanol gymdeithasau a mudiadau a oedd wedi dangos diddordeb yn y pwnc. Cymaint oedd y diddordeb fel y bu'n rhaid ailargraffu dwy fil o gopïau ychwanegol yn Gymraeg. Yr oedd yr ymateb, a'r cynnwys, yn siom i'r BBC. Y teimlad cyffredinol oedd y gallai'r Gorfforaeth, pe dymunai, redeg gwell gwasanaeth, a pharhau a wnaeth y cynnwrf. Dadleuai peirianwyr y BBC o hyd fod mynyddoedd y Gogledd yn ei gwneud hi'n amhosibl i wella'r gwasanaeth. Pe codid trosglwyddydd ar y donfedd hir yn y Canolbarth, dyweder, golygai hynny y byddai trwch y gwrandawyr yn y De'n derbyn signal gwannach. Pe codid gorsaf yn y Gogledd, dim ond o fewn cwmpas tair milltir y byddai'r derbyniad yn gryfach. Yr oedd y gri gan rai mudiadau am osod trosglwyddydd ar ben Cadair Idris, felly, yn wastraff adnoddau.

Hyd yma, Llys y Brifysgol fu'n llais i'r anfodlonrwydd. Yr oedd Aelodau Seneddol Cymru'n rhyfeddol o dawel ar y mater. Erbyn Gorffennaf 2, 1931 fe gyfarfu Syr John Reith â rhai o'r Aelodau Seneddol yn Nhŷ'r Cyffredin ar wahoddiad Lloyd George. Penderfynwyd sefydlu Pwyllgor Seneddol i gynghori'r BBC gan ystyried ffyrdd o wella rhaglenni Cymraeg a hefyd ffyrdd o wella'r defnydd a wneid o artistiaid Cymru. Yr aelod a fu'n gofyn y nifer mwyaf o gwestiynau yn y Senedd ar faterion yn ymwneud â darlledu oedd Rhys Hopkin Morris, yr aelod Rhyddfrydol dros Geredigion. Ond Megan Lloyd George (Môn) a ddewiswyd i gynrychioli'r blaid honno ar y Pwyllgor Seneddol ar ddarlledu. Wil John (Gorllewin Rhondda) oedd yn cynrychioli'r Blaid Lafur a Syr Leoline Forrestier-Walker (Mynwy), y Ceidwadwyr. Awgrym cyntaf y pwyllgor hwn oedd sefydlu nifer o Bwyllgorau Ymgynghorol – a dyna sut y cafodd Sam Jones ei big i mewn ar y Pwyllgor Materion Cyffredinol.

Fe ysgrifennodd ef lythyr at E. R. Appleton ar Fai 19, 1931 – 'supplying you with particulars of my career, as you suggested'. Yn y llythyr hwnnw y mae'n pwysleisio'r cysylltiadau helaeth a wnaeth â phobl ymhob rhan o'r wlad a'i fod yn gwybod faint oedd hi o'r gloch ar Gymru'n wleidyddol ac yn ddiwylliannol. Yn ogystal â bod 'in charge of national affairs, for a period I did music for *The Western Mail* and have had charge of drama all along.'

Ar Fehefin 22, 1931 yr oedd Appleton yn anfon memorandwm at Reith:

> In various ways the Welsh situation is getting more acute and North Walians in particular are making a strong plea for broadcasts in Welsh which may be heard in North Wales.

Â yn ei flaen i egluro fod cyfeillion iddo yn ei rybuddio fod Cenedlaetholwyr yn bwriadu defnyddio tactegau 'suffragette' i gael y maen i'r wal. Os oes bwriad, meddai, i roi gwasanaeth 'dechau' ('proper'), a gywirwyd mewn nodyn-ymyl-dalen i 'better', i'r Gogledd, yna, dylid cael y blaen ar yr ymosodwyr. Ei awgrym ef yw y gellid cymryd ystafell fechan yng Ngogledd Cymru i'w defnyddio fel stiwdio, ystafell yng Nghaernarfon:

> This area certainly embraces the intellectual reading population of the two great quarry districts, and these are most intelligent people, accustomed to speak Welsh in all their affairs. Caernarvon, too, would serve as a useful collecting centre for all North and West Wales, and would be a better place than either Barmouth or Dolgelley.

Gofynnodd Reith am gyngor ei brif beirianwyr a chael yr ateb, eto, na fyddai gorsaf yng Nghaernarfon yn cyrraedd cwmpas llawer pellach na thair milltir o'r dref. A beth bynnag, meddai'r peirianwyr gan gynnwys mapiau efo'r ateb, fe welir bod y boblogaeth yn denau.

Er mwyn cyfiawnhau cyfuno Cymru efo Gorllewin Lloegr i ffurfio Rhanbarth y Gorllewin, yr oedd Appleton wedi telynegu am 'Wlad y Brenin Arthur' a dyna'r union fath o neges yr oedd Llundain yn awyddus i'w chlywed. Mêl ar fysedd Appleton oedd clywed y Pwyllgor Seneddol yn ei longyfarch ar ei waith. Ni allai, meddent, fod wedi cadw gwell cydbwysedd rhwng Gorllewin Lloegr a Chymru hyd yn oed pe bai'n Gymro. Nid oedd Llys Prifysgol Cymru mor oddefgar, a daliai'r Henadur William George i feirniadu ansawdd y rhaglenni Cymraeg. Penodwyd yr Uwch-gapten Edgar Jones, cyn-brifathro Ysgol Sir y Barri, ar Orffennaf 1, 1931 i gynghori ar y cynyrchiadau Cymraeg, penodiad digon derbyniol yn yr hinsawdd oedd ohoni ond, yn ôl Elwyn Evans – mab Wil Ifan ac un a oedd i ymuno â staff y BBC yn ddiweddarach – yr oedd Edgar Jones, er yn Gymro coeth, yn rhy hen a di-fynd.

Cynyddu'r oedd y beirniadu, a'r *Carnarvon Herald* yn honni mai am 'Big Bumptious Concern' y safai'r llythrennau BBC. Ar Dachwedd 27, 1931 yr oedd y ddirprwyaeth o Aelodau Seneddol a gyfarfu â'r Postfeistr Cyffredinol yn hawlio y dylid penodi Cymro ar Fwrdd Llywodraethwyr y BBC. Yr oedd Megan Lloyd George yn frwd o blaid hyn. Nid felly y bu, ac er nad oedd y BBC yn gyfrifol am benodi eu Llywodraethwyr fe bwysleisid gan benaethiaid y Gorfforaeth mai pobl a gymerai olwg eang ar bethau a fyddai orau fel Llywodraethwyr, nid pobl yn cynrychioli diddordebau arbennig.

Rhwng 1929 ac 1931 yr oedd y rhai a dalai am drwydded radio yng Nghymru wedi cynyddu o 94,700 i 121,811. Ond yn Ebrill 1931 prin iawn oedd trwyddedau yn y Gogledd: 67 ym Môn; 12,318 yn Sir Gaernarfon; 7,416 yn Sir Ddinbych; 5,450 yn Sir Fflint; 1,795 ym Meirionnydd a 3,142 ym Maldwyn. Gofynnai y *North Wales Observer* a oedd cyn lleied â hyn o drwyddedau yn teilyngu gorsaf yn y Gogledd.

Ateb y Parchedig Lewis Valentine, ar ran y Blaid Genedlaethol, i'r gofyniad hwnnw oedd fod Gogledd Iwerddon yn cael tecach ystyriaeth gan y BBC o ran trosglwyddyddion, er bod canran y rhanbarth honno o drwyddedau'n is na chanran Cymru.

Ar yr adeg yma y mae yna rywfaint o amwysedd yn y wasg rhwng y 'Welsh National Party' – sef y Blaid Seneddol Gymreig – a'r 'Welsh Nationalist Party'. Yn y naill yr oedd Rhys Hopkin Morris yn cyhuddo'r BBC o 'sheer, stark impudence' am wrthod darlledu y

Y Parchedig T. Valentine Evans, gweinidog
Calfaria, Clydach 1882-1927.

Sam Jones – y morwr 1917-18.

Tri brawd – Ifor, Sam a Garfield.

'O'r De!' – criw bach o fyfyrwyr Bangor 1919. Sam Jones trydydd o'r chwith.

Tîm Rygbi Coleg y Brifysgol Bangor 1919-20. Capten: Noel Evans (mab y gweinidog, y Parchedig T. Valentine Evans). Sam Jones – ail o'r chwith, rhes flaen.

Tîm Hoci Merched Coleg y Brifysgol, Bangor 1922. Capten: Maud Griffith.
Rhes gefn: C. Hersee; M. Parry; A. Roberts; Maud Griffith; E. Murray; E. Harries;
E. Parry (ysgrifenyddes).
Rhes flaen: L. Owen; L. Gittins; J. Owen; W. Jones; E. Tucker.

Tîm hoci dynion Coleg y Brifysgol, Bangor 1922. Sam Jones ail o'r chwith, rhes flaen.

Tîm criced Coleg y Brifysgol, Bangor 1921. Sam Jones ail o'r dde, rhes ganol.

Tîm tennis Coleg y Brifysgol, Bangor 1923. Sam Jones yng nghanol y rhes gefn.

Sam Jones yn graddio mewn Cymraeg a Hanes 1924.

Caradog Prichard (bardd y goron, Caergybi 1927) a Sam Jones.

Sam Jones yn gadael *The Western Mail* yn Nhachwedd 1932. Cyflwyno cesyn lledr iddo 'around the stone' gan 'dad' y capel newyddiadurol, T. A. Archer, a phin ysgrifennu gan Jock Wilson.

Cartwn o Sam Jones yn pysgota am sewin efo 'Cemlyn'.

Ar achlysur agor trosglwyddydd Penmon, Chwefror 1, 1937.
Yn eistedd (o'r chwith i'r dde): Syr Noel Ashbridge (Rheolwr Peirianyddiaeth y BBC); yr Arglwydd Davies o Landinam; Rhys Hopkin Morris (Cyfarwyddwr Cymru, BBC); D. Emrys Evans (Prifathro Coleg y Brifysgol, Bangor a Chadeirydd Pwyllgor Darlledu'r Brifysgol). Yn sefyll: C. G. Graves (Cyfarwyddwr Rhaglenni'r BBC); R. T. B. Wynne (Prif Arolygydd Peirianyddiaeth y BBC); R. H. Eckersley (Cyfarwyddwr Cysylltiadau Rhanbarthol y BBC); John Griffiths (Cyhoeddwr BBC Cymru); Sam Jones (Cynrychiolydd y Gogledd, BBC Cymru).

Bryn Meirion yn amser yr Ail Ryfel Byd, tu ôl i weiren bigog.

Dyma 'gnewyllyn' Hogiau'r Gogledd: Emrys Cleaver, Llwyd o'r Bryn, Meic Parry,
Arthur Tudno Williams.

Hogiau'r Gogledd 1938, yn cynnwys Wythawd Dyffryn Ogwen (rhes ganol).

Neges Ewyllys Da gan blant Cymru tra oedd y Blaid Genedlaethol ('Welsh Nationalist Party') yn llunio maniffesto yn galw am ymchwiliad i'r holl fater o ddarlledu yng Nghymru gan gynnwys yr wybodaeth am faint oedd darlledu yn y wlad yn ei gostio. £70,000 oedd yr incwm o drwyddedau Cymru ar gost o ddecswllt y pen (50 ceiniog heddiw). Gan fod y gwasanaeth yn un anghyflawn awgrymai'r Cenedlaetholwyr ostyngiad yn y drwydded i saith a chwech (37 ceiniog). Er nad oes yma gyfeiriad penodol at Ogledd Cymru y mae'r argymhelliad yn y maniffesto'n glir iawn tros ymchwiliad trwyadl i'r ffyrdd o wella ochr dechnegol y ddarpariaeth er mwyn diogelu traddodiadau a meithrin diwylliant. Yr oedd Urdd Gobaith Cymru hefyd, yn eu cynhadledd yn Llangollen, yn galw am orsaf i Gymru. Erbyn diwedd 1931 codai lleisiau o bob tu yn erbyn y BBC gyda Chyngor Sir Feirionnydd yn cwyno am y 'briwsion' a ddisgynnai ar fwrdd y Gogledd o Daventry.

Cyn egwyl y Nadolig yn San Steffan yr oedd yr aelodau seneddol yn canolbwyntio eu sylw ar Fwrdd Llywodraethu'r BBC. Ar y pryd hwnnw Cadeirydd y Llywodraethwyr oedd cyn-Lefarydd Tŷ'r Cyffredin, Mr J. H. Whitley. Yr Arglwydd Gainsford oedd ei ddirprwy a'r tri aelod arall oedd yr Is-iarlles (Viscountess) Snowden, Dr Montague Rendall a Syr Gordon Nairne. Holai Rhys Hopkin Morris pwy oedd yn penodi'r Llywodraethwyr, tra oedd y Capten Ernest Evans yn pwysleisio'r rheidrwydd o gael un Llywodraethwr a oedd yn deall rhywbeth am Gymru. Gofynnodd aelod seneddol Sir Fflint, Llewelyn-Jones, a oedd y Postfeistr Cyffredinol yn ymwybodol o'r ffaith fod sawl Cyngor Sir, a sawl awdurdod arall yn y Gogledd, yn daer am weld sefydlu gorsaf yn y rhan honno o'r wlad. Cafodd yr ateb gan Syr Kingsley Wood (Ceidwadwr, Postfeistr Cyffredinol):

> The Corporation are, I am satisfied, doing their best to ensure that satisfactory broadcasting facilities shall be provided for the greatest number of listeners, though owing to the mountainous character of Wales there are serious difficulties in relation to transmission.

Mewn llythyr yn *The Western Mail* ar Ragfyr 18, 1931 yr oedd E. R. Appleton yn nodi nad ar y BBC yr oedd y bai am y mynyddoedd. Fe ryfeddai at y cyhuddiadau a ddeuai oddi wrth bobl nad oedd wedi trafferthu i wneud yn siŵr o'r ffeithiau cyn rhuthro i brint. Er bod pob rhwyddineb i Gymru ddarganfod arbenigwr technegol annibynnol, nid oedd cymaint ag un wedi dod i'r amlwg, dim ond 'a few amateurs or people with no knowledge whatsoever of the technical side'.

Mewn dogfen fewnol gan y BBC ar y 'Welsh Controversy' fe ddywedir:

> Welshmen became exceedingly jealous of their dignity and rights. They had also become by 1932 fully alive to the possibilities of broadcasting, which had not occurred to them before.

Ddeugain mlynedd yn ddiweddarach yr oedd Aneirin Talfan Davies, yn ei ddarlith radio *Darlledu a'r Genedl*, yn crynhoi'r cyfnod fel hyn:

> Ni ellir dweud gydag unrhyw fesur o eirwiredd fod gofynion Cymru wedi derbyn fawr sylw wrth lunio'r gyfundrefn y daethpwyd i'w hadnabod fel y BBC. Ystyriaethau poblogaeth a'r awydd i ymestyn dros holl diriogaeth Prydain oedd y cymhellion cyntaf a chryfaf. Nid unrhyw awydd i ofalu bod gofynion y genedl Gymreig yn cael eu cyflenwi oedd i gyfrif fod gorsaf wedi ei chodi yng Nghaerdydd mor gynnar â 1923. Patrwm dinesig, rhwydwaith o orsafoedd dinesig poblog led-led Prydain oedd bwriad yr awdurdodau hyd nes y codwyd y trosglwyddydd nerthol hwnnw yn Daventry a'i gwnaeth hi'n bosibl i roi derbyniad i Brydain oll ar donfedd hir . . .
>
> Nid oedd lle i Gymru, fel Cymru, yn y patrwm hwn, a chysylltwyd hi â gorllewin Lloegr, ac ni thybiai'r awdurdodau fod hyn yn drais yn y byd ar Gymru. Syniadau cosmopolitan am ragoriaethau Llundain oedd yn ysgogi penaethiaid y BBC yn y cyfnod yma.

Tua'r adeg y dechreuodd Sam Jones ar ei yrfa ddarlledu ran-amser, yn Rhagfyr 1932 fe arweiniodd Lloyd George ddirprwyaeth arall o aelodau seneddol i'r Tŷ Darlledu i drafod efo Syr John Reith arwyddocâd y gynhadledd am donfeddi radio a gynhaliwyd ym Madrid yn yr hydref. Bu trafod hir ar yr esgeulustod yng Nghymru. Cyfarfod pigog oedd hwn gyda Lloyd George yn cyhuddo Appleton o ddiffygion yn ei agwedd at wrandawyr Cymru. Yr oedd y gwleidydd 'altogether in a most unfriendly mood' yn ôl y cofnod.

Ym Mehefin 1932 yr oedd William Jenkins AS, D. Emrys Evans a'r Uwch-gapten W. P. Wheldon, Syr Vincent Evans o Anrhydeddus Gymdeithas y Cymmrodorion a John Rowland o'r Weinyddiaeth Iechyd, i gyd wedi anfon llythyrau cymeradwyaeth i'r BBC ar ran Sam Jones. Ar wahân i'w egni a'i frwdfrydedd fe nodir hefyd ei allu i weithredu'n annibynnol ar unrhyw sect neu blaid. Cadarnhawyd y penodiad trwy lythyr iddo ar Ionawr 2, 1933 gan Syr Charles Carpendale, y Dirprwy Gyfarwyddwr Cyffredinol gan gynnig iddo swydd llawn-amser o Chwefror 1, 1933 ymlaen. Wedi cyhoeddi'r penodiad fe gafwyd nifer o deyrngedau iddo yn y wasg. Yr oedd pawb yn llawen wrth feddwl fod un Cymro, o'r diwedd, ar staff adran rhaglenni'r BBC. Yr oedd *Y Genedl*, papur Caernarfon, yn siŵr y byddai'r penodiad yn dderbyniol yn y De a'r Gogledd fel ei gilydd. Yr oedd *Baner ac Amserau Cymru, Y Darian, Y Goleuad* a *Y Brython* i gyd yn canu clodydd y newyddiadurwr poblogaidd, gyda *Y Brython* yn ychwanegu 'Fe ddisgwyl eich cenedl wrthych, Sam'.

Nid oedd y teyrngedau yn y papurau newydd i gyd yn gwbl ddigymell. Fe ysgrifennodd Sam Jones at E. Morgan Humphreys yng Nghaernarfon yn gofyn am sylw i'r penodiad yn y nodiadau Cymreig yn y *Daily Post*. Llythyr yw hwn a ysgrifennwyd ar bapur *The Western Mail*, ac ar gefn pob dalen y mae trumwedd o fap yn dangos cylchrediad papur y De – o Fôn i Fynwy a hefyd ardal Lerpwl, Manceinion, Swydd Amwythig, Swydd Henffordd, Swydd Caerwrangon, Swydd Caerloyw a Bryste. Yn ei lythyr y mae Sam Jones yn pwysleisio ar ei gyd-ohebydd profiadol y byddai cyhoeddusrwydd da i'w benodiad i'r BBC o fantais iddo yng ngolwg penaethiaid y Gorfforaeth. Ar y llaw arall fe fyddai'n drychineb ('ghastly') pe baent yn synhwyro fod gwrthwynebiad i'r penodiad. Mae'n parhau:

> If we can show them in any way that there's a suggestion of unanimity about it the better it will be for me and, if I may be permitted to say so, for the nation.
> I'm not leaving the *Mail* just yet. I'm to continue here until sufficient work is found for me at the BBC . . . But don't mention the part-time business – perhaps you can say that the full effect of the new appointment will be seen when the new station is working. And, by the way, you can take it from me that *all* North Wales will be able to hear the new station.

Cyfraniad olaf Sam Jones i *The Western Mail* oedd cofnodi buddugoliaeth Cymru yn Twickenham o saith pwynt i dri, y fuddugoliaeth gyntaf i'r crysau cochion ers agor y stadiwm yn 1910. Y mae'r erthygl yn darllen fel sylwebaeth radio:

> Elliot races for the Welsh line; the Welsh defence has been pierced; the Englishman has a clear field before him. The home spectators roar

with joy; a try is a certainty, with the Welsh lead (four points, Boon's glorious dropped goal, to three, Elliot's try in the first half) wiped out. But Wooller, the giant school-boy from North Wales, is in his stride and he overtakes and brings down Elliot less than a dozen yards from the Welsh line . . .

Bron na ddywedech chi fod pryddest Cynan yn Eisteddfod Bangor, 1931, ar gof y gohebydd! Er bod Edgar Jones wedi bod yn gyfrifol am raglenni chwaraeon, nid hynny oedd prif faes Sam Jones. Ei gyfrifoldeb cyntaf oedd llenwi yr 'hen *Welsh Interlude*', fel y soniai gydag anwyldeb amdano:

> Ar y pryd rhyw bedwar ohono ni oedd yn medru siarad Cymraeg – un peiriannydd, ysgrifenyddes ac un ferch arall. Dim ond pedwar cofiwch yn siarad Cymraeg ar staff y BBC yng Nghymru. Un rhaglen yr wythnos oedd gennym ni, y Welsh Interlude bythgofiadwy, ar nos Sadwrn – sgwrs o chwarter awr. Ac, mae'n sicr, pan es i yno doedd y Saeson ddim yn credu y base ni'n cael ychwaneg chwaith. Oedde nhw'n dweud wrtha i, yn hollol ddiniwed fel petae, 'you're merely here on sufferance' ynte.

Rhaglen Saesneg oedd ei raglen gyntaf un, yn ôl darlith a draddodwyd ganddo yn y Coleg Normal, Bangor ar Chwefror 3, 1957. Deilliodd y rhaglen honno o'r cyfnod pan fu'n cynorthwyo llenor o Sais, y diweddar Filson Young, i ddarlledu rhaglen yn dwyn y teitl *The road to St. David's*. Rhyw fath o raglen nodwedd oedd honno, yn disgrifio pererindod o Gaerdydd i'r Eglwys Gadeiriol yn Nhyddewi gan alw mewn lleoedd a mannau diddorol, a hanesyddol, ar y ffordd. Ar y bererindod hon y bu i lawr y pwll glo hwnnw yn Llangyfelach i oedfa weddi ar fore Llun, y cafwyd ei hanes yn *The Western Mail*.

Ond, ac yntau bellach ar staff y BBC, cryfhau'r gwasanaeth Cymraeg oedd ei nod. Ef, yn wir, a ddechreuodd y gwasanaeth hwnnw. Yn yr un ddarlith ym Mangor y mae'n dweud ei fod yn gyfrifol am ddramâu, rhaglenni nodwedd, sgyrsiau, *Awr y Plant, Newyddion*, crefydd, darllediadau allanol a cherddoriaeth. Fel newyddiadurwr da y mae ganddo'r gallu i wybod at bwy y gall droi am ddeunydd. Ym myd cerddoriaeth fe drodd at bobol fel Grace Williams, Mansel Thomas, Arwel Hughes, y tri yn fyfyrwyr yn Llundain ar y pryd, ac at Hubert Davies, E. T. Davies a Kenneth Harding ar gyfer cyfres dan y teitl *In Manuscript*.

Un o'r rhai cyntaf i'w benodi i'w gynorthwyo yn y gwaith o gynhyrchu rhaglenni Cymraeg oedd Dafydd Gruffydd, mab yr Athro W. J. Gruffydd. Ym meddwl Dafydd Gruffydd yr oedd Sam Jones yn arloesydd, yn yr ystyr o 'pioneer', wrth natur:

> 'Dwi'n cofio rhywun ar y staff yn dweud amdano -'Doesn't the fool realize that he's trying to do the impossible?'. Ac meddai un arall, 'dwi'n meddwl mai'r diweddar Francis Worsley oedd hynny – 'You don't understand Sam,' medde fo, 'he considers the impossible to be only slightly more difficult than the possible'.
>
> Sylweddolodd Sam mai'r unig ffordd i gael rhagor o ddarlledu Cymraeg oedd i wneud math o 'stockpile' o ddeunydd rhaglenni, ac i fachu pob munud o amser rhydd a gynigid iddo i'w lenwi. 'Rhowch yr amser ar yr awyr i mi,' medde fo, 'ac mi gewch y rhaglenni.' Fedra' i ddim honni, a fase Sam ddim yn honni, bod safon y rhaglenni Cymraeg bob amser yn uchel iawn ond, fel y tybiai Sam, ei orchwyl oedd i gynhyrchu rhaglenni ac nid o reidrwydd rhaglenni da. Creu angen, mewn gwirionedd, nid diwallu angen.

Fe ddisgrifir rhaglenni'r cyfnod hwnnw fel rhyw fath o botes maip. Teflid popeth i mewn i'r crochan. Drwy hyn fe brofwyd fod digon o ddeunydd, o ryw fath, ar gael i lenwi llawer mwy o amser ar yr awyr nag a gynigid i Sam Jones.

Doedd o ddim yn cael llawer o gefnogaeth gan Reolwr Rhanbarth y Gorllewin, E. R. Appleton, gan na theimlai ef fod yna angen am lawer iawn o raglenni Cymraeg. Yn wir, yr oedd Sam Jones yn gwrthbrofi dadleuon Appleton nad oedd digon o ddeunydd ar gael yn Gymraeg i gynnig unrhyw fath o wasanaeth. Er gwaethaf hynny y mae'n pledio achos Appleton, a hynny mewn llythyr mentrus at E. Morgan Humphreys. Y mae'n chwarae gêm beryglus, ac mae'n gwybod ei fod yn mentro wrth roi gair ar bapur. Trafod tactegau y mae, ac wrth gymell polisi o barhau i gorddi'r dyfroedd y mae ef hefyd o'r farn mai gwrthgynhyrchiol yw'r ymosodiadau di-ildio ar bawb a phopeth yn y BBC:

> We must have time to build up a broadcasting system in Wales. We can well retain the services of E. R. Appleton, for instance, for a few years yet. Believe me, he *is* sympathetically inclined towards Wales – he is doing his level best to understand – often a difficult task. Personally, I think it would be a tragedy if E.R.A. was 'hounded out' at this stage

and I honestly believe that this is the opinion of all level-headed Welshmen who have come in contact with him. Wales needs him.

Wedi dweud hynny, y mae o'r farn y dylid mynnu fod yr orsaf yn darlledu canran llawer uwch o raglenni Cymraeg ('Welsh stuff'). Ein cyfrifoldeb ni yw hynny, meddai, a rhaid cael amser i fynd ati:

> It is going to mean a deuce of a job and a tremendous amount of work – late working for myself I'm afraid . . .
>
> Personally I've no fear of the future. I'll have a good shot at making Welsh broadcasting worthwhile. If I fail – well, there are other Welshmen who are prepared to finish off the task.

Llythyr rhyfeddol yw hwn gan un newydd ei benodi i'r Gorfforaeth, llythyr sy'n awgrymu ei fod yn adnabod E. Morgan Humphreys yn ddigon da i ymddiried ynddo. Y mae'r awgrym yn glir, fod yna gynllunio i gael gwared ar Appleton trwy ymgyrch yn y wasg ac mae'n ddiddorol fod Sam Jones yn cadw'i gefn. Fe ŵyr yn iawn ei fod yn mentro wrth roi gair o'r fath ar bapur ac mae'n rhagymadroddi trwy ddweud 'I'll risk it'. Fe ddaw'r llythyr i ben gydag anogaeth bellach i sôn eto am unfrydedd y farn yng Nghymru ynglŷn â'i benodiad ef i'r BBC 'with the noteable exception of L.G. – but don't refer to that anywhere at any time'. Fe wyddai, felly, fod Tom Jones wedi bod yn cynghori yn erbyn ei benodiad a bod Lloyd George yn cefnogi Haydn Davies. Er gwaethaf ei hyder ymddangosiadol, yr oedd yn ddigon hirben i wybod y gallai fod arno angen cefnogaeth Appleton am beth amser.

Y mae Alun Llywelyn-Williams yn cofio'r cyfnod ac yn cofio Appleton fel un o'r darlledwyr radio gorau a fu erioed ond hefyd fel 'un o'r bobol fwyaf di-grefydd, a di-egwyddor a adnabûm i erioed'. Nid oes amheuaeth yn ei feddwl na chwaraeodd Appleton ran amheus oddi fewn i'r Gorfforaeth yn yr ymrafael ynglŷn â gwahanu Gorllewin Lloegr a Chymru oddi wrth ei gilydd a hynny, yn ôl pob tebyg, er mwyn diogelu ei deyrnas ei hun. Fe ddywed yn ei gyfrol *Gwanwyn yn y Ddinas* fod y penaethiaid yng Nghaerdydd a Llundain yn lled obeithio y profai'r penodiad yn derfynol na ellid cyfiawnhau darlledu'n gyson yn Gymraeg:

> Roeddwn i, fel llawer iawn o fyfyrwyr eraill mwy dawnus o lawer, megis Emrys Cleaver, wedi cael fy nwyn i mewn ar adegau i helpu

gyda rhai o'r rhaglenni Cymraeg prin a ddarlledwyd o Gaerdydd o dan
yr hen drefn gan Sam Jones a oedd yr adeg honno yn ymladd brwydr
unig a chwerw y tu mewn i'r Gorfforaeth yn erbyn rhagfarn a malais
anghredadwy ei benaethiaid.

Mae'n ddiddorol sylwi fel yr oedd Sam Jones, o'r dechrau, yn troi at y
colegau am ddoniau. Bydd hynny'n dod yn fwy-fwy amlwg yn y
bennod nesaf, ac yn hanes ei gyfnod ym Mangor. Ond dyna a wnaeth
yng Nghaerdydd hefyd. Fe alwodd ar rai o fyfyrwyr Cymdeithas
Gymraeg y coleg a'u gwahodd i ddod i mewn i gymryd rhan mewn
dramâu a rhaglenni ysgafn. Dyna oedd y dechrau i Emrys Cleaver.
Myfyriwr arall a'i helpodd oedd y Fonesig Enid Parry ifanc. Cyfieithu
newyddion oedd y dasg y tro yma. Y patrwm arferol oedd mynd i'r Tŷ
Darlledu yn Park Place erbyn saith o'r gloch yr hwyr a gorfod
gweithio'n gyflym i gyfieithu paragraffau o'r papurau dyddiol, gan
nad oedd rhwydwaith newyddion y BBC yn un soffistigedig iawn ar y
pryd. Yr oedd Enid Parry yn un o dair yn gwneud y gwaith o
ysgrifennu'r bwletin ar orchymyn Sam Jones. Y ddwy arall oedd
Gwenda Gruffydd, gwraig yr Athro W. J. Gruffydd, a Maud Griffith,
ei ddarpar wraig ef ei hun. Dafydd Gruffydd fyddai'n darllen y
bwletinau, nes iddo ddechrau ar ei waith yn cynhyrchu dramâu.
Fe ddaeth i gof Enid Parry am Sam Jones yn mynd o'i go'n lân pan
gerddodd i mewn i'r stiwdio ryw ddiwrnod a chael hyd i ddillad isaf
dynion wedi eu taenu ar y rheiddiaduron. Erbyn holi ymhellach,
peiriannydd ifanc oedd biau'r dillad isaf, un wedi ei siarsio gan ei fam
i grasu ei ddillad wedi cyrraedd Caerdydd! Yr hyn a flinai Sam Jones
oedd fod y crwt wedi trin y BBC fel 'laundry' a chafodd rybudd i
beidio â sarhau'r union gorff oedd, trwy ei phenaethiaid, mor sarhaus
wrtho fo'i hun. Un arall o atgofion Enid Parry, am sensitifrwydd Sam
Jones, oedd am y tro hwnnw yr oedd ef i deithio i Fryste gyda'i
Bennaeth. Fe adawodd y ddau yn yr un tacsi o Park Place, ond wedi
cyrraedd yr orsaf drenau manteisiodd Appleton ar ei hawl i deithio
dosbarth cyntaf a gadael Sam Jones yn teithio ar ei ben ei hun yn y
trydydd dosbarth. Mae'n debyg i hynny fod ar ei feddwl am
wythnosau, y teimlad o fod yn israddol ac o fod ar goll ynghanol y
Seisnigrwydd mawr. Y mae Elwyn Evans yn ychwanegu at y darlun
trwy gofio am y 'Senior staff' yng Nghaerdydd yn cael te gyda'i
gilydd o gwmpas bwrdd hir ond eisteddai Sam Jones wrtho'i hun wrth

y drws heb dorri gair â neb, a'i baglu hi'n ôl i'w swyddfa cyn gynted ag y medrai. Ar wahân i'r ffaith ei fod yn drwm ei glyw a siarad mewn cwmni yn drafferth iddo, meddai Elwyn Evans, yr oedd hi'n amlwg ei fod yn dipyn o belican, yn ŵr yr oedd yn well ganddo aros y tu allan i gylch y 'sefydliad' lleol.

Dyma'r cyfeiriad cyntaf at fyddardod Sam Jones. Tybed ai effaith y gynau mawr yn ystod ei gyfnod ar y llongau rhyfel a darfodd ar ei glyw? Y mae'n bosibl, hefyd, nad oedd yn awyddus i glywed y sgwrsio sarhaus.

Yr oedd yr Amgueddfa Genedlaethol yn union gyferbyn â stiwdio'r BBC yn Park Place. Yn y fan honno fe deimlai Iorwerth C. Peate awelon croes o Seisnigrwydd digon tebyg yn ei ynysu yntau yn y sefydliad hwnnw. Byddai Sam Jones yn dod ato am gwmnïaeth. Ond yr oedd ganddo reswm arall hefyd, tros dreigl amser, i gyfarfod ag Iorwerth Peate:

> Yr ydw i'n cofio mai un o'r pethe wnaeth o oedd cael Prif Beiriannydd y BBC o Lundain i lawr i Gaerdydd, ac mi es i allan i gael cinio efo fo yn yr Angel. Dyma fwrw iddi ar yr angen i gael rhagor o Gymraeg. A'r ateb yr oeddwn i yn ei gael gan y dyn hwnnw bob cynnig oedd 'insurmountable technical difficulties'. Ac roedd Sam a minnau'n dadlau'n ffyrnig iawn efo fo.

Beth bynnag am ddiffygion cyfathrebu ar y pryd, y mae'n gwbl sicr fod Appleton wedi cael adroddiad llawn gan y Prif Beiriannydd am y dadlau ffyrnig, ac fe fyddai teyrngarwch Sam Jones i'r Gorfforaeth dan amheuaeth.

Yr oedd o yn gryf o blaid y cynllun arfaethedig gan rai o arweinwyr y genedl i hollti'r 'West Region' a chael rhanbarth arbennig i Gymru gyfan. Ei brif amcan wrth gynhyrchu cenlli o raglenni oedd profi bod gan Gymru'r adnoddau artistig angenrheidiol. Ond yr oedd ei sefyllfa'n un anodd. Fe ddywed Elwyn Evans, a oedd bellach yn gydweithiwr iddo, fod Sam Jones yn rhy wyneb-agored i gelu ei syniadau, ac eto yr oedd yn was cyflog y BBC a oedd yn dal i hawlio fod prinder tonfeddi yn gwneud Rhanbarth i Gymru'n dechnegol amhosibl.

Nid oedd lle i amau ei deyrngarwch i'r syniad o ddarlledu cyhoeddus, er nad oedd yn gweld lygad yn llygad â'r penaethiaid hynny oedd yn gosod rhwystrau ar ffordd y Cymry i ddatblygu gwasanaeth cenedlaethol teilwng. Fe fyddai Iorwerth Peate wedi gwneud yn siŵr fod Sam Jones yn gweld rhifyn Chwefror 1933 o *The Welsh Nationalist*. Dan y bras-bennawd 'Yr achos yn erbyn y BBC' y mae myfyriwr disglair o Goleg y Brifysgol, Abertawe, o'r enw E. G. Bowen yn cyhuddo'r BBC o wastraff adnoddau bwriadol. Yn ei farn ef yr oedd yna bedwar trosglwyddydd tonfedd ganol yn cael eu defnyddio i gario'r Rhaglen Genedlaethol, rhaglen y gellid ei derbyn ar drosglwyddydd tonfedd uwch Daventry. Byddai defnydd synhwyrol o'r tonfeddi oedd gan y BBC eisoes, meddai, yn ddigon i sicrhau gwasanaeth tecach i dde a gogledd Cymru. Yn y rhifyn hwn hefyd dyfynnir Mr Vincent Alford ('dyn pwysig yn y BBC') yn dweud wrth gyfarfod cyhoeddus yn y Coleg Normal, Bangor y byddai'r Gorfforaeth yn fodlon ystyried y mater o orsaf ddarlledu i'r Gogledd pe byddai chwarter miliwn o drwyddedau wedi eu pwrcasu yno. A ninnau, meddai'r *Welsh Nationalist,* yn credu mai'r mynyddoedd, neu brinder tonfeddi, oedd y rheswm:

> Appointing a Welsh-speaking Welshman on their staff (even though he might happen to be an 'extreme' Nationalist) is not sufficient. The power lies with those above him.

Ysgrifenyddes cangen Caerdydd o'r Blaid Genedlaethol oedd gwraig Iorwerth Peate, Mrs Nansi Peate. Dyma'r adeg yr oedd y gangen hon yn llunio memorandwm i Lys y Brifysgol ynglŷn â darlledu. Iorwerth Peate ei hun a'i lluniodd. Penderfynodd wneud rhywbeth i sicrhau gwell gwasanaeth radio i Gymru 'ac ymgynghorais â Sam Jones i gael ei adwaith ef. Cytunai'n llwyr.' Y bwriad o'r dechrau oedd cyflwyno'r Memorandwm i Bwyllgor Darlledu Llys y Brifysgol. Fe'i derbyniwyd yn wresog gan gangen Caerdydd o'r Blaid Genedlaethol, dan gadeiryddiaeth Griffith John Williams, a'i anfon at Jenkin James, ysgrifennydd Cyngor y Brifysgol. Ymhen ychydig fisoedd derbyn-iwyd atebiad swyddogol Mr James fod y Pwyllgor Darlledu'n mabwysiadu'r cwbl o'r pwyntiau ac yn bwriadu eu gosod o flaen awdurdodau'r BBC. Yn *Rhwng Dau Fyd*, mae Iorwerth Peate yn cofnodi:

> Yr oedd Mr Saunders Lewis yn aelod o bwyllgor y Brifysgol a threfnwyd, cyn anfon y Memorandwm, ei fod yn cyfarfod Sam Jones a minnau i'w hysbysu'n fanwl am yr holl bwyntiau ynddo. Cofiaf y cyfarfyddiad yn dda: cytunwyd i gyfarfod ar lofft caffe yr Old Continental yn Heol yr Eglwys i osgoi llygad barcud Appleton a'i griw

gan y byddai Sam druan mewn perygl o golli ei swydd pe gwyddid ei fod yn y fusnes o gwbl. Y mae pob clod yn ddyledus iddo canys rhoddai'r flaenoriaeth i deyrngarwch i Gymru yn y mater hwn.

Yn y cyfamser yr oedd Sam Jones ar fin dangos ei deyrngarwch i'r ferch y bu'n ei chanlyn am o leiaf ddeuddeng mlynedd. Ar Fedi 2, 1933, priodwyd Samuel Jones â Maud Ann Griffith yng nghapel y Wesleaid Cymraeg yng Nghaerdydd. Ei frawd, y Parchedig Ifor Jones, a'r Parchedig Gabriel Hughes oedd yn gweinyddu yn y briodas. Rhoddwyd y briodferch i'w phriodi gan ei mam. Gwraig weddw oedd Mrs Griffith. Doedd dim morwyn briodas. Y gwas priodas oedd Emrys Pride, arolygwr ffatrïoedd dan y Swyddfa Gartref, ac aeth y pâr ifanc i Gernyw i fwrw'u swildod.

Yr oedd Myfanwy Howell yn adnabod Maud Jones, bellach, er pan oedd y ddwy'n 'genod ysgol'. Ar y cae hoci y daeth y cyfarfyddiad cyntaf gyda Maud yn chwarae i Ysgol Sir Caernarfon a Myfanwy i Ysgol Sir Llangefni:

a syndod mawr i mi oedd pan ddaru Maud a Sam briodi a deud y gwir, achos welsoch chi erioed ddau fwy annhebyg yr olwg arnyn' nhw. Wel, fedra neb ddeud fod Sam yn dwt yn na fedra'! Ei het o ar ochr ei ben a'i wallt o yn aml eisiau mynd at y barbwr, a'i goler o rownd dan ei glust o, a'i gôt o yn fflio yn 'gorad ac ambell i fotwm heb ei gau. Maud, wedyn, fel pin mewn papur bob amser. Sam yn un byrbwyll ac yn wyllt, a Maud yn bwyllog ac yn dawel ac yn ddoeth tu hwnt. O! roedd hi'n benigamp. Ond oedd hynny yn ddim o'i gymharu â'i gwaith yn gofalu am Sam.

Blwyddyn gymysglyd fu 1933 i Sam Jones – gadael *The Western Mail;* ymuno'n llawn-amser â'r BBC; ennill, a cholli, ffafr yng ngolwg Appleton; bwrw iddi i waith a oedd yn lled ddieithr iddo gan weithio'n ddiddiwedd i brofi fod gwasanaeth Cymraeg yn gwbl bosibl; ei gael ei hun mewn trafodaethau dirgel yn cynllunio yn erbyn agwedd ei benaethiaid tra'n dal yn deyrngar i'r eithaf i'w weledigaeth ef o bwrpas darlledu yn y Gymraeg; priodi a symud tŷ i 8, Heol Betws y Coed yn ardal Cyncoed (a dyma gyfeiriad Maud ar y dystysgrif priodas – symud yno ati hi a wnaeth Sam Jones ar ôl priodi). A phan ddaeth adref o Gernyw yr oedd yng nghanol berw trafodaethau y Pwyllgor Darlledu unwaith eto.

Yr oedd y Blaid Genedlaethol eisoes wedi braenaru'r tir trwy ysgrifennu at y BBC i'w cymell i ryddhau tonfedd y Gorllewin i anghenion Cymru gan fod cryfder yr Orsaf Genedlaethol (Brydeinig), 5XX, yn cyrraedd pob man. Gofynnwyd i'r BBC sawl awr o Gymraeg yr oedd y Gorfforaeth yn bwriadu eu darlledu o orsaf y Gorllewin yng Nghaerdydd a faint o'r Orsaf Ogleddol, hynny yw o Fanceinion. A.C. Dawnay, Rheolwr Rhaglenni, a atebodd gan wrthod y syniad o ryddhau tonfedd a mynegi consÿrn am y di-Gymraeg pe defnyddid gorsaf i raglenni Cymraeg yn unig. Ar gwestiwn rhaglenni Cymraeg yr oedd hi'n amhosibl amcangyfrif yr oriau, meddai, ond fe fyddid yn rhannu'r oriau'n gyfartal rhwng gofynion gorllewin Lloegr a gofynion Cymru.

Yr oedd gan Bwyllgor Darlledu Llys y Brifysgol y fantais o gael cyfarfod wyneb yn wyneb â'r awdurdodau. Yn y Great Western Hotel, Llundain y bu'r cyfarfod cyntaf, a hynny ar ddydd Gwener, Rhagfyr 1, 1933. Yn bresennol ar ran y Brifysgol yr oedd y Dirprwy Ganghellor (yr Anrhydeddus W. N. Bruce); yr Is-ganghellor (y Prifathro D. Emrys Evans); y Gwir Anrhydeddus David Lloyd George; yr Henadur William George; y Prifathro J. F. Rees; yr Athro W. J. Gruffydd; yr Athro Joseph Jones; yr Henadur Syr William Jenkins; Mr Saunders Lewis a'r Ysgrifennydd (Jenkin James). Derbyniodd y BBC yr awgrym fod y Pwyllgor hwn, dros gyfnod arbrofol o ddwy flynedd, yn cyfarfod â'r BBC ddwy waith y flwyddyn er mwyn adolygu gwaith y chwe mis a aeth heibio ac i glywed am y cynlluniau am y chwe mis i ddod. Arwydd o ewyllys da, yn ôl Reith, oedd cytuno â'r awgrym hwn. Yn amlwg nid oedd y BBC yn hapus iawn am bersonél y Pwyllgor 'as it contained some ardent Nationalists who would probably make trouble'. Yr oedd gwaeth i ddod, os mai hynny oedd y gofid, pan ychwanegwyd E. G. Bowen, a oedd bellach yn gweithio yn y Radio Research Station, Slough, i'r Pwyllgor.

Fe ddaeth yr 'alleged technical expert who was a rabid Nationalist' i'r cyfarfod llawn cyntaf o'r cyd-bwyllgor dan gadeiryddiaeth J. H. Whitley, Cadeirydd Llywodraethwyr y BBC, ar Chwefror 9, 1934. Yr oedd E. G. Bowen wedi ennill gradd dosbarth cyntaf mewn Ffiseg yn Abertawe, wedi dechrau ar ei radd Meistr yno cyn symud i Goleg King's, Llundain, i astudio dan yr Athro E. V. Appleton gan barhau â'i ymchwil yn Slough. Yr oedd eisoes wedi tarfu'r colomennod, nid yn gymaint oherwydd ei erthygl yn *The Welsh Nationalist*, ond am iddo

ysgrifennu at gwmni Marconi i holi pa mor wir oedd honiad y BBC
fod datblygiad technegol yng Nghymru yn amhosibl. 'Personally,'
meddai Bowen yn ei lythyr at gwmni Marconi, 'I believe the BBC's
excuses are all moonshine.' Y mae Bowen yn gofyn am ateb pendant i
dri phwynt:

> Granted that North Wales is mountainous and attenuation of radio
> waves is high over such areas, are there any insurmountable difficulties
> in providing this, and other parts of Wales, with a satisfactory
> broadcast service on the medium wave?
>   Provided a wavelength is available, is there any reason for supposing
> that a service by common wave transmitters as outlined above would
> be unsatisfactory?
>   Is the above arrangement the only one by which Wales could obtain
> an efficient service on one medium wavelength, or is there a better
> method by which it could be carried out?

Anfonodd cwmni Marconi y llythyr at Reith. Cwynodd Reith
mewn llythyr at Ysgrifennydd Llys y Brifysgol fod Bowen wedi
ysgrifennu at y cwmni, a bod yr hen ysgyfarnog o Orsaf Gymreig yn
codi eto. Ar Chwefror 6, 1934 y mae'r Prifathro Emrys Evans, o fod
wedi cael ei dynnu i mewn i'r helbul, yn ysgrifennu at Jenkin James,
Ysgrifennydd y Llys, ac yn dweud dau beth; yn gyntaf fod yn rhaid i
Reith ddeall y byddai mater yr Orsaf Gymreig yn dal i gael ei
wyntyllu nes cael ateb boddhaol. Am Bowen – 'It is the old story of
zeal outrunning discretion.'

Ergyd gyntaf y Pwyllgor ar Chwefror 9, oedd datgan anfodlon-
rwydd fod Sais di-Gymraeg, a heb feddu unrhyw wybodaeth am
Gymru, yn Gyfarwyddwr Rhanbarth y Gorllewin. Awgrymwyd penodi
Cymro Cymraeg i arolygu'r cynnyrch Cymraeg. Saunders Lewis a
fynegodd y farn fod agwedd y BBC yn awgrymu na wyddent fod
Cymru yn genedl ag iddi ei hiaith a'i diwylliant ei hun. Nid rhanbarth
o Loegr oedd Cymru. Begiodd Lloyd George ar y BBC i roi heibio'r
arfer o fesur gofynion Cymru yn ôl safonau technegol a thrwch
poblogaeth. Rhaid delio â Chymru fel uned annibynnol, meddai, gan
fod cyfle rhy brin o lawer i wrandawyr y De glywed rhaglenni yn eu
hiaith eu hunain; i'r gogleddwyr doedd yna braidd ddim i'w glywed.
Wrth ystyried cynllun y chwe mis nesaf cadarnhaodd y Pwyllgor yr
angen i sefydlu stiwdio ym Mangor, a hynny ar unwaith.

Trafodwyd eto fater y trosglwyddyddion ac ymateb y BBC oedd, pa mor ddrwg bynnag oedd hi ar drigolion Gogledd Cymru, fod profion technegol yn dangos fod y gwasanaeth yn waeth yng Nghernyw, yn Ne-Ddwyrain Lloegr, yng Ngorllewin Ulster ac yn ardal gyfan canolbarth gorllewinol yr Alban. Ni ellid, dan yr amgylchiadau hynny, lywio polisi oherwydd grym y bloeddio o un ardal. Ond yr oedd is-orsafoedd i Ogledd Cymru dan ystyriaeth. Yr oedd y BBC ers peth amser, meddid, wedi ystyried y cyfiawnhad o stiwdio ym Mangor neu Wrecsam ac wedi cytuno i ddatblygu ym Mangor.

Yr oedd, fodd bynnag, yn ddealledig na fyddai trigolion y Gogledd yn clywed rhaglenni Bangor nes y deuai'r modd i godi trosglwyddydd o bŵer rhesymol uchel yno.

Mewn atebiad i lythyr gan Mr R. E. Hughes o Ruddlan, a oedd wedi ysgrifennu i gynnig safle (nad yw'n ei enwi) ym Mangor Uchaf, fe ddywed y Prif Beiriannydd o Lundain, ar Chwefror 22, 1934, mai 'dan ystyriaeth' yn unig yr oedd y syniad o godi stiwdio ym Mangor. Erbyn y pwyllgor nesaf dywedodd y BBC fod cynlluniau eisoes ar y gweill i godi stiwdio ym Mangor ond na ellid gweithredu ar y cynllun nes y byddai llinellau digonol ar gael gan y Swyddfa Bost. Ni fyddai'r rhain ar gael, yn ôl pob tebyg, hyd ddiwedd 1935. Trefn codi trosglwyddyddion fyddai:

Hampshire ac arfordir De Lloegr
East Anglia
De Ddyfnaint a Chernyw
Solway Firth ac Ynys Manaw
Gogledd a Chanolbarth Cymru
Londonderry a'r ardal gyfagos.

Mynegodd Emrys Evans ei siom fod y cynlluniau am ddatblygu Bangor yn cael eu gwthio ymhellach.

Yr oedd y wasg yn gofyn – 'Pam Bangor?' – a chododd côr o leisiau o wahanol rannau o'r wlad yn canu clodydd Aberystwyth, Llangollen, Croesoswallt, Machynlleth, Llangefni, Llandudno a Wrecsam. Bangor, meddai D. R. Harries, Prifathro'r Coleg Normal, oedd prifddinas addysgol y Gogledd. Yr oedd yno bump o golegau i gyd – Prifysgol, dau goleg hyfforddi athrawon, a dau goleg diwin-yddol. Ychwanegodd eraill o'r dinasyddion eu cefnogaeth i Fangor gan sôn am y traddodiad cerddorol oedd yno, am y Gadeirlan, ac am y ddinas lle'r oedd Archdderwydd Cymru'n byw. Yn sicr yr oedd Gwili, yr Archdderwydd, wedi ysgrifennu i un papur newydd o blaid dewis Bangor. Ffactor arall o blaid y lle oedd fod yno orsaf reilffordd, a'r ffaith fod llinellau cyfathrebu eisoes yn bodoli rhwng Caergybi a Chaer yn mynd trwy Fangor. Er bod pobl fusnes y ddinas yn ysgrifennu i holi pa fath o safle'r oedd y BBC yn chwilio amdano yr oedd rhai o swyddogion y BBC yn Llundain yn y niwl ynglŷn â'r holl sôn am Fangor. 'First I've heard of it. I suppose it's not true,' oedd ymateb B. L. Hall o Adran 'Internal Affairs' – gŵr a oedd, ymhen rhai wythnosau, yn dod i Fangor i chwilio am safle.

Gofynnwyd, yn ddigon rhesymol, gan eraill yn Llundain pa fath o adnoddau y byddai eu hangen ym Mangor. Yn ôl Appleton yr oedd ei Adran Gymraeg, pobl fel Sam Jones, Dafydd Gruffydd ac Elwyn Evans, yn meddwl am adnoddau mwy cymhleth nag a dybiai ef ei hun yn angenrheidiol. Y Pwyllgor Adeiladau (Provinces) a gadarnhaodd y bwriad i godi stiwdio ym Mangor a gwnaed y penderfyniad ar Fawrth 14, 1934:

> *Bangor.* It was pointed out that a studio at this centre had definitely been approved. It was *decided* that an existing building should be sought.

Yr oedd Bangor i gael yr un adnoddau â'r ddarpariaeth yn Leeds – naill ai un stiwdio gerddorfaol fawr ac un stiwdio ddrama/sgyrsiau neu un stiwdio ddrama, un stiwdio sgyrsiau ac un stiwdio effeithiau sain. Yr oedd y mater, bellach, yn 'special priority'.

Mewn llythyr o'r Aber Hotel, Abergwyngregyn, ar Orffennaf 25, 1934 gan B. L. Hall, Dirprwy Bennaeth yr Adran Materion Mewnol, at ei bennaeth, Jardine Brown, yr oedd Hall o'r farn fod yna broblem. 'There is a regrettable dearth of suitable premises.' Gwelsai dŷ preifat, ac yr oedd yn canolbwyntio ar y math hwnnw o adeilad, mewn cyflwr da. 'The owner of the house is Polikoff – perhaps the richest tradesman in town.' Bryn-a-môr oedd y safle hwnnw, yn edrych tros y Fenai ar gyrion Bangor Uchaf. Yr oedd y perchennog hirben yn gofyn £3,000 ond yn debyg o setlo am £2,750 pe gallai werthu'r tŷ'n sydyn.

Ymhen deuddydd yr oedd Hall wedi bod i weld tŷ preifat arall, nid nepell, o'r enw Bryn Meirion. Ddiwedd Awst 1934 yr oedd Jardine Brown yn cymeradwyo cymryd les ar Fryn Meirion am £150 y flwyddyn gyda'r dewis o brynu am £3,000.

Ar Hydref 26, 1934 y bu'r cyfarfod nesaf o'r Pwyllgor Darlledu. Mynegwyd siom am arafwch y datblygiadau ym Mangor a chaewyd y drafodaeth gyda'r gobaith na fyddai oedi pellach. Gan fod dau drosglwyddydd ar gyfer y 'West Region' yn Washford Cross eisoes yn weithredol, un ar gyfer y *National Service* a'r llall ar gyfer gwasanaeth Rhanbarthol, fe awgrymwyd gan y Pwyllgor fod un trosglwyddydd i'w ddefnyddio i wasanaethu Cymru, a'r llall at ofynion gwahanol Gorllewin Lloegr. Yr oedd y Pwyllgor yn falch fod y rhaglenni Cymraeg wedi cynyddu o deirawr a hanner neu bedair awr yr wythnos yn Nhachwedd 1933 i bump awr a hanner ym Mehefin 1934.

Fe anfonwyd Appleton i Fangor ganol Tachwedd 1934. Dyma ei ymweliad cyntaf â Bryn Meirion:

> The site is a superb one and I know of no better view in this country ... I might add that I was taken by surprise when the owner of the house (a middle-aged College land-lady I believe) said to me, 'We don't want any more broadcasting in Welsh you know; we like dance music here!' It is also only fair to add that the railway porters on that line, in moments of sudden emotion, such as when receiving a tip, instinctively talk Welsh.

Yr oedd Appleton, mae'n ymddangos, yn dal yn benderfynol o roi'r argraff nad oedd galw am raglenni Cymraeg a bod y Pwyllgor Darlledu'n gorliwio. Yr oedd yntau'n cam-liwio trwy alw'r wraig a gyfarfu ym Mryn Meirion yn 'College land-lady'. Cadw tŷ i'r Major F. G. H. Bloom hyd ei farw yr oedd Miss Jane Williams, ac yn ôl Mrs Vivienne Hughes, gwraig o Fangor sy'n ei chofio yn dda, y mae'n bur amheus a fyddai Miss Williams wedi gwneud unrhyw gyfeiriad at 'dance music' gan ei bod hi'n wraig sidêt ac yn aelod ffyddlon yng nghapel yr Annibynwyr ym Mhendref, Bangor. Y mae cwpwrdd deuddarn o Fryn Meirion, a roddwyd yn anrheg gan Miss Jane Williams, yn ystafell diaconiaid Pendref hyd y dydd hwn. Pam, felly, yr honnodd Appleton i'r wraig hon ddweud nad oedd hi'n awyddus i glywed mwy o raglenni Cymraeg? Ai oherwydd, yn nhraddodiad gwaethaf 'Gwlad y Brenin Arthur', ei fod am greu mytholeg dderbyniol i glustiau'r Llundeinwyr? Ar ymyl y ddalen ar nodyn Appleton y mae Carpendale yn ychwanegu:

I don't like it much. I feel it will seldom be used and may die like the Oxford studio . . . May I here make a last plea against erecting a North Wales transmitter.

Er gwaethaf barn y Dirprwy Gyfarwyddwr arwyddwyd cytundeb rhwng y BBC a sgutoriaid stad Major Bloom i bwrcasu Bryn Meirion am £3,000 ar Ragfyr 14, 1934.

Y diwrnod cynt, Rhagfyr 13, cafwyd adroddiad gan y Pwyllgor Darlledu yn Llys y Brifysgol yn y Fenni. Yr oedd hi'n amlwg mai ateb rhannol, ar y gorau, i'r galw am wasanaeth o'r Gogledd fyddai stiwdio ym Mangor heb drosglwyddydd yn y rhan hon o'r wlad. 'It was then,' meddid yn y Llys, 'we received the coldest douche of all' gan fod blaenoriaeth i drosglwyddyddion eraill yn Lloegr, yn yr Alban ac yn Iwerddon. Os byddai'r sefyllfa bresennol yn parhau, 'the construction of a Relay station for North and Central Wales is relegated to a remote future'. Cynigiodd Saunders Lewis fod Cyngor y Brifysgol yn terfynu'r trefniant efo'r BBC ond, ar ôl trafodaeth, tynnodd ei gynnig yn ôl. Yr oedd y Llys yn mabwysiadu'r adroddiad:

and expresses regret that the British Broadcasting Corporation has shown little readiness to make more adequate provision for Welsh needs, and directs the Council through its Broadcasting Committee to press strongly and persistently the claims of Wales.

Cyn belled ag yr oedd y BBC yn y cwestiwn, y teimlad am rai o aelodau'r Pwyllgor Darlledu oedd fod y Prifathro Emrys Evans yn 'rhesymol iawn', Mr Saunders Lewis yn 'afresymol iawn', tra oedd yr Athro W. J. Gruffydd yn 'feirniadol' o'r Gorfforaeth. Yr oedd Saunders Lewis yn colli amynedd â'r llusgo traed. Ysgrifennodd, 'The BBC administers Wales as a conquered province and does not even keep faith.' O'r dechrau yr oedd Reith yn cael fod Saunders Lewis yn 'a very cantankerous man'. Ac i'r ysgolhaig pum troedfedd un fodfedd, ei fesur ef o'r Cyfarwyddwr Cyffredinol chwe troedfedd pedair modfedd oedd 'I found him utterly devoid of humour and his self-esteem and conceit are as huge as his frame'.

Yr oedd y gaseg eira o wrthwynebiad i arafwch y BBC yn magu cyflymdra nid yn unig oddi mewn i Gymru ond tros Glawdd Offa hefyd. Dangosai ffigurau cyfrifiad 1921 fod trigain mil o Gymry'n byw yn Swydd Gaerhirfryn. O'r cyfeiriad hwnnw yn unig anfonwyd llythyrau gan ddeg ar hugain o Gymdeithasau Cymraeg at y BBC yn galw am wasanaeth teilwng i Gymru ac am adnoddau yn y Gogledd. Wrth annerch cinio Gŵyl Ddewi yn Nhwrgwyn, Bangor, yr oedd Tom Parry, MA, (Syr Thomas Parry wedi hynny) yn dweud mai un o elynion mwyaf y Gymru gyfoes oedd y BBC. Deuai pwysau cynyddol hefyd o Orllewin Lloegr. 'The West is weary of Wales,' meddai pennawd yr *Evening World*, tra holai y *Bristol Evening News*: 'What is the strange secret influence these Welsh zealots have over the BBC?'

O weld sut yr oedd y gwynt yn chwythu erbyn dechrau 1935, yr oedd y BBC yn rhoi ystyriaeth ofalus i'r posibilrwydd o rannu Cymru oddi wrth orllewin Lloegr. Yr oedd gelyniaethu un wlad yn ddigon drwg. Bellach yr oedd y gwrthwynebiad i'r trefniant technegol yn methu plesio trigolion Gwlad yr Haf a Dyfnaint a Chernyw'n ogystal. Treuliodd Mr R. Wade, Cyfarwyddwr Cynorthwyol Adran Materion Mewnol y BBC, chwech wythnos yng Nghaerdydd ac ym Mryste yn gweld beth oedd yr anhawster o redeg y ddwy ran fel un. Y canlyniad oedd penodi R. A. Rendall, mab i un o Lywodraethwyr gwreiddiol y BBC ac un a oedd yn gweithio yn yr Adran Addysg Oedolion, i ofalu am Fryste, er mai Appleton o hyd oedd y Cyfarwyddwr tros y 'West Region'.

Mewn adroddiad manwl o'r sefyllfa argymhellodd Rendall yn gryf y dylid darganfod ffordd o sefydlu tonfedd ar wahân i Gymru a bod i orllewin Lloegr ei diwylliant, tra gwahanol, ei hun. Fe orffennwyd drafftio'r adroddiad hwn gan Rendall yn oriau mân y bore yn 8, Heol Betws y Coed, Caerdydd – cartref Sam Jones. Fe sylweddolodd y newydd-ddyfodiad hwn yn bur fuan fod Rhanbarth i Gymru'n anochel, beth bynnag a ddywedai Appleton a faint bynnag yr anawsterau technegol. Fe fu ymgynghori mawr rhwng Rendall a Sam Jones, a byddai yntau, yn ei dro, yn dweud yr hanes wrth ei gyfeillion yn yr Adran Gymraeg drannoeth. Gan synhwyro sut yr oedd y gwynt yn chwythu fe ysgrifennodd Appleton at Reith i ddweud ei fod ef bellach o'r farn fod y sefyllfa ynglŷn â Chymru yn 'both dangerous and unsound'. Y mae'n cynnig y gallai ddefnyddio 'a good deal of underhand intrigue' gan brysuro i ychwanegu y byddai hynny'n annheilwng o'r BBC. Gan fod syniadau Rendall, meddai, yn 'fresh and unbiased' hwyrach yr hoffai Reith drafod y syniadau hynny ymhellach efo Rendall ei hun.

Ar Chwefror 21, 1935 trefnwyd cyfarfod yn Nhŷ'r Cyffredin rhwng cynrychiolwyr y Brifysgol a'r Blaid Seneddol Gymreig gan enwi dirprwyaeth i gyfarfod â Reith cyn gynted â phosibl. Gan fod Pwyllgor Ullswater wedi ei sefydlu i ystyried dyfodol y BBC yr oedd y Cymry am gael darlun clir o'r sefyllfa, a chyfarfu'r chwe aelod seneddol a'r chwe academydd â Reith ar Ebrill 11, 1935. Arweiniwyd y ddirprwyaeth gan D. R. Grenfell, AS, Bro Gŵyr. Wedi i'r aelodau eu datgysylltu eu hunain oddi wrth ddatganiadau Saunders Lewis yn y wasg gwnaeth Reith ddatganiad:

> It now seems possible that it may be practicable for a wavelength to be provided for a West Regional transmitter in the neighbourhood of Plymouth, with which a relay transmitter might be associated with the Bristol area . . . this would make it possible to allot the present West Regional transmitter at Washford Cross to the Welsh service. To cater for the north of Wales a relay station is to be established in the Bangor area.

Cyhoeddwyd hefyd y byddai angen saith neu wyth o swyddi yng Nghymru ar gyfer y datblygiadau a phenodwyd tri aseswr o'r Brifysgol i gynorthwyo'r panel dewis. Gan y byddai 60% o raglenni Cymru yn yr iaith Saesneg yr oedd hi, meddai Reith, yn amod y byddai gan y staff newydd wybodaeth o'r Gymraeg, a'r gallu i ddangos gwerthfawrogiad o'r iaith Saesneg – 'a knowledge of Welsh [and] a real appreciation of the English language' – yn ogystal â bod ganddynt safon uchel o ddiwylliant. Y tri aseswr oedd Emrys Evans, W. P. Wheldon a Jenkin James. Tra oedd y rhan fwyaf o'r ymateb i gyhoeddiadau Reith yn plesio gohebwyr ac ymgyrchwyr fel ei gilydd, fe ysgrifennodd Iorwerth Peate ar unwaith at Emrys Evans:

> Y mae posibiliadau'r datblygiad diweddaraf ynglŷn â'r BBC yn fy mhoeni. Y mae'r stori ar led yng Nghaerdydd ar hyn o bryd fod un o'r Aelodau Seneddol yn dweud bod ganddo ef wŷr cymwys i'r swyddi newydd yng Nghymru! Ni wn beth yw sail y stori: yn unig credaf y gall fod yn hollol wir, ac os llenwir y swyddi Cymreig â gwŷr eilradd, dyna ddiwedd ar ddarlledu yng Nghymru.

Dadleuai tros roi'r hawl i'r aseswyr benodi yn hytrach nag asesu penodiadau rhywrai eraill. Tybed pa drwyn newyddiadurol oedd wedi ei rybuddio o berygl ymyrraeth wleidyddol yn y mater?

Un o'r cyfresi cynnar y bu Sam Jones yn gweithio arni o Gaerdydd, fel ymgynghorydd i gynhyrchydd o Lundain, gan mai yn Saesneg yr oedd y gyfres, oedd honno ar 'Welsh Nationalism' a gynlluniwyd at Ionawr, Chwefror a Mawrth 1934. Yr oedd tair rhaglen ar y pwnc yn delio â diwylliant, materion economaidd a gwleidyddiaeth Cenedlaetholdeb. Y Cyfarwyddwr Sgyrsiau, S. J. de Lotbinière, oedd yn gyfrifol am y cynnwys a chafodd gan Sam Jones yr awgrym buddiol o gloi'r gyfres drwy gael arweinyddion y Cenedlaetholwyr o'r Alban, Iwerddon a Chymru – Compton Mackenzie, De Valera a Saunders Lewis – yn yr un rhaglen. Nid oes cofnod bod y gyfres wedi ei darlledu yn ôl y bwriad.

Yn ogystal â'r gyfres arbennig honno yr oedd gan Sam Jones fwy na digon o waith yn cynhyrchu rhaglenni Cymraeg. Cynhyrchodd ugeiniau o raglenni gan ddarganfod lleisiau newydd, yn eu plith Rachel Hywel Thomas, a deimlai'n ddyledus iawn iddo. Fe ddarganfu Sam Jones y cyfansoddwr Idris Lewis ar ddamwain. Clywais y stori gan ei nai, Gerwyn Jones, a chan yr hanesydd cerddorol Huw Williams, Bangor.

Aeth Sam a Maud Jones i sinema'r Queen's yng Nghaerdydd yn 1934 i weld y ffilm *Blossom Time*, ffilm a seiliwyd ar hanes Schubert. Canai'r tenor Richard Tauber rai o ganeuon mwyaf poblogaidd y cyfansoddwr, ac yn nhywyllwch y sinema dechreuodd Sam Jones hepian. Wedi deffro eto a chlywed Tauber yn canu mwy o'r caneuon daeth i'w feddwl ei bod yn syndod nad oedd neb yng Nghymru wedi gosod 'Alun Mabon' (Ceiriog) ar gân. Daeth y ffilm i ben ac, o ddarllen y 'screen credits', fe welodd Sam Jones mai rhywun o'r enw Idris Lewis oedd wedi trefnu'r gerddoriaeth. Drannoeth, o'i swyddfa, fe ffoniodd Ealing Studios a darganfu mai un o Birchgrove, dair milltir o Glydach, oedd Idris Lewis. Aeth i Lundain i'w gyfarfod a chael fod brawd y cerddor yn gyfoeswr iddo yn y coleg ym Mangor. Un arall yn y seiad honno yn Ealing oedd un arall eto o gyn-fyfyrwyr y Coleg ar y Bryn, sef T. Rowland Hughes, a oedd yn byw yn Llundain. Oherwydd ei natur ddiymhongar, braidd yn swil oedd Idris Lewis i dderbyn comisiwn i osod 'Alun Mabon' ar gân ond, o'r diwedd, fe'i perswadiwyd i osod un delyneg o'r fugeilgerdd. O fewn ychydig ddyddiau fe dderbyniodd Sam Jones osodiad Idris Lewis o 'Bugail Aberdyfi' drwy'r post. Trefnwyd i'r tenor o Ferthyr, Haydn Adams, ddod i'r stiwdio i'w chanu a chystal oedd yr ymateb fel yr anfonwyd telegram at Idris Lewis yn cadarnhau bod y trefniant yn dderbyniol ac y dylid cwblhau'r fugeilgerdd yn yr un arddull. Fe wnaed hynny a phan gyhoeddwyd 'Bugail Aberdyfi' fe'i cyflwynwyd gan y cyfansoddwr 'I fy ffrind Sam Jones'. Yn ddiweddarach penodwyd Idris Lewis i swydd yn y BBC yng Nghaerdydd. Fe gadarnheir gan y *British Film Institute* fod Idris Lewis wedi derbyn 'credyd' ar y sgrin fel 'Music Director' y ffilm *Blossom Time*.

Soniwyd eisoes am T. Rowland Hughes. Er na fu llawer o gyfathrach rhwng Sam Jones ac yntau yn nyddiau coleg, un o'r rhai cyntaf i longyfarch Sam pan benodwyd ef i'r BBC oedd Rowland Hughes. Cynigiodd ysgrifennu rhaglenni yn ôl y galw. Dyna ddechrau partneriaeth ffrwythlon iawn a chyfeillgarwch agos. Rhaglen radio gyntaf Rowland Hughes oedd 'Yr Hogyn Drwg', drama un act a seiliwyd ar un o storïau Richard Hughes Williams (Dic Tryfan), a ddarlledwyd ym mis Ionawr 1934. Ym Mawrth, 1935 yr oedd Rowland Hughes a Sam Jones wedi cydweithio ar arolwg o'r flwyddyn ar gyfer Gŵyl Ddewi. Erbyn hynny yr oedd Rowland Hughes wedi gadael ei swydd yng Ngholeg Harlech ac yn gofalu am y Mary Ward Settlement yn Tavistock Place, Llundain. Oddi yno y sgrifennodd at Sam Jones, yn Saesneg, yn ymfalchïo bod ymateb da i'r rhaglen. Y mae'n cyfeirio yn ei lythyr at air a dderbyniodd oddi wrth R. A. Rendall ynglŷn â'r datblygiadau cyffrous ym myd darlledu. Yr awgrym pendant yn yr hyn sy'n dilyn yw ei fod yntau wedi bod yn cynghori Rendall :

> I feel like a crow strutting about in peacock's feathers. I am the crow, you are the peacock. The credit is yours, old boy. I hope Mr Appleton has realised what his 3rd-class-ticket-to-Bristol assistant can do.

Nid edrych yn ôl yr oedd Sam Jones bellach. Yr oedd ei fryd ar lenwi'r brif swydd a hysbysebid yn fuan gan y BBC. 'Who will be the nine voices of Wales?' gofynnai Caradog Prichard, bardd coron Caergybi, Treorci a Lerpwl yn y *News Chronicle*. O lenwi'r naw swydd, pwy fydd ar ôl i ddarlledu yw cwestiwn y bardd-newyddiadurwr. Cost llenwi'r naw swydd oedd £3,320 y flwyddyn ac roedd y cyflog uchaf, yn naturiol, i swydd y Cyfarwyddwr Rhaglenni (£600). Hysbysebwyd swyddi Cynrychiolydd Abertawe a Chynrychiolydd Bangor (£400 yr un). Yna deuai swyddi Cynorthwywyr Rhaglenni Nodwedd, Rhaglenni Adloniant, Sgyrsiau ac Ysgolion, a'r

Cynorthwy-ydd Cyhoeddusrwydd (£350 yr un). Y ddwy swydd arall oedd Cyhoeddwr (£260) a Chynorthwy-ydd Stiwdio (£260).

Yn ôl un papur yr oedd tair mil o geisiadau am y swyddi. Saith cant oedd y ffigur cywir. Y disgwyliad cyffredinol yng Ngymru oedd mai Sam Jones fyddai'r Cyfarwyddwr Rhaglenni, a hynny ar sail yr hyn a gyflawnodd ym myd rhaglenni er 1932. Yr oedd ei enw'n hysbys trwy ei erthyglau yn *The Western Mail*; yr oedd ei lais yn hysbys ar y radio. Yr oedd wedi beirniadu yn yr Eisteddfod Genedlaethol, nid yn unig ym myd y ddawns werin, ond hefyd ym myd y ddrama. Er y Brifwyl yn Wrecsam yn 1933 fe gynhwyswyd cystadlaethau llunio dramâu radio, yn Gymraeg ac yn Saesneg, yn y rhaglen. Yr oedd Sam Jones ar y panel beirniaid yng Nghastell-nedd 1934 ac i feirniadu eto yng Nghaernarfon yn 1935 yng nghwmni E. R. Appleton, Edgar Jones a Cyril Wood, un o gynhyrchwyr drama-radio y BBC ym Mryste ar y pryd. Yr oedd Sam Jones yn newyddiadurwr, yr oedd ganddo ddiddordebau eang ac yr oedd yn ysbrydolwr dynion. Yr oedd hi'n ymddangos i'w gydweithwyr yn yr adran rhaglenni Cymraeg yng Nghaerdydd nad oedd gan unrhyw Gymro Cymraeg arall, ar y pryd, gymwysterau tebyg iddo. Yr oedd wedi bod yn ddylanwad allweddol oddi mewn i'r BBC i sicrhau fod Cymru bellach i'w hystyried yn Rhanbarth, os nad eto'n genedl, ar wahân. Meddai Elwyn Evans, 'yn awr ei fuddugoliaeth y trechwyd ef '.

Yr oedd yna nerfusrwydd yng nghoridorau'r BBC ynglŷn â'r broses o benodi. Yr oedd Appleton wedi sicrhau ei benaethiaid yn Llundain y byddai Pwyllgor Darlledu'r Brifysgol yn enwebu 'the right people' i asesu'r dewis. Pwy bynnag oedd ar y rhestr fer am swydd y Cyfarwyddwr Rhaglenni, yr oedd un o'r aseswyr, y Prifathro Emrys Evans, yn awgrymu ychwanegu enwau Stephen John Williams a John Ellis Williams am ystyriaeth, ac Idris Foster – 'a young undergraduate of ours' – fel Cyhoeddwr. Yr oedd Alun Llywelyn-Williams yn ceisio am y swydd honno. Rhybuddiodd Appleton y panel penodi, er bod Cymraeg Alun Llywelyn-Williams yn dda, a'i Saesneg yn 'fairly good' a'i ieithoedd tramor yn 'quite fair':

> I ought to point out, however, that I believe he is an ardent young Nationalist and, in view of the extremely unfair attacks which the Welsh Nationalist Party continues to make upon us, I do not think it would be advisable to have a member of this party on our staff.

Aeth Sam Jones am gyfweliad i'r Tŷ Darlledu yn Llundain erbyn ugain munud i bedwar y prynhawn ar ddydd Gwener, Mehefin 7, 1935. (Un o'r cwestiynau a ofynnwyd iddo gan Charles Carpendale pan benodwyd ef gyntaf i'r BBC yn 1932 oedd, 'Why do you speak Welsh?' Atebodd yntau Carpendale yn ôl ei ynfydrwydd, 'Why do you speak English?') Hwyrach nad oedd yr ateb, er mor bert, yn profi fod Sam Jones yn berson llawn tact. Ym Mehefin 1935 bu'n fwy gofalus.

Er hyn, mewn gohebiaeth rhwng y penaethiaid, y mae Nicolls yn tynnu sylw at y byddardod a ddioddefai Sam. Doedd dim modd gwadu hynny. Ond ar ba sail yr aeth Nicolls yn ei flaen yn ei nodyn at Reith i ddweud 'he cannot write English . . . [and] he is a bit provincial – rather the kind who has never been outside Wales, except for a big Cup Tie'? Y mae Appleton yn ceisio unioni'r cam trwy ddweud nad yw'r un dan sylw yn anllythrennog ond nid yw'n credu, chwaith, ei fod yn deilwng o uchel-swydd barhaol. Y mae'n dioddef, meddir, 'from the usual fault of the Welsh character, namely a certain amount of instability'. Fel y dywed Dr John Davies, yr oedd Appleton yn cymryd yr agwedd na allai unrhyw un a weithiodd mewn darlledu yng Nghymru yn unig fod yn debyg o fedru llenwi'r fath swydd. Bu'n chwilio'n ddirgel am 'some really brilliant Welshman', person a fyddai â safonau artistig uwch nag a geir yn gyffredin yng Nghymru. Bu'n chwilio yng nghoridorau Rhydychen:

> Sam Jones does not believe we shall be able to find a man who is more competent than he is; he states that if we can find a man whom he really respects as being better than himself, he will gladly serve him but . . . if the new man [is] inferior he will have to consider resigning his position.

Aeth dros dair wythnos heibio cyn cyhoeddi enwau'r naw a benodwyd. I swydd allweddol y Cyfarwyddwr Rhaglenni penodwyd W. Hughes Jones (Elidir Sais). Y mae gweddw Rowland Hughes, Mrs Eirene Anthony Davies, yn cofio un ymateb i'r penodiad. Yr oedd hi wedi cyfarfod Sam Jones pan ddaethai ef i Lundain i gyfarfod ag Idris Lewis. Ond, y tro hwn, yr oedd yr amgylchiadau'n bur wahanol:

> O'dd Sam ddim yn gwybod beth o'dd yn mynd i ddigwydd iddo fe ac o'dd e wedi mynd lan i'r BBC. A dyna lle ga'th e beth 'dwi'n ei alw yn 'marching orders'. A dda'th e lan i'n fflat ni. 'Wy'n gweld e nawr.

Dowlodd e' ei hat ar y 'setee'; dododd e ei dra'd lan ar y 'setee' ac o'dd e'n crio dros y lle i gyd, fel plentyn. O'dd e wedi ca'l gwybod bod e'n gorfod mynd. A, chi'n gw'bod, o'n i ddim yn gw'bod be' allwn i wneud iddo fe. O'n i'n penlinio ar y 'setee' ac yn rhoi cwtsh iddo fe. O'n i ddim yn gw'bod beth i wneud, o'dd e'n crio gymaint. A dyna Rowland yn cerdded i mewn; wn i ddim beth o'dd e'n feddwl ohono ni'n dau.

Yr oedd Rowland ei hunan wedi cynnig am un o'r swyddi ond, hyd yr adeg yma y dychwelodd i ddarganfod ei wraig yn cysuro Sam Jones, nid oedd wedi clywed beth oedd ei dynged. Fe'i penodwyd ef yn Gynorthwywr yn yr Adran Rhaglenni Nodwedd a dyna pryd y daeth hi'n hysbys hefyd fod Sam Jones i fynd i Fangor fel Cynrychiolydd y BBC, mewn gorsaf nad oedd hi eto'n bodoli.

Yr oedd penodi William Hughes Jones (Elidir Sais) yn annisgwyl a dweud y lleiaf. Rhoddwyd y llysenw iddo, yn ôl Dr John Davies, oherwydd ei fod yn mynnu siarad Saesneg efo'i ffrindiau oedd yn medru'r Gymraeg. Fe'i ganed yn y Rhyl yn 1885. Yr oedd yn fab y Mans a chafodd ei addysg yn Rhydychen. Bu am gyfnod yn athro hanes ym Methesda. Bryd hynny byddai'n ysgrifennu erthyglau llenyddol i *Y Brython,* yn y blynyddoedd 1911-13, dan y pennawd 'Ffetan Elidir Sais', ac un dan y pennawd 'Llith Elidir'. Fe gyhoeddodd lyfr, *At the foot of Eryri*, yn 1912, sef cyfres o draethodau byrion. Yn ei adolygiad o'r llyfr yn *Y Brython* y mae Edward Anwyl yn sôn am hoffter amlwg yr awdur o farddoniaeth Cymru ac am ei awydd i ddehongli'r farddoniaeth honno i'w gyd-Gymry ac i estroniaid:

> Gall llawer Cymro, a fo yn hyddysg yn y Saesneg, ddarllen y llyfr gyda rhwyddineb; ond ofnwn am y Sais, druan, os try ef ato am oleuni newydd ar farddoniaeth Cymru, y caiff ei hun yn bur fuan mewn drysni, oherwydd nifer y llinellau Cymraeg a ddyfynnir heb eu cyfieithu.

Mewn llythyr i *Y Brython* yn 1910 yr oedd Elidir Sais wedi awgrymu na allai'r un gwladgarwr wneud heb y papur hwnnw am ei fod yn rhoi llenyddiaeth ar y blaen i hel clecs. Fe anfonodd restr faith o destunau i'r papur y byddai ef ei hun yn mynegi barn arnynt mewn rhifynnau yn y dyfodol. Ymhlith yr erthyglau hynny yr oedd – 'The Welsh Undergraduate' (a mild attack upon his real undergraduate spirit; a plea for more width of culture); 'The Welsh Professors' (a mild attack upon their apathy to new movements); 'Welsh Verse' (an appeal for higher standards of criticism of poetry in the Welsh press). Ei erthygl olaf i *Y Brython* oedd ei adolygiad anffafriol ar *Cerddi Gwerin* (T. E. Nicholas) lle mae'n dweud fod y bardd-ddeintydd 'ar ei waethaf' yn y gyfrol honno. Gadawodd Fethesda i fynd i Lundain yn ysgrifennydd preifat i Ernest Rhys ac yn ddiweddarach bu'n swyddog addysg yn y Llu Awyr.

Byw dramor yr oedd o pan benodwyd ef i swydd Cyfarwyddwr Rhaglenni y BBC yng Nghaerdydd. Un a'i cefnogodd am y swydd oedd Llewelyn Wyn Griffith, y nofelydd a'r bardd o was sifil. Fe anfonodd B. E. Nicolls, Cyfarwyddwr Materion Mewnol y BBC yn Llundain, lythyr ato ddechrau Gorffennaf 1935 yn diolch am ei gyngor ynglŷn â'r penodiadau ac yn gorchymyn i Lyfrgell y BBC anfon ato gopi o *Seven Pillars of Wisdom* (T. E. Lawrence) fel cydnabyddiaeth. Atebodd yntau gyda'r troad:

> Naturally, I'm very glad Hughes Jones got the Programme Director's job. You'll find him pleasant to work with, and he hasn't lost the gift of growing.

Dywed Elwyn Evans wrthyf am benodiad Elidir Sais fod:

> posibilrwydd newydd, ac annymunol, wedi fy nharo'n ddiweddar. Pan ddaeth Hughes Jones atom i Gaerdydd fe wyddai pawb ei fod yn berthynas o ryw fath i W. J. Gruffydd – byddai fy nghyfaill Dafydd yn sôn am 'Billy Hughes Jones' fel ei ewythr, os iawn y cofiaf. Ond doedd neb yn meddwl dim am y peth. Fodd bynnag, ar ôl i mi ddarllen bywgraffiad W. J. Gruffydd gan T. Robin Chapman, dyma fi'n sylweddoli am y tro cyntaf fod W. J. yn ŵr o ddylanwad yng nghylchoedd uchaf y BBC yn Llundain ar hyd y cyfnod cynnar yma. Ni allwn wedyn lai na dyfalu a fu ganddo ryw ran – anrhydeddus neu fel arall – yn y penodiad rhyfedd hwn.

Yr oedd cyfraniad cyhoeddus cyntaf William Hughes Jones yn arwydd o'r hyn a oedd i ddod, a'r hyn a fu. Fe'i gwahoddwyd i annerch Anrhydeddus Gymdeithas y Cymmrodorion ar ddydd Mawrth yr Eisteddfod Genedlaethol yng Nghaernarfon 1935. W. P. Wheldon, a oedd erbyn hyn yn Ysgrifennydd y Bwrdd Addysg yng Nghymru, oedd yn cadeirio'r cyfarfod. 'Bu peth cyffro' yng nghyfarfod y Cymmrodorion, yn ôl *Y Cymro*. 'Sensational scene' oedd pennawd y

South Wales Echo am yr un digwyddiad gyda nifer o Genedlaetholwyr yn gwneud 'a noisy exit' o'r cyfarfod. Y rheswm am hynny oedd fod y darlithydd, Elidir Sais, ar ôl dweud brawddeg neu ddwy yn Gymraeg, wedi annerch gweddill y cyfarfod yn Saesneg. Ymhlith y rhai a gerddodd allan o'r cyfarfod yr oedd J. W. Williams, adeiladydd o Lundain, E. V. Stanley Jones, Caernarfon, Dr Lloyd Owen, Cricieth a 'Collwyn' o Lerpwl. Ceisiodd y darlithydd adfer y sefyllfa trwy awgrymu mai drwg y cyfarfodydd cynnar yn yr eisteddfod oedd fod pobl yn cyrraedd yno cyn brecwast. Ac aeth yn ei flaen i ymosod ar genedlaetholdeb cul:

> Wales is only a small part of the British Empire and if the cry 'Wales for the Welsh' is carried too far, such a nationalism will die quickly in the realism and rush of the modern world.

I rai o'r eisteddfodwyr yr oedd y siaradwr wedi bradychu ei iaith. I'r cadeirydd yr oedd yr anerchiad yn 'really excellent', tra dyfynnwyd un o aelodau'r Cymmrodorion yn dweud i'r anerchiad fod yn 'intensely stimulating'. Yr oedd y wasg Gymraeg yn cymryd agwedd wahanol ac yn britho'r colofnau efo ymadroddion fel 'rhethreg ymerodrol' a 'Chymrodyr mor ofnog â ieir ar daranau'. Yr oedd 'Cymraes' yn ysgrifennu i'r *News Chronicle* yn llawn edmygedd o safiad y darlithydd, ond D. J. Williams yn *The Western Mail* yn dweud 'We shall now be fighting the Philistines within our gates'. Fe roddir y gair olaf ar y mater i'r darlithydd ei hun :

> Does not the voice of Wales forget the important fact that Wales is socially and culturally a unit of the British people? Do we ever hear from the Logan stone at the Eisteddfod an oration on the British Imperial partnership in which Wales plays her significant part?

Erbyn diwedd y mis Awst hwnnw, yr oedd helynt y cyfarfod yng Nghaernarfon wedi peidio â llenwi tudalennau'r wasg a daeth cyhoeddiad arwyddocaol i ddatblygiad darlledu yn y Gogledd fod y BBC wedi prynu safle ger Biwmares, Ynys Môn, i godi trosglwyddydd arno. Rhwng y cyhoeddiad yna, a'r ffaith fod Cynrychiolydd wedi ei benodi i redeg yr orsaf newydd ym Mangor, yr oedd y gogleddwyr ar i fyny.

Ond beth am Sam Jones ei hun? Yn nechrau Gorffennaf fe aeth ef a Maud ar wyliau ac yr oedd y penaethiaid yn Llundain yn ymwybodol ei fod yn ddyn siomedig. Fe ysgrifennodd Rendall at Nicolls yn gofyn iddo, pan fyddai'n dweud yn swyddogol wrth Sam Jones ei fod i fynd i Fangor, y dylai fynegi diolch y Gorfforaeth iddo am yr holl waith arloesol a wnaeth i adeiladu'r gwasanaeth Cymraeg yn ystod y ddwy flynedd cynt:

> He feels at present that from the point of view of the outsider he is leaving Cardiff to go to Bangor 'under a cloud', having been found wanting in his work in charge of Welsh programmes.

Aeth Nicolls gam ymhellach yn ei nodyn at Reolwr Gweinyddol y BBC yn Llundain gan awgrymu 'a small bonus' i Sam Jones, a oedd wedi gweithio fel 'Trojan for the last year or two'. Â yn ei flaen:

> It is really bad luck his not getting the Programme Directorship, because it is partly due to his deafness and partly to his not being quite good enough in his speaking and knowledge of English to be able to criticise programmes of a highbrow nature; in other words, if he was not deaf and was a little less Welsh, he would have got the job on his merits.
>
> I should like to send him a nice note from the D.G. and a bonus of £20.

Yr oedd Rendall wedi ysgrifennu llythyr ar Fehefin 23, 1935, at Sam Jones ei hun yn gofidio o ddeall nad oedd yn dda ei iechyd. Am swydd Bangor, y mae Rendall o'r farn fod hon yn swydd werth-chweil er ei fod, ar yr un pryd, yn deall y siom naturiol o beidio â chael swydd y Cyfarwyddwr Rhaglenni:

> I hope I can say that I think the decision is probably the right one in difficult circumstances, and still remain your sincere friend, Tony.

Yr oedd cydymdeimlad a llongyfarchiadau yn disgyn ar ben Sam Jones o bob cyfeiriad ac mewn llythyr, sy'n gampwaith o ddychan, i *The Western Mail* y mae Tom Parry yn tanlinellu cariad angerddol y BBC at Brifysgol Cymru:

> Their love is evinced in the recent appointments, for have not five of the seven new officers received their education, or part of it, at one of the Oxford colleges or in London? The BBC with its partiality for all things Welsh does not wish to tax mere Welsh graduates with the

responsibility of running a Welsh studio. Such graduates are better suited for elementary schools in Yorkshire. A degree with honours in Welsh would be a decided disadvantage and an M.A. in Welsh would be disqualified at first glance. A man who has graduated in Greek, Latin, English or French has a better chance of knowing what Welsh people want in the way of a radio programme . . .

Tybed beth oedd gan Brifathro'r Coleg lle'r oedd Tom Parry yn ddarlithydd i'w ddweud ar y mater, a faint o lais oedd gan y Prifathro Emrys Evans, fel aseswr, yn y penodiadau? Fe fyddai, fel gŵr o Glydach, yn falch o weld Sam Jones yn dychwelyd i Fangor. Fe fyddai'n gwybod yn iawn, yn ogystal, am siom 'Sammy Bach'.

O'r pentwr llythyrau a anfonwyd ato i Gaerdydd y mae'r siom yn cael ei rannu gan lu o'i gyfeillion, ac yn eu plith y mae llythyr gan 'Haydn', o'r Maerdy – Haydn Davies, y gŵr a wyddai am siomedigaeth debyg pan benodwyd Sam Jones yn hytrach nag ef i'r swydd yng Nghaerdydd yn 1932:

> Mae'r syniad ynddo'i hun yn wrthun. Buoch wrthi yn gosod y seiliau, yn darganfod gweithwyr i bob adran – ac hyd yn oed yn dysgu crefft radio iddynt, heb arbed corff na meddwl, ac yn awr, wedi i'r adeilad godi ei phen urddasol ac i'r gweithwyr amlhau, rhaid i chwi ail-ddechrau profi'ch cymwysterau. 'Chlywais i erioed am drasiedi mwy ysgubol.

Mewn llythyr arall gan Rowland Hughes, eto yn Saesneg, y mae ef yn awgrymu mai mynd i Fangor yw'r peth gorau yn y pen draw. 'There is no doubt, Sam, that Cardiff has preyed on your nerves' a bydd newid awyrgylch drwy fynd i Fangor yn iechyd:

> Working with a person whom you dislike undermines your whole nervous system; you see what others do not see and, naturally, you inevitably exaggerate and distort even minor actions.

Y mae'n siarad o brofiad gan iddo yntau, meddai, deimlo yr un peth am ei waith yn Llundain. Golygai ei waith yno lawer o bwyllgora ac, yn ôl ei weddw, dim ond un peth yr oedd Rowland yn ei gasáu'n fwy na phwyllgor, ac is-bwyllgor oedd hwnnw! Yn ystod ei afiechyd, mewn blynyddoedd diweddarach fe ysgrifennodd Rowland Hughes at Sam Jones, ac yn Gymraeg y tro yma:

> Pe bawn i'n llunio rhaglenni, credaf y lluniwn un ar y cyfnod holl-bwysig 1931-35. 'Cyfnod y Blydi Niwsans' a fuasai'r teitl – ymdrech i

ddangos bod gwir angen 'blydi niwsans' yn y BBC yn y dyddiau pell hynny, ac i Gymru fod yn ddigon ffodus i'w gael. Sut y gallodd un dyn greu'r fath chwyldro dim ond y Nefoedd (a Maud) a ŵyr . . .

Byddai Maud yn symud i fyw yn nes at y teulu yn Llanwnda, a Sam Jones yn dychwelyd i'r ddinas y gwyddai'n dda amdani fel myfyriwr, un mlynedd ar ddeg wedi iddo adael y coleg ym Mangor.

Magu Teulu (1935-43)

Tri mis hir a digon diflas oedd misoedd Awst, Medi a Hydref 1935 i Sam Jones. Er gwaethaf pob anogaeth i edrych ar Fangor fel sialens newydd, nid mynd yno o ddewis y byddai. O leiaf, ail ddewis oedd bod yn Gynrychiolydd Bangor. Bu rhywfaint o drafod ymhlith y penaethiaid beth a ddylid ei gynnig, bron fel gwobr gysur, i'r gŵr o Glydach gan ystyried y posibilrwydd o'i anfon i Abertawe ac yntau'n hanu o'r gorllewin. Yn ei siom yr oedd yn berson chwerw, ac yr oedd hynny'n groes i'w natur. Ceir awgrym o'r chwerwder yn llythyr Rowland Hughes ato ac yn ei ymateb, honedig, yntau am y pleser o fyw yng ngolwg y Fenai – 'I hate the bloody ditch!'.

Tra arhosai yng Nghaerdydd yr oedd disgwyl iddo fod â rhan mewn hyfforddi'r newydd-ddyfodiaid, y rhai a fyddai'n meddiannu ei deyrnas ef. Yr oedd cwmwl methiant yn dal uwch ei ben, yn ei feddwl ei hun, a dim sicrwydd o'i ddyfodol yn y Gogledd. Am y tro cyntaf yn ei fywyd yr oedd pethau'n mynd yn ei erbyn ac fe'i cafodd hi'n anodd dygymod â'r sefyllfa.

Yn haf 1935 doedd dim adnoddau darlledu yn y Gogledd; yr oedd y gwaith addasu heb ei orffen ar Fryn Meirion a Sam Jones yn bur ansicr o'i ddyletswyddau wedi i'r tŷ ddod i drefn. Yr oedd, hefyd, yn sensitif ynghylch ei berthynas â'i benaethiaid yng Nghaerdydd ac yn Llundain, a heb fod yn gwybod pwy fyddai ei gydweithwyr ym Mangor. Fe fyddent yn newydd i'r lle, fel yntau ac, yn ôl pob tebyg, yn gwbl ddibrofiad. Rhoddwyd prawf go egr ar y berthynas briodasol y dyddiau hynny, ond uniad perffaith rhwng ffraethineb digymell y De a dealltwriaeth graff a threiddgar y Gogledd oedd sail eu priodas. Fe roddwyd haf 1935, a Chaerdydd, y tu cefn iddynt a phenderfynu edrych yn gadarnhaol ar dymor newydd ac ar sefyllfa wahanol. Yn y cyfnod anhapus hwn ei brif gysur oedd ei berthynas gadarn â Maud a hi, yn llythrennol felly, oedd wrth y llyw pan anelodd y car – JC 414 – ei drwyn am lannau'r Fenai. Yn ddiweddarach byddid yn newid y car a daeth y rhifau JC 5050 ac yna MCC 11 yn rhifau cofiadwy ar geir y Jonesiaid. Yr oedd Mrs Maud Jones yn gyrru modur mewn cyfnod pan oedd gwneud hynny'n rhywbeth lled anarferol i ferch. Ni fedrai Sam Jones ei hun yrru modur. Hwyrach fod a wnelo ei fyddardod â'r peth.

Gofynnodd i Appleton am ddiffiniad clir o'i ddyletswyddau yn y gogledd. Ar Fedi 18, 1935 fe anfonodd y Cyfarwyddwr Rhanbarthol gopi i Lundain o'r hyn a ddywedasai wrth Sam Jones, sef, ar ben y gofynion gweinyddol disgwyliedig gan 'Gynrychiolydd', y dylai ddatblygu syniadau am raglenni posibl gan anfon y syniadau hynny'n wythnosol i'r Cyfarwyddwr Rhaglenni (W. Hughes Jones). Yr oedd disgwyl iddo hefyd arolygu'r gwaith stiwdio ym Mangor a'r darllediadau allanol o'r Gogledd. Yn ychwanegol, yr oedd i gynhyrchu ambell raglen nodwedd o Fangor ac, ar gyfrif ei brofiad helaeth a'i frwdfrydedd, 'I want the new Programme Director to give him a lot of scope'. Yr oedd tymor cytundeb W. Hughes Jones yn dechrau ar Awst 1, 1935 ond ni fedrai ddechrau ar ei waith hyd Hydref 7. Am bythefnos yr oedd Sam Jones ac yntau'n cydoesi yng Nghaerdydd cyn i ddarpar Gynrychiolydd Bangor gael ei anfon am wythnos i Aberdeen ac i Glasgow i weld beth yn union yr oedd Cynrychiolwyr y gorsafoedd hynny'n ei wneud. Dychwelodd am dridiau i Gaerdydd yn niwedd Hydref gan ddechrau ar ei swydd newydd ar Dachwedd 1, 1935. Dyna'r dyddiad swyddogol i agor Bryn Meirion, Bangor i ddibenion darlledu.

Gan nad oedd ef yn gyrru car bu Sam Jones a Maud yn chwilio am dŷ cyfleus i'r gwaith. Fe'i cafwyd o fewn canllath a hanner i'r Ganolfan Ddarlledu a hynny yn Lôn Meirion. Galwyd y tŷ yn 'Cyncoed' ar ôl yr ardal yng Nghaerdydd lle treuliwyd blynyddoedd cyntaf eu bywyd priodasol. Ym Mryn Meirion, plasty bychan ym Mangor Uchaf nid nepell o brif adeilad Coleg y Brifysgol, yr oedd y prif beiriannydd, Mr Sidney Hett, wedi bod yn arolygu'r gwaith o addasu'r adeilad i ofynion radio ers deufis. Cwmni C. J. a J. P. Gregory o 24 Stryd Fawr, Caernarfon a gafodd y gwaith o addasu ac ailaddurno'r tŷ a thalwyd £2,219 i'r Cwmni am y gwaith. £3,000 a dalwyd am y tŷ ac am 'All that piece of land containing seven-tenths of an acre'. Yr oedd y gwaith addasu ac addurno bron cyn ddruted â'r tŷ ei hun.

Adeiladwyd Bryn Meirion yng ngwanwyn 1875 ar les gan Stad y Penrhyn. Yr oedd Major Frederick George Henry Bloom wedi byw yn y tŷ ers diwedd Medi 1903, a bu yno hyd ei farw yn 1933. Arwyddwyd y cytundeb rhwng y BBC a'r sgutoriaid gan Henry William Thornton Jones, y cyfreithiwr, a Miss Jane Williams. Erbyn dyddiad arwyddo'r cytundeb yn 1934 yr oedd y les wedi dod i ben ac fe werthwyd yr adeilad fel rhydd-ddaliad.

O gofio am ddiddordeb Major Bloom mewn planhigion tramor a choed trofannol, a blannodd yn yr ardd sylweddol ei maint, nid oedd yn rhyfedd fod hysbyseb, a ymddangosodd yn y *Daily Post* ym Medi 1935, am staff i'r BBC ym Mangor yn gofyn am arddwr yn ogystal â theipydd llaw-fer, porthor, dwy lanhawraig ac *office-boy*. Pymtheg oed oedd Victor Williams ar y pryd ac yr oedd yn chwilio am waith:

> heb wybod llawer am arddio a dim oll am deipio, doedd dim amdani ond cynnig am swydd yr *office-boy* – beth bynnag oedd ystyr hynny yn y maes newydd yma. Yn y cyfweliad des wyneb yn wyneb am y tro cyntaf â'r gŵr unigryw, Mr Sam Jones. Ei gwestiwn cyntaf – un go anarferol erbyn hyn – ydoedd: 'I ba gapel 'dach chi'n mynd, machgen i?' Ac er nad oeddwn o'r un enwad ag ef, mi gefais y swydd am gyflog o 10/6 yr wythnos [52 ceiniog] a 2/6 [12 ceiniog] *dress allowance*.

Ymunodd Victor Williams â'r staff ar Dachwedd 11, 1935 a chyfarfod â gweddill y criw newydd. Dyna'r dyddiad y daeth y stiwdio ym Mangor yn rhan gyflawn o'r Gorfforaeth. Daeth un o'r peirianwyr ar garlam i ystafell Sam Jones i ddweud wrtho bod Llundain 'yn dwad drwodd'. Rhuthrodd yntau o'i swyddfa y drws nesaf i'r stiwdio a chlywodd seiniau 'Dafydd y Garreg Wen' ar yr uchelseinydd, yn cael ei chwarae gan Fand y Gwarchodlu Cymreig wrth y Gofeb Ryfel yn Llundain 'yn union fel petase hynny wedi'i drefnu ar ein cyfer ni ym Mangor'.

Y staff cynharaf ym Mangor oedd Sam Jones a'i ysgrifenyddes, Miss Nan Davies – merch o Dregaron a oedd wedi graddio yng Ngholeg y Brifysgol, Aberystwyth, yn 1933 ac un a ddaeth, ei hunan, yn un o enwau mawr darlledu yng Nghymru – Mr Sidney Hett, y prif beiriannydd, Mr W. J. Pearce a Mr Sam Hardy, dau a fu'n beirianwyr-radio yn y Llynges ac, eto ar yr ochr beirianyddol, Mr Goronwy Wyn Rowlands, Mr Danny Rees a Mr E. D. Jones. Penodwyd Miss Peggy Wyn Roberts yn deipydd llaw-fer, Mr J. V. Parry yn borthor, Miss Williams a Miss Owen yn lanhawyr, Mr Jim Williams yn arddwr a Mr Victor Williams yn was-bach-swyddfa. Ni

wn faint o'r criw oedd yn bresennol pan glywyd 'Dafydd y Garreg
Wen' ond gellir dychmygu fod yna lawenydd o'r bôn i'r brig ym
Mryn Meirion y diwrnod hwnnw.

Yr oedd yna ddarllediad wedi bod o stiwdio Bangor ar Dachwedd
8, 1935 gan ddefnyddio offer darlledu allanol. Daeth y darllediad o
Stiwdio Un, a'r un a gafodd y fraint o fod y cyntaf i ddarlledu o Fryn
Meirion oedd y Gwir Anrhydeddus David Lloyd George. Yn ôl y
Daily Record and Mail, papur Glasgow, fe fyddid yn adeiladu
stiwdio-dros-dro i'r gwleidydd 'and dismantled after he is finished
with it'. Nid felly y bu hi, drwy drugaredd! Fe gyrhaeddodd y cyn-
Brif Weinidog i Fryn Meirion o Landudno erbyn tua naw o'r gloch y
nos yn ei Rolls gwyn i ddarllediad gwleidyddol o blaid y
Rhyddfrydwyr yng nghyfnod Etholiad Cyffredinol 1935:

> The broadcast took place from the Music and Talks Room – two rooms
> converted into one – on the first floor. This part of the studio is ready
> for use; the rest is not. At one end of the room is a grand piano and at
> the other a small table on which, last Friday, were two microphones
> and into both Mr Lloyd George spoke.

Darlledwyd ei neges am 9.40 p.m. ar y Gwasanaeth Cenedlaethol.
Gydag ef yn y stiwdio yr oedd E. R. Appleton, a deithiodd o
Gaerdydd ar gyfer yr achlysur. Yr oedd Sam Jones hefyd 'in
attendance'. Y tu allan yr oedd tyrfa fechan o bobl wedi casglu i weld
Lloyd George yn cyrraedd ac yn eu plith yr oedd yr Angus McDermid
ifanc, gŵr a ddeuai ymhen blynyddoedd yn ddarlledwr adnabyddus. Y
noson honno o Dachwedd 1935, gwrando ar y darllediad cyntaf o
Fangor a wnaeth o ar set radio symudol a oedd yn y Rolls-Royce
gwyn a barciwyd y tu allan i Fryn Meirion.

Yr oedd y 'Music and Talks Studio' fel y gelwid hi gyntaf, Stiwdio
Un wedi hynny, wedi ei chwblhau cyn diwedd Tachwedd a threfnwyd
darllediad gan Dr R. Alun Roberts o Adran Amaeth y Brifysgol ar
gyfer nos Wener, Tachwedd 30, 1935. Hwn a ddylai fod y darllediad
cyntaf go iawn o Fangor. Yr oedd pawb o'r staff ar flaenau eu traed yn
disgwyl am y diwrnod mawr a phan ddaeth y Doctor Alun Roberts
i'r stiwdio yr oedd y staff i gyd yn aros amdano. Sgwrs ar
'Amaethyddiaeth yng Nghymru' oedd i'w ddarlledu ganddo. Fe
gafwyd rihyrsal ac fe aeth popeth yn iawn. Ond rhyw ddeng munud
cyn amser y darllediad, a hwnnw'n ddarllediad 'byw' – fel yr oedd

pob darllediad yr adeg honno – fe ddaeth neges ffôn o'r BBC yng
Nghaerdydd nad oeddynt yn clywed yr un gair o Fangor. Bu cryn
lawer o gyhoeddusrwydd ymlaen llaw i'r darllediad hwn yn y wasg
Saesneg yn ogystal ag yn y wasg Gymraeg:

> Indeed yes, Bangor is now linked to the BBC's 'S.B.' [Sound
> Broadcasting] system, look you! North Wales as a programme source
> at last comes into the broadcasting picture. The line from Bangor
> enters upon its tortuous journey through the usual equalizers to
> Colwyn Bay, and so through Liverpool to Birmingham, where it enters
> the BBC system proper.

Esboniodd gohebydd *Y Cymro* y 'cludir llais Dr Alun Roberts 250 o
filltiroedd ar gylchdro preifat trwy Birmingham a Bryste i'r orsaf
ddarlledu yn Washford Cross, Gwlad yr Haf ac i'r orsaf ddarlledu
genedlaethol yn Droitwich'. Ond aeth rhywbeth mawr o'i le, a bu'n
rhaid galw cyhoeddwr i mewn i Gaerdydd ar fyr rybudd i ddarllen copi
o sgript y Doctor Alun gan na chlywid yr un gair o Fangor. Eisteddai
ef yn y stiwdio ym Mangor yn clywed ei sgwrs yn cael ei darllen gan
rywun arall. Yr oedd hynny ynddo'i hun yn brofiad siomedig, ond yr
oedd y modd clogyrnaidd y darllenwyd y sgwrs yn rhwbio halen
i'r briw. 'Tybed,' meddai *Y Brython*, 'na ddylid cael rhywun mwy
hyddysg yn y Gymraeg i gyfarfod ag argyfyngau o'r fath.'

Yn ôl y wasg drannoeth 'Falling tree severed telegraph wires' oedd
y drwg. Fe amrywiodd lleoliad y goeden o Abergwyngregyn i
Lanfairfechan yn yr adroddiadau ond, yn rhyfedd iawn, nid oes un
llun mewn un papur o'r goeden a syrthiodd. Yn ôl Goronwy Wyn
Rowlands, un o'r peirianwyr cyntaf yn y BBC ym Mangor, stori a
ledwyd gan Sam Jones oedd helynt y goeden. Yr oedd hi'n noson
stormus, mae'n wir, ond prin iawn y gallai coeden wrth ddisgyn ar
wifrau ffôn beri difrod i linell barhaol dan-ddaear! Rhywle tua
Birmingham yr oedd y drwg, a chamgymeriad dynol oedd yr aflwydd,
nid 'act of God'!

Tybed ai cofio a wnaeth Sam Jones, wrth ledu'r stori, am y storm a
darfodd ar ddarlledu o Abertawe yn nyddiau cynnar yr orsaf honno?:

> Last night's wild storm caused havoc at sea and on land. The high
> aerial at Swansea Relay station, which had been giving good signals
> for two days, was last night uprooted – mast, concrete bed and
> anchorage – in the gale.

Y cyfle nesaf a ddaeth i'r Doctor Alun Roberts ym Mangor oedd ar y dydd cyntaf o Chwefror 1936 a phawb ym Mryn Meirion yn dal eu hanadl rhag i'r un peth ddigwydd eto. Ond fe glywyd y darl_lediad y tro hwnnw. Soniodd y darlithydd am fentr newydd gan ryw hanner cant o ffermwyr yn ffurfio, o'u pen a'u pastwn eu hunain, Gymdeithas Hadau Gogledd Cymru. Yr oedd y fentr eisoes yn llwyddo ac yn glwt o awyr las yng nghanol cymylau tywyll yn y diwydiant.

Y cyntaf i ddarlledu o Fangor gan ddefnyddio'r adnoddau newydd oedd gwraig gweinidog y Tabernacl, Bangor, sef Mrs Grace Wynne Griffith. Daethai Mrs Griffith yn gydradd gyntaf gyda Dr Kate Roberts yng nghystadleuaeth y nofel yn Eisteddfod Genedlaethol Castell-nedd 1934 a gofynnwyd iddi hi lunio sgwrs am y profiad o ysgrifennu nofel, rhywbeth a wnaeth hi ar anogaeth ei gŵr pan oedd hi'n wael yn ei gwely am gyfnod pur faith. Trefnwyd y darl_lediad at Ragfyr 11, 1935:

> Cymysg iawn oedd fy nheimladau pan gefais y gwahoddiad i roddi sgwrs o'r stiwdio newydd ym Mangor ar 'Fy mhrofiad fel Nofelydd'. Clywsoch yn barod am yr anffawd i'r darl_lediad cyntaf, a gwnaeth hyn fi'n fwy nerfus fyth wrth feddwl mai fy nhro i a fyddai'r nesaf.
>
> Pan ymlwybrais tua'r stiwdio, cefais bethau yno yn dra gwahanol i'r hyn ydynt heddiw. Ychydig oedd nifer y staff. Un o'r *Engineers* a ddaeth i'r drws, nid *Commissionaire* fel sydd yn awr.
>
> Y foment yr euthum i mewn teimlwn fod yr holl le yn llawn pryder, a chofiais am y storm ar y nos Sadwrn, a meddyliais amdanaf fy hunan mor ddi-brofiad ac anfedrus. A dyma'r tro cyntaf i'r stiwdio weithredu yn rheolaidd. Beth pe digwyddai rhyw anhap eto? Afraid ydyw dweud fy mod yn nerfus iawn ond gwelais yn union fod aelodau'r staff yn fwy nerfus na minnau! Yr oeddynt wedi cael un methiant, oherwydd amgylchiadau oddi allan. Beth pe digwyddai un arall trwy i'r darlledydd dorri i lawr?
>
> . . . Yn rhyfedd bu pryder y staff yn symbyliad i mi. Gwyddwn mai o'm hachos i yr oedd llawer o'u pryder, a phenderfynais eu cynorthwyo orau y medrwn fel, pan ddaeth yr amser, y ciliodd fy holl *nervousness* a thystiai'r rhai a wrandawai fod fy llais yn eithaf hamddenol. Ar ôl i mi orffen, bron na chlywn ochenaid o ryddhad yn treiddio hyd yn oed trwy'r *padding* ar y muriau! Yr oedd y pryder wedi llwyr ddiflannu ac wyneb y cyhoeddwr fel haul y bore yn gwenu arnom.
>
> Braint fawr i mi oedd cael ysgrifennu fy enw yng nghofnod y darlledwyr o'r stiwdio newydd yn nesaf at yr enw cyntaf – D. Lloyd

George. Cefais hwyl diniwed wrth feddwl efallai y bydd rhyw hanesydd yn y dyfodol wrth ddarllen y rhestr yn dyfalu – 'Pwy oedd honno tybed?'

Erbyn hyn yr oedd diwedd y flwyddyn yn agosáu ac fe aeth Sam Jones ati hi i chwilio am siaradwr i roi cipolwg ar ddigwyddiadau'r flwyddyn yng Nghymru. Ei ddewis oedd Mr E. Morgan Humphreys, y newyddiadurwr a'r nofelydd o Ddyffryn Ardudwy a oedd yn Olygydd *Y Genedl Gymreig* ac yn golofnydd wythnosol, dan y ffugenw Celt, i'r *Liverpool Daily Post* a'r *Manchester Guardian*. Fe'i ystyrid yn un o newyddiadurwyr coethaf ei gyfnod. Darlledodd am y tro cyntaf o Fangor ar Ragfyr 28, 1935:

> Y pryd hynny byddai yma le distaw iawn – aelodau'r staff gyda'u gorchwylion mewn gwahanol rannau o'r wlad, hwyrach, a chwithau yn eistedd yn y stiwdio eich hun, yn gwybod fod rhywun yng Nghaerdydd yn eich cyhoeddi, er nad oeddych chwi yn ei glywed. Y cwbl oedd i chwi i'w wneud oedd dweud eich gwers pan welech y golau coch, gorffen, aros nes i'r golau coch fynd allan ac yna mynd adref yn ddistaw. Hwyrach y rhoddai peiriannydd caredig ei ben allan o'i ystafell i ddywedyd 'Nos da' wrthych – dyna'r cwbl.

Yng nghefn meddwl y darlledwr y noson honno, o bosibl, yr oedd yr wybodaeth ei fod ef ei hun wedi ceisio am swydd yn y Gorfforaeth yr haf hwnnw. Ac yntau dipyn dros yr hanner cant yr oedd ei oedran yn ei erbyn. Oni bai am y rheidrwydd o ddarganfod swydd i Sam Jones, a bod hynny wedi golygu ei anfon i Fangor, y mae'n debygol mai E. Morgan Humphreys a fyddai wedi ei benodi'n Gynrychiolydd Bangor. Y mae cofnod i'r perwyl hwn yn archifau'r BBC yn Caversham. 'He did not get Bangor because we sent Sam Jones there.'

Yn yr un cofnod fe nodir am D. W. T. Jenkins, a ddaeth wedi hynny yn Athro Addysg yn y Brifysgol ym Mangor, 'he was runner-up for the Programme Directorship' sy'n dweud yn blaen nad oedd Sam Jones yn y ras am yr uchel swydd yng Nghaerdydd. A oes yna arwyddocâd, tybed, i gerdd ysgafn Rowland Hughes mai 'pedwerydd oedd Sam'?

Yn 1935 yr oedd 24,568 o drwyddedau radio yn cael eu prynu yn Sir Gaernarfon. Dyna ganran o 20% o'r boblogaeth. Ar y pryd dyna'r ganran uchaf i unrhyw sir yng Nghymru, gyda Morgannwg yn ail ar 13%. Yr oedd y ffigur am Sir Gaernarfon yn syndod o uchel o gofio fod hon yn ardal 'on the fading edge' o bob trosglwyddydd.

Yn gynnar yn 1936 fe ddaeth hi'n amlwg i bawb mai camgymeriad neu, ar y gorau, benodiad dewr na fu'n llwyddiant, oedd penodi William Hughes Jones (Elidir Sais) i swydd y Cyfarwyddwr Rhaglenni yng Nghaerdydd. Ar union ddyddiad darllediad Lloyd George o Fangor, ar Dachwedd 8, 1935, yr oedd C. A. Siepmann yn ysgrifennu o'i swyddfa fel Cyfarwyddwr Cysylltiadau Rhanbarthol at y Rheolwr Rhaglenni ac at Reolwr Gweinyddiaeth y BBC yn Llundain:

> Conditions in Cardiff are still rather confused as a result of rather drastic infusion of new blood.
> . . . Of the new staff, Hughes Jones seemed to me the least suited to his job. He is rather a gas-bag and I found him opinionated and rather dogmatic. He is, I think, rather self-willed and already tending to exceed the limits of his duties.

Bu Hughes Jones yn ddigon annoeth i roi cyfweliad i bennaeth papur lleol gan ddweud yn ddiflewyn-ar-dafod wrth hwnnw fod Swyddog Cysylltiadau Cyhoeddus y BBC yng Nghymru, Nest Jenkins (merch yr Archdderwydd, Gwili) yn aneffeithiol yn ei gwaith.

Ar Chwefror 13, 1936 – bedwar mis yn unig wedi iddo ddechrau ar ei ddyletswyddau – fe ysgrifennwyd nodyn gan Reolwr Gweinydd-iaeth y Gorfforaeth i hysbysu'r staff fod Mr Owen Parry wedi ei benodi i weithredu fel Cyfarwyddwr Rhaglenni, Rhanbarth Cymru a bod 'Mr W. Hughes Jones transferred (temporarily) to the Empire Department, Head Office'.

Achosodd y cyhoeddiad gryn benbleth i'r wasg a bu dyfalu am y rhesymau dros symud un y canwyd ei glod mor huawdl yn haf 1935 i'r 'Olympic heights of the BBC headquarters'. Yr oedd *Y Brython* yn gweld y symudiad yn un doeth gan atgoffa'r darllenydd o'r terfysg a greodd Elidir Sais wrth annerch ar 'Lais Cymru' ym Mhrifwyl Caernarfon:

> Siaradodd yn Saesneg, ac ymosod ar yr ysbryd cenedlaethol Cymreig, gan fawrhau'r ysbryd jingoistaidd Seisnig. Y syndod yw fod y Gorfforaeth Ledaenu Brydeinig mor hwyrfrydig i weled cymwysterau arbennig gŵr fel Mr Hughes Jones ar gyfer yr adran ymerodrol o waith y Gorfforaeth Ledaenu.

Teimlai B. E. Nicolls, Cyfarwyddwr Materion Mewnol, y dylai ysgrifennu at y Prifathro D. Emrys Evans – fel un o aseswyr y penodiadau gwreiddiol – i esbonio'r datblygiadau:

there have been some unfortunate developments among our Welsh staff at Cardiff and we have had to take steps to put an end to dissensions among our Programme Staff.

We came rather reluctantly to the conclusion that the situation was largely due to Hughes Jones' personality and lack of control . . . we had to tell him that we would not be justified in confirming his appointment as Programme Director.

In order to ease matters, we have brought him temporarily to London to fill a vacancy in our Empire Department.

Ni pharodd yn hir yno cyn cael ei hel allan o'r Gorfforaeth yn gyfan gwbl.

Credai Iorwerth Peate fod Elidir Sais wedi cael cam, ac y mae rhywun a ysgrifennai dan y ffugenw 'Di-wifrydd' yn *Baner ac Amserau Cymru*, Mehefin 30, 1936, yn awgrymu 'cynllwyn taiogaidd' (sic) yn ei erbyn. Gan daranu fod y stori 'yn un warthus' ac mai 'Cymro rhy dda' oedd Mr Hughes Jones, fe ddywed yr un colofnydd fod 'syniad ar led fod Mr Sam Jones – gŵr mwyaf poblogaidd y BBC yng Nghymru – wedi cael cam. Ac y mae arnaf ofn bod sail i'r syniad.' Yr oedd Rowland Hughes wedi cael cwmni Elidir Sais yn Llundain pan oedd y ddau ohonynt yn y pencadlys ar gwrs hyfforddi. Fe ysgrifennodd Rowland Hughes ar y pryd lythyr, di-ddyddiad, at 'Sam a Môd' gan fynegi barn fod Hughes Jones:

yn foi diddorol a byw ond braidd wedi'i syfrdanu gan y ffaith ei fod yn Arolygwr Rhaglenni. Tueddu i edrych ar Gaerdydd fel rhyw 'country-house' i wahodd Llundain iddo [y mae] ond credaf y gwêl Hughes Jones yn fuan y [bydd] raid i Gaerdydd edrych ar ei ôl ei hun. Y mae ganddo gynlluniau hefyd i roi pob notis yn Gymraeg yn Park Place, pawb i siarad Cymraeg yn yr adeilad etc., etc. Bûm yn cael hwyl ar dynnu ei goes a'i wneud o i siarad Cymraeg â mi yn Llundain. Ond troi'n Sais yr oedd Elidir ar fy ngwaethaf.

Fis cyn ei symud o Gaerdydd, ar ddydd calan 1936, yr oedd Hughes Jones yn ymateb i bryder Sam Jones ynglŷn â chynhyrchu dramâu o Fangor. Mynnai Hughes Jones mai'r cynhyrchydd drama yng Nghaerdydd ar y cyd efo'r cynhyrchydd nodwedd ac ef ei hun a ddylai fod yn gyfrifol am ddrama:

Such an arrangement tends to give unity to the Regional policy. Bangor is far away, and also the centre of a different province. I think you will

> agree that, nevertheless, the same general policy should, at least academically, be maintained.

Nid oedd Sam Jones yn cytuno:

> . . . the region will really suffer, for North Wales will not be allowed to contribute the excellent material of which it is capable.
>
> It stands to reason that if the only features and dramas emanating from North Wales are to be prepared and produced by the Departments concerned, then, they will be few and far between.

Ar egwyddor, yr oedd ef yn mynnu fod y cynhyrchwyr o Gaerdydd yn dod i Fangor i gynhyrchu'r dramâu a'r rhaglenni nodwedd a dderbynnid o'r gogledd. Un o'r awduron cynhyrchiol o'r gogledd bryd hynny oedd yr athro ysgol o Flaenau Ffestiniog, John Ellis Williams. Yr oedd yntau wedi cystadlu am y swyddi darlledu yn haf 1935 ac wedi gobeithio cael ei benodi i Fangor:

> Ond yn gymaint i mi ei cholli, credaf nad oes neb y carwn yn fwy i'w weld ynddi na thi.

Aeth yn ei flaen i rybuddio Sam Jones am y natur ddynol ac am agweddau y cannoedd aflwyddiannus. Y rhai hynny a fyddai 'y criticyddion llymaf':

> Y mae gennyt job aruthrol i ddod i fyny â'r disgwyl. A'r drwg yw fod bron pawb sy'n sgwennu i'r Wasg hefyd wedi ceisio amdani: ac oherwydd hynny yn paratoi eu hunain i feirniadu.

Ymhlith y cwynion cynnar yr oedd yr amheuon a leisiwyd yn *Y Faner* am Fangor. 'A osodir y gangen hon o bren cyhyrog y BBC ar yr un tir ag Astudfa Caerdydd [o ran maint ac adnoddau]. Fe haedda cangen mewn canolfan Gymreig mor bwysig safle cydradd, a dweud y lleiaf.' Fe anfonwyd uwch-arolygydd sain i Fangor yn niwedd 1935 yn dilyn adroddiad gan un o'r prif beirianwyr o Lundain, a oedd hefyd wedi ymweld â'r orsaf newydd yn ystod mis cyntaf ei hoes. Yr oedd hwn yn adroddiad beirniadol o'r adnoddau. Yr oedd Stiwdio Un o siâp lletchwith, y nenfwd wedi ei orffen y flêr, y llawr yn 'boomy', a phan fyddai Sam Jones yn ei swyddfa'r drws nesaf gellid clywed y 'loud speech' yn amlwg ar y meicroffon. Yr oedd llawr y stiwdio ddrama hefyd yn 'boomy', yr insiwleiddio sain yn annigonol 'and the general

finish is poor'. Yn y Stafell Effeithiau yr oedd pethau'n waeth! Ni
osodwyd y meicroffon yn iawn, ac yr oedd sŵn oddi allan yn cario
trwy'r waliau.

Yr oedd y prif beiriannydd yn bendant o'r farn na ddylai Sam Jones
fod yn uchelgeisiol yn ei gynyrchiadau. Yr oedd ef, ar y llaw arall, yn
anfodlon ar ddarlledu dim ond rhaglenni syml. Yr oedd ef a Nan
Davies, a thrwyddynt hwy bob un arall o'r 'teulu', fel yr adnabyddid
y staff, ar dân i ddarlledu rhaglenni dramatig, ac yn Ionawr 1936 fe
ddechreuwyd cyfres i ysgolion ar hanes cestyll Cymru. Ambrose
Bebb a ysgrifennodd y rhain ac ymhen blynyddoedd fe'u cyhoeddwyd
mewn llyfr dan yr enw *Hil a Hwyl y Castell*. Mewn rhaglenni o'r fath
yr oedd yn rhaid cael cast mawr gan fod brenin a llys ymhob gwers,
ac yna filwyr i ymosod ar y llys hwnnw. Gan nad oedd llawer o arian
ar gael i dalu actorion nid oedd dim i'w wneud ond cael pawb o'r staff
i gymryd rhan, pawb ond Mr Hett gan fod yn rhaid wrth o leiaf un
peiriannydd yn y Stafell Reoli. Y *Commissionaire*, Mr Parry, oedd y
brenin ymhob rhaglen ond yr oedd yn rhaid wrth 'dorf' i'r golygfeydd
brwydro.

Fe wyddai Sam Jones ble i droi. Gyferbyn â'r Tŷ Darlledu yr oedd
y colegau ac fe aeth Sam Jones ar ofyn y myfyrwyr, neu'r 'stiwdants'
fel y'u gelwid, a hynny mewn cyfnod pan fyddai cymdeithas yn
edrych ar stiwdants mewn ffordd wahanol i'n cyfnod ni am fod
stiwdants, bryd hynny, yn gymdeithas arbennig o bobl. Byddid yn eu
cysylltu â hwyl ac â smaldod ac â chadw reiat. Yr oeddynt hefyd yn
griw rhyfeddol o rad i'w cyflogi! Cysylltiad cyntaf Gruffudd Parry â
darlledu oedd iddo, fel myfyriwr, drefnu tyrfa ar gyfer cyfres
Ambrose Bebb, cyfres 'hanes Lloegr yng Nghymru', chwedl Mr
Parry:

> Byddai'n rhyfedd gan y ddau ddwsin myfyriwr a gerddodd i mewn i'r
> stiwdio am y tro cyntaf erioed feddwl mai 'crowd effects' oeddynt, yng
> ngeiriau yr awdurdodau. Myfyrwyr o wahanol barthau o Gymru
> oeddynt – o Fôn, o Lŷn, o Rhuthun, Glan'rafon a Phencaenewydd [D.
> Tecwyn Lloyd a John Roberts Williams fyddai'r ddau o'r ardaloedd
> olaf a enwyd]. Yr oeddynt yn dalog iawn yn yr ystafell aros, gyda'i
> ddodrefn ffasiwn newydd a'r golau trydan crwn. Yr oedd un yn brolio
> ei fod am weiddi 'Fydda i adre i n'ôl swper Mam' ond pan gaeodd dau
> ddrws y stiwdio y tu ôl iddynt ni chyflawnwyd yr un o'r addewidion
> byrbwyll a wnaed.

Un arall o atgofion cynnar Gruffudd Parry yw bod yn dyst i glywed Sam Jones yn dweud wrth Ambrose Bebb, un nad oedd yn enwog am ei brydlondeb, 'Mr Bebb, you owe me an apology'. Saesneg oedd yr iaith; yn Saesneg y byddai'r cyfarwyddiadau, ond fe gafodd Mr Bebb, a'r myfyrwyr, wybod beth oedd gwerth prydlondeb.

Byddai pob myfyriwr yn ennill pum swllt am eu rhan yn y dorf, ond gan fod Sam Jones yn talu mewn unedau o gini yna Gruffudd Parry, fel asiant, oedd piau'r sylltau ychwanegol!

Fe sonnir fwy am gysylltiad Sam Jones â stiwdants yn y bennod nesaf a mwy hefyd am gyfraniad Gruffudd Parry i fyd darlledu.

Yn y llawlyfr am 1936, *BBC Annual,* ni wneir mwy na nodi cyfeiriad a rhif ffôn Bangor dan 'other BBC offices' – Bangor (North Wales), Broadcasting House, Meirion Road, Bangor. Telephone: Bangor 561 – ond fe ychwanegir brawddeg ddadlennol dan y pennawd 'Variety':

> As Wales has no variety tradition, the Welsh Region has the problem of evolving a type which will take the place of the corresponding English programme element.

Yr oedd llawlyfr y flwyddyn ganlynol yn dyrnu ar yr un nodyn – 'In Wales the variety tradition, as understood elsewhere, scarcely exists'. Ond ym Mangor yn Chwefror 1936 fe ddarlledwyd rhaglen ysgafn newydd sbon, a hynny gan Gôr Telyn Eryri yng nghwmni Telynores Eryri (Edith Evans) a Thelynores Maldwyn (Nansi Richards). Bu'n rhaid i'r Côr Telyn fynd trwy'r profiad o gael 'audition' a chan iddynt lwyddo, a'u bod eisoes yn boblogaidd o gylch gwlad, fe roddwyd deimensiwn pellach i'r darlledu o Fryn Meirion.

Ar Ionawr 30, 1936 yr oedd Bob Owen, Croesor yn ysgrifennu at Sam Jones i bwysleisio pwysigrwydd adloniant yn y patrwm darlledu:

> Diamau i chwi glywed bod Noson Lawen yn Ystumllyn ger Criccieth nos yfory (Gwener) o naw hyd 2 a.m. a chredaf ei fod yn wir ddyletswydd arnom eich gwahodd chwi iddi yn bendant, oherwydd mai dyma y 'very' lle i bigo allan dalentau gogyfer â'r di-wifr yn lle eich bod yn cyfyngu eich hun ormod i'r cylch academaidd a'r proffesoriaid (cyflwyno i chwi gŵyn gyffredinol yr wyf wrth fynegi hyn) ac mae'r wlad ofn eich bod yn rhoi monopoli ar y di-wifr (a ddylai fod yn offeryn i bawb teilwng lle bynnag y bo) i ryw gylch o ddisgleiriaid cenedl nad ydynt yn fuddiol i'r mwyafrif o bobol . . .

Ond gwn mor annodd i'w [sic] plesio pawb a bod eich gwaith yn anhawdd ddiawledig ond nid yw yn ddrwg gen i am dro fynegi bod galw am fwy o ddoniau gwerin o'r Gogledd yn gymysg weithiau â'r gwŷr neilltuol ddisglaer.

Paham na ellir cael dwy-awr o Noson Lawen ar y di-wifr tua Gŵyl Ddewi? Ie, paham? Mi fetiaf i â rhywun nad oes fudiad mwy byw, naturiol, diwylliedig, diddan, digrif yng Nghymru heddiw ac eto mae awdurdodau y di-wifr yn gallu bod yn glustfyddar i'r symudiad hwn.

Nid oedd diwrnod o rybudd yn ddigon i Sam Jones i allu bod yn Ystumllyn ond fe drefnwyd bod y ddau i gyfarfod ym Mryn Meirion ar Chwefror 15. 'Cawn drafod y Noson Lawen yn drwyadl bryd hynny.' Wedi'r cyfarfod ym Mangor y mae Bob Owen yn ysgrifennu i awgrymu Plas Tan-y-bwlch ym Maentwrog fel lleoliad i Noson Lawen a bod Mrs Inge y perchennog 'sydd yn berthynas i Dean Inge ac yn foneddiges radlon a boneddigaidd dros ben, a'r Plas yn un mawr braf ac ystafelloedd hwylus yno ynghyd â theliffon'. Atebodd Sam Jones ef gyda'r troad yn diolch i'r 'Ingoedd!' am roddi caniatâd mor barod. Mae'n amlwg fod y gŵr a oedd yn cadw pentiriaeth ym Mryn Meirion wedi pwysleisio ar Bob Owen bwysigrwydd teliffon oherwydd daeth llythyr arall ganddo ar Fawrth 12, 1936:

> . . . wedi cael llythyr heddiw oddi wrth Mr Barrett, Hafod Unos, Llangernyw, yn caniatáu i ni gynnal Noson Lawen yn un o'r ystafelloedd. Y mae yno Deliffon ac Exchange yn ymyl.

Yr oedd yr hedyn wedi ei blannu. Ymhlith y rhaglenni mwyaf diddorol i'w darlledu o Fangor yn ystod y flwyddyn 1936 yr oedd y cyfresi *Rown i yno*, *Dyna fy ngwaith i* a *Tair Cenhedlaeth*.

Cyfres i lygad-dystion oedd *Rown i yno* i ddwyn i gof rai digwyddiadau o bwys cenedlaethol i Gymru yn ystod yr hanner canrif blaenorol, fel hollti'r argae yn Nolgarrog a gosod carreg sylfaen prif adeilad y Coleg ar y Bryn. Soniodd J. H. Jones, *Y Brython*, am Gadair Ddu Birkenhead a disgrifiodd William Eames ei brofiad cyn Eisteddfod Genedlaethol Bangor 1902, pan gadeiriwyd T. Gwynn Jones am ei awdl 'Ymadawiad Arthur':

> Rhyw ddau ddiwrnod cyn anfon yr awdl i mewn fe ddaeth yn *full-stop* arno. Methai roddi diwedd artistig a naturiol i'r gerdd. Wel, doedd dim ond un peth i'w wneud. Teimlwn fod yn rhaid iddi fynd i mewn – yr

oeddwn yn sicr yn fy meddwl fy hun nad oedd mo'i hafal. Felly, er ei
bod hi'n hwyr y nos mi rois broc i'r tân, yn llythrennol ac yn ysbrydol,
ac mi gefais gan y bardd ail-afael. Y noson honno – rown i yno – y
cyfansoddodd y toddeidiau sy'n diweddu'r gerdd fel y mae hi, y gân
anfarwol i Ynys Afallon. A phan glywais i John Morris-Jones yn
dyfynnu'r gân honno yn ei feirniadaeth mi gefais i y *thrill*, chwedl y
Sais, nad anghofia' i mohonni byth.

Crefftwyr oedd hanfod y gyfres *Dyna fy ngwaith i* a chlywyd hanes
gwneud clocsiau, hel cocos, gwneud basged wiail, gwaith saer melin,
sadler gwlad, dal tyrchod, gwneud injia roc, cloc llechi a chanhwyllau
brwyn. Nan Davies, ysgrifenyddes Sam Jones, oedd wedi trefnu tipyn
o'r ochr yma i'r gwaith:

> Mae'n ddigri i feddwl mai dau o'r De oeddem ni yn paratoi'r rhaglenni
> cynnar hynny o Fangor – Mr Sam Jones yn Shoni go iawn o Glytach, a
> minnau'n rhyw hanner Shoni o Sir Aberteifi. Yr oedd y Gogledd yn
> wlad newydd i mi, ac mae'n sicr i'r diddordeb eithriadol hynny a
> deimlem at bethau oedd mor newydd i ni gael ei drosglwyddo rywfodd
> i'n rhaglenni – rhyw rannu ein brwdfrydedd ein hunain gyda'r
> gwrandawyr fyddem ni rwy' i bron â meddwl.

Yr oedd dylanwad Bob Owen yn drwm ar y gyfres hon ac ef hefyd a
awgrymodd enwau i'r *Tair Cenhedlaeth* pan glywyd am rai
newidiadau chwyldroadol yn ystod y trigain mlynedd cynt gan
genedlaethau o ffermwyr, gweinidogion, ysgolfeistri, teilwriaid a
siopwyr.

Fe gynhyrchwyd rhaglenni nodwedd hefyd. Nid yw'r arfer cyfoes o
saethu rhaglenni teledu mewn dwy iaith 'gefn wrth gefn' yn newydd
yn y byd. Dyna a wnaed ar gyfer radio yn 1936 gyda rhaglenni fel
Môn, Mam Cymru ac *Around the Island*. Cynhyrchwyd cyfres
Saesneg arall *In Passing* gan sgwrsio efo'r gŵr a oedd yn casglu'r doll
ar Bont Conwy ac efo Ceidwad y Goleudy ar benrhyn y Gogarth,
Llandudno. Bu tipyn o bwyslais ar ddefnyddio adnoddau'r cerbyd
darlledu allanol a chafwyd, yn ogystal ag oedfaon o gapeli ac eglwysi,
raglenni o gaban y chwarelwyr yn Chwarel y Penrhyn Bangor, ac o
Ffair y Borth (Porthaethwy). Bryd hynny bu'n rhaid i Sam Jones
ddangos cryn ddycnwch gan nad oedd hawl i gerbyd mor drwm â fen
allanol y BBC groesi Pont y Borth. Pedair tunnell a hanner oedd
uchafswm y pwysau a ganiatéid, ac yr oedd cerbyd y BBC yn saith

tunnell. Archebodd Sam Jones drỳc ar reilffordd yr LMS i gario'r cerbyd recordio i Langefni ar y cledrau ac yna'i yrru'n ôl i Borthaethwy!

Yn y gyfres *Brethyn Cartref* fe ymwelwyd â Rheilffordd Ffestiniog, Ffatri Wlân Penmachno, Gwaith Haearn Caernarfon ac â fferm yn Aberffraw. Y mae gan Goronwy Wyn Rowlands atgof am ddau ddarllediad 'allanol' arall. Ym Mhafiliwn y Drenewydd, ar achlysur darlledu y *Montgomeryshire Music Festival*, yr oedd y digwyddiad cyntaf, pan roddodd Sam Jones ei sbectol ar ben batri 300 folt. Bu fflach, a thoddwyd y ffrâm, gan adael yn unig ddwy lens fechan yn weddill. Ond fflach o weledigaeth oedd y profiad arferol pan fyddai, dros baned ganol bore neu ganol pnawn, yn byrlymu o syniadau ac yn gofyn cyngor y peirianwyr ar sut i gyflawni ambell orchwyl, a thrwy wneud hynny byddai'n ddi-ffael yn ennyn eu brwdfrydedd hwythau.

Ail atgof Mr Rowlands yw gwireddu breuddwyd Sam Jones o gynhyrchu rhaglen am yr 'Irish Mail' gan recordio'r trên yn chwyrnellu heibio i Dreborth, ger Bangor. Yr oedd y cynhyrchydd wedi trefnu efo'r gyrrwr fod y trên i roi tri chwibaniad cyn mynd i mewn i'r twnnel. Yr oedd yr offer recordio'n barod a'r trên yn dynesu. Ond fe sbwyliwyd y recordiad gan y cynhyrchydd lled-fyddar yn gweiddi, yn ei gynnwrf, 'Is she coming?' ar draws y chwibanu! Dychwelodd y peiriannydd drannoeth, heb y cynhyrchydd, i wneud recordiad arall ac yna, gyda chryn fedrusrwydd technegol, asiwyd y ddau recordiad yn un. Dyddiau recordio ar ddisg oedd y rhain a chymerai gorchwyl o'r fath oriau yn hytrach na munudau i'w gwblhau. Ond, y mae'n ymddangos nad oedd neb, yn beirianwyr na chynhyrchwyr, yn cyfrif yr amser a dreulid. Llwyddiant y rhaglen oedd yn cyfrif.

Cododd cynnwrf yn y gwanwyn 1936 gan y *North Wales Drama League*. Cwyn y dramodwyr oedd fod pob drama yn cael ei chynhyrchu yn y De gan ddefnyddio acenion y De – sy'n adlewyrchu'r consýrn a fynegwyd gan Sam Jones yn ei nodyn i Elidir Sais yn gynharach yn y flwyddyn. Unwaith eto yr oedd y wasg yn llawn erthyglau, dienw gan mwyaf, gan rai'n cyhuddo'r BBC o anwybyddu'r Gogledd. Daeth y mater i sylw penaethiaid y BBC yn Llundain ac ymwelodd C. A. Siepmann â Bangor i drafod yr adnoddau wyneb yn wyneb efo Sam Jones.

Yr oedd Caerdydd wedi ateb y dramodwyr trwy honni nad oedd stiwdio Bangor yn ddigon mawr i gynhyrchu dramâu. Honnai Sam Jones y gellid cynnwys hyd at ugain o actorion ym Mangor:

> The whole trouble appears to have arisen quite irrelevantly as a result of Parry's [Owen Parry oedd y Cyfarwyddwr Rhaglenni] rejecting a play submitted by one Kynan, on the grounds that the Bangor premises were inadequate for its performance. I do not know why he chose to give this as his excuse. It was certainly not justified. Sam Jones complains that the Cardiff staff are unwilling for him to take charge of any programme on the talks, feature or dramatic side, owing to the specialist pride and jealousy of those in Cardiff . . . there is clearly ill-feeling as between him and Cardiff which needs adjustment . . . Sam Jones feels rather keenly that, with three and a half years' experience behind him, it is a little absurd for a group of upstart specialists in Cardiff to tell him that he does not know his business.

Cyfieithiad Cynan ('one Kynan'!) o ddrama John Masefield *Good Friday* oedd asgwrn y gynnen y tro hwn ond yr oedd y gynnen rhwng Sam Jones a Chaerdydd yn gweryl blwyddyn gron, ac yn un a oedd i barhau weddill ei ddyddiau yn y Gorfforaeth mewn rhyw ffurf neu'i gilydd.

Er i rywun ddwyn yr enw 'Broadcasting House' oddi ar y llidiart i Fryn Meirion – 'BBC studio cannot be identified' – yr oedd gweithgarwch diflino'r staff bychan yn prysur roi'r enw ar y map darlledu. Yr hyn a fyddai'n rhoi hwb pellach i'r gwaith fyddai codi trosglwyddydd radio yn y gogledd fel y byddai'r trigolion yn clywed cynnyrch Bangor.

Wedi arbrofi efo safleoedd yn Abergwyngregyn, Y Gogarth a Phenmon yr oedd y gwaith bellach wedi dechrau ar y safle ym Môn ond heb fawr obaith i wireddu'r bwriad o agor y trosglwyddydd yn hydref 1936. Bu sawl stori yn y wasg yn lleol am ddewiniaid-dŵr yn ymweld â'r safle oherwydd fod y tir sych yn peri trafferthion i'r peirianwyr. Suddwyd ffynnon ac, yn ôl y *North Wales Chronicle*, bu 'Mr Hugh Jones, complete with hazel twig' ac eto 'water-diviner Mr James Griffith, Garth, Bangor' yn sicrhau fod y falfiau-oeri i'r trosglwyddydd yn cael eu gosod yn y lle iawn. Yn ôl y *Sunday Referee* fe arbedodd y dewiniaid-dŵr hyn gannoedd o bunnau i'r BBC rhag gorfod rhedeg pibelli am filltiroedd i bwmpio dŵr o gronfa. Fe fyddai'r trosglwyddydd hwn yn rhan o'r hyn a alwai'r BBC yn 'Wales and the West of England separation':

> From early in February 1937 North Wales will be served by the new transmitter at Beaumaris, which will use the same wavelength (373m. 804 Kc/s) as the Regional transmitter at Washford and radiate the same programmes.

Yr oedd prinder tonfeddi'n dal yn anhawster ond yr oedd y patrwm yn datblygu'n foddhaol i gyfateb â'r gofyn yng Nghymru'n ogystal ag yng Ngorllewin Lloegr. Y nod at Orffennaf 1937 oedd addasu trosglwyddydd y Rhaglen Genedlaethol yn yr Alban i gydweddu â throsglwyddyddion Gogledd Lloegr a Llundain ar 261.1m (1050 Kc/s) gan ryddhau un donfedd ar drosglwyddydd Washford i ddibenion Rhanbarthol Cymru. Dyma'r union gynllun a gynigiwyd gan E. G. Bowen dair blynedd yn gynt mewn trafodaethau â'r BBC pan ddifrïwyd y gŵr ifanc a'i weledigaeth.

Fe agorwyd trosglwyddydd Penmon ar Chwefror 1, 1937. Yn ei anerchiad ar y dydd mynegodd y Prifathro D. Emrys Evans y gobaith y byddai agor y trosglwyddydd yn arwain at well dealltwriaeth rhwng De a Gogledd, rhwng Cymru a Lloegr:

> Hitherto the voice of West Regional broadcasting from Washford, in Somerset, was heard in North Wales rather like the cracked, uncertain voice of the adolescent, sometimes roaring deeply like a lion and other times just a whisper in the air. Wales has a new voice; let us see that the right use is made of it.

Pwysleisiai Syr Noel Ashbridge, prif beiriannydd y BBC, yr hunllefau o oresgyn problemau ardaloedd mynyddig. Er na fyddai Penmon yn rhoi gwasanaeth cwbl foddhaol i'r cyfan o Ogledd Cymru, fe fyddai'n gwella'r derbyniad yn sylweddol i chwarter miliwn, o leiaf, o bobl. Yr Arglwydd Davies o Landinam, Sir Drefaldwyn, a gafodd y fraint o agor y trosglwyddydd yn swyddogol. Soniodd yntau am y cam pellach a gymerwyd i ateb dymuniad pobl Cymru o gael gwasanaeth cenedlaethol, i ledu gwybodaeth am nodweddion cenedlaethol ymhlith cymdogion:

> ... and so leading to a more widespread recognition of the principle of toleration in international relationships. Today, Penmon may send forth

clarion calls in defence of Justice and Peace from the people of Wales, not only to their fellow-citizens of Great Britain and the British Commonwealth, but also to the nations of the world.

O Fostyn ar lannau Dyfrdwy hyd Borthmadog yr oedd gwrandawyr yn 'pleasantly surprised by the admirable quality and power' o'r trosglwyddydd newydd. Trosglwyddid ar bŵer o 5 kilowatt, ac yr oedd y derbyniad ym Mangor yn 'phenomenal'. Am y tro cyntaf yr oedd gwrandawyr yn medru mwynhau gwrando heb orfod brwydro yn erbyn yr elfennau a buan y daeth trigolion Môn i ymgyfarwyddo â gweld y tŵr-trosglwyddo, 250 troedfedd o uchder, mor amlwg yng nghornel de-ddwyreiniol yr ynys.

Wedi'r agoriad ym Mhenmon fe ddaeth saith a deugain o wahoddegion i Westy'r Castle ym Mangor i giniawa, ac yn eu plith un Maer a gawsai drafferth i benderfynu fel beth yn union y dylai ymddangos – ai fel Maer, neu ynteu fel aelod o Gyngor Coleg Prifysgol Gogledd Cymru, neu hwyrach fel aelod o'r Cyngor Sir, neu eto, fel cyn-Gadeirydd y Cyngor hwnnw! Fe ysgrifennodd at y BBC i esbonio ei ddilema. Gan y byddai ei wahodd fel cyn-Gadeirydd yn wahoddiad i 'disembodied spirit' fe benderfynwyd ei wahodd fel 'platoon'!

Mewn dogfen fewnol sy'n crynhoi'r prif ddigwyddiadau yng Nghymru yn y blynyddoedd cynnar fe nodir am agoriad Penmon:

> Two special feature programmes were arranged; one dealing with the work of the late Sir William Preece, Caernarvon, a pioneer of sound broadcasting in North Wales; and the other, the following day, including a descriptive talk by Mr S. J. Evans, Menai Bridge, formerly headmaster of Llangefni County School; an imaginary interview with Lewis Morris, a famous Anglesey man, whose memorial is close to the site of the new station; and a reading of T. Gwynn Jones' Ode to Penmon.

Yn bresennol yn yr agoriad ar y diwrnod hanesyddol hwnnw yn hanes darlledu o'r Gogledd yr oedd Cyfarwyddwr Rhanbarthol newydd Cymru, Rhys Hopkin Morris. Fe'i penodwyd ar Hydref 19, 1936 yn lle Appleton, a barhaodd yn Gyfarwyddwr Gorllewin Lloegr am gyfnod. Yr oedd Appleton dan y lach gan Reith ers tro, er bod yr union reswm am hynny'n aneglur. Daeth gyrfa Appleton yn y Gorfforaeth i ben ar Fehefin 30, 1937 pan dderbyniodd gil-dwrn o

£5,000 – ar ei gais ei hun – 'to go quietly'. Yr oedd Reith wedi ei gynddeiriogi gan 'that crook Appleton' a phenderfynodd brysuro'r bwriad i benodi Cyfarwyddwr i Gymru. Ar ei gais fe luniodd D. Emrys Evans bapur byr ar ofynion y swydd. Y mae'r math o ddyn y dylid ei benodi, meddai Evans, yn dibynnu ar yr agwedd a gymer y BBC yn ganolog at natur y swydd. Byrhoedlog, yn ei farn ef, fyddai edrych ar y swydd ar yr un lefel â Chyfarwyddwyr Rhanbarthol yn Lloegr:

> Viewed as a 'regional' post the Welsh Directorship is *sui generis*. It is, in fact, more properly described as National. Any lower view than this fails to do justice to the capacity of broadcasting for influencing constructively and comprehensively the various aspects and interests of the life of Wales as a whole.

O gael Cyfarwyddwr Cenedlaethol byddid yn chwilio am ddyn o allu eithriadol, am bersonoliaeth ac am gadernid cymeriad. I ddenu'r person iawn dylid cynnig sicrwydd gwaith am flynyddoedd. Fe ysgrifennodd D. Emrys Evans y llythyr hwn fel aseswr i'r swydd ar ôl gweld y rhestr o saith ar hugain a gynigiodd am y swydd, ac ar ôl methiant y Rheolwyr i benodi neb o'r rhestr fer o saith a ddewiswyd.

Bu Prifathro Coleg Bangor yn llythyru hefyd â B. E. Nicolls, Rheolwr Gweinyddiaeth y BBC, ym mis Ebrill 1936 gan awgrymu enw Ben Bowen Thomas, Warden Coleg Harlech ar y pryd, fel un y dylid pwyso arno i ystyried y swydd. Yr oedd y swydd wedi ei hysbysebu fel un Cyfarwyddwr Rhanbarthol, Cymru. Mynnid fod yr ymgeiswyr yn rhugl yn y Gymraeg a'r Saesneg, yn dal cysylltiad agos â Chymru gyfan, o gefndir diwylliannol, yn gwybod faint oedd hi o'r gloch yng Nghymru'n wleidyddol, yn gymdeithasol ac yn addysgol. Yr oedd gweddill yr hysbyseb yn tanlinellu nodweddion personoliaeth a gallu'r ymgeisydd. Wedi methu ar y cynnig cyntaf bu Emrys Evans mewn cysylltiad â (Syr, yn ddiweddarach) Ben Bowen Thomas ond yr oedd ef yn gyndyn o symud:

> Bu eraill wrthi'n cymell y dyddiau diwethaf yma ond i ddim pwrpas. Er i mi sylweddoli posibilrwydd y gwaith, nid oedd gennyf ddigon o brawf fod pobl eraill yn meddwl fy mod yn gymwys iddo, ac y mae'n gryn fodlonrwydd i ysbryd dyn wybod bod eraill, y mae ganddo feddwl ohonynt, yn credu yn ei gymhwyster. Ond y mae un peth yn fy anesmwytho a charwn gael sicrwydd arno. Gwrthuni o'r mwyaf a fyddai

gwneud Cyfarwyddwr Cymru yn atebol i Sir John Reith yn unig. Gallai lunio polisi addas i Gymru a chael ei rwystro ymhopeth gan Reith a'i Lywodraethwyr na wyddant ddigon am y wlad ond yr hyn a glywant gan ychydig o wŷr a fedrai fynd atynt. Ymddengys imi fod Is-Lywodraethwr Cymreig neu Gyngor bychan mor hanfodol i'r Cyfarwyddwr yng Nghymru ag ydyw'r Cyfarwyddwyr yn Llundain i Sir John.

Yr oedd W. P. Wheldon yn rhan o'r drafodaeth hefyd. Aeth ef, yn ei dro, i weld Thomas Jones yn swyddfa'r Cabinet i esbonio iddo pam fod Ben Bowen Thomas wedi gwrthod y cynnig cyntaf i ymgeisio am y swydd, ond ei fod yn ailystyried oherwydd y pwysau a roddid arno. Wedi cyfarfod â Thomas Jones yn Llundain fe benderfynodd Ben Bowen Thomas dynnu'n ôl yr eildro:

> Fy newis personol i ydyw hyn, ond teimlaf na fedraf benderfynnu [sic] mewn unrhyw ffordd arall ar ôl meddwl dros y peth ac ymgynghori. Gwnaf well a mwy o waith gwerthfawr yma [yng Ngholeg Harlech] a hwnnw'n waith wrth fy modd. Y mae'n sicr y cawswn ddigon o waith gan y BBC ond amheuaf a fyddai'n gydnaws ac hefyd faint o gyfle a gawswn i fod yn 'bersonol' ynddo.

Yn y cyfamser yr oedd Wheldon wedi derbyn llythyr gan W. J. Gruffydd yn datgan ei barodrwydd i gael ei ystyried fel ymgeisydd. Ysgrifennodd Gruffydd at D. Emrys Evans i'r un perwyl ac anogodd y Prifathro ef 'Da chwi, rhowch y swydd yma allan o'ch meddwl'. Yr oedd Thomas Jones wedi awgrymu enwau Vincent Lloyd Jones, Miles Davies (Uwch-gynorthwy-ydd ym Maes-yr-haf) a James Griffiths AS. Oddi wrth Appleton y daeth yr awgrym i Nicolls y dylid ystyried 'Mr Hopkin Morris, a Barrister, now living in London'. 'What a tangle,' ys dywedodd Wheldon.

Y trydydd aseswr oedd Ysgrifennydd Llys y Brifysgol, Jenkin James, ac wedi trafodaeth ag yntau y lluniodd D. Emrys Evans ei swydd-ddisgrifiad gan wybod mai un o'r anawsterau pennaf yng ngolwg Rhys Hopkin Morris oedd ansicrwydd y sefyllfa. Ei led-ddyfynnu ef, (gweler t.107), yr oedd y Prifathro. Ysgrifennodd Hopkin Morris 'It is only if Wales is to be treated *sui generis* that the post appeals to me'. Yr oedd Hopkin Morris, cyn-aelod seneddol Ceredigion (1923-32) ac Ynad cyflogedig llysoedd Llundain, yn gofyn am sicrwydd o bum mlynedd yn y swydd. Y gorau yr oedd y BBC yn fodlon ei gynnig oedd sicrwydd blwyddyn o rybudd:

This is something exceptional, and I hope that he will recognise in it the gesture that he seeks.

Mewn llythyr at D. Emrys Evans ar Fehefin 11, 1936 y mae Rhys Hopkin Morris yn diolch i'r Prifathro am sicrhau consesiwn na fu ei debyg o'r blaen. Y mae, felly, am dderbyn y swydd:

> Whether this is the right thing to do or not I really do not know. My feeling about it is the same as the skipper of the 'Girl Pat' must have felt when he left the comparative safety of Grimsby (or wherever it was) for the perils of the high seas. Like him, too, I may find it necessary to black the name off the barque!

Yr oedd Rhys Hopkin Morris yn gyn-lywydd y myfyrwyr ym Mangor yn 1911-12. Un o ddau ysgrifennydd Cyngor y Myfyrwyr y flwyddyn honno oedd D. Emrys Evans a ddaeth ei hun yn llywydd y myfyrwyr y flwyddyn ganlynol.

Fe ymunodd Rhys Hopkin Morris â staff y BBC yng Nghaerdydd ar Awst 31, 1936, ychydig ddyddiau'n unig ar ôl i un arall eto o gyn-lywyddion y myfyrwyr ym Mangor, J. Gwynfryn Roberts (1910-11), ddechrau ar ei waith fel Swyddog Gweinyddol y BBC yng Nghymru.

Yr oedd yna newidiadau ym Mryn Meirion hefyd. Ar Chwefror 15, 1937 fe newidiwyd teitl swydd Sam Jones o fod yn 'Gynrychiolydd Bangor' i fod yn 'Gynrychiolydd Gogledd Cymru' ac yr oedd Nan Davies yn symud o fod yn ysgrifenyddes i Sam Jones i fod yn Gynorthwy-ydd Rhaglenni. Yn ei lle hi fe benodwyd Susie Thomas, myfyrwraig yn y Brifysgol ac un o ardal Dolgellau yn wreiddiol. Yr oedd Miss Thomas (Mrs Susie Evans wedi hynny) yn adroddwraig ac wedi ennill y 'Roberts Welsh Reading Prize' yn y coleg. Yr oedd Sam Jones yn chwilio am rywun i ddarllen darnau o waith Syr John Morris-Jones ar y radio. Trodd at y myfyrwyr, a dyna droedle i Susie Thomas ym Mryn Meirion. Yr oedd hi wedi gweld Sam Jones unwaith neu ddwy cyn hynny, yng nghapel Penuel ar y Sul yn eistedd yn sypyn yng nghornel y sedd:

> . . . a'r argraff a gefais ohono y pryd hynny oedd dyn bach eiddil, tawel, di-ymhongar ar goll yn ei ddillad, a wyneb yn ymdebygu braidd i fwnci a'r gwallt crych yn edrych fel pe wedi ei dynnu trwy ddrain. Ond wedi dod wyneb yn wyneb ag o, fe'm trawyd i ar unwaith gan ei frwdfrydedd a'i fywiogrwydd a'i sêl dros y gwaith.

Cynghorodd Sam Jones y ferch ifanc i gymryd gwersi teipio a llaw-fer gyda'r addewid 'fe ofalwn ni am swydd i chi'. Bu cystal â'i air ac wedi iddi hi weithio yn achlysurol i'r BBC fel ysgrifenyddes a theipyddes fe'i penodwyd i swydd glerigol pan wnaed Nan Davies yn 'Gynorthwy-ydd'. Ond byr fu ei harhosiad ym Mryn Meirion gan nad oedd hi wedi gwneud cwrs ar gadw cyfrifon, ac yr oedd angen hynny ym Mangor. Felly, fe anfonwyd Susie Thomas i Gaerdydd ac yn ei lle penodwyd Morfudd Morris (Morfudd Mason Lewis wedi hynny). Fe'i magwyd hi yn Sir Forgannwg ac ni fu ymhellach i'r gogledd nag Aberdyfi cyn ei phenodiad. Yr oedd ei chael ei hun yng nghanol y mynyddoedd yn Eryri neu ar draethau Môn yn creu awyrgylch gwyliau iddi hi wrth ei gwaith. Ar bnawniau Sadwrn byddai Nan Davies a hithau'n cerdded y bryniau neu'n crwydro ymhellach yng nghar bach llwyd Nan i ddod i adnabod y rhan honno o'r wlad. Ond gwaith a ddôi gyntaf:

> Os byddai rhaglen gyda'r nos yr oedd pawb yn aros ymlaen yn barod i helpu. Rhaglenni 'byw' oedden nhw i gyd. Pan ddeuai Côr i'r stiwdio i ddarlledu fe fyddai rhyw awr o ymarfer a chyfle i roi'r meicroffon yn y man iawn cyn i'r golau coch ddweud fod y Côr ar yr awyr. Rwy'n cofio Dai Davies yn dod lan o Gaerdydd un tro i ofalu am yr ochr dechnegol o ddarlleiad fel hyn, ac ar ôl symud y meic i le gwell yn troi at y Côr a dweud 'Canwch hwnna siwrne eto'. Wydden nhw ar y ddaear beth oedd e'n geisio ei ddweud.

Tybed ai anawsterau fel yna oedd yn gyfrifol fod cymaint o'r cyfarwyddiadau a roddid i artistiaid yn cael eu rhoi yn Saesneg? Dyna oedd y drefn, hyd yn oed wrth ddweud y drefn am amhrydlondeb wrth Ambrose Bebb! Ond Cymraeg oedd iaith y rhaglenni a honno'n iaith gadarn ei phriod-ddull. Dyma, wedi'r cyfan, oedd y prif reswm am fodolaeth gorsaf ddarlledu ym Mangor. Rhoddai Sam Jones ei hun, fodd bynnag, y pwyslais ar ddarganfod talentau. 'The form of expression is secondary.'

Cyn diwedd 1936 yr oedd Sam Jones wedi dechrau darlledu cyfres o sgyrsiau i arddwyr, a'r 'garddbenigwr' cyntaf oedd Tom Jones. Flynyddoedd yn ddiweddarach fe gyhoeddodd Tom Jones lyfryn o'i sgyrsiau dan y teitl *Yn yr Ardd*. Byddai'n sôn am ryw hen arddwr o'r enw Abram, y bu'n gweithio iddo yn fachgen, ac yntau'n gofyn i Abram, 'Pam mae chwyn yn tyfu yn well na dim arall?' Ac meddai

Abram, 'Mae'r hen ddaear 'ma yn fam *iawn* i'r chwyn machgian i; mam-yng-nghyfraith ydi hi i bopeth arall'! Darlledid y rhaglen ar y Sul, a daeth cwyn am hynny gan Gyngor Eglwysi Rhyddion Aberystwyth. Yr un a lamodd i ateb y cwyno yn y wasg oedd Idwal Jones, Llanbedr Pont Steffan:

> Os bu celfyddyd fwyn, fonheddig erioed a'i gwnâi yn anodd i rywun fel fi ddweud pa le y mae'r llinell rhwng yr ysbrydol a'r materol, celfyddyd y garddwr yw honno.

Datblygodd rhaglenni ar arddio'n rhan o arbenigrwydd darlledu o Fangor tros yr holl flynyddoedd a daeth *Byd Natur* yn gymar iddi ymhen amser.

Cwyn fewnol o Gaerdydd oedd honno a leisiwyd gan yr adran beirianyddol, sef bod rhaglenni'n digwydd ym Mangor heb fod unrhyw 'programme official' yn bresennol. Sail y cwyno oedd fod un o beirianwyr Bangor wedi diffodd rhaglen cyn pryd 'because there was a particularly long pause in the recital'. Yr oedd yr arfer o beidio â chael rhywun o ochr rhaglenni'n bresennol, yn ôl yr uwch-beiriannydd o Gaerdydd, yn 'exceedingly dangerous'. Atebodd Sam Jones y gŵyn trwy nodi mai dim ond dau, ef a Nan Davies, oedd ar gael a'u bod hwy'n gorfod bod ynglŷn â rhaglenni eraill tros y cyfan o'r Gogledd. Ond nid oedd y rheswm hwnnw yn ddigonol. Daeth cyfarwyddyd na ddylid, ar unrhyw gyfrif, adael cyfrifoldeb am raglen i beiriannydd, a bu'n rhaid plygu i'r drefn.

Un arall o'r cyfresi a olygai bod o leiaf un o'r ddau 'programme official' yn gorfod teithio oedd y gyfres *Bob Nos Wener*. Sam Jones ei hun a deithiodd i Aberdaron i gyfarfod â Brenin Enlli. Aeth i drafferthion gweinyddol am iddo fod yn esgeulus a pheidio ag anfon i mewn y nodyn arferol i sicrhau caniatâd i deithio (TNS – Travel Notification Slip). Yn wir, y mae yna enghreifftiau niferus, a thros nifer o flynyddoedd, o'i esgeulustod yn y cyfeiriad hwn! Yn y blynyddoedd cynnar ym Mangor ei wraig, Maud, oedd yn ei yrru ar draws gwlad a chafwyd caniatâd i yswirio'r car a'r gyrrwr ar gyfer dyletswyddau o'r fath.

Fe gofiai hi, yn arbennig, am un ymweliad â Rhosllannerchrugog. Trefnwyd darllediad oddi yno ond aeth pethau o le'n dechnegol yn ystod y darllediad. Yn Chwefror 1938 y digwyddodd hyn, flwyddyn wedi agor y trosglwyddydd ym Mhenmon. Nid oedd yr orsaf drosglwyddo ar Ynys Môn o fudd o gwbl i bentrefwyr y Rhos a manteisiodd plismon y pentref, o bawb, ac yntau yn ei lifrai, dywallt ei gynddaredd am ddiffygion y derbyniad am ben Mrs Maud Jones, tra eisteddai hi yn y car y tu allan i'r neuadd. Ym marn y plismon fe ddylai'r Cenedlaetholwyr (hynny yw Saunders Lewis, Lewis Valentine a D. J. Williams) fod wedi llosgi trosglwyddydd Penmon yn hytrach na'r Ysgol Fomio. Yr oedd torf o bobl bellach yn crynhoi o gwmpas y car a dywedodd Mrs Jones ei bod yn ofid iddi hi fod yr un a oedd i fod i gadw'r heddwch yn creu y fath fwstwr. Cyn cau ffenestr y car fe ychwanegodd, beth bynnag oedd problemau derbyniad radio yn y Rhos, nad anghofiai hi fyth ei derbyniad hi yn y Rhos y diwrnod hwnnw.

Codwyd trosglwyddydd lleol yn Wrecsam yn 1940 ac agorwyd stiwdio fechan yn y dref honno yn 1949, er i Alun Oldfield-Davies, Rheolwr Cymru y BBC, fynnu ar y pryd nad oedd gan drigolion Sir Ddinbych unrhyw anhawster i gyrraedd Bangor neu Gaerdydd.

Mewn cymhariaeth, mân drafferthion oedd yn dod i'r amlwg ym Mryn Meirion. Cwynai Sam Jones mai 'Broadcasting House, Meirion Road' oedd ar y papur ysgrifennu swyddogol a bod artistiaid ac ymwelwyr yn crwydro milltiroedd i ddarganfod y lle. Byddai dweud 'College Road' yn fwy manteisiol yn ei farn ef. Gwnaed hefyd gais am faneri swyddogol newydd i'w codi ar gyfer achlysuron arbennig. Eisoes yr oedd yr hen faneri'n breuo. Yr oedd y carped yn y swyddfa gyffredinol yn breuo hefyd a'r staff 'at great danger to their equilibrium' yn ôl Nan Davies. Archebodd Sam Jones nwyddau i'r ardd. Ni fu gwrthwynebiad i'r '28 lbs of worm killer' ond bu llythyru rhwng gwahanol benaethiaid yng Nghaerdydd am yr archeb am 1,400 o fylbiau blodau nes iddynt weld mai £7 oedd y gost ac o'i gyfartalu dros flwyddyn nad oedd hynny yn fwy na 2.7 swllt yr wythnos.

Nid gweinyddu oedd cryfder Sam Jones, na'i brif hoffter chwaith. Rhaglenni oedd ar ei feddwl ac eisoes yr oedd wedi ychwanegu *Awr y Plant* at gynnyrch Bangor. Golygai hyn chwilio am awduron sgriptiau ac am berfformwyr. Un o'r ysgrifenwyr mwyaf toreithiog oedd Marjorie Wynn-Williams a'i chreadigaeth hi oedd 'Owi Bach' a'i deulu a'u helyntion. Fe ddarlledwyd cyfres o'r rhain ar *Awr y Plant*.

Dyma'r flwyddyn hefyd, 1937, pan fathwyd y teitl *Ymryson y Beirdd* am y tro cyntaf. Yr oedd y rhaglen a ddarlledwyd ar nos Fercher, Mawrth 24, 1937 o Fryn Meirion yn wahanol iawn i'r hyn ydyw *Talwrn y Beirdd* heddiw. Tri o'r Bala, gan gynnwys Llwyd o'r Bryn, oedd yn y rhaglen gyntaf un ac fe ddisgrifid y rhaglen honno yn y *Radio Times* fel 'Her ac ateb gan bleidwyr y gwahanol ardaloedd'. Dyma enghraifft o'r math o raglen a gafwyd, pan ddilynwyd criw y Bala gan Bob Owen a dau arall o blwyfi yn Eifionydd:

> Bob Owen: Bendigedig o beth, hogiau, cael gwared â'n gwragedd am noson er mwyn fforddio egwyl hyfryd efo'n gilydd yn y 'stafell gysurus hon i sefyll i fyny tros feirdd ein plwyfi o Rhys Goch Eryri hyd i'r Bardd Du o Eifionydd ac Eifion Wyn. Wyddoch chi byddai'n amhosibl i ni ymryson a herio efo beirdd ein plwyfi petae ein gwragedd yn ymyl gan gymaint eu nâd a'u swn yn gryngian a mwngian fel cacwn pigog. A wnei di ddechrau, Llew, efo dy blwyf . . . ond cofia di, ngwas i, fod gan Gybi a finnau blwyfi a beirdd ynddynt llawn cystal â dy feirdd dithau bob affliw.
>
> Cybi: Enwa hwynt Llew.
>
> Llew: Tudur Penllyn, Bardd Treflys, Elis Owen o Gefnmeysydd, Ioan Madog.

Ac felly, wedi ei sgriptio air am air, yn ôl arfer y cyfnod, yr aeth yr ymryson rhagddi. Y flwyddyn wedyn, 1938, y dechreuwyd ymrysona byrfyfyr. (Daw cyfle yn y bennod nesaf i fanylu ar brif raglenni Sam Jones ac, yn sicr, y mae *Ymryson y Beirdd* yn un o'r rhaglenni hynny.)

Yr oedd ym Mangor hefyd bwyslais cynnar ar adloniant. Soniwyd eisoes am Gôr Telyn Eryri. Yn fuan ar ei sodlau fe ddaeth Triawd Tregarth a Hogiau'r Gogledd i amlygrwydd. Yr oedd Sam Jones yn rhyfeddu at y doniau oedd o'i gwmpas ac yn falch o gael cynnig llwyfan i'r doniau hynny. Yr oedd hefyd yn sylweddoli pa mor ddibynnol yr oedd ar eraill i greu'r diddanwch. Ond yr oedd ganddo gysylltiadau fyrdd, fel y dyn papur newydd ag ydoedd, a gwyddai sut i wneud y defnydd gorau o'r cysylltiadau hynny ym maes adlonaint yn ogystal. Yr oedd yn adnabod llawer iawn o bobl ac yn gwybod beth oedd y bobl hynny eisiau ei glywed ar y radio. Gwyddai fod pobl yn hoffi 'stiwdants', a bod mwy o allu na'r rhelyw gan y gymdeithas honno o bobl ifanc yn y cyfnod hwnnw i fod yn ysgafn a digrif ac yn fentrus.

Y mae gan Dr Meredydd Evans theori ddiddorol am yr hyn a ddigwyddodd a sut yr aeth Sam Jones ati i weithredu. Ers ei gyfnod yng Nghaerdydd daethai Sam Jones i adnabod Emrys Cleaver. Erbyn hyn yr oedd y ddau ohonynt wedi symud i'r Gogledd, gan fod Emrys Cleaver yn fyfyriwr yng Ngholeg y Bala. Yno, ffurfiodd Emrys Cleaver barti Noson Lawen mewn cysylltiad â Llwyd o'r Bryn. Pedwar oedd yn y Parti – Llwyd o'r Bryn, Emrys Cleaver, Arthur Tudno Williams a Meic Parry. Dyna'r pedwar gwreiddiol. Cadwent nosweithiau llawen yn ardal y Bala a Chorwen a dod yn boblogaidd ym mhentrefi Meirionnydd. (Syndod meddwl, gyda llaw, am bentrefwyr Llandderfel, yn nyddiau cynnar darlledu, yn cyfarfod o amgylch set radio yn y neuadd bentref am hanner nos 'i glywed cloc mawr Llundain yn taro'.) Bellach daeth adloniant yn nes atynt. Ond symudodd Meic Parry i Gapel Curig yn weinidog gyda'r Hen Gorff. Aeth Emrys Cleaver i Fodfari ac Arthur Tudno Williams i'r Fflint. A dyna gnewyllyn Hogiau'r Gogledd.

Cyfarfu Sam Jones eisoes â Meic Parry. Cydoesai'r ddau yn Lerpwl. Yn ei gyfres 'Sunday Sketches' i *The Western Mail* fe sgrifennodd Sam Jones amdano:

> I visited Laird-street Calvinistic Methodist Church, Birkenhead, at night to hear a young Methodist student preach. A few months ago Mr Michael Parry was a builder's labourer in Liverpool; now he is preparing for his degree and the Methodist ministry at Bangor. During the years I spent at Liverpool 'Mike' was one of us, a group of young Welsh folk in the city.

Erbyn hyn yr oedd Meic Parry hefyd yn ddiddanwr amryddawn ac fe ofynnodd R. E. Jones, athro ar y pryd hwnnw yn Nhal-y-bont, Dyffryn Conwy, iddo ei helpu i baratoi noson i Gymdeithas Lenyddol capel Tŷ'n-y-groes gerllaw. Noson o 'ddarlledu' a fwriadwyd a chael rhyw dri neu bedwar o berfformwyr i gyflwyno sgit ar raglen radio. Gosodwyd corn siarad yn y Festri:

> Pan ddaeth y noson fawr yr oedd y festri'n llawn i'r drws a phobol yn eistedd ar siliau'r ffenestri hyd yn oed. Ni wnaeth hynny ond ychwanegu at faint y drychineb a ddilynodd. Methodd y brawd o 'beiriannydd', a oedd wedi fy sicrhau yn llawen y gallai gael yr offer darlledu i weithio 'fel chwibianu' â chywiro ei addewid. Methodd â chael cymaint ag un wich allan o'r corn siarad. Aeth y weledigaeth fawr, a'r rhaglen a'r cyfarfod yn un fflop anachubol.

Aeth Meic Parry o'r festri yn ei flaen am Lundain, gan fod achos 'Tri Penyberth' (Saunders Lewis, Lewis Valentine a D. J. Williams) yn yr

Old Bailey drannoeth. Fe'i hebryngwyd i'r orsaf yng Nghonwy gan R. E. Jones:

Ar y ffordd meddai Meic wrthyf, 'Rydw i wedi addo i Sam Jones i ofalu am raglen ysgafn erbyn y dyddiad a'r dyddiad – ga' i ddefnyddio peth o'r stwff oeddet ti wedi ei baratoi ar gyfer heno?'

A dyna gysylltiad cyntaf Sam Jones ag R. E. Jones. Yr oedd y gynulleidfa radio bryd hynny'n hoffi clyfrwch geiriau a dyna oedd dawn R. E. Jones a W. D. Williams. Yr oedd y tîm yn graddol ffurfio, er mai efo'i bethau ei hun y daeth W. D. Williams i sylw. Aeth R. E. Jones ati i gyfansoddi cerddi ar alawon yr hen 'Sing-song' golegol, alawon Seisnig neu Americanaidd bob un. Huw Llewelyn Williams, myfyriwr yng Ngholeg Bangor cyn mynd i Aberystwyth ac yna i'r Bala, oedd y cyfeilydd cyntaf ac yr oedd hefyd yn ysgrifennu geiriau i rai caneuon. Gwyddai Sam Jones am ddoniau Huw Llewelyn Williams eisoes, ac fe ddeuai i wybod mwy am ei ddoniau fel un o feirdd yr *Ymryson* mewn blynyddoedd diweddarach. Yn 1936 darganfu'r cynhyrchydd ddeunydd difyrrwch ymhlith y myfyrwyr a oedd yn aelodau o'r parti Meibion y Daran, a darlledwyd sgwrs wamal rhwng Huw Llewelyn Williams ac Islwyn Jones ar Fawrth 17, 1936, o Fryn Meirion. Yr un yw'r gwamalrwydd mewn rhaglenni fel *Dros Ben Llestri* mewn cyfnod llawer diweddarach. Dyma enghraifft o'r ddau stiwdant o flaen y meicroffon ym Mryn Meirion ychydig fisoedd yn unig wedi agor yr orsaf:

Huw: Wel, dyma ni ar yr *awyr* eto Islwyn.
Islwyn: Wel ia, rêl *adar* ydan ni'n te Huw.
Huw: Wyt ti'n *barrot*?
Islwyn: Meddylia am y cannoedd yn gwrando o *ddurtur* tân.
Huw: A ninnau mor *ddibetrus*.

Fel cyfeilydd a lluniwr ambell gerdd y gwnaeth Huw Llewelyn Williams ei gyfraniad i Hogiau'r Gogledd.

O'r un cefndir colegol, daeth Ifan O. Williams yn rhan o'r parti. Un arall at y cwmni oedd Trebor Lloyd Evans, yr adeg honno'n weinidog ym Mhenygroes, Arfon ac, fel y ddau arall ac Arthur Tudno Williams, yn gyd-fyfyrwyr efo R. E. Jones yng Ngholeg Bangor mewn cyfnod cynharach. Y ddau aelod gwreiddiol arall o 'Hogiau'r Gogledd' oedd Emrys Cleaver a T. J. Roberts o Gapel Curig. Gweithiwr siop oedd

T. J. Roberts ac yr oedd ef a'i wraig yn cadw tŷ gweinidog i Meic Parry, nad oedd eto'n briod. Geilw Dr Meredydd Evans gyfraniad 'Hogiau'r Gogledd', a chyda hwy Wythawd y Bonc, Bethesda a Thriawd Tregarth yn 'gyfraniad gloyw' ym maes adloniant ar y radio cyn y Rhyfel, a Sam Jones ei hun a fedyddiodd y parti â'r enw 'Hogiau'r Gogledd'.

Yn dynn ar sodlau R. E. Jones yr oedd W. D. Williams, gyda'i brofiad yn ysgrifennu penillion a chaneuon i 'Hogiau Carrog', hefyd yn ymateb i alwad Sam Jones am ddeunydd ysgafn ar gyfer raglenni radio. At gyfraniadau fel hyn ychwanegwyd cyfraniad Edith Evans a Nansi Richards ar y telynau. Yn cydio'r eitemau wrth ei gilydd yr oedd Alun Ogwen Williams, W. H. Roberts a W. E. Thomas:

> Dyna le brwd a phrysur a fyddai yn Stiwdio Bryn Meirion yn y dyddiau cynnar hynny. Dim ond un rihyrsal – o bosib ddwy awr – cyn i'r rhaglen fynd ar yr awyr. Ni allai odid neb o'r parti gyrraedd y stiwdio cyn chwech am fod pawb yn gweithio, rai ohonynt ugeiniau o filltiroedd o Fangor. Ond doedd dim gwên na chroeso gan y Cynhyrchydd i neb a gyrhaeddai yn hwyr. A'r drwg oedd mai yr adeg honno yn aml y deuai'r awduron â rhai o'u cerddi, heb gael amser i'w cyfansoddi tan y munud olaf. Gwyddem beth i'w ddisgwyl gan Sam ar amgylchiadau felly – ein galw yn bob enwau dan haul a'n bygwth â chelanedd pe digwyddai hynny wedyn.

Rhyfel 1939-45 a ddaeth i dorri ar y rhaglenni hyn, ond eisoes yr oedd digon o gerddi a phenillion, englynion a limrigau wedi eu cyfansoddi i lenwi dau lyfr, sef *Adlais Odlau* a *Cerddi'r Hogiau*. Cymaint oedd poblogrwydd rhaglenni Bangor nes i Iorwerth Peate godi gwrychyn rhai o gynhyrchwyr Caerdydd ac Abertawe drwy ganmol rhaglenni Bangor, a Bangor yn unig, mewn erthygl yn *Y Llenor* yn haf 1937. Y gwrthwynebiad pennaf i'w erthygl oedd y pwyslais a roddid gan y BBC ar Ranbarth Cymru gyfan ac nid un rhan ohoni, gan fod digon eisoes o dystiolaeth am y gystadleuaeth rhwng De a Gogledd. Ar nodyn ysgafnach, fe alwodd ffermwr o Fôn ddau lo yn 'Emrys a Meic' oherwydd poblogrwydd y ddau ddarlledwr o blith Hogiau'r Gogledd!

Yr oedd Rhys Hopkin Morris yn awyddus i sicrhau dyrchafiad i Sam Jones ar gyfrif ei waith da ac oherwydd ei fod yn ymwybodol o'r siom a gafodd yn 1935. Felly, pan ymddeolodd Owen Parry o fod yn

Gyfarwyddwr Rhaglenni, ar gyfrif ei iechyd yn ôl yr esboniad swyddogol – er bod lle i amau hynny – fe wahoddwyd Sam Jones i Gaerdydd i fod yn Gynllunydd Rhaglenni. Dyna oedd y teitl cyntaf a grewyd, ond buan y newidiwyd hwnnw i fod yn Brif Gynhyrchydd. Penodwyd J. T. Jones (John Eilian) yn Gyfarwyddwr Rhaglenni. Un o Ben-sarn, Ynys Môn oedd ef, un a oedd wedi sefydlu *Y Ford Gron* ac wedi golygu *Y Cymro*. Yr oedd ganddo brofiad hefyd fel newydd-iadurwr ar *The Western Mail* ac, yn ddiweddarach, bu'n Olygydd y *Times of Mesopotamia*. Dychwelodd o Ceylon lle'r oedd yn Ddirprwy Olygydd *The Times of Ceylon* i olynu Owen Parry. Diddorol nodi mai Sam Jones a benodwyd, pan oedd yn Lerpwl, i gymryd lle John Eilian ar *The Western Mail* pan symudodd hwnnw dramor yn 1927.

Yng ngwanwyn 1938 y gwnaed y penderfyniad i greu swydd newydd i Sam Jones a mawr oedd y rhincian dannedd yn y wasg ogleddol o'i golli. Mynegodd y *North Wales Chronicle* 'great regret' am golli 'a real live wire' oedd wedi rhoi'r Gogledd ar y map darlledu trwy ei ymdrechion. 'Whether in English or Welsh he has set up a smart pace and a high standard.' Yr oedd *Y Brython* o'r farn iddo lwyddo'n anghyffredin fel trefnydd rhaglenni ym Mangor 'ac iddo ef y mae'r clod am y pethau gorau a gafwyd yn y Gymraeg trwy y radio'. Ei boblogrwydd ymhlith y bobl oedd wedi taro'r *North Wales Weekly*, ynghyd â'r ffaith ei fod gymaint 'in touch with what matters in Wales today'. I'r *North Wales Pioneer* yr oedd ei ddyrchafiad yn 'richly deserved':

> I should say that he has done more for the peasant culture of North Wales in the two years he has been at Bangor than any other Welshman has done in his lifetime. He has made it articulate and has thus encouraged its development. The supposed phlegmatic North proved that it was slandered by the readiness with which it took this vivacious South Walian to its heart.

Cafwyd cinio ffarwél iddo yn y Castle Hotel gan Glwb y Rotary, Clwb y bu'n aelod ohono ers peth amser. Yr oedd y BBC yn talu ei dâl aelodaeth drosto:

> We consider it highly desirable that [the] North Wales Representative should be a member of this club as it certainly contains some of the most influential people in Bangor and district.

Talwyd teyrnged iddo gan un o'r aelodau dylanwadol hynny, neb llai na'r Prifathro D. Emrys Evans. Dywedodd ef nad oedd yn bradychu cyfrinach wrth ddatgelu fod ganddo ef ran yn y gwaith o ddwyn Sam Jones i Fangor yn y lle cyntaf:

> He felt then that they would not keep him here long. His first impressions had been that it was obvious that he would be given a better post and these had now been borne out.

Yn fuan wedi iddo fynd i Gaerdydd fe ddechreuodd y dyfalu pwy fyddai'n ei olynu ym Mryn Meirion. Gwahoddwyd Elwyn Evans i symud o Gaerdydd i Fangor, a phe byddai popeth yn gweithio allan yn iawn yr oedd ganddo addewid llafar gan Rhys Hopkin Morris y gallai gymryd drosodd swydd y pennaeth ym Mangor:

> Gan ei bod hi'n amlwg fod Mr Morris yn disgwyl ateb yn y fan a'r lle, mi ddiolchais iddo a chytuno. Mewn ychydig fisoedd fe apwyntiwyd olynydd i mi fel Trefnydd *Awr y Plant*, ac yn yr hydref i ffwrdd â mi i Fangor.
>
> I orffen yr hanes, fe gafodd Sam y teitl Chief Producer, ac fe aeth i Gaerdydd ddwywaith o leiaf i gyflawni gofynion y swydd; ond pan geisiodd gyfarwyddo rhai o'r cynhyrchwyr newydd fe'i derbyniwyd mewn ffordd mor oeraidd fel y torrodd ei galon – un eithafol o groendenau ydoedd – a phenderfynu aros ym Mangor.

Pan fyddai Sam Jones yn mynd i Gaerdydd fe gymerai'n ganiataol, heb ofyn, fod yna groeso iddo aros gyda T. Rowland Hughes ac Eirene, ei wraig. Un tro, wedi i Eirene ddweud wrth Rowland nad oedd hi'n gwbl fodlon â'r agwedd hon, fe ffoniodd ef ei wraig o'r swyddfa, wedi i Sam Jones gyrraedd o'r gogledd, i weld a oedd hi'n gyfleus i'w letya. Pwdodd Sam Jones ac nid aeth i'w cartref yn Windermere Road byth wedyn. Yr oedd yr hyn a ddigwyddodd yn awgrym, yn ei feddwl ef, fod Rowland Hughes bellach yn uno gyda Chaerdydd yn ei erbyn ef.

Ond y mae agwedd arall i'r hanes hefyd. Deuai'n fwyfwy amlwg nad oedd sicrwydd pwy fyddai'n cael ei wahodd i fynd i Fangor yn bennaeth. Er gwaetha'r addewid lafar i Elwyn Evans yr oedd enw E. Morgan Humphreys yn cael ei argymell, a chafodd Sam Jones ei hun mewn cyfyng-gyngor. Ni fedrai ddioddef cydweithio â John Eilian. (Flynyddoedd yn ddiweddarach fe'i galwodd, wrth Islwyn

Ffowc Elis, yn 'evil man' wedi i John Eilian ymosod ar un o raglenni
Bangor ac i Mr Elis, o'i gartref yn Niwbwrch, Ynys Môn ateb yr
ymosodiad yn y wasg. Er na hoffai'r dyn, neu'n hytrach am na
hoffai'r dyn, mynegodd Sam Jones ei anfodlonrwydd wrth Islwyn
Ffowc Elis am fod hwnnw wedi cymryd sylw o'r ymosodiad.)

Gwyddai Sam Jones am y posibilrwydd mai E. Morgan
Humphreys a fyddai'r dewis i Fangor. Fe hysbysebwyd y swydd yn
Ebrill 1938:

> The qualifications required include a thorough knowledge of musical
> and dramatic interest in North Wales, experience in the control of staff,
> an interest in all types of broadcast programmes, and the ability to
> maintain useful public contacts. Applicants must be Welsh-speaking.

Cynigiodd pedwar dwsin, gan gynnwys W. D. Williams a John Ellis
Williams, ond y pedwar ar y rhestr fer oedd G. Dewi Roberts, Lerpwl;
Huw Morris Jones, Aberdâr; J. O. Williams, Bethesda ac R. E.
Griffith, Aberystwyth. Mynnodd Rhys Hopkin Morris gael yr hawl i
ychwanegu enw E. Morgan Humphreys ac yr oedd J. P. K. Williams,
Caerdydd yn ychwanegiad hwyr arall. Rhoddwyd cyfarwyddyd i Staff
y Tŷ yn y Tŷ Darlledu yn Llundain ar gyfer y cyfweliadau ar ddydd
Iau, Mai 26, 1938:

> Will you please note that Mr E. Morgan Humphreys, whose name is first
> on the list must be shown direct from the Entrance Hall to Room 111,
> Langham Street, and should not mix with the other candidates at all.

Yr oedd E. Morgan Humphreys yn 56 oed ac felly dim ond pedair
blynedd fyddai ganddo i fynd cyn ymddeol. Cytunodd y Rheolwyr
i'w benodi, ond yr oedd dwy amheuaeth yn eu meddyliau. Yn gyntaf
fe allai wrthod y penodiad; yn ail, awgrymodd Rhys Hopkin Morris ei
bod hi'n bosibl y byddai'n well gan Sam Jones aros ym Mangor. Yr
oedd Sam Jones wedi ysgrifennu o Gaerdydd, drannoeth y
cyfweliadau, at Morgan Humphreys:

> . . . to explain my own position; if they fail to find a successor i.e. if the
> list of applicants fails to produce the man and you refuse the post, then
> I shall fight tooth and nail to remain in Bangor. I feel very awkward in
> having to say this for it sounds as if I am blackmailing you. But
> honestly, by now I have a perfect horror of returning to Cardiff, and if I

can possibly avoid it – believe me, I shall. But then there's a danger of a slip there – supposing you turn the job down, they might appoint someone else and I've a perfect horror also of that happening. I'm spending the evening with Hopkin Morris and I shall try and put my case to him. I pray God that things will turn out all right. Rest assured of one thing – whatever you decide to do, you can count on me as a friend as in the past.

Gwrthododd E. Morgan Humphreys y gwahoddiad, a chytunodd Rhys Hopkin Morris i Sam Jones ddychwelyd i Fangor gan ddileu'r swydd 'Chief Producer' yr un pryd.

Dyna'r tro diwethaf i Sam Jones gael unrhyw sylw arbennig gan y BBC, yn ôl Elwyn Evans.

Blwyddyn yn unig a dreuliodd ef, sef Elwyn Evans, fel cynhyrchydd ym Mangor a honno'n flwyddyn bur anniddig am y rheswm a nodwyd eisoes. Y mae'n cyfaddef ei bod hi'n bosibl na lwyddodd i gelu ei deimladau ynglŷn â'r hyn a ddigwyddodd i'w yrfa, ac, os felly:

> . . . mae'n glod i Sam, ac i Maud hefyd, na chefais gan y naill a'r llall ddim ond caredigrwydd ar hyd yr adeg.
>
> Yr hyn a gysylltaf yn fwyaf arbennig â Sam yw teimlad o gyffro: iddo ef yr oedd pob tro yn ei ymdrech ag Appleton yng Nghaerdydd, ac wedyn pob rhaglen o'i eiddo ym Mangor, yn anhraethol bwysig am fod Sam yn eu gweld nhw yn erbyn cefndir datblygiad diwylliant Cymru.
>
> Dawn arwain ac ysbrydoli oedd dawn Sam. Mae'n wir bod elfen o fyfïaeth yn ei gymeriad, ond tybed na ellid dweud yn debyg am lawer un arall a oedd yn arweinydd wrth reddf? A diniwed dros ben oedd myfïaeth Sam.

Yr adeg y dychwelodd Sam Jones i Fangor yn haf 1938 yr oedd bron i bedwar can mil o drwyddedau radio yn Nghymru (395,500). Fe ychwanegwyd deng mil arall erbyn y flwyddyn ganlynol, sef 1939, (405,954). Yr oedd y nifer wedi dyblu mewn chwe blynedd.

Gyda chymorth Nan Davies ac Elwyn Evans fe barhaodd Sam Jones i ledu gorwelion darlledu o'r Gogledd yn y ddwy iaith. Yr oedd 'Concert Parties' mewn bri y dyddiau hynny, meddai Elwyn Evans, a threfnwyd darllediadau o'r Happy Valley yn Llandudno, Catlin's Arcadia ym Mae Colwyn, y Queen's Theatre yn y Rhyl a'r Pier Pavilions a frithai arfordir y Gogledd. Mae'n cofio:

... un gantreg dlos, o'r enw April Ross, a gafodd niwmonia am iddi fynnu sefyll ar ben pellaf y pier drafftiog ym Mae Colwyn, heb bilyn amdani ond dressing-gown tenau, er mwyn bwydo'r gwylanod.

Wrth hel atgofion yn 1958, mewn darlith i Gymdeithas Gymraeg y Coleg Normal, Bangor ar chwarter canrif o ddarlledu, yr oedd Sam Jones yn cofio digwyddiad hanesyddol o ddarlledu, o'i grynhoi, fel hyn: yn Ebrill 1938 yr oedd yna syrcas wedi dod i dref Caernarfon ac aeth yr eglwysi ati i drefnu Cymanfa Bregethu yn y Pafiliwn fel croes-atyniad. Cyplyswyd y Gymanfa â chyfarfod dathlu canmlwyddiant marw Christmas Evans. Yr oedd achlysur o'r fath yn bwysig yn nhyb pawb, ac yn sicr yn bwysig yn nhyb Bedyddiwr fel Sam Jones! Trefnodd ddarllediad byw o'r Gymanfa.

Yr oedd Lloyd George a Jubilee Young i gymryd rhan. Methai Lloyd George benderfynu pryd i roi ei anerchiad – cyn Jubilee Young neu wedyn. Gwyddai Lloyd George am y posibilrwydd o gael ei dewi gan yr holl-bwysig Newyddion Naw. Tri chwarter awr o raglen a gynlluniwyd, o 8.15 hyd 9.00 yr hwyr. Cymerodd y rhannau arweiniol ryw ddeng munud a chododd y gwleidydd ar ei draed am bum munud ar hugain wedi wyth gan annerch am bum munud ar hugain. Ffoniodd Sam Jones Rhys Hopkin Morris i ofyn am gyfarwyddyd, a oedd i dorri Jubilee Young yn fyr ai peidio. Daeth yr ateb yn ôl:

I'm listening. And if you cut Jubilee Young I'll sack you.

Gorffennodd Jubilee Young ei bregeth rhyw ddeng munud wedi deg o'r gloch a chlywyd pob gair ohoni ar y radio. Collwyd y bwletin naw am y tro cyntaf erioed, a'r ddwy raglen oedd yn dilyn.

Dyna'r stori a adroddwyd yn 1958, ugain mlynedd wedi'r digwyddiad, ac mae hi'n stori dda. Diau fod elfennau o wirionedd yn y stori. Ni wn a oedd yna syrcas yn nhref Caernarfon yn 1938 ond nid croes-atyniad i syrcas oedd achlysur y darllediad hanesyddol ond, yn hytrach, gyfarfodydd blynyddol Undeb Bedyddwyr Cymru. Daeth yr Undeb i Gaernarfon yn niwedd Awst a dechrau Medi 1938 ac ar y nos Fawrth, Awst 30, trefnwyd Cwrdd Coffa Christmas Evans yn y Pafiliwn o dan lywyddiaeth Lloyd George. Traddodwyd anerchiadau gan y Parchedig Tom Ellis Jones, Llwynhendy, a'r Parchedig Jubilee Young, Llanelli, y naill ar 'Neges Pregethau Christmas Evans' a'r llall ar 'Christmas y Pregethwr'. Bernir bod chwe mil o bobl yn y

cyfarfod. Nid oes amheuaeth nad maint tebygol y gynulleidfa a
barodd i'r trefnwyr newid y lleoliad oherwydd, yn ôl y *Radio Times*,
'un o gyfarfodydd Undeb y Bedyddwyr ym Moriah, Caernarfon' oedd
y Cwrdd Coffa.

O ran y darllediad, nid y Newyddion Naw a gollwyd; blynyddoedd
y rhyfel, yn ddiweddarach, a wnaeth y bwletin hwnnw yn sacrosanct.
Am naw o'r gloch ar Awst 30, 1938 yr hyn a gollwyd er mwyn peidio
â thorri Jubilee Young yn fyr oedd *Music by Welsh Composers*, sef
'datganiad ar y ffidil gan W. H. J. Jenkins'. Mewn paragraff yn y
Y Brython, dan y pennawd 'Tro Doeth y BBC' fe ganmolir swydd-
ogion Cymreig y BBC:

> Buont yn ddigon doeth i beidio ag andwyo'r darllediad o gyfarfod
> coffa Christmas Evans drwy lynu'n rhy ddeddfol at y *time-table*. Pe
> buasent wedi cwtogi'r rhaglen i'r awr a drefnasid – o wyth hyd naw o'r
> gloch – fe fuasai un o'r areithiau mwyaf gwefreiddiol a glywyd erioed
> trwy y radio wedi ei ddifetha i'r gwrandawyr.

Er bod atgof Sam Jones yn 1958 wedi goreuro'r ffeithiau fe erys y
gwirionedd fod Rhys Hopkin Morris yn Annibynnwr ym myd
darlledu hefyd, a Sam Jones wedi cadw ei barch efo'r Bedyddwyr!

Yn y cyfnod 1937-38 daethai 'Spelling Bees' yn boblogaidd ar y
radio yn Lloegr. Cwisiau sillafu i dimau (er enghraifft 'Under 16's v.
Over 60's') oedd y gyfres hon a gynhyrchid gan yr Adran Adloniant
Ysgafn o Lundain. Ymateb cyntaf rhai cynhyrchwyr yng Nghymru
oedd manteisio ar boblogrwydd y gyfres honno. Fe welodd Sam Jones
un cam ymhellach na'r rhain gan ymresymu mai iaith ffonetig yw'r
Gymraeg ac, o'r herwydd, na fyddai'r un diddordeb yn bosibl i
gystadleuwyr na gwrandawyr. Yr hyn a wnaeth ef oedd dyfeisio
cystadleuaeth hanfodol Gymreig gan ddefnyddio'r gynghanedd fel
sail i'r cystadlu. A dyna eni yr *Ymryson y Beirdd* go iawn fel petai, er
mai dan y teitl *Cynganeddu* y mae'r ymryson cyntaf hwnnw yn
ymddangos yn y *Radio Times*.

Wedi iddo arbrofi efo 'cyfres yr ardaloedd' yn 1937, fe fwriwyd
cwch y beirdd i'r dwfn ym mis Ebrill 1938. Cadeirydd medrus y
Spelling Bee poblogaidd oedd Freddie Grisewood. Dewisodd Sam
Jones gadeirydd yr un mor fedrus i'r *Ymryson* ym mherson Dr
Thomas Parry. Ef a gyflwynai'r rhaglen o'r stiwdio, a chredir mai'r
cadeirydd a ddyfeisiodd y teitl *Ymryson y Beirdd*. Meuryn, sef y

newyddiadurwr, y llenor a'r bardd Robert John Rowlands, golygydd *Yr Herald Cymraeg* a *Papur Pawb* oedd beirniad *Ymryson y Beirdd* o'r dechrau. Y drefn bryd hynny oedd cael tîm o dri yn y stiwdio ym Mangor yn cynrychioli'r Gogledd yn ymryson yn erbyn tri mewn stiwdio arall, Abertawe neu Gaerdydd, yn cynrychioli'r De.

Ar Ebrill 19, 1938 y darlledwyd yr ymryson cyntaf un gyda Wil Ifan yn stiwdio Caerdydd, yn gapten ar dîm y De, sef Henry Lloyd o Aberdâr (ap Hefin), Dafydd Jones (Isfoel), un o Fois y Cilie, a David Griffiths (Dewi Aeron), yn enedigol o Hebron, Sir Benfro, ond yn gweithio ar y pryd yn Aberaman. Nid oes sôn am gapten i dîm y Gogledd ond yr oedd W. D. Williams, a oedd bryd hynny yn athro yng Ngharrog, yn un o'r tri bardd yn y stiwdio ym Mryn Meirion, Bangor. Daeth Richard Hughes, Birkenhead ato i'r ymryson ar y funud olaf yn lle Gwilym Deudraeth, a'r trydydd aelod o dîm y Gogledd oedd William Griffith, Hen Barc, Bethesda (awdur y gerdd 'Defaid William Morgan'). Yr oedd y tri, yn ôl W. D. Williams, o fewn llathen i drwynau Meuryn, Sam Jones, Nan Davies a Dr Thomas Parry yn y stiwdio:

> . . . a Meuryn yn saethu tasgau allan ac yn disgwyl atebion yn syth yn y fan a'r lle. Doedd 'na ddim cilio i 'stafell gefn ac yr oedd hi'n job go galed gan eich bod chi'n gwybod bod Cymru i gyd yn gwrando arnoch chi.

Cafodd Richard Hughes bedwar marc (y marc uchaf posibl), am ateb y llinell '*Budur a gwlyb wedi'r glaw*/ Yw heolydd Trealaw'. Dyfarnodd Meuryn bedwar marc i W. D. Williams am ateb '*Tynnu dant a wna deintydd*/ A phawb yn dioddef mewn ffydd' gan ennill clod ychwanegol am linell draws-fantach. Rhoddwyd pedwar marc eto i William Griffith am ateb '*Pan ddaeth yr epa yn ddyn*/ Pwy ydoedd Papa wedyn'.

Dawn yr awen barod oedd prif nodwedd y cystadlu ac yn ôl y *Daily Herald*, 'The Bangor team won by 17 points to 11'. Yr oedd y papur hwnnw o'r farn fod y gystadleuaeth yn 'interesting', ond er canmol y trefniadau yr oedd y Lloffwr Llwyd yn *The Western Mail* a gohebydd *Y Cymro*, y naill fel y llall, yn llawdrwm ar y beirdd am eu harafwch. 'Rhaid llongyfarch y rhai fu'n trefnu'r cwbwl. Ond wfft i'r beirdd! Onid oeddynt yn araf,' meddai'r *Cymro*, ac meddai'r Lloffwr Llwyd:

> Cefais innau fwynhad mawr wrth wrando ar y gystadleuaeth rhwng De a Gogledd. Yr oedd y trefniadau yn berffaith. Ac eto, addefaf i mi

synnu braidd at arafwch y beirdd yn cyfansoddi llinell o gynghanedd.
Clywais ddeud lawer tro fod cynganeddu mor naturiol ag anadlu i'r
sawl sy'n feistr ar y gwaith ond trwy chwys ymdrech y daeth awen i
feirdd y radio.

Yr oedd *Seren Cymru* yn fwy grasol wrth nodi 'fe all ei bod hi'n haws
i fardd gyfansoddi Awdl yn y dirgel na [chyfansoddi] llinell pan fo'r
byd yn disgwyl amdani'.

Er i W. D. Williams honni mewn cyfweliad radio nad oedd gan
Sam Jones unrhyw ddawn barddoni, er ei fod yn drefnydd manwl, eto
ar ffurf penillion a oedd yn adlais o'i addysg gynnar, pan ddysgodd ar
ei gof 'Hiawatha's Wedding Feast', y lluniodd ei adroddiad misol i
Hopkin Morris y gwanwyn hwnnw:

> Ye whose hearts are light and simple,
> Who have faith in kindly dealings,
> Who believe that in all ages
> Every human heart is human:
> Listen to this simple story,
> Saga from the barren Northland;
> Stay and read this rude inscription,
> Read this story of Bangor's doings.

> SONG OF THE BANGOR STATION

> Then sang they from Bangor Station –
> Bangor of the many mountains,
> Bangor of the puny studios,
> Bangor of the brains and talents . . .
> But inside the Bangor studios
> People move about their duties,
> Think not of the spring and flowers –
> Think in terms of shows and schedules,
> Search their brains for new ideas
> So the programmes may be brighter,
> And the listeners more contented.

Mae'r gerdd, sy'n gant chwe deg a dau o linellau i gyd, yn cynnwys
sôn am y gyfres *Ein Pentref Ni* a oedd yn un arall o raglenni'r
Gogledd yn y cyfnod hwn, gan ddechrau ym Methesda cyn symud
ymlaen i Ben-y-groes, a Llangefni a mannau eraill. Yr oedd llawer o'r

pwyslais ar ddarlledu o'r gymuned lle'r oedd balchder y trigolion yn eu hardal yn cael mynegiant. Bu'n bolisi o'r dechrau i dynnu ar y defnyddiau naturiol a oedd ar gael yng nghefn gwlad, gan ddyfeisio gwahanol ffyrdd o gyflwyno'r deunydd hwnnw mewn rhaglenni. Yng nghyfres y pentrefi, a'r trefi bach, yr oedd yr holl artistiaid yn dod o'r ardal ac fe ysgrifennid y geiriau i ganeuon gan feirdd lleol i gerdd-oriaeth gan gyfansoddwyr lleol.

Er mai ym mhedwardegau a phumdegau'r ganrif y daeth *Ymryson y Beirdd* a'r *Noson Lawen* i'w llawn dwf, yr oedd yna *Noson Lawen* yn cael ei darlledu o Fryn Meirion yn y cyfnod hwn hefyd gyda Robert Roberts a Pharti Tai'r Felin yn ymwelwyr cyson. Enillodd Robert Roberts ar ganu unawd i rai dros drigain yn Eisteddfod Genedlaethol Bangor 1931. Gydag o yn y parti *Noson Lawen* yr oedd ei gyfaill John Thomas, o Faes-y-Fedw yn ardal Llandderfel, gyda Llwyd o'r Bryn yn arwain. Ychwanegwyd Telynores Maldwyn at y cwmni.

Yr oedd Nan Davies wedi clywed y parti yn mynd drwy eu pethau yng Nghymdeithas Gymraeg y Coleg ym Mangor. Byddai hi, a hithau'n ifanc, yn mynd gryn lawer i weithgareddau'r myfyrwyr a bu hynny o fantais i raglenni Bangor. Yr oedd Llwyd o'r Bryn wedi bod yn 'rhyw fath o Lywydd' ers y rhaglen *Wel, Rwan* . . . a ddarlledwyd o Fangor yn 1936 gyda'r Tri Thenor o Fethesda yn rhoi 'tonc gyda'r delyn, Nan Roberts o Gaergybi yn chwibanu, Huw a Griff yn siarad smaldod, Telynores Eryri yn canu rhai o ganeuon digri Idwal a Thelynores Maldwyn yn canu'r delyn'. Erbyn Mawrth 14, 1936 yr oedd Rowland Hughes yn ymuno yn yr hwyl. Dyma ddisgrifiad y *Radio Times* o'r rhaglen honno:

NOSON LAWEN

'Mwyn yw telyn o fewn tŷ
Lle byddo teulu dedwydd.
Pawb â'i bennill yn ei gwrs,
Heb sôn am bwrs y cybydd.'
Gwŷs a Gwahoddiad i drigolion pob
cwmwd yng Nghymru dreulio Noson Lawen
ym Mryn Meirion, Bangor.
Deuwch i sŵn y delyn a gwrandewch ar alaw,
stori ysbryd, adroddiad a dawns
mewn un o geginau'r wlad.

Yn y cwmni bydd
Telynores Maldwyn a Thelynores Eryri gyda'u telynau.
Llwyd o'r Bryn heb ei delyn.
Erfyl Fychan, Meic Parri, J. O. Williams, R. E. Arnold.

Cedwir trefn gan gan T. Rowland Hughes a Sam Jones.

Dyma'r unig dro i Sam Jones gymryd rhan ei hunan o flaen y meic mewn noson lawen. Y fo oedd y dawnsiwr, yn perfformio dawns y glocsen. Yr oedd ei ddiddordeb yn y ddawns yn parhau, heb sôn am ei ffitrwydd. Y mae yna gyfeiriad diddorol at y cyfnod hwn mewn llythyr a ysgrifennodd Nansi Richards, Telynores Maldwyn, at Sam Jones pan ddarlledodd ef raglen o atgofion wrth iddo ymddeol o'r BBC:

> Diolch i chi am gynnwys y Deires [telyn] yn eich rhaglen gampus o atgofion. Y chwi a'm hysbrydolodd i ail gydio ynddi. Wedi i mi rodio gwlad a gwledydd yn ddifwlch ers pan yn 12 oed, a phriodi, penderfynais ei rhoi ar yr helyg . . .

Fe geir cadarnhad o stori'r delyn deires mewn erthygl yn *Y Delyn* gan D. Roy Saer, gynt o'r Amgueddfa Werin, dan y pennawd 'Welsh Gipsies and the Triple Harp':

> She [Telynores Maldwyn] cast aside the triple harp for some twenty years or more, bringing the instrument to life again only around 1940, when she was persuaded to do so by BBC Bangor radio producer Sam Jones, in order to take part in a series of traditional ethnic entertainment labelled *Noson Lawen*.

Wedi cyfnod o gynhyrchu *Noson Lawen* o Fryn Meirion fe gynhyrchwyd 'noson o hwyl a miri a chân' o gegin Fferm Coed Mawr ym Mhenrhosgarnedd, Bangor cartref J. Prytherch Williams a'i wraig, a hynny ar Chwefror 11, 1939. Ymhlith yr artistiaid yr oedd Llio, merch Coed Mawr, yn canu'r delyn a Prytherch Williams ei hun yn canu cerdd dant. Darlledwyd noson debyg o'r un aelwyd ar nos Calan 1954. Yn y *Radio Times* yr wythnos honno disgrifir y noson honno fel 'A Welsh Farmhouse night. Harvest Home. Merrymaking from a farmhouse kitchen in Caernarvonshire'. Yr un noson cafwyd atgofion gan 'filwr o Gymro' am nos galan 1953 yn Korea ac fe ddilynwyd yr 'Harvest Home' gan addunedau blwyddyn newydd Stan Stennett, Cliff Morgan, Glyn Daniel, Gwyn Thomas a Dilys Cadwaladr.

Ynghanol yr holl weithgarwch nid oes sôn am wyliau. Yr oedd y Pennaeth Gweinyddol yng Nghaerdydd wedi holi Sam Jones ynglŷn â hyn a'r ateb a gafodd – 'in all probability I shall spend my holiday mooching around Bangor'.

Byddai 1939 yn flwyddyn wahanol gan fod cymylau rhyfel yn crynhoi. Ar ddechrau'r flwyddyn yr oedd Sam Jones, Nan Davies ac Elwyn Evans yn brysur ddigon efo cyfresi fel *Partneriaid, Pawb at y Pentan, Awr y Plant* (efo Owi Bach) a *Byd y Merched*, heb sôn am sgyrsiau a rhaglenni nodwedd. Yr oedd Elwyn Evans yn treulio hanner ei wythnos waith yng Nghaerdydd, oherwydd ei ddylet-swyddau yno, ac yn gorfod teithio wyth awr ar y trên i Fangor am weddill yr wythnos. Yr oedd teithio'n llafurus bryd hynny. O'r herwydd anaml y gwelid Sam Jones mewn cyfarfodydd yng Nghaerdydd, er gwaethaf anogaeth ac yna orchymyn J. Gwynfryn Roberts – 'we want to see you'. Yr oedd y ddau'n amlwg yn adnabod ei gilydd yn dda ac atebodd Sam Jones:

> I hope that your great desire to see me is prompted by kindly feelings, and not by a desire to chastise me for crimes imaginary or otherwise!!

Yr un oedd agwedd Sam Jones, o ran amharodrwydd i deithio, at ochr cysylltiadau cyhoeddus ei waith. Y mae'n cyfaddef – 'I have neglected my duties very badly indeed' – ac eto fisoedd yn ddiweddarach, 'I am doomed to do the social side of my work whether I like it or not!'.

Yn y crynodeb i'r wasg am Fehefin, 1939 fe ddywedir:

> Bangor has become silent – to all intents and purposes at any rate because we hardly get any of the myriad programmes which we used to get formerly through the labour of Mr Sam Jones.

Ym Mai 1939 fe wnaeth T. Rowland Hughes gais am gael defnyddio dwy stori gan Sam Jones ar un o'i raglenni, gan fynnu fod y storïwr yn cael tâl hawlfraint am hynny. Gwrthod talu aelodau o'r staff oedd polisi Llundain. Aeth Rowland Hughes â'r ddadl gam ymhellach gan ddadlau na allai neb ddweud y straeon hynny cystal â Sam Jones ac iddo ei glywed yn eu hadrodd yn wreiddiol dros lasied o laeth yn y ffreutur. Gyda'i dafod yn ei foch, awgrymodd fod Llundain o leiaf yn talu am y ddiod. Nid oedd dim yn tycio, er i'r cynhyrchydd gyfaddawdu trwy ddweud y darllenid y straeon gan berson arall 'with a better microphone voice'. Ond, o leiaf, yr oedd y rhyfel oer rhwng cynhyrchydd Caerdydd a'r cynhyrchydd ym Mangor drosodd wedi'r diffyg lletygarwch honedig.

Er na fyddai'n darlledu ei hun rhyw lawer erbyn hynny yr oedd perthynas iddo o'r enw Bronwen Wesley, nyrs yn Llundain, wedi ysgrifennu gair at y teulu ac wrth ei hateb fe ddywedodd Mrs Maud Jones:

> So you sometimes hear Uncle Sam's voice on the radio – I think he is at his homeliest on the *Children's Hour*. Believe it or not, once upon a time in the early stages he used to conduct the whole period by himself and even sang nursery rhymes in Welsh – something about 'Benja Bach' kept on cropping up all the time.

Yn 1939 gwahoddwyd Sam Jones, gydag Ernest Hughes, J. Tudor Jones (John Eilian) a Dafydd Gruffydd, i feirniadu dwy gystadleuaeth cyfansoddi drama yn Eisteddfod Genedlaethol Dinbych. Dramâu radio a ddisgwylid. Dechreuwyd y gystadleuaeth hon, ar anogaeth y BBC, yn Eisteddfod Wrecsam 1933. Ni fu llawer o lewyrch ar y gystadleuaeth o'r dechrau. Yr oedd Sam Jones wedi bod ar y panel beirniaid o'r blaen, yng Nghastell-nedd ac yng Nghaernarfon. Atal y wobr a ddigwyddai amlaf. 'The only reason prizes were awarded in 1936 was to give the competition a boost.' Ond y gorau y gallai'r beirniaid ei ddyfarnu yn 1939 oedd gwobr gysur i G. Ewart Evans o Shelford, Swydd Caergrawnt. Yn gyffredinol, yn ôl *Cyfansoddiadau a Beirniadaethau* 1939, yr oedd y safon yn is na'r blynyddoedd blaenorol. Un ddrama Gymraeg yn unig a dderbyniwyd a sylw Sam Jones am 'Golchi Dillad' oedd 'a feeble effort'. Y mae'r un mor chwyrn yn ei sylwadau am y dramodwyr Saesneg – 'a welter of trite sayings' (The Coleg); 'extremely weak' (Gruffydd ap Cynan); 'banal conversation' (Some Women); 'mundane' (The Quiet Life); 'trivial if not absurd' (Song of David) a 'sketch, hardly worthy of notice' (The Digs).

Aeth yr Eisteddfod heibio ac ar Fedi 3, 1939 yr oedd yr Ail Ryfel Byd wedi dechrau. Ar Fedi 5 derbyniodd Sam Jones delegram o Lundain:

> PLEASE INSTRUCT SAM JONES TO REPORT TO CARDIFF TOMORROW PREPARED TO GO TO LONDON = HOPKIN MORRIS

Yn ôl T. J. Evans, yn ei lyfryn *Rhys Hopkin Morris, The Man and his Character*, daethai Cyfarwyddwr Cymru o'r BBC o fewn trwch blewyn i adael ei swydd ym Medi 1939 ar fater o egwyddor. Gwnaed penderfyniad gan benaethiaid y BBC yn Llundain i wahardd darllediadau yn y rhanbarthau dros gyfnod y rhyfel, gan orfodi'r rhanbarthau i dderbyn yr un donfedd Lundeinig. Golygai hynny ddiddymu rhaglenni Cymraeg:

> Sir Rhys realised that this would be a serious blow for Wales and he was ready to resign his position forthwith, unless satisfactory concessions were made. He intervened even to the extent of appealing over the heads of the BBC in London to the Welsh Parliamentary Party. He knew his intervention was against all regulations, but that seemed of little moment in the face of such an affront to Wales and moreover his resignation was at their disposal.

Cafodd gefnogaeth David Lloyd George, ac ildiodd y BBC. Yn y mater hwn yr oedd teyrngarwch Rhys Hopkin Morris i Gymru yn fwy na'i deyrngarwch i'r Gorfforaeth Ddarlledu.

Un arall a gafodd wŷs i'w ystafell yng Nghaerdydd ar Fedi 6 oedd Alun Llywelyn-Williams:

> Pan euthum i'w ystafell, gwelwn fod Sam Jones yno o'm blaen . . . Neges Hopkin Morris i Sam a minnau oedd ei fod wedi mynnu gan yr awdurdodau neilltuo pum munud bob dydd ar gyfer cyhoeddiadau a newyddion yn Gymraeg. Nyni'n dau oedd i ofalu am y gwasanaeth hwn. Ond rhaid oedd i'r darllediadau ddod o Lundain lle'r oedd yr Adran Newyddion i ddal i weithredu a byddai'n rhaid i ni fod yn rhan ohoni. Dywedodd wrthym i hel ein paciau ar unwaith a chychwyn am Lundain gynted byth ag y gallem. Teimlai Sam, rwy'n credu, a minnau yn sicr, yn briodol brudd arwrol.

Gyda'r ddau fe anfonwyd dwy ysgrifenyddes, Tydfil Morgan ac Evelyn Christian, i'w helpu gyda'r gwaith, ac aeth hanner staff Caerdydd i'r orsaf drenau i gychwyn y pedwar 'ar ein taith i'r anwybod. Roedd yn union fe pe baem yn mynd i fuddugoliaeth neu i fedd'. Ar y dechrau cawsant lety mewn gwesty clyd nid nepell o'r Tŷ Darlledu, sef y Redbourne Hotel yn Great Portland Street, yn ôl Susie Thomas a oedd i ymuno â nhw'n fuan. Ond blinodd Sam Jones ar fywyd gwesty o fewn dim a chafodd hyd i fflat anferth ei faint, eto yn Great Portland Street. Symudodd y tîm o Gymry i gyd i'r fflat i fyw:

Ac felly y bu – tipyn o syndod, mae'n rhaid cyfaddef, yw fod y Gorfforaeth wedi caniatáu'r fath drefniant hyd yn oed yn y dyddiau cynnar hynny, ond fe wnaeth, ac ni thramgwyddwyd neb. Wedi'r cwbl, roedd Sam a minnau'n wŷr priod cyfrifol, a'r merched ifanc yr un mor gyfrifol â ninnau. Ond dim ond Sam, a oedd yn gymeriad mor amlwg ddifeddwl-ddrwg yng ngolwg pawb, a allsai fod wedi dychmygu am y fath *ménage à quatre* a disgwyl i'w gynllun lwyddo.

Y drws nesaf iddynt yn y swyddfa yr oedd enwogion fel Stuart Hibberd, Alvar Liddell, John Snagge ac Edward Ward. Daeth cyfle hefyd iddynt gyfarfod â newyddiadurwyr a darlledwyr tramor. Y mwyaf diddorol o'r rheiny i Alun Llywelyn-Williams oedd Ed Murrow. Aethai saith mlynedd heibio ers dyddiau newyddiadurol Sam Jones ar *The Western Mail*. Ar y dechrau, darlledu cyhoeddiadau swyddogol y Weinyddiaeth Hysbysrwydd yn unig a wnâi'r Uned Gymraeg, a hynny am saith o'r gloch y bore. Yn ddiweddarach fe ddaeth galw am gyfieithu bwletinau newyddion:

Codai rhyw broblem beunydd gyda chyfieithu rhai o'r termau. Tueddai Sam Jones i drin y problemau hyn braidd yn ysgafn i'm tyb i, ond dyna fe, roedd yn ŵr o synnwyr cyffredin cryf ac roedd yn adnabod ei wrandawyr gwerinol yn drwyadl. 'Be 'di'r gair Cymraeg am *gas mask*, Sam?' 'Wel, gasmasg, debyg iawn,' ebr Sam, gan ychwanegu yn ddireidus, 'lluosog, geismeisg'! Datblygodd hyn yn fath arbennig o chwarae rhyngom. Byddai Sam yn llunio ffurfiau lluosog wrth y llath, megis 'fflachlamp, ffleichleimp', a 'lampost, lympyst'.

I Alun Llywelyn-Williams, er ei fod yn gwerthfawrogi'r hwyl, yr oedd yna hefyd gyfle i ddangos urddas yr iaith, a'i hyblygrwydd, a chafwyd ganddo ef eiriau fel 'awyren' a ddaeth yn air naturiol Gymraeg. Er yr holl hwyl, a gwaith cyfrifol, hiraethai Sam Jones am Fangor ac am gartref. Yr oedd yn ei ôl ym Mryn Meirion yn swyddogol erbyn Ionawr 10, 1940, gan adael Alun Llywelyn-Williams, Elwyn Evans a'r merched yn Llundain. Yno cymerwyd ei le gan Geraint Dyfnallt Owen.

Trwy ymdrechion Hopkin Morris yng Nghaerdydd, a B. E. Nicolls yn Llundain, fe wnaed ymdrech i adfer rhai rhaglenni Cymraeg ar y radio. Mynegodd Cyfarwyddwr Cymru wrth Nicolls, 'Wales is indebted to you' oherwydd heb ei gefnogaeth ef ni byddai darlledu yn Gymraeg o gwbl. Ar Dachwedd 5, 1939 sefydlwyd patrwm wythnos

gan ddechrau efo gwasanaeth crefyddol ar y Sul o 6.30 yr hwyr tan 7
o'r gloch. Fe ddarlledid *Awr y Plant* ar yr un adeg o'r dydd, nos
Fawrth. Defosiwn stiwdio a drefnid am chwarter awr ar nos Fercher a
sgwrs, o'r un hyd, ar nos Wener.

Gan fod unrhyw raglen a ddeuai o Fangor yn y cyfnod hwn yn cael
ei darlledu ar 'the Athlone emergency circuit' fe gododd y cwestiwn
'does it count as a foreign programme?'. Os ydoedd, yr oedd i'r
gwasanaeth flaenoriaeth. Nid oedd y ddarpariaeth wrth fodd Cyngor
Gwlad Caernarfon ac anfonwyd llythyr gan y clerc, neb llai na Bob
Owen, Croesor (a hwnnw'n llythyr wedi ei gywiro gan Sam Jones), at
y BBC yn Llundain. Honnai'r Cyngor ei fod yn llais i Gymru gyfan
ac nid i'r gymuned wledig yn unig. Yr oedd prinder rhaglenni
Cymraeg yn 'shabbiness' ac fe hawliai Bob Owen o leiaf ddwy awr y
dydd yn Gymraeg:

> During the discussion bitter remarks were given about the way the
> BBC were treating a nation which has a culture and a tradition of
> nearly fourteen centuries old, and some of the members went so far as
> to express their minds in saying that they think the BBC are showing
> themselves almost as enemies to our nation.

Â'r llythyr yn ei flaen i sôn am y bechgyn o Gymru a oedd yn ymladd
dros ryddid y byd gan ymladd dros genhedloedd bychain Ewrop.
Dylai'r BBC, felly, ddeall fod Cymru'n crefu 'to be saved from being
obliterated'. Atebwyd Cyngor Gwlad Sir Gaernarfon gan Hopkin
Morris ar Chwefror 19, 1940:

> Er y buasai'n dda gennyf ddarlledu rhagor yn Gymraeg, eto credaf fod
> y Gorfforaeth wedi gwneud ymgais deg o dan yr amgylchiadau i
> gydnabod ein hawliau arbennig.

Oherwydd sefyllfa ddifrifol y rhyfel bu'n rhaid gohirio'r bwriad i
gynnal yr Eisteddfod Genedlaethol ym Mhenybont-ar-Ogwr yn Awst
1940. Fe'i hail-gynlluniwyd ar gyfer Aberpennar, ond buan y
gwelwyd fod hynny hefyd yn ormod o fentr:

> Mae'n siwr ei bod yn bwysig cadw'n fyw bob diddordeb diwylliannol,
> ond ni ddylai hyn olygu casglu miloedd o bobl i gwm cul a allai fod yn
> darged i awyrennau'r gelyn . . . Felly, cymerwyd y cam trist, a chyda
> gofid derbyniodd pobl Cymru y penderfyniad.

Er hynny, ni ostyngwyd y faner yn gyfan gwbl. Penderfynwyd cyhoeddi'r cynnyrch llenyddol a cherddorol buddugol yn y wasg, a chyflwyno'r gwobrau. A fedrai'r BBC wneud rhywbeth? Medrai. Fe fedrai roi'r Eisteddfod ar yr awyr heb beryglu bywyd neb. Daeth cynrychiolwyr Cyngor yr Eisteddfod a'r BBC at ei gilydd i drafod cynllun, ac o ganlyniad i'r trafod hwnnw fe gafodd y gwrandawyr glywed yr 'Eisteddfod' drwy'r wythnos. Neilltuwyd yr holl adegau arferol a oedd ar gael i ddarlledu yn y Gymraeg ar gyfer yr Eisteddfod:

> Cafodd y gwrandawyr glywed Lloyd George yn traddodi ei anerchiad blynyddol am 7.30 ar nos Fercher. Mewn rhaglenni eraill cafodd y gwrandawyr glywed recordiau o'r cystadlaethau Prif Gorawl a'r Brif gystadleuaeth gorawl i Gorau Meibion.
>
> Nid anghofiwyd am y Goron na'r Gadair chwaith a thraddodwyd y beirniadaethau yn ystod y prynhawniau . . . Rhannodd [R. Williams Parry] y beirdd i'r dosbarthiadau a ganlyn – beirdd di-ddysg, beirdd di-ddawn a beirdd talentog. Yr enillydd [y Gadair] oedd T. Rowland Hughes, ei hun yn un o staff y BBC oedd ynghlwm yn nhrefniadaeth yr Eisteddfod ryfedd hon.

Golygai bod 'ynghlwm yn nhrefniadaeth' yr Eisteddfod mai T. Rowland Hughes oedd y Prif Gynhyrchydd. Y ddau gynhyrchydd arall oedd yn gyfrifol am Eisteddfod yr Awyr yn 1940 oedd Sam Jones a Nan Davies.

Erbyn diwedd yr haf 1940 yr oedd yna sŵn ym mrig y morwydd fod byd adloniant y BBC yn edrych tua gogledd Cymru am waredigaeth o'r bomio, gyda'r bwriad o symud Adran Adloniant y Gorfforaeth o orllewin Lloegr i Fangor. Mewn llythyr at Lawrence Gilliam, a oedd yn gynhyrchydd rhaglenni nodwedd ym Manceinion ar y pryd, y mae Sam Jones yn cymell cyfarfod rhyngddo â T. Rowland Hughes ym Mangor:

> You will certainly have peace here at Bangor, for as far as bombing is concerned the war seems very remote to us.

Dau fom a ddisgynnodd ar Fangor trwy gyfnod yr Ail Ryfel Byd ac fe laddodd un o'r bomiau ddreifar o'r BBC a oedd wedi symud i Fangor efo'r criw adloniant:

> A single enemy plane passed over Bangor at 8.50 p.m. on Friday October 24, 1941 and dropped two land-mines on a new housing estate

[Maesgeirchen] situated about three quarters of a mile as the crow flies from Bron Castell. I regret to state that John Charles Walters, one of our drivers, was fatally injured.'

Yr oedd y gyrrwr, o glywed y rhybudd am ymosodiad o'r awyr, wedi cipio adref i weld a oedd ei deulu'n iawn. Ond chyrhaeddodd o mo'r tŷ:

One of the bombs exploded at a distance of about 70 yds. from the house and, judging from the state of the car and the driver's mutilated body, the car must have passed the mine as it exploded. The driver's mutilated body was found in the roof rafters of the adjoining house.

Fe gollodd un o lanhawyr y BBC, Mrs K. Foster, olwg ei llygad chwith gan effaith yr un ffrwydrad.

Dyna a ddigwyddodd i ddau o'r pedwar cant tri deg dau o bobl a symudwyd i Fangor yn 1941 i osgoi bomiau'r gelyn. Darlledwyd eitem ar y bwletin newyddion fod camel yn sâl yn Sw Llundain. Neges mewn cod oedd yr eitem i'r cyfan o'r Adran Adloniant Ysgafn, y Variety Department, i fynd i'r orsaf drên ym Mryste o'u llety yn Weston-super-Mare a chael eu symud i Ogledd Cymru:

This was the coded signal for 432 people, 17 dogs and one parrot to move to the safety of the North Wales town.

Oherwydd y difrod a achosai'r bomiau yn Llundain fe symudwyd sawl adran o'r BBC i Fryste yn 1940, gan gynnwys yr adrannau hyn: Cerdd, Plant, Ysgolion, Crefydd ac Adloniant Ysgafn. Erbyn Mehefin 1940 yr oedd Bryste hefyd yn darged i'r Almaenwyr a chynyddodd y bomio i'w anterth yn Nachwedd y flwyddyn honno. Difrodwyd rhwng chwarter a thraean y llyfrgell adloniant, a oedd yn werth tua £30,000 – arian mawr bryd hynny. Yr oedd yn rhaid i'r BBC chwilio am loches arall i'r Adran Adloniant ac yr oedd cynlluniau ar y gweill i'w symud i Fangor yn hydref 1940.

Golygai hynny ddod o hyd i adeiladau addas yn y ddinas ac yn y cyffiniau i ddarlledu ohonynt – heb sôn am yr angen am lety i griw brith o bobl na welodd Bangor eu tebyg. '"Painted ladies and actors", (that's what they considered them to be, I was told)', meddai Elizabeth Forster, un o'r ysgrifenyddesau a ddaeth gyda'r criw o Lundain. O safbwynt y Llundeinwyr yr oedd ganddynt hwythau eu

hamheuon. Proffwydodd un ohonynt fel hyn am Fangor cyn cyrraedd
y ddinas:

No pubs, no cinemas, everybody in black, and all talking Welsh.

Ar Hydref 3, 1940, daeth nodyn oddi wrth Ddirprwy Gyfarwyddwr
Swyddfeydd a Llety y BBC at un o'r penaethiaid gweinyddol ynglŷn
â Neuadd y Penrhyn a'r angen i'w meddiannu ar frys gogyfer â
symud yr Adran Adloniant 'who are moving to Bangor on October
11th'[1940]. Ni ddigwyddodd hynny hyd Ebrill 8, 1941 ond yr oedd
Sam Jones eisoes wedi hwyluso pethau ac, eto ar Hydref 3, 1940 y
mae'n cadarnhau am Neuadd y Penrhyn 'we took possession this
afternoon'. Yr oedd llawer o waith addasu'r adeilad ar gyfer y
gofynion:

Work necessary in Hall:- Provide a control cubicle in pay box area;
curtain off small portion auditorium as waiting room . . .

Cyngor Dinas Bangor oedd perchenogion y Neuadd ac ar Hydref 2,
1940 fe basiwyd cynnig i'w rhentu i'r BBC. Ond un o nifer o
adeiladau y byddai eu hangen oedd Neuadd y Penrhyn. Yn wir, bu
swyddog o'r BBC i olwg Castell Penrhyn yn ogystal. Fe'i cynigiwyd
'as a complete home for the Variety Department'. Aeth y
Cyfarwyddwr Adloniant, John Watt, i weld y castell wedi'r Nadolig
1940 ond ni allai gymeradwyo symud yno:

D.V. [Director of Variety] has been to Penrhyn Castle and has reported
upon it adversely as an evacuation centre for Variety. He wants to go to
Llandudno.

Byddai'n 'extremely expensive' ac yn waith hir i addasu'r castell
'anything like suitable for Variety work'.

Yr oedd yr angen i gynnwys theatrau Llandudno, Theatr y Grand
yn arbennig, yn gais amlwg. Byddai angen lle o'r fath ar gyfer sioeau
fel *Music Hall, Happidrome, Kentucky Minstrels* a'r perfformiadau ar
yr organ fawr ar gyfer Reginald Foorte a Sandy Macpherson. Y
stiwdios eraill, ar y dechrau, fyddai festri capel y Tabernacl, adeilad
St Paul's ('to be treated acoustically for Dance Band'), ystafell
ddawns Gwesty'r Castle a Neuadd y Penrhyn ('this to be used for
large productions').

Yn weddol fuan fe ychwanegwyd Ysgoldy capel Twrgwyn, ym Mangor Uchaf, a'r County Theatre (bellach Clwb Nos yr 'Octagon') at y canolfannau darlledu gyda swyddfeydd, neu ystordai, yn:

Lle	Swyddfa	Nifer o bersonau
Bron Castell	22	49
Bron Castell (annexe)	24	47
377 Stryd Fawr	1	2 (Swyddfa Amddiffyn)
Horeb (Annexe)	5	23 (Gwrando/Dyblygu)
305 Stryd Fawr	3	5 (Golchdy'r staff)
Masonic Chambers	1	2
Clwb y Rhyddfrydwyr	2	5 (Effeithiau sain)
Llyfrgell y Dref	2	9 (Llyfrgell Gerdd)

Erbyn 1942, dyma oedd cyfanswm y staff yn yr 'Ardal' (Area) – a dyna oedd statws swyddogol Bangor o fewn y Gorfforaeth erbyn hynny:

Staff Gweinyddol: 125;   Staff Arlwyo: 33;   Staff Cludiant: 7;
Staff Peirianwyr: 50;   Staff Rhaglenni: 159;   Staff ar Gontract: 91.

Dyna gyfanswm o 465 o staff gan gynnwys y 'ten little nigger boys' – dyna ddull y 'Quartering Officer' o gyfeirio at y bechgyn ifanc lleol oedd yn cludo negeseuon o swyddfa i swyddfa. Yr oedd y teulu bach wedi tyfu'n deulu mawr iawn.

Bu Sam Jones yn allweddol i'r gwaith o drefnu'n lleol ar gyfer y newid aruthrol yng nghymeriad y BBC yn y Gogledd. Oherwydd y rhifau fe benodwyd dyn a chanddo'r cyfenw Cameron i fod yn 'Bangor Director' gan fod Bangor erbyn diwedd y flwyddyn 1941 yn dechnegol yn cael ei ddyrchafu i statws 'Ardal' (Area). Fe achosodd hyn benbleth i Bennaeth 'Staff Records':

> Bangor is shown as part of the Welsh Region. Would you be good enough to let me know whether it is to remain in that Region or whether the fact that it has now become an Area should be anticipated, and it should be shown in alphabetical order with the other areas, i.e. Evesham, Reading etc.

Bu'n rhaid i Sam Jones wynebu problem o fath arall ymhell cyn y dylifiad adloniadol gan iddo gael ymweliad ym Mryn Meirion gan PC Pritchard (C.28), o swyddfa'r heddlu, ar Hydref 17, 1940, i'w hysbysu o drosedd ac o gyhuddiad yn erbyn y BBC o dan y ddeddf 'Blackout Regulations'. Yn llaw'r plismon yr oedd gwŷs 'for displaying an unobscured light' yn groes i Baragraff Un o'r Gorchymyn Goleuo (Cyfyngiadau) a Rheol 92 o'r Rheolau Amddiffyn 1939. Yr oedd yr achos i'w glywed yn Llys Ynadon, Bangor ar Dachwedd 19, 1940. Wrth y Llys fe ddywedodd PC Pritchard (C.28) ei fod wedi ymweld â Sam Jones yn ei swyddfa i dynnu ei sylw at y drosedd a gyflawnwyd yn Neuadd y Penrhyn ar Hydref 16, 'and he told me the person responsible would be the Director General of the BBC '!

Yn y gwaith o addasu Neuadd y Penrhyn ar gyfer darlledu, yr oedd Cwmni Adeiladu y Meistri Watkin Jones a'i fab wedi gadael un bylb ymlaen yn nhoiledau'r dynion pan ddaeth y diwrnod gwaith i ben. Yr oedd yr olaf i adael yr adeilad, saer o'r enw William Albert Ellis, wedi diffodd y golau yn y Neuadd 'but unfortunately one iron clad switch controlled a light in the gentlemen's lavatory at the front of the building' ac ni ddiffoddwyd hwnnw. Yr oedd y drosedd yn un mor ddifrifol fel y cymerodd hi bump awr i'r heddlu ddarganfod y golau, er bod gorsaf yr heddlu o fewn canllath go dda i Neuadd y Penrhyn! PC Jones (C.50) a'r Rhingyll Eames a welodd y golau yn y tŷ bach am 10.45 p.m. 'It was a 75 watt bulb,' meddai'r plismon yn y Llys. Gollyngwyd yr achos a thalodd y BBC bedair gini i Gwmni y Meistri Carter, Vincent am eu hamddiffyn.

Ar Ebrill 8, 1941 fe ysgrifennodd Sam Jones at Alun Oldfield-Davies yng Nghaerdydd (yntau ar y pryd yn gweithredu fel Prif Swyddog):

The Variety Department arrives this evening. We are hoping for the best!

Fe fyddai Neuadd y Penrhyn, Neuadd Eglwys Sant Paul, Festri'r Tabernacl a Theatr y Grand, Llandudno yn barod i'w defnyddio erbyn Ebrill 8, ond 'the County Cinema will not be ready by the time the Variety Department's move'. Dau adeilad a feddiannwyd fel adnoddau Clwb oedd Caffi Wendon, Benllech a 305, Stryd Fawr, Bangor. Byddai'r rhain hefyd yn barod erbyn yr wythfed o Ebrill. 'Reginald Foorte's organ is to be installed in the Grand Theatre, Llandudno next week.' Fe gymerodd bythefnos i beiriannydd osod yr organ fawr yn ei lle, ei phrofi a'i chael yn barod i berfformio arni. Yr oedd Foorte wedi talu £8,000 am yr organ, a'i hyswirio am ddwy fil o bunnau yn fwy.

Yn ei lyfr *ITMA 1939-1948* y mae Francis Worsley, cynhyrchydd y rhaglen, yn cofio y symud o Fryste i Fangor:

> ... it was the strangest cavalcade in radio history [that] set out one morning in February [Ebrill oedd hi], 1941, and no one who saw it leave will ever forget the sight. It was a special train that stood in Bristol station that day and on it there were comics, crooners, musicians, producers, actors, writers, with their wives and children, their cycles, prams, dogs, cats, canaries, parrots – one man even tried to bring a horse – and the platform was piled high with luggage, bass-fiddles, drums, tea-chests full of band-parts, tin-hats and gas-masks. Never was there such a din and such confusion, but somehow with the help and goodwill of the station staff we got it all aboard, and in due course we arrived, tired, hungry, but still conscious, in Bangor.
>
> Here we found everything had been arranged down to the last safety-pin by the Administrative staff; transport was ready waiting, and the billets were ready to receive us. These had been arranged all over the place; some went to Llanfairfechan, Penmaenmawr, and various places along the coast; some were actually in Bangor itself, while the rest were sent over to the lovely Isle of Anglesey. I found myself and family billeted in the village of Benllech, with the postal address of TYN-Y-GONGL, much to the joy of Tommy [Handley], who had spent many happy holidays there as a boy and to whom the name had an irresistibly funny sound.
>
> If Bristol had been somewhat surprised at the arrival of so much 'Show Business', Bangor was positively astounded.

Tystio y mae Worsley, ac eraill a ysgrifennodd yn ddiweddarach am y cyfnod, iddynt hwy wneud 'impact' ar Fangor ac i Fangor wneud mwy fyth o 'impact' arnynt hwy:

> ... to most of my colleagues it was a novel experience being in a Welsh-speaking part of the Principality so that they had all the feelings of being 'foreigners' in a strange land, which was sometimes disconcerting.

Onid yw'n rhyfeddod na chafodd E. R. Appleton brofiad tebyg am Gymreictod y Gogledd pan ymwelodd ef â Bangor yn 1935! Byddai Appleton, a Sam Jones, yn gyfarwydd â Francis Worsley gan iddo ddechrau ar ei yrfa ddarlledu yng Nghaerdydd yn 1928.

Er gwaethaf y dieithrwch cynnar, o'r ddeutu, buan iawn y daeth y garfan Lundeinig i deimlo'n gartrefol ar lannau'r Fenai ac yn rhan o'r teulu – neu, hwyrach, yn rhan o deulu. Os oedd Bryste yn lle od yn eu golwg gyda'i 'comparatively small Regional Broadcasting Centre', yr oedd Bangor gymaint yn llai. Eto, yr oedd aros am fws y BBC ym Mhenmaen-mawr a Llanfairfechan i ddod i Fangor yn creu cymuned ymhlith yr ymwelwyr i raddau na fyddai wedi bod yn bosibl ym Mryste nac yn Llundain.

Y rheswm tros fodolaeth yr Adran hon oedd codi hwyl a chodi ysbryd pobl Prydain yn ystod y rhyfel, a buan iawn y bwriwyd ati i gynhyrchu rhaglenni.

Pencadlys eu swyddfeydd oedd Bron Castell, adeilad a gynlluniwyd fel hostel merched i Goleg y Brifysgol ac a fu am rai blynyddoedd yn cael ei ddefnyddio fel ysgol St Winifred's cyn dychwelyd i'w bwrpas gwreiddiol. Golygodd galwadau'r rhyfel ar bobl ifanc nad oedd galw am gymaint o lety i fyfyrwyr. Yr oedd yn adeilad delfrydol at ofynion y BBC a'i safle o fewn tri chan llath i gloc y dref yn golygu ei fod yn ganolog i weddill gweithgarwch y darlledwyr, er bod Mynydd Bangor (sef bryn, a dim mwy mewn gwirionedd) yn ymddangos iddynt hwy fel copaon Eryri. Ysgrifennodd W. Elwyn Jones, Clerc y Dref, ar ran y Cyngor at y BBC ar Chwefror 2, 1941, yn cadarnhau cefnogaeth y Cyngor fod Bron Castell wedi ei bwrcasu gan y BBC. Trafodwyd y mater gan y Cyngor gyntaf ar Hydref 30, 1940, a chadarnhawyd y bwriad i werthu Bron Castell i'r BBC ar Dachwedd 9, 1940. Ychwanegir nodyn arwyddocaol yn y cofnodion sef:

> A hearty vote of thanks was accorded The Rt. Hon. D. Lloyd George, O.M., M.P. *for the way he had interested himself in the sale* on behalf of the Council. (Yr awdur sy'n italeiddio)

Y rheswm am ddiddordeb Lloyd George oedd sicrhau mai'r BBC ac nid y Fyddin, a fu'n pwyso ar y Cyngor, a fyddai'n meddiannu Bron Castell.

Cwblhawyd y pwrcas ar Chwefror 12, 1941, ac yno ymhen amser, ac wedi i'r Llundeinwyr ddychwelyd, y bu staff BBC Bangor yn cartrefu hyd ganol y saithdegau.

Galwyd Neuadd y Penrhyn yn Stiwdio Adloniant Un, Theatr y County (lle cynhaliwyd yr Eisteddfod Genedlaethol yn 1943) yn

Stiwdio Adloniant Dau; Neuadd Eglwys Sant Paul yn Stiwdio Adloniant Tri a Festri'r Tabernacl yn Stiwdio Adloniant Pedwar. Ystafell ymarfer oedd y Masonic Temple.

Yr oedd tair cerddorfa ym Mangor yn y cyfnod hwn – Billy Ternent a'r BBC Dance Orchestra, Hyam Greenbohm a'r BBC Revue Orchestra yn ogystal â Charles Shadwell a'r BBC Variety Orchestra. Y ddiwethaf hon oedd y gerddorfa a chwaraeai yn y sioe *ITMA*, ac fe chwaraeai Charles (Charlie) Shadwell ran amlwg yn y digrifwch. Dyn tenau, tal oedd Shadwell ac fe ychwanegai hynny at y digrifwch:

> Charles Shadwell is so lean,
> His baton seems so fat:
> In fact you can't tell which is which
> Till Charles puts on his hat,

meddai cân gan Dorothy Worsley, gwraig Francis Worsley.

Cyfarfu Francis Worsley â Tommy Handley am y tro cyntaf yn 1937 ac eto ym Mehefin 1939 pan ymunodd Worsley â'r Adran Adloniant yn Llundain. O fewn wythnosau i'r ail-gyfarfod fe alwyd ar Ted Kavanagh i ymuno â nhw fel sgrifennwr sgriptiau. Yn y papurau dyddiol fe sonnid yn gyson am Hitler – 'it's that man again' (ITMA) – yn goresgyn rhyw wlad neu'i gilydd. Daeth yr ymadrodd yn deitl gwreiddiol i'r sioe a darlledwyd hi gyntaf o Maida Vale, Llundain ar Orffennaf 12, 1939. Nid oedd y fersiwn gyntaf hon yn llwyddiant o bell, bell ffordd ond gorffennwyd y gyfres fer cyn i'r Adran Adloniant gael ei symud i Fryste. Yno y dechreuodd *ITMA* (It's That Man Again) gydio yn nychymyg y gynulleidfa anweledig ac yno y daeth y teitl talfyredig i fod. Yn nyddiau cynnar yr Ail Ryfel Byd yr oedd yna dalfyrru ar bopeth swyddogol – 'the plague of initialitis,' ys dywedodd Worsley.

Darlledwyd y sioe ar ei newydd wedd ar Fedi 19, 1939. Lluniwyd Gweinyddiaeth ddychmygol, 'The Ministry of Aggravation and Mysteries', a dyfeisiwyd cymeriadau fel Funf (Jack Train), yr ysbïwr dygn a oedd yn wawdlun o Hitler; Dotty, yr ysgrifenyddes (Vera Lennox), Mrs Tickle, a chwaraeid yn nhraddodiad pantomeim gan ddyn (Maurice Denham) a'r canwr sef, bryd hynny, Sam Costa.

Erbyn atgyfodi *ITMA* ym Mangor yr oedd sefyllfa'r rhyfel, ac agwedd pobl at y gelyn, wedi newid, felly'r oedd yn rhaid newid y sioe i gyfateb i hynny. Ni thalai bellach i wneud hwyl am ben unrhyw

Weinyddiaeth ac aed ati i chwilio am fformwla wahanol. Gan fod y
Llywodraeth yn pwysleisio'r syniad o 'holidays-at-home' fe luniwyd
y gyfres gyntaf o Fangor trwy ethol Tommy Handley yn Faer
'Foaming-at-the-mouth':

the epitome of all that was shabby and inefficient in a small resort

ac fe allai y lle hwnnw fod yn Weston-super-mare neu, hyd yn oed, yn
Fangor!

Fe newidiwyd y teitl yn *ITSA* (It's That Sand Again) gan ddarlledu,
bryd hynny, o Neuadd y Penrhyn. Yn y Variety Repertory Company yr
oedd Jack Train, Vera Lennox, Sydney Keith, Fred Yule, Dorothy
Summers a Clarence Wright gyda Paula Green a Kay Cavendish yn
gantorion. Yr oedd Maurice Denham a Sam Costa wedi ymuno â'r
Lluoedd Arfog ond fe ychwanegwyd nifer o gymeriadau newydd fel
Horace Percival, a chwaraeai 'Ali Oop' a'r 'Diver'. Ychwanegiad arall
at y cwmni oedd Dino Galvani (Signor So-So). Fe dyfodd y rhain yn
gymeriadau yr oedd y gwrandawyr yn dod i'w hadnabod yn dda.

'Sioe ddrysau' oedd *ITSA* ac *ITMA*, gyda chymeriadau gwahanol
yn gwibio i mewn ac allan trwy ddrysau ac yn taflu dywediadau
bachog yn wythnosol, dywediadau a ddaeth yn rhan o eirfa pawb
oedd yn gwrando. Dyna Ali Oop a'i 'Very chummy, oh, lumme';
'You're a better man than I am, Dingy Dan' (Handley); 'Don't forget
the diver' ac 'I'm going down now, sir' (Diver); 'Boss, sumpin'
terrible's happened' (Sam Scram – ac o ble daeth yr enw yna tybed?;
wedi dychwelyd i Lundain y crewyd y cymeriad Sam Fair-fechan, a
chwaraewyd y rhan gan Hugh Morton); y ddau ddandi, Claude a Cecil
efo'u 'After you Claude!' 'No, after *you* Cecil.' Y dywediadau bachog
enwocaf oll, o bosib, oedd 'Can I do you now, sir?' (Mrs Mopp),
sef Dorothy Summers, a'i 'Ta-ta for now' a gwtogwyd yn TTFN a
'I don't mind if I do' (Colonel Chinstrap), sef Jack Train, yr alcoholig
a ymatebai i'r rhybudd 'This water is unfit for drinking purposes'
drwy ychwanegu 'No water is fit for drinking purposes'.

Yn ôl Mrs Beryl Stafford Williams, Bangor, dywediad a godwyd
gan un o gymeriadau tafarn Bron Eryri, Penmaen-mawr (sef y
'Major'), oedd 'I don't mind if I do'. Yr oedd rhai o'r adlonwyr yn
lletya yn y dafarn honno ym Mhenmaen-mawr ac yn gyfarwydd â
chlywed y 'Major' yn cymryd mantais o'r sawl a fyddai wrth y bar yn

archebu diod. Cam bach oedd hi wedyn i greu'r cymeriad Colonel Chinstrap ac i fenthyca'r ymadrodd 'I don't mind if I do'.

Fe honnid mai un o wrandawyr selocaf *ITMA* oedd y Brenin Siôr V1 ac i rywun ei weld yn rhuthro trwy Windsor ar gefn ei feic gan weiddi ei fod ar frys i gyrraedd y castell rhag ofn iddo golli *ITMA*. Ai gwir y stori honno ai peidio, y mae'n ffaith fod y tîm a berfformiai'r sioe radio, sioe a fedrai hawlio gwrandawiad gan rhwng pymtheg miliwn a phum miliwn ar hugain o bobl – cynulleidfa sy'n rhagori ar gyfanswm gwylwyr sioeau teledu heddiw – wedi eu gwahodd i roi sioe ddwyawr yn y Waterloo Chamber yng Nghastell Windsor i ddathlu pen blwydd y Dywysoges Elisabeth yn un ar bymtheg oed.

Ar Awst 5, 1943, (pan gynhaliwyd Eisteddfod Genedlaethol, dridiau, Bangor o 'Chwaraedy'r Sir' [County Theatre]) fe ddarlledwyd y canfed rhifyn o *ITMA* o Neuadd y Penrhyn ac yr oedd Rhys Hopkin Morris yn bresennol i dalu gwrogaeth i 'His Washout' y Maer ac i roi parti i'r criw.

Cyn dychwelyd i'r Criterion Theatre yn Llundain y mis hwnnw, un o'r atgofion llai hapus a fyddai'n aros gyda'r adlonwyr oedd y noson honno pan ddisgynnodd y bom yn ystod darllediad byw o *ITMA* gan ladd gyrrwr y BBC ger ei gartref ym Maesgeirchen, y cyfeiriwyd ato eisoes, tra oedd Kay Cavendish a Paula Green yn canu 'It ain't what you do, but the way that you do it'.

Un arall o'r sioeau a gyflwynai Kay Cavendish o Neuadd y Penrhyn oedd *Kay on the Keys,* ac wrth ddwyn atgofion am Fangor flynyddoedd lawer yn ddiweddarach fe soniodd, ar y rhaglen *Bangor in the Blitz,* am y bobl fel cymuned 'tight-knitted, little bit narrow'. I Fred Yule, ar yr un rhaglen â hi, fe gredai fod ar y bobl leol ofn yr artistiaid lliwgar ar y dechrau. 'Rogues and vagabonds' oedd adlonwyr yn eu golwg, meddai. Wrth ddiolch i Faer y Ddinas, ar eu hymadawiad yn 1943, fe ychwanegodd Yule mai ym Mangor y cyfarfu â'r bobl garedicaf, fwyaf cyfeillgar a hefyd y bobl fwyaf rhagrithiol a gyfarfu erioed. Nid yw'n esbonio pam.

'They'd never heard of comedy up there, for God's sake,' oedd sylw Billy Ternent. Go brin fod hynny'n wir. Ond y mae'n wir fod Sam Jones, yn fwyaf arbennig, wedi dysgu llawer mwy am gomedi wrth weld y bobl yma'n ymarfer ac yn mynd drwy'u pethau. A byddai Sam Jones wedi manteisio ar ei gyfle i'w gweld yn darlledu'n gyson tros y blynyddoedd.

Rhai o'r enwau mawr eraill yn y ddinas fechan oedd Arthur Askey ('my first girl friend in Liverpool was Welsh – Blodwen Griffiths') a Charlie Chester, a oedd yn filwr yn y Ffiwsilwyr Gwyddelig a leolid ar y pryd ym Maesgeirchen. Yr oedd Jack Warner yn chwarae yn *Saturday Social* a'r enwocach *Garrison Theatre* yn neuaddau Bangor; Ernest Longstaffe yn cynhyrchu *Happidrome* yn Llandudno, a John Ammonds, a ddaeth yn gynhyrchydd *Morecambe and Wise*, a *Mike Yarwood* yn ddiweddarach, yn fachgen un ar bymtheg oed yn gweithio ar effeithiau sain i *ITMA*. Ei atgof ef ar *Bangor in the Blitz* yw pa mor bwysig oedd amseru i'r comedïwr a pha mor hanfodol oedd ymateb cynulleidfa. Bu marchnad ddu lewyrchus ym Mangor i sicrhau tocynnau i'r sioeau gorau. Yr oedd hi'n gynulleidfa freintiedig iawn. Yr oedd holl adloniant radio blaenaf Prydain yn digwydd ar stepen y drws.

Ond *ITMA* oedd tua'r unig raglen adloniant o'r cyfnod cythryblus yma yr oedd y BBC yn fodlon ar ei safon. Yn 1938 fe olynodd Frederick Ogilvie ei gyd-Albanwr John Reith fel Cyfarwyddwr Cyffredinol y BBC. Ymwelodd Ogilvie â Bangor ar Fehefin 9, 1941; ymweliad llwyddiannus o safbwynt Bangor. Ffordd Sam Jones o gofnodi'r ymweliad oedd dweud 'DG's [Director General] visit went off well – we saw little of him'.

Ond fe welodd Ogilvie fod gweithio mewn tref fechan fel Bangor yn un o'r rhesymau posibl, ymhlith nifer mwy, am ddirywiad yn safon adloniant. Felly fe gomisiynwyd adroddiad gan Percy Edgar, Cyfarwyddwr Rhanbarth y Canolbarth (Birmingham), ar gynnyrch yr Adran Adloniant. Ymddangosodd yr adroddiad hwnnw yng Ngorffennaf 1943, bron ar ddiwedd cyfnod yr Adran ym Mangor, a chyn ei dychweliad i Lundain.

Yn y cyfamser yr oedd Ogilvie wedi ei symud o'r neilltu yn 1942 pan benodwyd dau gyd-Gyfarwyddwr Cyffredinol i'r BBC sef Robert Foot a Cecil Graves. Yna ymddeolodd Graves ym Medi 1943 ac fe olynwyd Foot ym Mawrth 1944 gan William Haley. Foot a Graves a dderbyniodd adroddiad hynod feirniadol Percy Edgar. Yr oedd ef yn feirniadol, 'appalled', at safon isel y rhan fwyaf o ddarlledu adloniadol. Cyhuddai gynhyrchwyr o gamddefnyddio perfformwyr a chyhuddai artistiaid o berfformio'n wael. At ei gilydd yr oedd y sgriptio'n wan a'r hiwmor yn dangos diffyg ymwybyddiaeth o chwaeth. Ar ben hyn i gyd yr oedd ymddygiad rhai artistiaid yn denu cyhoeddusrwydd annerbyniol yn y wasg. 'Third rate' yw'r defnydd:

It is deplorable that the BBC, which undeniably influences public taste, should have pandered to the worst.

Yr unig sioe y gellid ei chanmol a'i chymell fel esiampl o'r hyn sydd orau mewn ysgrifennu, perfformio, safon a chwaeth oedd *ITMA*. Seiliodd Edgar ei adroddiad ar brofiad o wrando manwl a chyson tros bedair wythnos ar ddeg ac fe ymatebwyd i'w ddogfen hynod hallt gan John Watt, y Cyfarwyddwr Adloniant. Yn naturiol, mynegodd Watt anfodlonrwydd ar grynswth yr adroddiad. Yr oedd yn amddiffynnol o'u cynnyrch fel Adran ac yn tanlinellu rhai o'r anawsterau y bu'n rhaid eu hwynebu cyn belled ag yr oedd denu'r doniau gorau i'r Gogledd yn ffactor:

> It is unfortunate that the period should cover a period when, after two years in the isolation of Bangor, the standard of Variety had quite definitely fallen . . .
>   With the difficulty of getting artists, and the introvertive atmosphere of a small Welsh town, the quality of output had undoubtedly fallen. Since the partial return of the members of the Department to London we are picking up again.

Ymfalchïai Watt yn llwyddiant *ITMA*, 'a show which is universally popular' a hynny am ddau reswm, sef bod yr Adran, er gwaethaf ei hanawsterau, wedi sicrhau cynnydd pob un o'r perfformwyr o Tommy Handley i lawr, a'u bod hefyd wedi hyfforddi'r tîm hwn mewn techneg radio trwy eu gwneud, fel unigolion, yn ymwybodol o'r meicroffon ac o'r gynulleidfa, gan roi yn eu dwylo 'material which is the most perfect example of radio entertainment for which one could wish'.

Fe fyddai Sam Jones wedi bod yn ddigon agos at yr Adran Adloniant yn y cyfnod hwn i werthfawrogi'r anawsterau, a'r ymdrechion i oresgyn yr anawsterau. Fe fyddai hefyd wedi bod yn ymwybodol o'r ddadl am safonau ym myd adloniant ac am yr angen am chwaeth. Mae'n ddigon tebyg iddo weld nodyn oddi wrth Graves yn Ionawr 1941 yn poeni am 'vulgarity' oherwydd fod ambell gomedïwr yn manteisio ar ddarlledu byw i daflu i mewn ambell sylw nad oedd yn y sgript wreiddiol, a gwneud hynny er mwyn ennyn chwerthin:

> It has distressed me to hear comedians, who one knows can give really good performances, descending to levels which we ought not to tolerate.

Gwnaeth ei sylwadau ar gorn ei ymweliad â Bangor. Pe byddai wedi siarad â Sam Jones fe fyddai wedi clywed ganddo am yr hyn a ystyriai ef yn chwaeth dderbyniol. Cawn fanylu ar hynny ymhellach ym Mhennod Saith.

Agwedd Sam Jones yn gyffredinol oedd y dylid hepgor unrhyw air a allai achosi anesmwythyd i wrandawr. Dyfynnir yn aml, gan ymchwilwyr neu gydnabod, sylw Myfanwy Howell ar y rhaglen *Babi Sam* am Sam Jones yn gwrthod y defnydd o'r gair 'bloneg', er bod hwnnw'n air cwbl barchus a derbyniol ym Môn. Mynnodd hefyd fod W. D. Williams yn newid esgyll englyn i'r 'Eisteddwr Babi'. Yn wreiddiol cynigiodd y bardd 'A Sian yn aros yno/ *I roi y bach ar ei bô'*. 'No good!' oedd dyfarniad y cynhyrchydd a newidiwyd y llinell i 'I'w siglo a'i fathio fo'. A oedd hi cystal llinell ai peidio, hon'na a ddarlledwyd.

Er gwaethaf ofnau Robert Foot yn Ionawr 1943 fod prisiau Theatrau Llundain yn milwrio yn erbyn symud yr Adran Adloniant yn ôl i Lundain:

> . . . and that it looks as if we should be forced to the alternative of leaving Variety at Bangor, not only for the rest of the war but, for a considerable time, I am afraid, after it has finished . . .

nid felly y bu, a symudodd yr Adran o Fangor yn Awst 1943. Ond er dychwelyd i'r metropolis nid oedd problemau'r Adran Adloniant drosodd. Ymddiswyddodd John Watt yn 1945 a chrynhodd ei olynydd, Michael Standing y sefyllfa fel hyn:

> The Department's reputation in the summer of 1945 was very low, pretty well at the bottom of a decline which set in some two years before. It was charged with lack of integrity, poor organisation, bad leadership, frustrated, disinterested and incompetent producers, disloyalty and no *esprit-de-corps*.

Nid effaith Bangor ar ysbryd yr Adran Adloniant oedd y rheswm uniongyrchol dros symud o'r Gogledd. Gan fod brwydrau'r rhyfel bellach yn troi o blaid Prydain yr oedd hi'n fwy diogel nag y bu i ddychwelyd i Lundain ac yr oedd parhau ym Mangor yn bris rhy uchel i'w dalu. Yr oedd costau rhentu a threth yr adeiladau niferus ym Mangor a Llandudno tros wyth mil o bunnau'r flwyddyn, a chostau cynnal y staff ar ben hynny bron yn ddeng mil ar hugain o bunnau. Yr union gyfanswm oedd £37,802 wedi ei brisio ar gyllideb 1943/44. Wedi cytuno mewn egwyddor yn nechrau Mawrth 1943 i gadw pob stiwdio ym Mangor at ddefnydd argyfwng, erbyn Mawrth 24 (a'i gywiro ar Fawrth 31 i gynnwys Bron Castell) cytunwyd i gadw Theatr y County, Neuadd y Penrhyn, y Tabernacl a St Paul's ym Mangor gan symud yr organ o Theatr y Grand, Llandudno i'r County ym Mangor. Daeth tenantiaeth y BBC o St Paul's i ben yn derfynol ar Fedi 29, 1945 a'r Tabernacl ar Dachwedd 11, 1945.

Trwy'r holl gyfnod y bu'r cogau Llundeinig yn nythu ym Mangor a'r cyffiniau, Sam Jones oedd yr unigolyn a enwebwyd gan y BBC fel 'llais argyfwng y Gogledd'. Pe bai argyfwng wedi digwydd:

> I would be fetched by a military escort, allowed some change of clothing and taken to Penmon, where I would remain on the job during the Emergency. I was to identify myself i.e. 'This is Sam Jones speaking to you' before every announcement and at the end, if I remember rightly, I was to repeat the statement and tell the public not to accept instructions from anybody else except myself.

Er ei lais bloesg, bu'r awdurdodau'n ddigon doeth i'w benodi ef fel un y byddai'r cyhoedd yn fodlon gwrando ar ei gyhoeddiadau mewn unrhyw argyfwng, a byddai yntau'n medru ynganu'r enwau lleol heb drafferth.

Ychydig o waith cynhyrchu rhaglenni oedd yna o Fangor yn 1940. Y mae yna gofnod o sgyrsiau a ddarlledwyd gan bobl fel D. Emrys Evans, Meuryn, E. Morgan Humphreys, T. O. Jones (Gwynfor), Stephen O. Tudor, T. Hudson Williams a Thomas Parry, a dwy stori gan E. Tegla Davies. Yr oedd yna hefyd un ddrama Saesneg o Fangor – 'The 13th. of March', a rhaglenni fel *Welsh Half Hour* a *Welsh Interlude* a oedd wedi eu hanelu'n bennaf at y bechgyn yn y Lluoedd Arfog.

Cynyddodd y rhaglenni o Fangor o ran eu rhif yn 1941 a chaffaeliad mawr i'r orsaf am weddill y pedwardegau oedd penodi Myfanwy Howell ar y staff. A hithau'n byw yng Nghasnewydd bu'n sgriptio rhaglenni yng Nghaerdydd cyn troi'n ôl am y Gogledd, a hynny er mwyn i'w merch, Betty, gael addysg Gymraeg. Y mae dyddiaduron Myfanwy Howell wedi eu diogelu gan ei merch ac fe gofnodir, yn Saesneg:

May 26 [1941]: Offered post of Programme Assistant at Bangor by the
   BBC.
May 27: Announced my first programme – Hogia'r Gogledd.
June 7 : Left in charge for first time.

Ac yn gymysg â'r cofnodion swyddogol y mae sawl cyfeiriad at
ddigwyddiadau'r rhyfel gan gynnwys 'Heavy raid on Swansea'
(Chwefror 26), 'Heavy raid on Cardiff' (Mawrth 3) a 'We withdrew
from Benghazi' (Ebrill 2, 1941). Cadarnhawyd ei swydd fel swydd
llawn-amser ar Hydref 1, 1942.

Yn Ionawr 1942 fe deithiodd Sam Jones cyn belled â Stranraer yn
yr Alban i recordio rhaglen efo'r 'Welsh troops from Scotland' gan
gyfarfod yno â Victor Williams, yr *office-boy*, a oedd bellach yn
hedfan mewn *Sunderland Flying Boats* yn y Llu Awyr. Recordio
cyngerdd o wersyll cyfagos yr oedd Sam Jones, cyngerdd a oedd i'w
ddarlledu gan griw o hogiau 'Stiniog a oedd mewn *Quarrying
Company* yn y fyddin, a John Ellis Williams yn *Sargeant Major*
arnynt.

Fel y dynesai mis Mai 1942, fodd bynnag, yr oedd Sam Jones am
wneud yn siŵr na fyddai galw arno i deithio ymhell o gartref
oherwydd, er ei ofal tadol am deulu Bryn Meirion o'r dechrau, ac yna
ei oruchwyliaeth dros yr Adran Adloniant tra bu hi ym Mangor, yr
oedd y teulu bach ar ei aelwyd ei hun ar fin cynyddu. Wedi
blynyddoedd o fod yn briod yr oedd Mrs Maud Jones yn feichiog ac
ar fin rhoi genedigaeth. Ar Fai 4, 1942 fe anwyd eu mab, a'i fedyddio
yn ddiweddarach yn Dafydd Gruffydd Jones. Geni Dafydd oedd
achlysur llunio'r llinell 'Babi Sam yw'r BBC'.

Er bod Sam Jones ei hun, ymhen blynyddoedd, yn dweud mai
Waldo oedd piau'r llinell – 'allan o gywydd mi gredaf' – ac i eraill
dadogi'r llinell ar W. D. Williams, ei hawdur yw John Robert Thomas
(Siôn Brydydd), gŵr a aned yn Nôl-y-garreg-wen, Llanerfyl, yn Sir
Drefalwyn. Ffermwr ydoedd a ddysgodd y cynganeddion o'r *Ysgol
Farddol*. Y mae tri englyn o'i waith yn *Awen Maldwyn* a byddai'n
cyfansoddi llawer o englynion cyfarch yn lleol.

Ei gysylltiad â Sam Jones oedd iddo fod wedi cymryd rhan ar
raglenni o Fangor yn sôn am feirdd gwlad a bywyd cefn gwlad yng
nghwmni Mr Pierce Roberts, prifathro ysgol o Langadfan. Yr oedd
Siôn Brydydd yn ewythr i'r Dr Enid Pierce Roberts, a fu am

flynyddoedd ar staff yr Adran Gymraeg yng Ngholeg y Brifysgol, Bangor, ac y mae Dr Roberts yn bendant o'r farn mai llinell olaf englyn i gyfarch Dafydd Gruffydd Jones ar ei enedigaeth yw'r llinell a ddyfynnir mor barod gan unrhyw un sy'n sôn am Sam Jones. Ergyd y llinell, meddai hi, yw er bod y babi wedi bod yn hir yn cyrraedd a'i rieni'n briod ers naw mlynedd, fod gan Sam Jones fabi y bu'n gofalu'n dyner amdano eisoes – 'Babi Sam yw'r *BiBiSî*'.

Yn y cyfnod hwn hefyd, y pedwardegau cynnar, yr oedd yna griw o 'stiwdants' pur athrylithgar yn fyfyrwyr yng Ngholeg Bangor ac yn eu plith yr oedd yna ddoniau a fyddai'n blodeuo fel adlonwyr Cymraeg a Chymreig ar y radio. Daeth Meredydd Evans i Fangor yn hydref 1941 a'i ddilyn gan Islwyn Ffowc Elis, Robin Williams, Huw Jones, Tegwyn Jones a Henry Aethwy Jones. Yr adeg hon, yr oedd Cledwyn Jones yn y Llu Awyr ond daeth yntau i Goleg Bangor ar ôl y rhyfel.

Byddai'r rhain, ac eraill a fu'n darlledu cyn y rhyfel, yn parhau'r traddodiad adloniant o Fangor, a hynny yn Gymraeg. Yr oedd oes aur darlledu Cymraeg ar wawrio.

'A Sam 'fath â Genius'

Bardd Coron Eisteddfod Genedlaethol Aberteifi 1942 oedd Herman Jones. Pan gyflawnodd y gamp honno yr oedd ar ei ail flwyddyn golegol ym Mangor. Fel myfyriwr diwinyddol yng Ngholeg Bala-Bangor yr oedd ef yn un o'r criw o fyfyrwyr a esgusodwyd rhag gwasanaeth milwrol ar gyfrif ei argyhoeddiadau Cristnogol a heddychol. Bardd Coron Eisteddfod Genedlaethol Bangor 1943 oedd Dafydd Owen, myfyriwr arall ail flwyddyn yng Ngholeg Bala-Bangor. Ers i'r ddau Brifardd ifanc ddod i Fangor yn nechrau'r pedwardegau yr oeddynt wedi bod yn darlledu'n achlysurol o Fryn Meirion.

Cysylltwr Sam Jones â'r myfyrwyr yn y cyfnod hwn, fel y bu Gruffudd Parry rai blynyddoedd yn gynharach, oedd T. Gwynn Jones, Tregarth. Daeth ef i gysylltiad â Sam Jones cyn belled yn ôl â 1936 fel cyfeilydd i'r Tri Thenor o Dregarth. Y Tri Thenor oedd tad Gwynn Jones (sef un o'r enw Sam Jones), a'i ddau gefnder. Wedi i Gôr Meibion y Penrhyn ennill yn yr Eisteddfod Genedlaethol yng Nghaernarfon yn 1935 fe ysgrifennodd Llywydd y Côr, Dr Emyr Jones (Emyr Goch) at y BBC ym Mangor i sôn am dri chwarelwr a oedd yn aelodau o'r Côr a'r tri yn canu penillion. Gwahoddwyd y tri draw i Fryn Meirion am glyweliad (*audition*), a'u cyfeilydd, ar biano, oedd T. Gwynn Jones. Derbyniwyd y Tri Thenor yn llawen ar gyfer rhaglenni ysgafn y cyfnod, ond gan mai canu penillion yr oeddynt ni wnâi cyfeiliant piano y tro. Rhaid oedd wrth delyn, a Thelynores Maldwyn fu'n cyfeilio iddynt yn y darllediadau cynnar.

Arwel Hughes fyddai'n cynghori ar yr agweddau cerddorol, a'r cyfeilydd arferol i gorau a phartïon a oedd yn darlledu bryd hynny oedd Hywel Hughes, cyfeilydd medrus iawn – o Fethesda yn wreiddiol ond yn byw yn Llundain; dyn â'i wallt hir wedi ei sgubo yn ôl a'i glymu yn y cefn fel 'pony-tail'. Byddai'n rhaid i T. Gwynn Jones aros ei dro.

Wedi iddo yntau ddod yn fyfyriwr i Goleg y Brifysgol, Bangor y daeth ei gyfle. I wneud rhyw fath o iawn iddo am fethu ei ddefnyddio fel cyfeilydd i'r Tri Thenor yr oedd Sam Jones wedi cynnig gwaith yn ystod y gwyliau i Gwynn Jones fel *studio attendant* yn y BBC adeg y rhyfel, ac yr oedd hynny yn talu'n well na gweithio ar y bysiau! Weithiau byddai Sam Jones yn gofyn iddo ddod â 'chriw o stiwdants' i ganu caneuon gwreiddiol ar gyfer rhai o'r rhaglenni ysgafn, prin, a ddarlledid o Fangor yn y cyfnod hwn. Y 'criw' oedd myfyrwyr fel R. Tudur Jones, Herman Jones, Meredydd Evans, Gwynedd Pierce, Frank Price Jones, Gwyn ab Ifor, Laura Jones Williams, R. T. D. Williams, gydag Eric MacDonald a T. Gwynn Jones yn gyfeilyddion. Un o'r caneuon a ganwyd oedd 'Mae'r hogiau wedi mynd i ffwrdd':

> Nid yw'r hen Gol. yr un o hyd
> A'r hogiau nawr ar draws y byd . . .
> Mae'r hogiau wedi mynd i ffwrdd,
> Mae'n ddistaw hebddynt wrth y bwrdd.
> Mae'r hogiau wedi mynd i ffwrdd.
> Gobeithio cawn ni eto gwrdd
> Yn yr hen Goleg ar y Bryn.

Aeth T. Gwynn Jones ei hunan i ffwrdd i'r Awyrlu yn 1942, a hynny wedi cyfnod hapus yn rhannu tocynnau i'r myfyrwyr i sioeau fel *ITMA* ar ran Sam Jones – 'pan aeth Sam o ganol pobol leol at sêr y BBC, ac yr oedd gan y rhain barch mawr i Sam'. O'r criw a enwyd eisoes, yr un a ddaliodd gysylltiad agosaf â darlledu o hynny ymlaen ym Mangor ac yng Nghaerdydd oedd Meredydd Evans. 'Trwy Gwynn y ces i 'nghyfle cynta yn 1942 a Sam, unwaith eto, yn troi at y Coleg.' Yr oedd Meredydd Evans wedi bod yn wrandawr selog ar raglenni ysgafn Bangor o'r dechrau:

> Pan oeddwn i'n hogyn yn Nhanygrisiau roedd adloniant ysgafn yn Gymraeg ynghlwm wrth gyfarfodydd y capel – Cymdeithas y Bobol Ifanc, Y Gobeithlu a'r Eisteddfod. Ar fin llencyndod daeth y radio i'r pentre a phan gafwyd rhaglenni ysgafn Cymraeg ar y cyfrwng hwnnw aethom ati ar unwaith i ddefnyddio eitemau'r rheiny er mwyn cryfhau rhaglenni ein cyfarfodydd ein hunain.

Pan ddaeth ei gyfle yntau i ddechrau darlledu, fe sylweddolodd yn fuan iawn beth oedd y dechneg o ddefnyddio meicroffon a beth oedd rhai o 'driciau' Hogiau'r Gogledd. Fe ddysgodd yn gyflym fod llais ysgafn yn gweddu i'r dim i feicroffon gan amrywio'r onglau a'r lliwio yn ôl y galw. Dysgu'r dechneg a wnaeth o trwy wylio Hogiau'r Gogledd wyneb yn wyneb pan gafodd wahoddiad gan Sam Jones i ganu efo'r Hogiau. Dyna un o'r pethau mwyaf cynhyrfus a ddigwyddodd iddo fel canwr hyd at hynny, ac yntau'n gymaint edmygwr o'r Hogiau o wrando arnynt ar y radio. Daeth i bontio dwy genhedlaeth o ddarlledwyr, a chraffter Sam Jones a wnaeth hynny'n bosibl.

Sylwodd Meredydd Evans y gallai yntau ddysgu oddi wrth y ffordd yr oedd Emrys Cleaver yn canu'n ddistaw a bron yn llefaru'r geiriau; sylwodd ar gyflymder parabl Ifan O. Williams ac ar effaith hynny ar yr hiwmor a fynegid, a sylwodd ar ddull Meic Parry o leisio bras wrth ganu baledi, gyda Hywel Hughes yn ychwanegu cymaint i'r perfformiad gyda'i gyfeilio synhwyrus. Manteisiodd Meredydd Evans, ar gymeradwyaeth Sam Jones ac Arwel Hughes, ar y cyfle i ddarlledu'n achlysurol o Gaerdydd hefyd dan gyfarwyddyd Mai Jones ac Idris Lewis. Byddai'n canu, neu'n crwnio hyd yn oed, eiriau Gerallt Richards ar alawon poblogaidd y cyfnod.

Ym Mangor, hefyd, defnyddio caneuon poblogaidd y cyfnod, a chyfnodau cynharach, y byddai awduron y cerddi a genid ar y radio bryd hynny, gan fenthyca'r alawon poblogaidd Americanaidd a Seisnig. Dyna ddilyn traddodiad Mynyddog a Thalhaearn yn y bedwaredd ganrif ar bymtheg o fenthyca alawon poblogaidd a thraddodiadol. Dyna hefyd a wnaeth Idwal Jones, Llanbed, yn ei gerddi ysgafn yntau a ddarlledid o Abertawe gan Adar Tregaron. Yn ei dro yr oedd y dull hwn yn dilyn yr esiampl a welid yn y *Students Song Book* a oedd ar gael ym Mangor, ac ynddo alawon fel *John Brown's Body, Swanee River, Kingtown Races.* Byddai geiriau clyfar a gogleisiol R. E. Jones, Huw Llewelyn Williams a W. D. Williams ar gyfer yr alawon yn cydweddu â chwaeth Sam Jones. Yn y gyfrol *Adlais Odlau* y mae W. D. Williams yn dethol rhai o'i gerddi radio o raglenni ysgafn gan nodi alawon Seisnig fel *Boozing, jolly well boozing, Ring the Bells Watchman* a *Three Blind Mice,* ond alawon gwerin ac alawon telyn Cymreig yw'r dewis fynychaf – *Mari Eglwyseg, Y Mochyn Du, Nos Galan, Cyfri'r Geifr, Cainc y Datgeiniad, Hela'r Sgyfarnog, Mantell Siani* a *Mentra Gwen* – ac ambell alaw wreiddiol gan Hywel Hughes.

Ond yr oedd to newydd o fyfyrwyr ym Mangor a fyddai'n mentro mynd ag adloniant Cymraeg gam bras ymlaen. Ar ganol bore, fel ar ganol prynhawn, byddai nifer o fyfyrwyr yn crynhoi yn yr Undeb (yr 'Iwnion') am baned. Ar wahân i siarad a dadlau ac yfed te yr oedd yna ganu byrfyfyr. Fe ddôi i ben rhywun i daro "Dyw'r hen goleg ddim fel y buo fo' ac yna fe genid 'Hen Domos Siencyn druan', gyda myfyrwyr yr UCL (Coleg Prifysgol Llundain, a oedd yn llochesu ym Mangor ar y pryd) yn gwrando â'u cegau'n agored ar y gorfoledd dieithr a Chymreig hwn. Y mae Islwyn Ffowc Elis yn cofio sut y byddai hi:

> Rhyw ddyddiau rhyfel oeddynt. Bychan oedd rhif y myfyrwyr, a'u hanner yn Saeson hirion a mawr eu sŵn. Roedd hi'n greisis ar y bywyd Cymraeg; aeth y creisis i'n gwythiennau a'n clymu'n dynn wrth ein gilydd ... A phan ymderfysgem a chasglu, a'r gân yn dringo'n orfoledd, y Saeson o'n cwmpas yn tewi a mynd yn fud. Rhai'n edmygu, rhai'n gwgu, ond y cyfan yn mynd yn fud. Rhyw barchedig ofn ger y grym yn y gân a wnaeth Gymru'n Gymru.

Yr oedd Islwyn Ffowc Elis yn un o'r Triawd gwreiddiol yn nosweithiau'r Cymric, Cymdeithas Gymraeg y Coleg. Yn ôl Robin Williams 'cordiwr clyfar iawn oedd Islwyn':

> Wel rŵan, roedd rhai ohonom ni yn fwy na'r lleill, yn dechrau gwirioni ar y busnes canu 'ma. Yn gymaint, nes mynd ati i greu'n caneuon ein hunain, a dibynnu ar y glust i blethu'r cordiau.

Pan ddechreuwyd crwydro'r wlad yn cynnal Nosweithiau Llawen yn yr ardal dan yr enw 'Hogia'r Coleg' neu 'Barti Bangor', y trydydd aelod oedd 'y lleisiwr gorau ohonom i gyd', Meredydd Evans. Myfyrwyr diwinyddol oedd y mwyafrif ohonynt (yr oedd y Prifardd Dafydd Owen hefyd yn y cwmni) a fyddai eisoes yn ymweld â chapeli Môn ac Arfon ar y Suliau i bregethu. Fe gymerodd Dafydd Owen le Meredydd Evans yn y triawd ar un o'r teithiau i Fôn. Ar nosweithiau o'r wythnos fe'u gwelid hefyd yn creu diddanwch ar lwyfannau pentref ac mewn festrïoedd gyda'u doniolwch a'u canu. Arweiniodd Sam Jones hwy i lwyfan ehangach.

NOSON LAWEN

Ar ddiwedd y rhyfel, wedi gosod seiliau adloniant ym Mangor er 1936, daeth cyfle yng ngaeaf 1945 i Sam Jones ddechrau eto:

Tua'r amser yma gofynnwyd i mi wneud rhaglen ysgafn. Yr oedd y dyddiau blin heibio. Isho rhywbeth ysgafn. Wel, troi eto at y Coleg 'te, ac fel roedd hi'n digwydd yr oedd 'na gnwd ardderchog o fyfyrwyr yno'r amser honno. Welwyd ddim o'u bath cyn hynny nac wedi hynny. Dwi ddim yn meddwl y gwelwn ni eu tebyg byth.

Ar ddiwedd y rhyfel, yn 1945, fe fu'r myfyrwyr yn brysurach na chynt yn canu mewn nosweithiau i groesawu'r bechgyn a'r merched adref o'r lluoedd arfog. Trefnwyd un noson o'r fath ym Mangor ei hun yn Rhagfyr 1945 gan Mrs Whelan, gwraig y plismon ym Mangor Uchaf. Yr oedd PC Whelan yn ffrind da i'r myfyrwyr a'i 'Dowch o'na hogia' bach' fel arfer yn ddigon o gymhelliad i gadw trefn. O barch i'r plismon, ac i helpu Mrs Whelan, fe gytunodd y 'stiwdants' i gymryd rhan yn y noson 'Welcome Home Fund' a drefnwyd ganddi yng Nghaffi Meic, bron gyferbyn â safle bresennol siop *Woolworth* yng nghanol y ddinas. Y gŵr a aeth yno, yn erbyn ei ewyllys, i fod yn Llywydd y noson oedd Sam Jones:

> Cyffredin ddigon oedd hanner cynta'r cwrdd, ond am hanner awr wedi naw daeth y stiwdants yno (yr 'hen' stiwdants yna, fel y gelwir hwy) wedi eu cyfarfod eu hunain yn y coleg. Gwelodd Mr Sam Jones eu posibiliadau; ac y mae gweld Mr Sam Jones yn gweld posibiliadau yn noson lawen ynddi'i hun.

Mewn erthygl i'r *BBC Year Book 1949*, a'r *Noson Lawen* erbyn hynny yn ei hanterth, y mae Myfanwy Howell yn cofio'r dechreuadau. Dygai i gof fod Sam Jones wedi rhoi sawl cynnig ar drosglwyddo'r Noson Lawen Gymreig yn adloniant radio ond heb lwyddo i'w blesio ei hun – nes iddo gael gweledigaeth mewn cyngerdd i'r 'Welcome Home Fund' mewn caffi ym Mangor, sef y cyngerdd a grybwyllwyd uchod:

> The very first item [of the second half] a trio, brought him to his feet. He could hardly sit down for the rest of the evening as one item followed another – solos, duets, trios, a ventriloquist, an outstanding mimic, a mock peroration . . .
> Here at last was the programme for which he had been looking.
> He came to the office next morning in a fever of excitement, a fever that must have been infectious – as all Sam Jones's fevers are – because in no time the whole staff had caught it. During the afternoon the college boys came in delighted at the thought of broadcasting. And there and then the *Noson Lawen* was born.

Y triawd a ganodd yng Nghaffi Meic oedd Islwyn Ffowc Elis, Meredydd Evans a Robin Williams. Y nhw eu tri a aeth i Fron Castell y trannoeth hwnnw gan brofi am y tro cyntaf y bwrlwm a'r brwdfrydedd y byddent yn ei brofi tros gyfnod o flynyddoedd o gydweithio efo Sam Jones. Yr oedd y cais a gawsai ef o Gaerdydd i wneud rhaglen ysgafn yn dechrau disgyn i'w lle a'r myfyrwyr fyddai asgwrn cefn y miri. Cytunwyd ar batrwm o gael y myfyrwyr i lunio sgetsys ac eitemau llafar yn ogystal â chanu triawdau a deuawdau; a chael person gwadd, efallai, a chôr lleol i roi dechrau a diwedd nerthol i'r rhaglen.

Nid dieithriaid i Sam Jones oedd pob un o'r myfyrwyr a glywsai y noson honno yn y 'Welcome Home'. Yr oedd Meredydd Evans wedi gweithio iddo droeon a chyfarfu â Robin Williams ac Islwyn Ffowc Elis yn y gyfres *O Law i Law* a ddarlledwyd mewn chwe rhan o Fangor rhwng Medi 30 a Thachwedd 4, 1945. Disgrifiodd y *Radio Times* y gyfres honno fel 'an event in the history of Welsh broadcasting' am na ddefnyddid unrhyw actor proffesiynol ond yn hytrach 'the kind you meet in the quarrying villages of North Wales'.

Darlledwyd y *Noson Lawen* gyntaf un ar nos Nadolig 1945; hanner awr o raglen rhwng 8.00 a 8.30 o Neuadd y Penrhyn, Bangor:

> If there are any shades of past municipal dignitaries about on Xmas night (which is not, according to the best authorities, an inappropriate time for apparitions) their ghostly chains of office may rattle with laughter at the impromptu quips, verses and songs which the 200 members of the party – there is no audience at a Noson Lawen – will be asked to contribute.

Arbrawf o raglen oedd hon a'r cyflwynydd oedd Idris Griffith o Fethesda, cyn-ysgolfeistr. Nid y triawd a glywyd yng Nghaffi Meic a ganodd y noson honno gan fod Islwyn Ffowc Elis yn yr ysbyty am driniaeth pendics. Fodd bynnag, fe wyddai Meredydd Evans at bwy i droi gan iddo sylwi ar lais peraidd myfyriwr o Dal-y-sarn, Dyffryn Nantlle yn y *Sing-songs* ganol bore yn y coleg. Cledwyn Jones oedd yr enw. Bu ef yn yr awyrlu cyn dod i'r coleg, ac fel aelod o Gôr Dyffryn Nantlle yr oedd wedi darlledu droeon yn y tridegau dan arweiniad C. H. Leonard wedi i Sam Jones ddod i glywed y côr yn canu ym Mhen-y-groes. Yr oedd y cyfuniad lleisiol, 'Robin, Cled a Mered', yn well na chynt a bu'n rhaid i Islwyn Ffowc Elis ddisgleirio mewn maes arall. Darganfyddiad mawr y *Noson Lawen* oedd y triawd hwn, sef Triawd y Coleg.

Gan iddo roi cymaint o ystyriaeth i'r syniad cyn y darllediad gwyddai Sam Jones yn well na neb fod modd gwella ar y cynnig cyntaf. Aeth rhai misoedd heibio cyn bwrw iddi o ddifrif – nid nad oedd dim yn digwydd. Un a feddyliai'n drylwyr am ei raglenni ymlaen llaw oedd Sam Jones. Synhwyrai'r cynhyrchydd fod angen priodi 'stwff y stiwdants' efo cefn gwlad Cymru ac o wneud hynny, yna byddai'r arlwy at ddant y gwrandawyr.

Wrth law erbyn hyn, hefyd, yr oedd merch ifanc ddisglair iawn o Sir Fôn o'r enw Myfanwy Howell yn gynorthwy-ydd rhaglenni ym Mangor. Fe gyfeiriwyd ati eisoes. Yn 1921 enillasai Ysgoloriaeth Agored, y Gilchrist Open Scholarship, i Goleg Girton, Caergrawnt, i astudio Ffiseg a Mathemateg, 'y ferch gyntaf o ysgolion Canolraddol Cymru i wneud hynny'. Merch o Langefni oedd hi ac yr oedd hi'n ffrindiau mawr efo Mrs Maud Jones yn nyddiau ysgol ac wedi hynny fel chwaraewraig hoci. Diau na fu hynny o anfantais iddi hi wrth geisio am swydd yn y BBC ym Mangor.

O wybod fod Sam Jones yn chwilio am arweinydd i'r *Noson Lawen*, y hi a awgrymodd iddo enw gwerinwr ffraeth a gwas ffarm o Fôn, Charles Williams. Yr oedd Charles Williams yn gyd-gynhyrchydd ac yn actio i gwmni drama o Langefni yn yr Eisteddfod Genedlaethol yn Rhosllannerchrugog yn 1945. *Lluest y Bwci* oedd y ddrama ac ymhlith yr actorion yr oedd Gwilym Roberts, brawd Myfanwy Howell.

Daeth gwahoddiad i Charles Williams ddarlledu gyntaf fel 'Ned Stabal' yn y cynhyrchiad o *O Law i Law*. 'Roedd gennyf o leiaf brofiad efo ceffylau ac roedd cymeriad fel Ned Stabal at fy nant i.'

Yn *Cyfrol Goffa Charles Williams, 1915-1990* ceir cadarnhad gan Meredydd Evans mai 'Myfanwy Howell a awgrymodd i Sam Jones mai Charles oedd y dyn ar gyfer y gwaith'. Hi hefyd a awgrymodd i P. H. Burton, ymhen amser, mai Charles Williams oedd yr union un ar gyfer y brif ran yn *William Jones* yn addasiad Saesneg Tom Richards o nofel T. Rowland Hughes.

Un arall a gymeradwywyd i Sam Jones gan Myfanwy Howell fel perfformiwr ar gyfer y *Noson Lawen* oedd y postmon o Langefni, T. C. Simpson. Yn ôl pob tebyg, fe fyddai hi wedi gweld cwmni cyngerdd Mrs Rowlands, yr Emporium, Llangefni, yn mynd trwy eu pethau. Dau o aelodau blaenllaw'r cwmni hwnnw oedd Charles Williams a T. C. Simpson. Ni fyddai Sam Jones ei hun, oherwydd y diffyg dreifio a'r diffyg clyw, yn mynd o gwmpas rhyw lawer i glywed perfformiadau o'r fath. Yr oedd, felly, yn ddibynnol ar eraill fel Myfanwy Howell a Nan Davies i fod yn llygaid ac yn glustiau drosto. Yr oedd enw Bob Roberts, Tai'r Felin, yn enw cyfarwydd iddo o gyfnod y nosweithiau llawen yn niwedd y tridegau, ond yr oedd yr hen faledwr bellach wedi colli ei wraig ac wedi rhoi'r gorau i ddiddanu. Yr oedd hefyd wedi ei godi'n flaenor ac, ar ben y cyfan, wedi mynd i oed. Myfanwy Howell, meddir ar gof gwlad, a'i darbwyllodd yntau i ymuno â thîm y *Noson Lawen* yn 1946 (ond nid oes cofnod o hynny yn ei ddyddiaduron), a chydag o fe ddaeth y baledwr arall o ochrau Llandderfel, John Thomas, Maes-y-Fedw, i fod yn rhan o griw'r *Noson Lawen*.

Erbyn Ebrill 1946 yr oedd Sam Jones yn hyderus fod ganddo'r cyfuniad priodol rhwng gwerin gwlad a choleg i fwrw ati i drefnu cyfres fisol dan y teitl *Noson Lawen*. Fe ddechreuwyd arni ar nos Fercher, Ebrill 10, rhwng 9.30 a 10.15 p.m. Addawai'r *Radio Times* 'an entirely fresh blend of indigenous Welsh humour and song'.

Cyfeilydd y *Noson Lawen* ar y dechrau oedd Mai Jones, a oedd ar y pryd yn gofalu am *Welsh Rarebit,* rhaglen adloniant ysgafn o Gaerdydd. Bu hefyd yn gyfeilydd rhaglenni fel *Gwlad y Gân* o Fangor yn Nhachwedd 1945:

> Onid oedd Mai Jones yn bianydd rhugl ar ben bod yn gerddor o gryn faintioli, gan gofio *'We'll keep a welcome in the hillsides'*? Fe'i cofiaf yn cyfarwyddo'r Triawd wrth inni yrru trwy res o benillion tinslip a nyddwyd gennym am Ivan Skavinski Skavar, o bawb! Cynghorodd ni i newid cywair bob hyn a hyn er mwyn arbed undonedd, oedd yn burion syniad, mae'n rhaid dweud.

Tra oedd Robin Williams yn rhyfeddu at ddawn Mai Jones, edrychai Meredydd Evans ar bethau yn wahanol. Bu ef yn gweithio i Mai Jones cyn hyn, ac er ei edmygedd ohoni yn y byd adloniant deheuol, Seisnig, ni welai fod angen o gwbl ei dwyn i Fangor gan na ddeallai hiwmor y *Noson Lawen* a bod ei phresenoldeb yn awgrymu diffyg ffydd penaethiaid Caerdydd yng ngallu Sam Jones i gynhyrchu adloniant o safon. A oedd perygl i 'gastell Sam ym Mangor gael ei gipio' ai peidio, diflannodd Mai Jones o Neuadd y Penrhyn cyn

Miss Jane Williams (oedd yn gofalu am Fryn Meirion pan werthwyd y tŷ i'r BBC).

Sam Jones a Nan Davies (ei Gynorthwy-ydd cyntaf ym Mangor).

Sam Jones a Myfanwy Howell.

Tommy Handley, seren *ITMA* (*It's That Man Again*).

Sandy Macpherson
a'r Organ.

Chwilio am dalentau. Sam Jones yw'r trydydd o'r dde yn y rhes gefn.
Yr ail o'r dde yw Jess Yates.

Sam Jones a Thriawd y Coleg (Cledwyn Jones, Meredydd Evans, Robin Williams).

Sam Jones a Hywel Hughes (cyfeilydd a chyfansoddwr).

Mrs Grace Wynne Griffith (ail o'r chwith yn y drydedd rhes) gyda Chymdeithas y
Bobl Ifanc Tabernacl, Bangor 1946.

W. D. Williams, Sam Jones a Laura Jones.

Ymryson y Beirdd: Sam Jones, Meuryn a W. D. Williams.

Tîm Sir Aberteifi mewn Ymryson – Tydfor Jones, Tim Davies, W. Rhys Nicholas, Dic Jones.

Wythawd y Gogledd: Ifan O. Williams; Emrys Cleaver; Robin Williams; Huw Jones;
Cledwyn Jones; Islwyn Ffowc Ellis; Tecwyn Jones; T. Gwynn Jones.

Sam Jones a Charles Williams wrth y meicroffon ym Mryn Meirion, Bangor.

diwedd y gyfres gyntaf a chymerwyd ei lle gan Ffrancon Thomas a Maimie Noel-Jones.

Rhedodd y gyfres gyntaf o'r *Noson Lawen* hyd Fedi 1946 gan ddychwelyd eto am gyfres bellach, y tro yma ar nos Fawrth, ar Hydref 29, 1946. Erbyn Tachwedd y flwyddyn honno, yn ôl y *Liverpool Daily Post,* yr oedd tomen o lythyrau'n cyrraedd swyddfa Sam Jones ym Mron Castell. '"It's stupendous, it's fantastic," they say,' a'r clod yn dylifo ar ben 'Hogia'r Coleg, a modest band of Bangor students . . . Their sporadic appearances before the Welsh microphone are less of a feature than a phenomenon.' Yn ôl papur Lerpwl yr oedd capeli eisoes yn ad-drefnu cyfarfodydd rhag colli darllediadau o'r *Noson Lawen.*

'Hwb i'r galon Gymreig ar gwr y gaeaf,' oedd pennawd *Y Cymro* ar Hydref 3, 1947 pan ddechreuwyd ar yr ail gyfres am 9.30 ar nos Fawrth, Hydref 7:

> . . . ail-gychwynnwyd crwsâd sydd i ymlid digalondid ac argyfyngau ac i ddod â gwres achlysurol i filoedd o gartrefi Cymreig yn y gaeaf oerllyd a'n hwyneba. Dyma raglen fwyaf poblogaidd Cymru, rhaglen sy'n codi plant o'u gwelyau, yn codi awdurdodau lleol oddi ar eu heistedd, ac yn codi mymryn o awel yn y sasiwn hyd yn oed.

Chwe mis yn ddiweddarach, ym Mawrth 1948, mae'r *Reynolds News* yn dweud yr un peth yn union. Tyfodd y *Noson Lawen* i fod yn 'national institution . . . so popular that it delays children's bed-time, cuts speeches short in local councils and even raises a breeze in the solemn conclaves of Calvanistic Methodists.' Ac nid yng ngogledd Cymru'n unig y digwyddai hyn. Yn y De diwydiannol cwynai tafarnwr yng Nghwm Tawe fod ei dafarn yn wag tra oedd y rhaglen ar yr awyr, a gorfoleddai *Y Tyst* fod y *Noson Lawen* yn ffactor ym mywyd Cymru gyfan 'ac y mae'r myfyrwyr a'r chwarelwyr yma o Eryri yn troi'r iaith i sianelau newydd'.

'Dyma'r union beth y mae Cymru ei angen,' meddai D. R. Grenfell, Aelod Seneddol Gŵyr, 'ein bechgyn ni ein hunain yn creu a datblygu a chyflwyno ein diddanwch ein hunain i ni ein hunain.' A phan wnaed hwyl am ben Sain Ffagan mewn un rhaglen, y cyntaf i ysgrifennu i ddweud am y mwynhad a gafodd oedd Dr Iorwerth Peate. Yn 1947 daeth llythyr i Fangor oddi wrth Dr Theodore Kremer, o Landau ym Mafaria, yn dweud iddo fod yn troi nobiau ei set radio o gwmpas gorsafoedd Ewrob ac iddo glywed carol o'i wlad ei hun yn cael ei chanu mewn iaith ddieithr na chlywodd mohoni o'r blaen. O holi ymhellach cafodd mai tiwnio i'r donfedd Gymraeg a wnaeth. 'Tawel nos' oedd y gân, a'r geiriau Cymraeg gan J. T. Jones, Porthmadog:

> 'Yr oeddan ni'n canu hon bob 'Dolig. Hon oeddan ni'n ganu dlysa' o ddim yn y byd,' meddai'r Parchedig Robin Williams.

Yn nhymor hydref 1948 yr oedd dau bapur Lerpwl, y *Liverpool Echo* a'r *Liverpool Daily Post*, yn sôn am y gyfres honno fel 'the best ever', a'r gost fesul rhaglen, yn ôl Sam Jones, yn amrywio rhwng £120 a £150, cost sylweddol am raglen radio Gymraeg bryd hynny.

Criw sefydlog y *Noson Lawen* erbyn hyn oedd Charles Williams a'i 'gariad', Megan Rees; y tafotrydd T. C. Simpson a gymerai ran cymeriad o'r enw 'Wil'; y dynwaredwr, Henry Aethwy Jones a fyddai'n dynwared E. Morgan Humphreys, Thomas Parry a'u tebyg, a chlywyd Churchill un noson yn dadlau'n daer 'dros Ymreolaeth i Gymru a hynny mewn Cymraeg tra Churchillaidd'; Richard Hughes, 'y Co' Bach' yn cyflwyno, heb wên, adroddiadau digrif Gruffudd Parry; Huw Jones yn bwrw i hwyl efo'i berorasiwn ac yna'n ddol ar lin y tafleisydd Tecwyn Jones; y Côr Adrodd (Huw Jones, Islwyn Ffowc Elis, Robin Williams a Tecwyn Jones); Côr Dyffryn Nantlle (arweinydd, C. H. Leonard); a Thriawd y Coleg gyda Maimie Noel-Jones a Ffrancon Thomas yn cyfeilio. Daliai'r hen lawiau R. E. Jones a W. D. Williams a John O. John i lunio eitemau, ac ymysg y perfformwyr gwadd unigol fe ddaeth Bob Roberts, Tai'r Felin, John Thomas, Maes-y-fedw, Llwyd o'r Bryn, Billy Williams a'i feiolin, a'r iodlwr o Feidrym, E. R. Jones. Deuai'r Tri Thenor o Dregarth heibio'n gyson, a T. Gwynn Jones yn cyfeilio iddynt.

Cafwyd eitemau o bryd i'w gilydd gan Sassie Rees, Shan Emlyn, Lisa Rowlands, Osian Ellis, Henryd Jones, Edith Evans (Telynores Eryri) ac Ieuan Rhys Williams. Ymlith y corau a gymerodd ran amlaf yr oedd Côr Glannau Erch, Côr Eryri, Côr Plant Nebo a phartïon penillion Llansannan a Pharti'r Parc.

I athrawon Sir Gaernarfon y mae'r diolch am ddarganfod Richard Hughes, y Co' Bach, oherwydd mewn Noson Lawen a drefnwyd ganddynt ar derfyn Cwrs i arweinwyr pobl ifanc yn y Coleg Normal y clywyd yr adroddwr gan Myfanwy Howell. Gwahoddwyd Richard Hughes i adrodd yno gan Dic Pritchard, Carmel, ac roedd pawb yn eu dyblau efo'i 'Huwi bach' (Cofi direidus a alwyd yn ddiweddarach yn

'Wil'). Deilliai'r syniad o'r cymeriad 'y Co' Bach' wedi i'r actiwr T. O. Jones (Gwynfor) ysgrifennu'r adroddiad 'Mynd â Wil Bach i'r Sŵ', sef cyfieithiad o *Albert and the Lion*, ar gyfer Percy Griffith, perchennog siop dillad dynion G. O. Griffith yn nhref Caernarfon, ond fe sychodd y ffynnon honno wedi darllediad o *Noson Lawen* yn y tridegau. Credir i'r ffynnon sychu am na fyddai'r adroddwr byth yn cydnabod yr awdur.

Yn y cyfamser, yr oedd Gruffudd Parry, a oedd bellach yn athro ysgol ym Motwnnog, yn cael gwersi ffidil yn y Norfolk Hotel yng Nghaernarfon gan un o'r Bangor Trio, ac ar ddiwedd y wers byddai'n cicio ei sodlau hyd Stryd Llyn yn y dref am ryw ddwyawr wrth aros y bws adref i Garmel. Daeth yn gyfarwydd â chlywed iaith y Cofis a lluniodd yr adroddiad am 'King a Cwîn yn dod i dre', yn eu tafodiaith, yn wreiddiol ar gyfer ei gyfaill coleg, Cemlyn Williams a oedd yn gofi o'r cofis. Cafodd Richard Hughes afael ar y darn ymhen amser a'i berfformio yn y Coleg Normal. Crefwyd ar Sam Jones i roi gwrandawiad iddo ac fe'i gwahoddwyd i Fryn Meirion:

> Fel yr oedd hi'n digwydd yr oedd Syr Thomas Parry-Williams yn y stiwdio i roi sgwrs ['Dyn a'i dynged' oedd ei destun]. 'Dewch i wrando ar y boi yma,' meddwn. 'Carwn gael eich barn amdano. Rydych yn gyfarwydd â thafodiaith tref Caernarfon.' Dyna'r gŵr swil [Richard Hughes] yn dechrau arni. Ymhen dau funud yr oedd yr Athro yn rowlio chwerthin. Os yw hwn yn gallu gwneud i un o Athrawon Prifysgol Cymru chwerthin, meddyliwn wrthyf fy hun, fe wnaiff i Gymru gyfan chwerthin, a dyna fel y bu.

Ar ddamwain fe soniodd Thomas Parry wrth Sam Jones fod 'Gruff, fy mrawd' yn abl i ysgrifennu mwy o bethau tebyg a dyna ddechrau ar y bartneriaeth rhwng yr athro ysgol o Fotwnnog a'r siopwr o'r Felinheli:

> Fuo yna ddim llawer o ddewis wedyn. Roedd y Co Bach a Wil a'r Hen Fodan [prif gymeriadau'r straeon] yn bod – y fo ar y dôl y rhan fwya' o'r amser a chydig yn ddiniwed. Yr Hen Fodan yn dipyn o storm ond bod ei chalon hi'n iawn. A Wil – yn gneud tryga a'i fam o yn 'i ddifetha fo.

Fel y rhan fwyaf o bartneriaethau'r *Noson Lawen* fe barodd y cyfeillgarwch rhwng Gruffudd Parry a Richard Hughes ymhell wedi i ddyddiau'r rhaglen ddod i ben, yn wir hyd farwolaeth Richard Hughes ar Fawrth 15, 1997.

Ychydig yn brin o ddwy filiwn oedd poblogaeth Cymru'r adeg yma a thyfodd y gynulleidfa radio a wrandawai ar y *Noson Lawen* o 10% yn Nachwedd 1948 i 18% yn Ionawr 1949. Y cyfartaledd Prydeinig cyfatebol i *ITMA*, a ddaeth i ben gyda marwolaeth Tommy Handley yn 1949, oedd 17%, a *Welsh Rarebit* (rhaglen Saesneg oedd yn cyfateb i'r *Noson Lawen*) yn 16% o'r gynulleidfa Gymreig.

Llifai'r ceisiadau am docynnau ar gyfer y rhaglen – a oedd yn rhad ac am ddim – o Fangor, o Fôn, o Arfon, Pen Llŷn, Bae Colwyn, Blaenau Ffestiniog a hyd waelodion Meirionnydd. Ysgrifennai unigolion yn ganmoliaethus – 'Yr ydym yma yn llwyr ac yn hen gredu mai dyma y peth gorau ar y radio . . .', 'I am a great listener of the *Noson Lawen* but have never seen the actual recording . . .' (darlledu byw oedd y drefn bryd hyn), 'I shall be very glad if you include Post Office staff on the list of allocation of these tickets . . .'. Deuai llythyrau tebyg gan Glwb Cymry Bangor, Clwb Angharad, Gwersyll YMCA Tŷ Croes yn ogystal ag ambell i gri o'r galon – 'Clywais ei bod braidd yn anodd cael y tocynnau yma oherwydd poblogrwydd y program ond gwn y gwnewch eich gorau i mi achos mi fuaswn yn hoffi yn arw i fy nhad gael gweld a chlywed fy mrawd, Richard Hughes, y Co' Bach.'

Ond ni allodd Hugh Hughes, tad Richard Hughes (y Co' Bach), ddod i'r darllediad oherwydd 'fod y *bus* diweddaf yn gadael Bangor [am Gaergybi] am 9.15 ac felly nis gallwn ddod'. A byddai gwarchodaeth ofalus ar y tocynnau, gan gymaint y galw amdanynt:

Annwyl Gyfaill,
Anfonwyd i chi ddau docyn, rhif 43-44, gogyfer â'r *Noson Lawen* nos Sadwrn diwethaf. Ni dderbyniwyd y tocynnau wrth y drws, felly carwn wybod beth ddigwyddodd.

Yn gywir,
Sam Jones.

Yn ôl atgof pawb o'r criw a holwyd gennyf, bron i hanner canrif yn ddiweddarach, yr oedd dwy neu dair o wragedd o Faesgeirchen, stad o dai ar gyrion Bangor, bob amser yn cael eistedd yn y blaen ac yn agos at feicroffon oherwydd eu bod yn sgrechian chwerthin yn braf, a'r chwerthin hwnnw'n atgynhyrchu mwy eto o chwerthin a boddhad ar yr aelwydydd a fyddai'n gwrando.

Nid nad oedd yna feirniadu. Ni chollodd adolygydd radio *Y Cymro*,

Alun Trygarn, un cyfle i fwrw'i lach ar y *Noson Lawen*. '... y mae ganddi bellach ei chyhoedd brwdfrydig ei hunan. Teg yw dweud fod ganddi hefyd ei lleiafrif syrffedig . . .' Yn yr un papur bymtheng mis yn ddiweddarach yr oedd 'Brythonfab' yn gofyn:

> Beth, mewn gwirionedd, sy'n Gymreig yn null y triawd o ganu caneuon ysgafn. Nid yw'n ddim ond adlewyrchiad eiddil o grwnio fwlgar America.

Wedi misoedd o gwyno am ddiffygion y *Noson Lawen* yr oedd Alun Trygarn wedi rhoi'r gorau i wrando ar y rhaglen erbyn Chwefror 1949. Erbyn Mai 1950 yr oedd *Y Cymro* wedi rhoi'r gorau iddo yntau fel adolygydd ac fe'i holynwyd gan Enid Parry. Teimlodd John Ellis Williams, a oedd yn golofnydd cyson i'r *Wrexham Leader*, y dylai amddiffyn y BBC rhag nifer o lythyrau dienw a ymddangosodd yn y papur hwnnw yng ngwanwyn 1949 yn beirniadu'r *Noson Lawen*. Cachgwn oeddynt, yn nhyb y colofnydd, ac yn ysgrifennu'n ddienw am eu bod, rai ohonynt, yn berfformwyr llai dawnus oedd wedi methu'r *audition*. Y mae ef yn dyfynnu swyddog o'r BBC sy'n honni fod chwe chan mil yn gwrando ar bob rhifyn o'r rhaglen. (Yr oedd hynny, yn ôl y cofnod swyddogol, yn dipyn o or-ddweud.) 'I hope,' meddai, 'it will go on for years.'

Ond y gaeaf hwnnw penderfynodd Sam Jones beidio â darlledu 'this most popular of all radio shows'. Mae'n amlwg, o'r wasg yn y cyfnod yma, fod stori ar led mai poblogrwydd y *Noson Lawen* oedd y maen tramgwydd ym meddyliau penaethiaid y BBC yng Nghaerdydd. Mae yna sôn am 'jealousy from the South' ym mhapur Lerpwl tra dywed y *Reynolds News*:

> It will shock tens of thousands of listeners to know that *Noson Lawen*, the most popular and tuneful of all entertainments in Welsh, is being withdrawn. There is no truth whatever in the rumours that this is a piece of sabotage by BBC South Wales of a glory-snatching North Wales programme. Sam Jones has faced the fact that regular first-class material to keep it going is not available.

Ar ôl egwyl o ddeunaw mis fe ddychwelodd y *Noson Lawen* ar yr awyr ar Hydref 4, 1950, eto ar nos Sadwrn, a pharhau hyd y gwanwyn 1951. Bellach yr oedd y criw gwreiddiol o fyfyrwyr wedi hen adael y coleg. Yn wir, gadawsai Robin Williams ac Islwyn Ffowc Elis Goleg

Bangor yn 1947 am Goleg Diwinyddol Aberystwyth. Erbyn dechrau'r tymor colegol ym Medi 1947 yr oedd Meredydd Evans yn diwtor yng Ngholeg Harlech, ac am gyfnod o flwyddyn nid oedd awdurdodau'r coleg yn caniatáu iddo ddarlledu. Daeth Eric Wyn Roberts, Caergybi, i'r adwy unwaith neu ddwy pan oedd y Triawd wedi ei fylchu. Yr oedd eraill o'r criw'n athrawon ac yn newyddiadurwyr ac yn weinidogion ar hyd a lled y wlad. Yn Nyffryn Nantlle, yn ei hen ysgol, y dysgai Cledwyn Jones; aeth Henry Aethwy i Leeds. Ond yr oedd y cnewyllyn yno o hyd ac nid effeithiodd y gwasgaru doniau ddim ar y perfformiadau.

Charles Williams a ddygodd i gof yr achlysur hwnnw ar fore Sadwrn iddo ddod wyneb yn wyneb â J. O. Williams, Bethesda, ar y stryd ym Mangor ac yntau'n holi Charles Williams i ble'r oedd o'n mynd. O glywed ei fod ar ei ffordd i ymarfer y *Noson Lawen* yn Neuadd y Penrhyn (neu'r 'Penrhyn Hôl' fel y byddai hi ar lafar) ymatebodd J. O. Williams, 'Ia, a mi fydd 'rhen Sam yn cerdded i mewn a rhyw bapurau dan ei gesail 'fath â *genius*'.

Fe fyddai pawb o dîm y *Noson Lawen* yn unfryd, unfarn *fod* Sam Jones yn athrylith cyn belled ag yr oedd deall dymuniad y gwrandawyr yn bod. Greddf yw hi, ac yr oedd y reddf ganddo i wybod beth fyddai'n plesio cynulleidfa radio. Gwyddai y gallai'r 'stiwdants' fod yn fwy beiddgar na'r rhelyw ac y byddai'r gwrandawyr yn caniatáu'r rhyddid pellach iddynt, ond fe wyddai hefyd ble i dynnu'r llinell derfyn. Os eid tros y tresi byddai'n gwgu.

Mewn rihyrsal fore Sadwrn – dyna pryd y deuai'r deunydd i'w law ar gyfer darllediad yr un noson – fe ddangosai'r un sadrwydd. Os oedd unrhyw amheuaeth, deuai'r gorchymyn 'Gadewch hi allan fechgyn!' er iddo ef ei hun chwerthin ar y pryd. Yr oedd yn ŵr o chwaeth dda, a'i ddynoliaeth o'r un rhuddin. Ar un olwg fe allai ymddangos yn anghyson gan ei fod ef ei hun yn rhegi – 'Carry on, y diawl dwl,' pan na fedrai Charles Williams wneud na phen na chynffon o'i gyfarwyddiadau trwy'r uchelseinydd; ac eto wrth drafod cân newydd efo'r Triawd, 'Llanwrtyd is the name of a place, you bloody fool', a bu'n rhaid newid yr enw i Lansgadan! Ond iddo ef yr oedd y byd o wahaniaeth rhwng sylw preifat a sylw cyhoeddus.

Mae agwedd y tri unigolyn oedd yn y Triawd tuag at Sam Jones, o edrych tros ysgwydd y blynyddoedd, yn ddadlennol. Nid oes ryfedd fod tri pherson a fu mewn harmoni mor swynol wrth ganu, nid yn unig yn dal yn ffrindiau pennaf, ond hefyd mewn cytgord yn eu dadansoddiad o'r gŵr a'u rhoddodd ar y brig. Fe gytuna'r tri fod Sam Jones yn berson dyfeisgar oedd yn darparu'n dda ac yn disgwyl yr un brwdfrydedd gan ei artistiaid â'i frwdfrydedd heintus ei hun. Cytuna'r tri ei fod o'n haeddu eu gorau, a'u gorau a gâi'n ddieithriad. Sylwai'r tri ei fod yn hoff o ffraethineb y werin ac wrth ei fodd yn gwrando ar sgyrsiau'r chwarelwyr yng Nghôr Dyffryn Nantlle, a chyda'r un ffraethineb y byddai'n cyfarwyddo'r Côr – ''I chi'n canu'n wych fechgyn; all you need now is a conductor!'. Un o'i ffrindiau pennaf, a Deheuwr arall, oedd yr arweinydd hwnnw, sef C. H. Leonard.

Fe bwysleisiai Cledwyn Jones barch Sam Jones at gyn-aelodau o'r Lluoedd Arfog, a dwyster y dyn, a'r dwyster hwnnw oedd y nodwedd a hoffai orau ynddo. Bellach, daw teimlad o gywilydd drosto am achosi pryder iddo pan oedd ceiliogod y colegau'n 'hogia drwg'. Ar brydiau, pe na baech yn ei adnabod mor dda, fe allai ymddangos yn ormesol, yn ôl Robin Williams, gyda'i 'Elli di ddim mynd,' pan oedd hwnnw wedi trefnu i fynd tramor; yn mynnu, heb unrhyw gyfaddawd, fod cwmni'r *Noson Lawen* yn y fan a'r fan erbyn rhyw amser penodedig heb unrhyw ystyriaeth i ofynion eraill. Ond Robin Williams sydd hefyd yn sôn am y ddynoliaeth dda oedd ynddo a'i gymwynasau lu. Pwysleisiai Meredydd Evans fod Sam Jones yn ddyn trefnus eithriadol, un a oedd fel arian byw, weithiau'n wyllt ac yn gynhyrfus, ond trwy'r cwbl yn gynhyrchydd yr oedd pob perfformiwr yn ymddiried ynddo. Gallai fod yn gyfrwys hefyd, fel yr adeg yr arweiniodd Meredydd Evans i ystafell wag ym Mron Castell a'i gloi i mewn yn ddirybudd nes y cyflawnwyd yr addewid a wnaed ddyddiau yn gynt i ysgrifennu geiriau ar ganeuon operatig. Trwy'r cwbl, gweithio i Sam Jones a roddai'r pleser i Driawd y Coleg, nid gweithio i'r BBC. Y dyn oedd yn cyfrif, nid y sefydliad.

Cyfrinach arall y Triawd oedd eu bod yn cyfansoddi geiriau ac alawon gwreiddiol. Yr oedd hwn yn gam mawr ymlaen o'r genhedlaeth a ysgrifennai eiriau 'i'w canu ar yr alaw . . .'. Meredydd Evans oedd y prif gyfansoddwr; weithiau byddai Robin Williams yn rhoi cynnig arni (fel 'Pictiwrs bach y Borth') ac yr oedd Islwyn Ffowc Elis, yntau, yn cyfansoddi caneuon. Cyhoeddwyd dwy gyfrol o *Caneuon y Noson Lawen,* yn 1948/ 49, cyfrolau a werthwyd yn llwyr o fewn pythefnos i'w cyhoeddi, gyda chyflwyniad gan Sam Jones a nodyn o ddiolch gan y Triawd 'i drefnydd manylaf y BBC'.

Yn yr ail gyfrol a gyhoeddwyd yn 1949 daw arwyddocâd pellach i air o ddiolch Meredydd Evans, o gofio am y drws clo ym Mron Castell, 'I Sam Jones am fy nghalonogi ac, weithiau, fy ngorfodi yn ei ddull digymar ei hun i greu'r campweithiau mawreddog hyn!'. Mewn cyfrol, *Caneuon Radio,* gan Islwyn Ffowc Elis a Robin Williams, a gyhoeddwyd ym Mehefin 1957, Islwyn Ffowc Elis sy'n cyfeirio at Sam Jones fel 'tad maeth y gân fodern Gymraeg', honiad, o'i ailadrodd yn gymharol ddiweddar, a gynhyrfodd Ifor Rees, a fu ar staff y BBC ym Mangor yn niwedd y pumdegau, i ysgrifennu i'r wasg wythnosol Gymraeg i fwrw amheuaeth ar wirionedd y cymal, o gofio am gyfraniad BBC Abertawe i adloniant ysgafn. Dywedodd Ifor Rees yr un peth yn ei gyfrol *Gwgwrus*:

> O wrando ar bobol yn sôn am hanes radio yng Nghymru, a darllen colofnau beirniaid radio gogleddol, gellid tybio bod holl ryfeddodau'r dyddiau cynnar wedi deillio yn gyfangwbwl o Fangor! Mae rhai, ymhob byd, yn fwy o hunan-hysbysebwyr na'i gilydd.

Rhwng gwŷr Cwm Tawe â'i gilydd, am y tro, ar y pwynt hwnnw.

Er bod Sam Jones wedi dweud yn gyhoeddus yn 1949 mai'r rheswm dros roi gorffwys i'r *Noson Lawen* oedd prinder sgriptiau da, erbyn 1950 mae'r *Swansea Evening Post* yn gweld gwendid yn neunydd *Welsh Rarebit* ac yn canmol y *Noson Lawen*: '*Noson Lawen* is far superior both in fun and quantity'. Yr oedd y wasg, byth a hefyd, yn cymharu'r ddwy raglen er bod gwahaniaethau sylfaenol rhyngddynt o ran arddull a chynllun.

Mae'n siŵr mai rheswm arall tros roi gorffwys i'r rhaglen Gymraeg yn 1949 oedd y ffilmio a ddigwyddodd yr haf hwnnw yng Ngholeg Prifysgol Cymru, Bangor, ym mhentre'r Parc, ger Y Bala, ac yn stiwdio Merton Park, Elstree o'r 'Cynhaeaf' (a rhoi i'r ffilm ei theitl gwreiddiol, gyda fersiwn Saesneg dan y teitl 'Fruitful Year') er mai 'Noson Lawen' oedd y teitl terfynol. Gwnaeth Mark Lloyd o Gwmni Ffilm Brunner Lloyd, Llundain, gais i Sam Jones awgrymu stori, am fod y Mudiad Cynilion Cenedlaethol yn cynllunio ffilm ar Gymru i bwrpas propaganda'r Mudiad. Yr oedd cais cyffelyb am stori wedi ei wneud flwyddyn yn gynt gan Syr Ifan ab Owen Edwards mewn llythyr at Mr Ifor Jones, Warden Aelwyd Blaenau Ffestiniog, yn gofyn iddo geisio trefnu i aelodau'r Aelwyd gynhyrchu ffilm Gymraeg i'r Mudiad Cynilo gyda John Ellis Willams yn trefnu'r sgript. Yn 1935 cydweithiodd Syr Ifan efo John Ellis Williams i gynhyrchu'r ffilm lafar gyntaf yn Gymraeg, *Y Chwarelwr*. Yn 1949 anfonwyd sgript o'r ffilm a gynlluniwyd ar gyfer Aelwyd Blaenau Ffestiniog i Lundain ond:

> ... ymddengys i'r awdurdodau newid eu meddwl wedyn a gwneud ffilm yn dangos llwyddiant a phoblogrwydd Parti Noson Lawen y BBC ac un o fechgyn 'Stiniog, Mr Meredydd Evans, yn un o'r prif gymeriadau.

Dyma'r stori a awgrymodd Sam Jones, ac ef hefyd a aeth y gyfrifol am gastio'r cymeriadau. Comisiynwyd y dramodydd John Gwilym Jones, a oedd ar staff y BBC ym Mangor erbyn hynny, i ysgrifennu'r sgript am fachgen ifanc yn byw mewn pentref diarffordd yng Nghymru a'i fryd ar fynd i'r coleg ym Mangor. Yr oedd y teulu wedi cynilo eu harian, 'Ceiniogau prin y werin', a thrwy waith caled y mae'r myfyriwr yn ennill gradd Dosbarth Cyntaf. 'Cymdogaeth glòs yng ngogledd Cymru yn medi yr hyn a heuwyd, a hynny yn tanlinellu manteision cynilo.'

I bwrpas ffilmio seremoni raddio fe ddangoswyd y seremoni ym Mangor yn haf 1949, ond yn y lluniau agos nid yr Arglwydd Kenyon yw'r dirprwy-Ganghellor ond yn hytrach Elwyn Thomas, cynhyrchydd adran ysgolion y BBC ym Mangor! Saethwyd y ffilm mewn chwech wythnos ar ffilm 35mm gan ddefnyddio Pant-y-neuadd, Parc, ger Y Bala fel lleoliad allanol ac ychwanegu'r golygfeydd mewnol yn y Merton Studios:

> Far too often on the screen and stage Wales is depicted as a quaint hinterland populated by lovable cretins moved to indiscriminate hymn-singing. *Noson Lawen* may not be realistically true but, with justifiable licence, it aims at presenting a gifted son of an average home.

Felly'r oedd John Gwilym Jones yn crynhoi ei agwedd. Y 'gifted son' oedd Ifan (Meredydd Evans); Taid (Bob Roberts, Tai'r Felin), Mam (Nellie Hodgkins), Tad (Ieuan Rhys Williams), Emlyn (Cledwyn Jones), Hywel (Robin Williams), Gwen (Meriel Jones, gwraig Cledwyn), Post Feistres (Emily Davies), Telynorion (Telynores Maldwyn ac Osian Ellis), Cymdogion (Charles Williams, T. C. Simpson, Huw Jones, J. R. Owen, Richard Hughes, y Tri Thenor o Dregarth, Côr Dyffryn Nantlle a Maimie Noel-Jones). Cost y cynhyrchiad oedd £4,000 ac fe'i dangoswyd am y tro cyntaf yn Neuadd Prichard Jones, Bangor, ar Ebrill 27, 1950 i gynulleidfa wahoddedig o bron i wyth gant o bobl. Yn Sinema'r Forum, Blaenau Ffestiniog y bu'r dangosiad cyhoeddus cyntaf 'a'r tŷ dan ei sang' ond, yn anffodus, ni allai Meredydd Evans fod yn bresennol. Erbyn diwedd yr wythnos yr oedd dros chwe mil o bobl wedi gweld y ffilm yno gan 'brofi yr angen mawr am ffilmiau Cymraeg'.

Yn ei lyfr *Wales & Cinema* y mae'r awdur David Berry yn nodi ymateb y sawl oedd yn adolygu'r ffilm yn *The Monthly Film Bulletin:*

> The film might be 'slight and anecdotal' but captured its people with 'real sympathy and refreshing informality'; 'that authentic human approach' was much more important than occasional 'technical roughness'.

Cymysg oedd yr ymateb yn y wasg leol. Nid oedd acowsteg Neuadd Prichard Jones yn addas i'r dangosiad cyntaf, er cael cymorth Haydn Jones, Trefnydd Sirol Cymorth Gweledol, a pheiriannau benthyg gan Bwyllgor Addysg Sir Gaernarfon. Canmol a wnâi 'Eisteddwr' – sef E. Tegla Davies – yn ei adolygiad yn *Yr Herald Cymraeg:*

> Fe gerddais adref fel pe mewn breuddwyd oherwydd yr oeddwn wedi gweld yn glir, er poeni cymaint am hynny, fod yr hen ffordd Gymreig o fyw yn dal ei thir.

Yn Hydref y flwyddyn honno fe ysgrifennodd Myfanwy Howell at Sam Jones, o Gasnewydd, i ddweud iddi hoffi rhannau o'r ffilm ond iddi gael ei siomi yn 'hogia'r coleg': 'they seemed to lack that "something" we have come to expect from them'. Atebodd Sam Jones ei fod yn tueddu i gytuno â'r farn honno, gan addo 'I think we shall do better next time'.

'Y tro nesaf' iddo ef ei hun oedd ei bortread o weinidog yn y ffilm ddogfen, 'David', ar fywyd Amanwy a wnaed ar leoliad yn Rhydaman yn yr hydref 1950 gan gwmni World Wide Films fel rhan o gyfraniad Cymru i'r *Festival of Britain 1951*. Ymhlith themâu'r ffilm y mae galar, y berthynas rhwng oedolion a phlant, pwysigrwydd addysg, ac ysbryd cydweithredol y gymuned lofaol. Chwaraeai Amanwy (D. R. Griffiths) ef ei hun. Felly hefyd Gomer M. Roberts. Ymhlith yr actorion yr oedd Gwenyth Petty, Ieuan Davies, Wynford Jones, Rachel Hywel Thomas, Prysor Williams, Moses Jones, Wil

Ifan ac Ieuan Rhys Williams. Y Gweinidog, sef 'Y Parchedig Huw Morgan', oedd Sam Jones. Paul Dickson oedd y Cyfarwyddwr a phwysodd yn daer ar Sam Jones i chwarae'r rhan:

> Sam, I most desperately want you to try and do this part. I am being quite selfish in asking you because I can visualise how beautifully the scene between you and the boy, and again between you and Amanwy, will go because I can see the complement of your two personalities. You have all the warmth and strength in your face which I have hoped for all the time.

Problem fwyaf Sam Jones oedd esbonio i'r actorion na chafodd y rhan mai ef a ddewiswyd, er nad oedd wedi cymryd rhan yn y clyweliadau. Yn wir, ei ran ef oedd trefnu clyweliad pawb arall. Felly mae'n apelio ar Paul Dickson i ysgrifennu llythyr arall ato y gallai ei ddangos i'r actorion aflwyddiannus, ac fe'i cafodd:

> I know it will sound crazy to you but when I heard you reading the throw-away lines to the boy and when I was trying to explain to you the sort of face I was hoping to find, I realised that, of all the people I had seen, the closest to my visualisation of the part was yourself. For this sort of film it isn't the real actors that I need so much as real people. You have all the warmth and strength in your face which I have hoped for all the time.

Ymgynghorwr llenyddol y ffilm oedd Aneirin Talfan Davies. Wedi'r dangosiad o 'David' yn y De cafodd Sam Jones lythyr gan Amanwy ar Ebrill 28, 1951 yn ei longyfarch. 'Yn sicr chwi yw'r gweinidog mwyaf "true to life" a fu ar y sgrîn yng Nghymru erioed.' Yn 1955 fe enillodd 'David' wobr y *Golden Reel* yn America am y ffilm ddogfen fer orau ym maes diwylliant. Rhoddir y *Golden Reels* gan Gyngor Ffilm Taleithiau Unedig America.

Yn ôl David Berry yn *Wales & Cinema,* 'One of the finest films ever made in Wales' oedd 'David' ac fe ychwanega'r *Monthly Film Bulletin* ym Mehefin 1951, 'the film gives a remarkable impression of place, atmosphere and character':

> The film is largely autobiographical and the old man is played with muted eloquence by D. R. Griffiths, brother of Wales's first Secretary of State, Jim Griffiths . . . Dickson skilfully blended amateur and professional actors, with Rachel Thomas and Sam Jones (best known as a BBC radio producer in north Wales) as the boy Ifor's parents.

Yn 1953 daeth gyrfa Sam Jones fel actiwr ffilm i ben wedi iddo chwarae rhan 'Wilias', y prifathro, mewn ffilm fer a wnaed gan Gwmni Brunner Lloyd, gyda Mark Lloyd yn cyfarwyddo, i'r Children's Film Foundation dan y teitl 'A Letter from Wales'. Yr un cyfuniad a gafwyd yma ag a gafwyd yn ffilm y 'Noson Lawen', gyda John Gwilym Jones yn sgriptio ac yn castio. Treuliasai'r sgriptiwr y rhan fwyaf o'i blentyndod yn Cae Doctor, Llandwrog, ac yn yr ardal honno, yn Cae Ffridd, y lleolwyd y ffilm gan ddefnyddio cydnabod iddo, teulu Cefn yr Hengwrt, Llandwrog, lle'r oedd pedwar o blant, fel sail y llythyr dychmygol i Awstralia am eu bywyd yng nghefn gwlad Cymru yn y pedwardegau:

> Rhamant gwledig, yn seiliedig ar lythyr mab ffarm yn Arfon i'w gefnder yn Awstralia. Gwelwn anturiaethau bywyd y bachgen wrth iddo ysgrifennu amdanynt, yn cosi brithyll, yn cyrraedd yr ysgol yn hwyr, yn achub oen mewn trybini ac yn helpu pysgotwyr lleol.

Gwnaed ffilmiau tebyg yn y gweddill o wledydd Prydain fel cyfres i'w dangos i gynulleidfa o blant ar foreau Sadwrn. Yr unig actor yn y ffilm oedd Sam Jones. Dangoswyd y ffilm hon, fel y 'Noson Lawen' o'i blaen, gyntaf yn y Brifysgol ym Mangor ac wedyn yn y Plaza ym Mangor. Yn 1983 cynhyrchodd Wil Aaron ffilm yn y gyfres *Almanac,* gan ddefnyddio lluniau gwreiddiol 'A Letter from Wales' ond yn trosleisio'r ddeialog efo llais Arwel, mab y prif actor gwreiddiol, Evie Wyn Jones. Y rheswm tros gynhyrchu'r rhifyn hwnnw o *Almanac* oedd fel cofnod o'r ymgais gyntaf yn Gymraeg i greu ffilm-ddogfen. Ac yr oedd gan Sam Jones gyfraniad yn y cyfeiriad hwnnw hefyd yn ogystal â'i gyfraniad i radio.

Cyn colli golwg ar y rhaglen radio, *Noson Lawen,* a throi at eraill o'i lwyddiannau mawr fel cynhyrchydd, dyma oedd ganddo i'w ddweud mewn cyfweliad teledu yn 1965:

> 'Sgeno chi ddim syniad yr helynt ges i wrth roi'r rhaglenni hynny drosodd. Roedd hi'n *shambles.* Wyddoch chi beth ydi stiwdants ynte. Pob peth y munud ola'. Bore Sadwrn yn dod a dim byd wedi dod i mewn; dim sgetsus, dim triawd. A'u hel nhw i gyd at ei gilydd yn yr offis acw ym Mron Castell a chael fy ysgrifenyddes, Miss Laura Jones, ac un neu ddwy arall i ddod i fewn i deipio'r stwff; gwneud y stwff y bore hwnnw a gwneud y rhaglen y noson honno. Bu bron â'm lladd i wyddoch chi. Ond fel roedd hi'n digwydd roedd y gynulleidfa yn

barod am y rhaglen. Ac roeddwn i'n ffodus yn y bobol oedd gen i. Ac hwyrach mai dyna oes aur darlledu o Fangor. Dwi'n credu hynny. Y *Noson Lawen* o Neuadd y Penrhyn, Bangor.

Cynhaliwyd tair Noson Lawen swyddogol yn 1952 i ddathlu Jiwbili yr Urdd a hynny yn y Central Hall, Lerpwl, yn Llandderfel, ac yn Neuadd y Brenin, Aberystwyth, a Sam Jones yn trefnu'r tair. Yr oedd llond y lle ymhob man. Cynhaliwyd Noson Lawen y BBC hefyd yn yr Hengwrt, Dolgellau ar Orffennaf 14, 1951 yng ngŵydd 'the Premier of the Province of New Brunswick' a pharti o addysgwyr o Ganada, fel rhan o ddathliadau y *Festival of Britain,* pan gaed tri chwarter awr o adloniant ac wedyn dangosiad o'r ffilm 'Noson Lawen'.

Gaeaf 1951 oedd cyfres olaf y rhaglen fwyaf poblogaidd erioed ar y radio yn Gymraeg ac ar Fehefin 23, 1952, daeth rhai o'r cwmni ynghyd eto, a hynny am y tro olaf, i ganu ffarwél i Meredydd Evans, a oedd o 1950 i 1952 wedi bod yn olygydd ar staff Hughes a'i Fab yng Nghroesoswallt, ac yn gadael Cymru am swydd ddarlithio yn America. *Canu Ffarwel* oedd teitl y rhaglen honno. Yn y cwmni yr oedd y gantores Phyllis Kinney, gwraig Meredydd Evans (Merêd i bawb o'i gydnabod). Cyflwynwyd y stori gan Sam Jones.

Ar noson y darllediad hwnnw daeth cyfnod pwysig yn hanes adloniant Cymru i ben, a daeth pwyslais gwahanol o ben arall y wlad gan fod y Pennaeth Rhaglenni newydd, Hywel Davies, yn galw am 'agwedd broffesiynol' at adloniant, gan fod 'tuedd wedi bod i lynu gormod wrth y pentan a'r aelwyd a'r tân-mawn a thelyn a phenillion'.

Er pwysiced y *Noson Lawen,* eisoes yr oedd gan Sam Jones raglenni eraill poblogaidd dan ei ofal, fel y gwelir isod.

YMRYSON Y BEIRDD

Soniwyd eisoes am y gyfres gyntaf un o *Ymryson y Beirdd* yn 1937 – 'Her ac ateb gan bleidwyr y gwahanol ardaloedd' – a'r gyfres fer ddilynol, *Beirdd y Glec.* Y flwyddyn ganlynol, gyda Meuryn (R. J. Rowlands) yn feirniad a Thomas Parry yn cadeirio, y daeth y wir elfen o ymryson i fod. Yna amharodd y rhyfel ar y gallu i ddatblygu ar y dechrau lled ansicr hwnnw. Ni roddwyd cynnig arall arni hyd dymor 1949/50. Meuryn oedd y beirniad eto, ond erbyn hyn yr oedd Ifan O. Williams yn gynhyrchydd ym Mangor ac ef a gyflwynai'r rhaglen.

Yr oedd y pwyslais o hyd ar y ddawn barod ond y bwriad, bellach, oedd cael cystadleuaeth rhwng y timau o wahanol ardaloedd yn y De yn erbyn gwahanol ardaloedd yn y Gogledd, a buan iawn y tyfodd poblogrwydd y rhaglen. Yn ôl *The Western Mail*, mewn erthygl am Sam Jones, *Ymryson y Beirdd* oedd un o lwyddiannau pennaf y radio – 'One of his most successful Welsh features – this fortnightly spontaneous contest of bards.' Cytunai *Y Faner* fod yr ymryson wedi tyfu'n beth pwysig iawn ar radio Cymru a'i bod yn codi i dir uchel. 'Nid yn unig fe gawn gynganeddion cywir a chywrain ond fe gawn farddoniaeth dda.' Ar Fai 18, 1950 enillwyd y rownd derfynol gan feirdd Aberdâr, pedwar gweinidog – y Parchedigion Gwilym R. Tilsley, Morgan Price, D. Jacob Davies ac Eirian Davies. Yr oedd yr *Aberdare Leader,* yn naturiol, yn rhoi cryn sylw i stori'r fuddugoliaeth tros feirdd y Gogledd ac yn esbonio i'r darllenwyr:

> Half an hour before each broadcast takes place Meuryn, Caernarvon, editor of *Yr Herald Cymraeg* gives the contestants a subject and invites them to write an 'englyn' on it by the time the broadcast commences. The subject was 'Y Senedd' (Parliament) and after the two englynion had been read Meuryn, the adjudicator, awarded five marks (out of six) for the Aberdare effort and three to North Wales. This meant that the Aberdare bards had won 29-27.

Y Senedd
Lle'r sŵn yw llawr y senedd – edliw poeth,
    Dadlau pwnc i'r diwedd;
    Gwersyll dan reol gorsedd,
    Arwain hon werin i hedd.

Yn ystod cyfres 1951, am y tro cyntaf, bu'n rhaid recordio'r rhaglen, yn hytrach na'i darlledu'n fyw yn ôl yr hen drefn. A'r rheswm am hynny? Am fod nos Iau, noson y darllediad, yn noson Seiad i lawer o enwadau Gogledd Cymru. 'There are four ministers in this contest. I had to write to the various deacons for their permission to release them last night and we cannot do this again,' meddai'r trefnydd a wyddai'n dda am sensitifrwydd y Seiad. Cododd yr helynt, yn bennaf, am fod y Parchedig O. M. Lloyd yn ei chael hi'n anodd i golli'r Seiad nos Iau yng Nghaergybi, lle'r oedd yn weinidog ar y pryd, a gofynnodd i Sam Jones ysgrifennu at swyddogion y capel gan wneud cais am ei ryddhau ar gyfer yr *Ymryson.* Cafwyd caniatâd am un noson yn unig ac ychwanegwyd yn y cerdyn ateb, 'Hyderwn na bydd gofyn arnom i wneud hyn eto'. Ac ni bu!

Ganol Mai 1951 derbyniodd Sam Jones lythyr arall, o natur dra gwahanol, yn ei wahodd i *Ymryson y Beirdd* a drefnid yn y Babell Lên yn Eisteddfod Genedlaethol Llanrwst. 'Fe hoffem gael y fraint o'ch croesawu yno'n swyddogol am mai chwychwi a gychwynnodd yr Ymrysonfeydd diddorol a phoblogaidd hyn,' meddai R. H. Pritchard Jones,Ysgrifennydd y Pwyllgor Llên, wrtho mewn llythyr. Cadeirydd y pwyllgor hwnnw oedd R. E. Jones, yntau erbyn hyn yn brifathro yng Ngwm Penmachno a'i syniad ef oedd cydio *Ymryson y Beirdd* wrth y Babell Lên.

Y bwriad oedd cloi wythnos o ymrysona gyda'r Rownd Derfynol yn rhan o un o'r Nosweithiau Llawen ar y nos Iau neu'r nos Wener. Pedwar ymhob tîm, a defnyddio dull y bwrw-mâs (knock-out) fu'r drefn. W. D. Williams oedd cynullydd tîm Gorllewin Meirionnydd, a chollwyd yn y rownd gyntaf. Methodd fynd yn agos at y Babell Lên drannoeth, gan gymaint y dorf oedd ynddi, ond cafodd ran yn y gweithgareddau trwy roi help llaw i Llwyd o'r Bryn, a oedd o gwmpas y maes 'fel un mewn gwewyr esgor' yn methu gorffen ei dasg, sef cwpled cywydd ag enw Henry Brooke ynddo:

> Roedd yr enw'n adnabyddus iawn ar gyfrif boddi Cwm Celyn dan ddŵr Tryweryn. 'Beth am rywbeth fel hyn?' meddwn wrtho.
> 'Bodder yn nŵr Tryweryn
> Henry Brooke, medd Llwyd o'r Bryn.'

Fe gymerodd hi ddwy flynedd arall cyn i Sam Jones drefnu *Ymryson y Beirdd* y BBC o'r Eisteddfod. Ymrysonfeydd lleol a gynhaliwyd yn Aberystwyth yn 1952 ac yn y Rhyl yn 1953. Ond plannwyd yr hedyn yn Llanrwst, gyda William Morris yn meuryna. Y tîm buddugol y flwyddyn honno oedd tîm Eirian Davies, sef W. Rhys Nicholas, Eirian Davies, T. Llew Jones ac Alun Jones, y Cilie. Methodd y ddau olaf, oherwydd anffawd i'w car, gyrraedd y rownd derfynol ac yn eu lle, ar fyr rybudd, daeth O. M. Lloyd ac Ithel Williams, brawd W. D. Williams.

Yn Llanrwst y taflodd William Morris linell i'r dorf, 'Mae mwyniant Sam a minnau', a chael yr ateb fel ergyd o wn 'Yn y Kings ar amser cau'! A dyna R. E. Jones, wedyn, yn newid pwyslais llinell osod arall o 'Bu *bywyd* i Bob Owen' i '*Bu* bywyd i Bob Owen'. Fel y disgwylid, yr oedd Bob Owen, Croesor, ar ei draed ac yn gweiddi, ''Rargian fawr! Rydach chi'n ei deud hi fel pe bawn i wedi marw.' Yr oedd R. E. Jones wrth ei fodd, Sam Jones yn ei ddyblau a'r Babell Lên yn fôr o chwerthin.

Mewn erthygl yn yr *Herald Cymraeg* flynyddoedd yn ddiweddarach fe dynnodd John Ellis Williams gymhariaeth rhwng Bob Owen a Sam Jones:

> Beth sydd i'w gyfrif fod cymeriadau y ddau hyn yn fwy 'byw' na'r rhelyw ohonom? Beth yw eu dirgelwch? Ai dawn gynhenid ydyw a etifeddwyd ganddynt, ynteu dawn a ddatblygwyd ganddynt ar daith drwy fywyd? Dipyn o'r ddau i'm tyb i. Dawn gynhenid wedi ei datblygu. Dynion a thân yn eu bol. Ni wn am well enw arno na 'brwdfrydedd'. Y gair Saesneg yw 'enthusiasm' a daw'r gair hwnnw o ddau air Groeg *'en theos'* a'r ystyr – 'wedi ei feddiannu gan rym duw'. Grym ysbrydol yw gwir frwdfrydedd yr ysbryd, sy'n galluogi dyn i roddi ei fryd mor frwd ar waith nes anghofio'i hunan ynddo.

Erbyn haf 1952 fe honnai *The Western Mail* fod *Ymryson y Beirdd* yn:

> ... one of the most popular Welsh Home Service programmes in the Welsh language. It commands as big a following in the industrial areas as in the naturally Welsh speaking rural districts ... It is surprising what sparkle, wit and even poetry have emerged spontaneously in these contests.

Awgrymir yn yr erthygl fod yr hyn a ddechreuodd fel cystadleuaeth i'r Gogledd yn unig bellach yn gystadleuaeth i Gymru gyfan. Nid oedd hynny'n llythrennol wir gan fod nifer o'r Siroedd heb eu cynrychioli. Flwyddyn yn ddiweddarach – a bron i'r diwrnod – yr oedd yr un papur yn canmol y rhaglen hon am roi min ar feddwl ac ar ddawn y beirdd. 'I came across a group of South Wales miners listening to this radio contest and they sparkled to it.' Y disgrifiad gorau o'r rhaglen, yn nhermau radio, oedd 'A Light programme with a Third programme content'.

Ar Ionawr 14, 1954, fe deledwyd un rhifyn o'r *Ymryson* ar y BBC. Cystadleuaeth oedd hon rhwng Beirdd Sir Aberteifi a Beirdd y Gogledd. 'I believe this is an ideal programme for Television,' meddai Sam Jones. Y flwyddyn honno hefyd, ym Mhrifwyl Ystradgynlais, y cysylltwyd *Ymryson* y BBC am y tro cyntaf â'r Eisteddfod

Genedlaethol. Yn 1956 gobaith Sam Jones oedd dwyn Sir y Fflint, a siroedd Brycheiniog a Mynwy, i'r ornest radio am y tro cyntaf, ond ni lwyddwyd. Y flwyddyn ganlynol, 1957, y daeth Sir y Fflint, a Sir Drefaldwyn, i mewn am y tro cyntaf. Yn 1957 hefyd fe gollodd Sir Aberteifi, pencampwyr cyson, yn y rownd gyntaf am y tro cyntaf yn hanes yr *Ymryson*.

Daeth Gwyn Williams i gyflwyno'r *Ymryson* ar ôl Ifan O.Williams a chael y profiad hunllefus hwnnw, yn ystod ei ddyddiau cynnar ar staff y BBC, o lywio'r rhaglen yn fyw o Neuadd y Penrhyn a gweld Sam Jones yn y caban technegol yn codi ar ei draed ac yn chwifio'i freichiau. Credai'r cyflwynydd fod rhywbeth mawr o'i le nes clywed yn ddiweddarach gan y technegydd mai trafod rygbi yr oeddynt, a 'Sam yn mynd i hwyl'.

Yn 1960, a'r *Ymryson* bellach yn ei hunfed flwyddyn ar ddeg, y cyflwynydd oedd Ifor Rees. Unig ofid Sam Jones oedd na lwyddasai i gael y tair sir ar ddeg a oedd yng Nghymru ar y pryd wedi eu cynrychioli yn *Ymryson y Beirdd*:

> . . . but I have done the next best thing – found a team to represent the Border counties viz. Tîm y Gororau, consisting of Sir Fynwy, Sir Faesyfed and Sir Frycheiniog. At long last we have got the whole of Wales involved in *Ymryson y Beirdd*.

Fel y dynesai dyddiad ymddeoliad Sam Jones fe godai amheuon o wahanol gyfeiriadau am ddyfodol Bangor fel gorsaf ddarlledu, ac am barhad rhai cyfresi, waeth pa mor boblogaidd y buont. Yn 1962 yr oedd Meuryn yn ysgrifennu ato:

> [Rwy'n teimlo] braidd yn anhapus wedi clywed fod rhywun yn sôn am newid tipyn ar *Ymryson y Beirdd*, gan fy mod yn meddwl mai fy newid i a olygid. Mi ellwch chwi, rwy'n siŵr, ddeall nad peth dymunol i mi ydyw teimlo fod peth felly yn y gwynt. Yr wyf yn gwbwl sicr o un peth, sef na fyddai *Ymryson y Beirdd* byth wedyn *yr un fath*.
>
> Yr wyf yn sicr o un peth arall, sef y byddai fy olynydd, pwy bynnag fyddai, mewn dŵr poeth yn fuan iawn – am roi marciau i linellau gwallus. Clywsoch weiddi o'r gynulleidfa yn yr ymrysonau a fu rai troeon yn y Babell Lên dan nawdd y pwyllgor lleol fod llinellau yn wallus, ac yr oeddynt yn wallus. Ni ddigwyddodd hynny erioed yn eich *Ymryson* chwi, ac ni ddigwydd byth tra byddaf fi ynglŷn ag ef.

Fe ddylai Meuryn fod wedi sylweddoli na fyddai Sam Jones yn troi cefn ar gyfaill mor ddibynadwy ar ôl yr holl flynyddoedd, er iddo ddweud droeon nad oedd dim sentiment yn perthyn i'r BBC. Dywedodd hynny, mewn cyswllt arall, wrth Maimie Noel-Jones:

'Os byth y do' i ar draws pianydd arall gwell na chdi, fe fyddi di allan ar dy drwyn.' Dipyn bach o sioc imi, ynte. A dyma fo'n troi a gwenu'n annwyl. 'Ond lle ddiawl ga' i un ynte?' medda fo.

Mae llwyddiant *Ymryson y Beirdd* yn destun syndod, o gofio nad oedd ei chrëwr yn gynganeddwr o gwbl. Yn ôl W. D. Williams, un llinell a gyfansoddodd Sam Jones erioed yn ôl ei dystiolaeth ei hun:

... ond byth ni flinai sôn am honno. Mae'n ofynnol i'r darllenydd wybod am ei chefndir er mwyn ei chael yn ei holl ogoniant fel y dymunai ein hen gyfaill. Mae dwy ffaith holl bwysig i'w cofio: brodor o Glydach, Cwm Tawe, oedd Sam, a Bedyddiwr selog o ran enwad. Mewn un *Ymryson* yn y De yr oedd tîm o feirdd o'i fro enedigol yn cystadlu gyda thîm o weinidogion Bedyddiol. Y dilema y câi Sam ei hun ynddi wrth gwrs oedd pa ochr i'w chefnogi. (Credaf mai gŵr gwadd yn hytrach na swyddog y BBC oedd ef y noson honno, ac felly yr oedd yn rhydd i wneud fel y mynnai.) A dyma'r llinell a wnaeth ar y pryd i leisio'i argyfwng mewnol: 'Ai y crud ai y credo?' A bardd yr un llinell a fu am weddill ei oes.

Darlledwyd yr *Ymryson y Beirdd* olaf o Babell Lên Eisteddfod Genedlaethol Llandudno yn Awst 1963 ac ni bu dim o'r fath ar y radio wedyn am un mlynedd ar bymtheg, sef Tachwedd 1979, pan lansiwyd gwasanaeth Radio Cymru'n llawn. Fe aeth Gwyn Williams, cyn-gyflwynydd yr *Ymryson*, ati i lunio ymryson ychydig yn wahanol lle câi'r beirdd bythefnos o rybudd o'r tasgau, a'r rheiny'n dasgau mwy amrywiol. Galwyd y gyfres newydd yn *Talwrn y Beirdd*. Y 'meuryn' o'r dechrau oedd Gerallt Lloyd Owen; dewis ysbrydoledig. Yn y gyfres hon y mae llai o ddibyniaeth ar y ddawn barod ond fe erys yn un o raglenni mwyaf poblogaidd ar Radio Cymru gyda dau a deugain o dimau o bob cwr o'r wlad yn cystadlu'n flynyddol. Cynhelir y rownd derfynol yn y Babell Lên ar Sadwrn cyntaf yr Eisteddfod Genedlaethol ers rhai blynyddoedd.

Yn *Barddas*, ym Mai 1978, gosodwyd 'Sam Jones' yn destun englyn, a W. D. Williams yn beirniadu. Dim ond chwech englyn a ddaeth i law, er siom i'r beirniad. 'Ni fuasai'r diddordeb presennol yn y gyfundrefn gynganeddol yn bod onibai amdano ef,' meddai yn ei feirniadaeth. Dyfarnwyd y wobr o £5 i'r Parchedig O. M. Lloyd, Dolgellau. Gwn y buasai Sam Jones ei hun yn diolch amdano:

> Dyn y radio; anrhydedd – a haedda
> Am noddi'r gynghanedd;
> Y cryg ei lais yn creu gwledd
> I'w frodir â'i frwdfrydedd.

Dyna'r ail o brif raglenni Sam Jones. Yr oedd dwy arall yn agos at ei galon.

WEDI'R OEDFA

Y difyrrwch ar nos Sul ar yr aelwyd yng Nghlydach yn ystod ei blentyndod a ysbrydolodd Sam Jones i greu'r rhaglen hon o sgyrsiau a cherddoriaeth a ddarlledwyd gyntaf yn Rhagfyr 1948. Mewn gwrthgyferbyniad llwyr i rialtwch y *Noson Lawen* fe ofynnwyd iddo gan Alun Watkin Jones, y Pennaeth Rhaglenni yng Nghaerdydd, lunio rhaglenni addas at hanner awr wedi wyth ar nos Sul. Cofiodd am ei deulu, hanner canrif yn gynt, yn casglu o gwmpas yr organ fechan, yn y cyfnod hwnnw yn fuan wedi Diwygiad 1904-05, gyda'i dad yn sôn am y bregeth a glywyd yng Nghalfaria; ei frawd, Ifor, yn gweddïo; un arall o'r plant yn darllen, a'r teulu i gyd yn ymuno mewn trafodaeth ac mewn cân.

Er mwyn pwysleisio natur ddefosiynol y rhaglen a gynlluniodd, *Wedi'r Oedfa,* ni enwid neb a gymerai ran. Ar y pryd yr oedd hynny'n arfer gwbl wahanol i'r gweddill o'r rhaglenni.

Dyfyniad gan Anthropos a ddewiswyd ar gyfer y *billing* yn y *Radio Times*:

> Mae'r lle yn ddistaw ac yn fud.
> Dim ond tipiadau mân
> Yr awrlais prysur – dyna i gyd,
> A chwmni mwyn y tân.
> Detholiad ar gyfer nos Sul ar lafar ac ar gân.
> Y cyfarwyddo gan Sam Jones.

Cyfres fer o dair rhaglen a gafwyd yn wreiddiol yn arwain at y Nadolig 1948. Cafwyd adwaith ffafriol, trwy lythyrau, yn sôn am 'adfer y Saboth Cymreig' ac am 'deitl na allai unrhyw genedl arall ei fathu'. Ysgrifennodd yr Athro Tom Ellis Jones, o Goleg y Bedyddwyr, Bangor, lythyr at Sam Jones gan awgrymu 'y daw'r rhaglen hon â chymaint clod i bennaeth y BBC ym Mangor ag a ddug y *Noson Lawen*'. Wrth wahodd cyfres arall yn 1949 bu'r Pennaeth Rhaglenni a'i Ddirprwy, Hywel Davies, yn bur blaen eu hadwaith i'r tair rhaglen gyntaf. Rhoddwyd rhybudd rhag cynhyrchu rhaglenni:

> ... that could be suspected of masquerading as a studio Religious service; in other words, no pious homilies and no 'pregethwrol tinc' from anyone speaking or reading.

Arbrawf oedd y tair rhaglen gyntaf. Pan aeth ati i gynllunio'r gyfres nesaf yn 1949 fe gadwodd Sam Jones rybuddion ei benaethiaid mewn cof. Mae'n amlwg iddo droi at rai o'i gyfeillion ifainc am awgrymiadau o gerddoriaeth addas a detholiadau o lenyddiaeth i'w darllen. Awgrymodd Islwyn Ffowc Elis ddarnau o lenyddiaeth, ac awgrymodd Meredydd Evans, gyda'i asbri arferol, gerddoriaeth ac emynau – 'maent i gyd yn llyfr y Methodistiaid; hen lyfr gwael yw eiddo'r Bedyddwyr!'

Yn y dyddiau cynnar, detholiad o sgyrsiau personol ar y cyd â darlleniadau o lenyddiaeth, wedi eu paragraffu gan gerddoriaeth, oedd y cynnwys. Yn raddol, collwyd yr elfen o ddarlleniadau a chanolbwyntio ar y sgwrs bersonol, a oedd yn ddatblygiad o'r sgyrsiau academaidd a newyddiadurol a ddarlledid ar y cyfrwng bron o'r dechrau yn 1923. Fe ddatblygodd y sgwrs radio fel ffurf lenyddol ynddi ei hun.

Tros y blynyddoedd, hyd at ganol y nawdegau, fe gyhoeddwyd nifer dda o gyfrolau a fu'n gasgliadau llenorion o'u sgyrsiau radio ar nos Sul, ac fe ychwanegwyd at ddiwylliant y werin. Tueddai Sam Jones i wahodd cwmni lled ddethol i gyfrannu sgyrsiau, sef E. Tegla Davies, William Morris, G. J. Roberts, Robin Williams a Tom Ellis Jones. Byddai W. D. Williams yn gyfrannwr achlysurol. Camp y cynhyrchydd oedd rhoi trefn ar y detholiad a'i droi'n wrando pleserus.

Yr oedd *Wedi'r Oedfa*, fel y bu *Rhwng Gŵyl a Gwaith* ac yna *Sglein* mewn cyfnod diweddarach, yn rhaglen ar gyfer amser penodedig o'r wythnos. Er pob galw, ni fyddai ailddarllediad o'r cyfresi hyn gan eu bod yn perthyn mor benodol i'w dyddiad yn y calendr wythnosol ac, fel y mae'r teitl *Wedi'r Oedfa* yn awgrymu, yr oedd yna ragdybiaeth ar y dechrau y byddai pobl wedi bod i le o addoliad yn ystod y dydd. Honno oedd y gynulleidfa yr anelai Sam Jones ati, gan geisio osgoi y 'pregethwrol dinc'. Ac i gloi'r rhaglen, a ddarlledid yn fyw o Fryn Meirion am nifer o flynyddoedd, fe ddeuai Cledwyn Jones ar y bws o Ddyffryn Nantlle bob nos Sul i ganu, yn ei ddull swynol a defosiynol ei hun, emyn hwyrol Elfed – 'Nefol Dad, mae eto'n nosi'.

Fe barhaodd Sam Jones i gynhyrchu *Wedi'r Oedfa* am o leiaf ddwy flynedd ar ôl iddo ymddeol am ei bod 'yn rhaglen sy'n peri lot o bleser i mi i'w gwneud o hyd'. Yn 1965, ddwy flynedd wedi ei ymddeoliad, y mae'r gynneddf gynhyrchu'n dal ynddo. Ysgrifennodd lythyr at y sawl oedd yn trefnu cytundebau yn y BBC yng Nghaerdydd i'w rybuddio rhag anfon cytundeb at ei hen ffrind W. D. Williams:

> I did not receive the three talks before-hand as expected, but he brought them with him that night. I turned the three down! They were not good enough. It was obvious that he had scribbled them at the last moment. I was very annoyed and told him so.

Credai'n gryf drwy ei yrfa mai gwaith cynhyrchydd oedd cynhyrchu ac mai gwaith golygydd oedd golygu. Ni wnâi rhywbeth-rhywbeth mo'r tro.

Yn ôl ffigurau ac adroddiadau Adran Ymchwil y BBC, yr oedd gan *Wedi'r Oedfa* gynulleidfa fawr a theyrngar o 1948 hyd 1965. Brithir yr adroddiadau hyn am y cwta deunaw mlynedd ag ymadroddion fel 'a spiritual tonic', 'always a talking point on Mondays', 'an ideal close to the Welsh Sabbath' a 'Please let this be a long, long series'. Bron nad yr unig gwynion a dderbynnid oedd fod y rhaglen yn cael ei darlledu ar yr un amser â *Sunday Half Hour* neu *100 Best Tunes*. Yn 1961 newidiwyd amser *Wedi'r Oedfa* i ddeg o'r gloch ond buan y profwyd fod yr amser hwnnw'n rhy hwyr i'r gynulleidfa ac ychwan-egwyd at y pentwr o lythyrau a gyrhaeddai Bryn Meirion yn gyson yn gofyn am adfer yr hen ffefryn i'w hamser gwreiddiol.

Ar ben arall y dydd yr oedd un arall o gynhyrchwyr Bangor o 1956 ymlaen, James Williams, yn cynhyrchu *With Heart and Voice*. Trodd

Sam Jones ato yntau am help ar ochr gerddorol *Wedi'r Oedfa.* 'Tear-
jerker' oedd y rhaglen yn ôl James Williams. 'Nid oedd llygad sych
yng Nghymru ar nos Sul.' Ond mae'n cofio hefyd sut y byddai Sam
Jones, o fod wedi 'godro pob Côr Meibion yng Ngogledd Cymru o'u
repertoire', yn ffonio Masel Thomas, pennaeth Adran Cerdd y BBC
yng Nghaerdydd, i ofyn iddo ysgrifennu 'something for *Wedi'r
Oedfa*'. Ac, o gofio trefniannau Mansel Thomas o 'Llef' a 'Llanfair' –
'Something simple, mind, and none of your bloody Amens!!'.

Y<small>MRYSON</small> A<small>REITHIO</small>

A dyma ddod at y bedwaredd o'i brif raglenni.

O gofio'i hoffter ef ei hunan o godi ar ei draed yn nadleuon y
Literary and Debating Society yn y Coleg ym Mangor, nid oes ryfedd
iddo weld defnydd cyfres o raglenni ym maes y ddadl ffurfiol. Pan
ddywedodd wrth y technegydd sain, Victor Williams, 'I've got a good
idea for a programme, bach,' adleisio yr oedd frawddeg a ysgrifennwyd
ato o Lundain yn 1933 pan awgrymodd Sam Jones ddwy ddadl Ryng-
Golegol i'w darlledu ar y *West Region* – y gyntaf rhwng Prifysgol
Bryste a'r Northern Universities ar y pwnc 'The efficiency of the North
is a myth', a'r ail rhwng Prifysgol Cymru a Phrifysgol Manceinion:

> This is a good idea, but I have grave doubts as to whether 'Is the Welsh
> language dead?' is a very happy selection for a first inter-regional
> debate.

Arall oedd y cymhelliad, ugain mlynedd yn ddiweddarach, pan
awgrymodd *Ymryson Areithio* i'r Pennaeth Rhaglenni yn 1954. Bu
Sam Jones yn trafod y posibiliadau gyda'r Athro A. H. Dodd ar ôl i'r
Athro gadeirio rownd ragbrofol o'r 'NUS Debate' ym Mangor. Yn ôl
Dodd yr oedd twrnameintiau o'r fath yn boblogaidd yn America, ac
ymateb yn ffafriol a wnaeth y beirniaid ym Mhrydain i gystadleuaeth a
allai fod yn gyfraniad at ddemocratiaeth oddi mewn i lywodraeth
'where so much depends on a high development of the arts of
discussion and persuasion'. Os gallai'r NUS (Undeb Cenedlaethol y
Myfyrwyr) drefnu cystadleuaeth ar lefel Brydeinig, mynnodd Sam
Jones y gellid trefnu ymryson ar lefel Gymreig a Chymraeg.

Ni chafwyd ymateb brwdfrydig o'r pencadlys. Trafododd Alun
Watkin Jones y syniad gyda'r Adran Sgyrsiau yng Nghaerdydd; 'they

do not share your enthusiasm for this project' oedd ei eiriau, felly mae'n galw am gynnig manylach, gan osod canllawiau – na ddarlledid mwy na phedair rhaglen, ac y dylid darbwyllo rhyw gorff allanol fel *Y Cymro* i gynnig tlws i'r enillwyr.

Derbyniwyd yr awgrym. Gwahoddwyd deunaw o golegau, sef pob coleg yng Nghymru, a derbyniodd pob un coleg y gwahoddiad yn llawen. Trefnwyd *Ymryson Areithio* gyda rowndiau rhagbrofol yn Nhachwedd a Rhagfyr, 1954 ym Mangor, Aberystwyth a Chaerdydd a'r rownd derfynol yng Ngholeg y Drindod, Caerfyrddin ar Fawrth 15, 1955 ar y pwnc 'Gwell edrych yn ôl nag edrych ymlaen'. Yr Athro Jac L. Williams oedd yn cadeirio'r rownd derfynol a'r tri beirniad oedd Goronwy Roberts, AS, Thomas Parry ac Alun Oldfield-Davies.

Cyflwynwyd Brysgyll *Y Cymro* (yr *Observer* Mace oedd gwobr yr NUS) gan gadeirydd Cyngor Darlledu Cymru, yr Arglwydd MacDonald o Waunysgor, i dîm Coleg y Drindod, Caerfyrddin (D. Oswald Evans, Pontyberem ac Owen J. Edwards, Niwbwrch) gyda Cathrin Jones o Goleg Hyfforddi'r Merched, y Barri, yn ennill gwobr am yr araith unigol orau.

Cynlluniwyd Brysgyll *Y Cymro* gan Frank Roper ARCA, ATD, Is-brifathro Coleg Arlunio Caerdydd, a chafodd gymorth yn y cynllun gan yr Athro William Rees a chan Dr Iorwerth Peate. Arian ac eboni oedd deunydd y brysgyll, ugain modfedd o hyd, a chynhwyswyd ynddo nodweddion sumbolaidd o hanes diwylliannol Cymru a dyfeisiadau herodrol a fabwysiadwyd gan y Brifysgol:

> The head of the mace, which is of beaten silver, is supported by seven oak leaves, an important bardic device. Flanking the head, in cast and chased silver, are three major motifs. First an embossed medallion inscribed 'Ymryson Areithio'r BBC', surrounded by a wreath of laurel. Secondly, two medallions bearing two lions couchant, the device of Llewelyn, the last Prince of Wales. Spaced between these three motifs are three lamps, the symbol of Learning.

Yn y rownd gyn-derfynol yr oedd Coleg y Drindod wedi trechu tîm Coleg Prifysgol Aberystwyth (Elystan Morgan a Ceinwen Mathews). Teledwyd y rownd derfynol ar drosglwyddyddion y Wenfô, Holme Moss a Sutton Coldfield. Darlledwyd rownd derfynol Gymreig yr 'NUS Debate' hefyd yn 1955. 'The standard of speaking was below that of the Welsh *Ymryson Areithio.*'

Coleg y Drindod, Caerfyrddin (Gwenallt Rees a Gwilym Rowlands) aeth â hi y flwyddyn ganlynol hefyd gan drechu Coleg y Brifysgol, Bangor (Alwyn Roberts a Harri Parri). Bu'n agos â bod yn dair o'r bron, ond colli yn y rownd derfynol a wnaeth Coleg y Drindod yn 1957 i dîm Coleg y Brifysgol, Caerdydd (Carey Garnon a Richard Jones, y ddau'n fyfyrwyr aeddfed ac yn weinidogion, y naill ym Mhen-y-bont ar Ogwr a'r llall yn Nowlais). Credai Sam Jones fod y safon yn gwella o flwyddyn i flwyddyn, 'and the interest in the colleges is greater than ever'. Yn 1958 fe dalodd Coleg y Drindod (George P. Owen a John Garnon) y pwyth yn ôl i Goleg Prifysgol Caerdydd (Nia Daniel a Richard Jones) ar y pwnc 'Y dylid cwtogi ar nifer myfyrwyr ein colegau ac nid ychwanegu atynt'.

Ar ôl rhediad arbennig o lwyddiannus darpar-athrawon y Drindod, daeth tro y darpar-weinidogion. Yn 1959 enillodd Coleg y Bedyddwyr, Bangor (Dafydd Edwards a Victor Evans), er mawr foddhad i'r Bedyddiwr o gynhyrchydd. Yr Annibynwyr, Coleg Bala-Bangor (Elwyn Jones ac R. Alun Evans) a enillodd y brysgyll yn 1960 a'r Presbyteriaid, Coleg Diwinyddol Aberystwyth (D. Ben Rees a W. I. Cynwil Williams) a enillodd yn 1961. Yr un coleg (D. Ben Rees ac Emlyn Richards) a ddaeth i'r brig eto yn 1962.

> Ar y dechrau gwrthodai'r myfyrwyr Cymreig ei gymryd [yr *Ymryson*] o ddifrif. 'Rag' oedd yr ymryson iddynt, ac fe gafodd Sam waith eu perswadio'n amgenach. Ond o dipyn i beth dechreuasant sylweddoli bod anrhydedd eu coleg yn dibynnu, nid ar bwy oedd y gorau i godi chwerthin, eithr, ar bwy oedd yn gallu mynegi ei hun yn huawdl a diffuant ar bynciau llosg y dydd . . . Dyma'r unig sefydliad sy'n dod â *phob* coleg yng Nghymru at ei gilydd. Gwnaeth les hefyd i safon siarad yr iaith Gymraeg yn y colegau.

Erbyn 1962 yr oedd cystadleuaeth ar wahân i siaradwyr unigol am Gwpan y BBC. Y cyntaf i'w hennill oedd Emlyn Richards o Goleg Diwinyddol Aberystwyth. Yn 1963, blwyddyn ymddeoliad Sam Jones, yr oedd y cynhyrchydd yn ei dweud hi'n hallt wrth fyfyrwyr Bangor mewn ymateb i'r haeriad mai testunau sâl a osodid:

> Mae'r BBC yn hala llythyron i'r colegau yn gofyn am destunau bob blwyddyn, a 'dyw'r diawled byth yn ateb . . . Mae'r dadleuwr da yn gallu dadlau ar unrhyw bwnc . . . Bob blwyddyn ryn ni'n apelio ac yn apelio ac yn y diwedd finne'n gorfod syrthio yn ôl ar fy syniade i.

Mae'r myfyrwyr yn ddifater iawn – 'The fault, Dear Brutus, lies not in our stars but in ourselves.'

'Wncwl Sam yn fflamio eto!' oedd y pennawd ym mhapur y myfyrwyr, gan gyfeirio at y ffaith fod Sam Jones yn rhifyn Hydref 6, 1962, o *Y Dyfodol* wedi cyhuddo myfyrwyr Cymdeithas y Cymric – 'Crowd diog 'da chi. Crowd diog ar y naw 'da chi!'.

O'm profiad personol i flwyddyn neu ddwy'n gynharach, cael gwŷs i Fron Castell, i swyddfa Sam Jones, y byddem ac yntau'n ein hysbysu fod ganddo 'destun ysgubol' ar ein cyfer y flwyddyn honno. Yn y recordiad, o ba rownd bynnag, byddai'n cael gair â'r siaradwyr ychydig cyn dechrau'r ymryson a'r un fyddai'r rhybudd yn flynyddol am hyd yr araith – 'Ma' 'da chi bum munud, a phan glywch chi'r gloch mi fydd hi wedi canu arnoch chi!'

Uchafbwyntiau'r dadleuon a ddarlledid, gyda Dic Hughes yn cyflwyno'r dyfyniadau. Gwnâi Miss Laura Jones nodiadau manwl o'r areithiau a byddai Sam Jones yn amseru ac yn arolygu'r golygu gyda'i fedrusrwydd arferol yn y cyfeiriad hwnnw. Wrth ysgrifennu ato i'w hysbysu mai dyddiad ei ymddeoliad fyddai Tachwedd 30, 1963, dywedodd Rheolwr BBC Cymru, Alun Oldfield-Davies, a gafodd brofiad cyson o feirniadu yn y rownd derfynol, 'Among the many good things you have accomplished in the last thirty years, there is nothing of greater significance and of greater value for the future than *Ymryson Areithio*'.

Ni fu llawer o ddyfodol i'r gystadleuaeth. Y cyfeiriad olaf a welais at frysgyll *Y Cymro* oedd fel tlws i'w ennill yn y rhaglen radio *Concwest* yn Nhachwedd, 1972, cystadleuaeth o holi ar wybodaeth gyffredinol i Fudiadau Ieuenctid Cymru. Yr oedd yr *Ymryson Areithio* wedi peidio â bod ers 1965 ac felly wedi rhedeg rhawd o ddeng mlynedd, sy'n rhediad sylweddol i gyfres nad oedd yna lawer o frwdfrydedd yn ei chylch o du'r Adran Sgyrsiau pan lansiwyd hi.

Profodd Sam Jones, unwaith eto, fod ganddo glust fain i'r hyn a fyddai wrth fodd y gwrandawr a chadwodd oed â chenhedlaeth arall o fyfyrwyr, cyn gweld fod newid yn anochel yn agwedd pobl ifainc a'i bod hi'n bryd dwyn y gystadleuaeth i ben. Nid oedd pwrpas cynnal dim er mwyn cynnal. Os nad oedd brwdfrydedd o du'r sawl a gymerai ran, y gwrandawyr fyddai'n dioddef. Ac ni fynnai Sam Jones hynny am y byd.

''Waeth i ni heb â Chopïo'r Saeson'

1943 – 1963

'Up to our eyes in programmes.' Dyna gofnod moel Myfanwy Howell yn ei dyddiadur ar Chwefror 27, 1943. Y 'ni' y mae hi'n cyfeirio atynt oedd Sam Jones a hithau. Yr oedd Nan Davies wedi cael ei rhyddhau am gyfnod gan y BBC oherwydd fod galw arni i ddychwelyd adref i Dregaron am fod ei mam yn sâl. Digwyddodd hynny cyn diwedd 1939. Wedi marwolaeth ei mam bu Nan Davies yn parhau i ofalu am y teulu ac yn gweithio yn y *Food Office* yn Nhregaron. Yn ddiweddarach bu ar staff yr Urdd, yn gyntaf fel Warden Aelwydydd Tregaron a Phontrhydfendigaid ac yna yn y Brif Swyddfa, yn Aberystwyth, fel Pennaeth yr Adran Apeliadau ac yna'n Bennaeth Adran Rhaglenni a Chynlluniau Gwaith.

Gwelwyd ei cholli ym Mangor. Tra oedd criw niferus o gynhyrchwyr Llundain yn gweithio yn swyddfeydd Bron Castell, hanner milltir i ffwrdd ym Mryn Meirion yr oedd Cymro a Chymraes, Sam Jones a Myfanwy Howell, wrthi fel lladd nadredd yn cynhyrchu a chyflwyno rhaglenni Cymraeg yn bennaf, ac ambell raglen Saesneg hefyd fel *Welsh Half Hour, Welsh Interlude, Workers' Playtime, Mainly Traditional* a *Bridgebuilders*.

Cyfres o raglenni propaganda ar ran y Llywodraeth i'r North American Service 'to the United States Marines all over the world' oedd *Bridgebuilders*, pan oedd glowyr America yn bygwth streicio. Cynhyrchodd Sam Jones raglenni i'r gyfres honno o farics y Ffiwsilwyr Cymreig yn Wrecsam ac un arall o'r 'Stiwt, Rhosllannerchrugog, pan fu coliars Cymru yn cyfarch coliars America. Darlledwyd y rhaglen o

Wrecsam wedi misoedd o baratoi, a phroblem bennaf y cynhyrchydd
oedd cwtogi ar y deunydd, er mawr siom i uchel-swyddogion y fyddin:

> You can imagine what a task it has been trying to cut down material
> that would have lasted an hour and a half to fit a fifteen minute period.

Yr oedd bod ynglŷn â'r rhaglenni hyn yn golygu teithio i bob cwr o'r
Gogledd, yn ychwanegol at ofalu am y rhaglenni Cymraeg o Fangor;
sgyrsiau a thrafodaethau gan fwyaf – *Cwrs y Byd, Cefn Gwlad,
Senedd yr Ifanc, Byd Llyfrau, Mi Garwn I, Sut Hwyl, Ar y Cei, Awr y
Plant, Hwyl a Miri, Awr Ginio, Dewch i'r Wledd, Clwb Garddio, Trwy
Gil y Drws, A Glywsoch Chi'r Rhain?, Hen Faledi* a rhaglenni i
ysgolion. Ysgrifenyddes Sam Jones am y cyfnod hwn oedd Lorna
Thomas, a adawodd am Gaerdydd yn Hydref 1945.

Benywaidd oedd cwmni Sam Jones ym Mryn Meirion ar wahân i'r
dynion o beirianwyr, a hefyd Arwel Hughes a oedd ym Mangor fel
'Sound and Balance Engineer'. Cynnyrch y Llundeinwyr oedd yn
bennaf cyfrifol am yr angen i gael Arwel Hughes wrth law, ond
cytunwyd i'r cerddor aros ym Mangor fel 'Senior Programme
Engineer (Wales) even after the Variety has returned to London'.

Bu trafodaeth yng Nghyngor Bwrdeistref Caernarfon am yr angen
am fwy o raglenni crefyddol o Gymru ac am fwy o raglenni Cymraeg
yn gyffredinol yn y blynyddoedd hyn. Cefnogwyd y cais gan T. I.
Ellis, a weithredodd fel ysgrifennydd Cynhadledd Genedlaethol er
Diogelu Diwylliant Cymru:

> From Wales came demands for more time for Welsh broadcasts;
> occasional unfavourable comparison is made between the doling out of
> quarters of an hour to Wales and the Irish half hour.

Fe barhaodd y drafodaeth am fisoedd lawer yn y BBC yn Llundain ac
aed ati i gymharu faint oedd yn unieithog yn y ddwy wlad, a hefyd
faint oedd yn ddwyieithog:

> Welsh monoglots 80,000
> Welsh bilingual 800,000
> Gaelic monoglots 7,000
> Gaelic bilingual 130,000

Dadleuwyd yn Llundain nad oedd hi'n deg i ddyfynnu rhif yr uniaith
yn unig ond y dylid cofio bod llawer o'r rhai dwyieithog hefyd yn

meddwl yn yr iaith Gymraeg (neu'r Wyddeleg). Penderfynwyd bod tair awr a hanner yr wythnos o ddarlledu Cymraeg yn 'Quite adequate'. O Fangor y deuai cyfran deg o'r rhaglenni hynny a chyda cyn lleied o staff doedd fawr obaith i ehangu'r munudau, lai fyth yr oriau.

Paratoi i ddychwelyd i Lundain yr oedd pobl yr Adran Adloniant. Yn ei dyddiadur am 1943 y mae Myfanwy Howell yn cofnodi – 'May 9 [1943], Farewell party to Billy Ternent's band at the Penrhyn Hall; May 19, Liz Forster came to tea. Her last day before leaving for London; June 30, BBC Variety farewell concert.' Ac ar ddydd olaf Gorffennaf y mae Myfanwy Howell yn cofnodi pantomeim ffarwél Tommy Handley i blant Bangor. Pan fu farw Handley yn Ionawr 1949 y mae Sam Jones yn cofio'r achlysur:

> O'r holl atgofion sydd gennyf am gwmni *ITMA* tra buont yn aros ym Mangor yr atgo am Tomi a'r plant a ddaw amlaf i'm meddwl.
>
> Yn wir, pan gyfarfyddem ein dau ymhell wedi i'r cwmni ymadael â Bangor, am y plant y soniai yntau yn gyntaf peth. Byddai wrth ei fodd yn ail-fyw yn ei dddychymyg y pantomeim a lwyfannodd ar gyfer cynulleidfa o blant yn y County Theatre.
>
> Awgrymais iddo un dydd mai da o beth fyddai petae plant bach Bangor yn cael gweld y cwmni yn rhoi perfformiad o bantomeim. Nid cynt yr awgrymais nad oedd yntau yn ymgynghori â'i gwmni. Cafodd gefnogaeth barod.

Yn ystod eu harhosiad yn y ddinas fechan yr oedd yr artistiaid hyn wedi gwneud sawl pantomeim a chyngerdd i godi arian at achosion da yn y cylch. I gydnabod eu haelioni fe gynigiodd yr Henadur William Owen yng nghyfarfod Cyngor Bwrdeistref Bangor ar Orffennaf 7, 1943:

> That this Council place on record its appreciation of the services of the Variety Department of the BBC during its sojourn within the Borough of Bangor, and that the pleasant association be marked by the presentation of a bronze or other metal plaque bearing the Coat of Arms of Bangor with suitable inscription to be placed in the Hall or other part of Broadcasting House, London.

Wrth gyflwyno'r Plac i holl staff y BBC a oedd ym Mangor rhwng Hydref 1940 hyd Awst 1943 ychwanegodd y Maer, Elsie Chamberlain:

On behalf of the Citizens of Bangor, I thank you for your valuable services in the cause of Local Organisations, and wish you the Best of Health and Happiness in the Future.

Bu'r Plac, sydd bellach i'w weld yng nghyntedd y Ganolfan Ddarlledu ym Mangor (a chopi ohono yn Neuadd y Penrhyn), ar wal yn y Tŷ Darlledu, Portland Place, Llundain am flynyddoedd.

Wedi i'r Adran Adloniant ddychwelyd i Lundain yn 1943 ni allai'r BBC fforddio cadw rhai o'r adeiladu a ddefnyddiwyd i'w cartrefu hwy ym Mangor rhwng Ebrill 1941 ac Awst 1943. Erbyn Medi 1944 yr oedd y County Theatre ar werth. Yn naturiol yr oedd y 'Bill of Sale' yn cyfeirio at ddefnydd y BBC o'r Theatr:

> In May, 1941, the premises were taken over by the BBC and such well-known Radio items as *ITMA, Bandstand, Irish Half Hour* and *Old Mother Riley* were broadcast from its stage.

Nododd y gwerthwr hefyd mai yn y Theatr hon y cynhaliwyd Eisteddfod Genedlaethol Cymru 1943, a bod yr adeilad wedi ei godi yn 1912. Bu'r ocsiwn ar ddydd Sadwrn, Medi 30, 1944. 'The County Theatre was offered for sale by public auction and was withdrawn at £14,500.'

Gan na fyddai'r BBC yn defnyddio'r County Theatre eto fel stiwdio ddarlledu fe geisiodd Sam Jones ddarbwyllo uwch-swyddogion y BBC yn Llundain i symud yr organ (*Theatre Organ*) oddi yno i Neuadd y Penrhyn. Yr ymateb a gafodd oedd y byddai'n 'far more convenient if it were housed somewhere near London'. Fe ddefnyddid yr organ yn gyson ar gyfer darllediadau, a dadl staff Adloniant y BBC yn Llundain oedd y byddai'n rhatach symud yr organ yno na'r gost o anfon organydd i Fangor. 'Our theatre organ broadcasts amount to 16-18 per week, most of these coming from Bangor.' Dadleuai Sam Jones mai'r peth amlwg i'w wneud oedd symud yr organ, dros dro o leiaf, i Neuadd y Penrhyn ond yr oedd y penaethiaid Adloniant yn Llundain yn gyndyn, a dweud y lleiaf, i gytuno mai dyna oedd orau. Er i Sam Jones sicrhau cefnogaeth Clerc Cyngor Bwrdeistref Bangor (er mai fel 'Town Clerk' yr arwyddai lythyrau bryd hynny) i ganiatáu symud yr organ ar draws y ddinas, setlwyd y mater yn derfynol pan wrthwynebodd Cyfarwyddwr Cyffredinol y BBC, William Haley, symud yr organ fawr i Neuadd y

Penrhyn. Yn ei farn ef, 'it should be dismantled and sent to London'. Ar Fawrth 25, 1946 fe ildiodd y BBC ei thenantiaeth o'r County Theatre, ac fe ildiwyd pedair swydd, 'one Commissionaire, one studio attendant and two charwomen'.

Yn y cyfamser yr oedd y les ar denantiaeth y BBC o Neuadd y Penrhyn wedi ei hymestyn gan y Cyngor lleol am gyfnod o bum mlynedd o Fehefin 25, 1945 ar gost o £350 y flwyddyn. Adnewyddwyd y les hon am gyfnodau pellach o saith mlynedd ar Fehefin 24, 1950 ac eto am bum mlynedd pellach, hyd Fehefin 24, 1962, ond erbyn hynny yr oedd gan y Cyngor lleol f·vriad i ailgynllunio canol y ddinas:

> It is unlikely that the development scheme involving the possible demolition of the Penrhyn Hall will materialize for some time to come, probably 20 or 30 years hence. It is a long-term plan for the re-leasing of the centre of the city of Bangor and need not alarm us for a very long time.

Pwy a feddyliai bryd hynny mai'r Bangor Marketing Company a fyddai'n buddsoddi yn yr ail-gynllunio, a olygodd yn ei dro fod y BBC yn gorfod symud allan o Neuadd y Penrhyn yn derfynol ar Fehefin 29, 1984, ac mai Prif Gyfarwyddwr y cwmni marchnata fyddai Dafydd, mab Sam Jones?

Er iddo golli'r frwydr i gadw'r organ fawr ym Mangor yn 1945/46 yr oedd Sam Jones am drefnu 'Star variety programme from the County Theatre to mark the departure of the cinema organ' a pharti i ddilyn. Cysylltodd â'i Bennaeth Rhaglenni a chysylltodd yntau â Llundain. Daeth brysneges o Lundain at Alun Watkin Jones yng Nghaerdydd:

> Tell Sam Jones not to be in such a hurry STOP We do not know at all on what date the organ will be removed so cannot fix date of final programme STOP Will inform you soonest, but cannot allow civic beanfeast to influence programmes EXCLAMATION MARK.

Dau dechnegydd sain a ymunodd â'r BBC ym mlynyddoedd y rhyfel, ac a roddodd oes faith a chlodwiw o wasanaeth i'r BBC ym Mangor, yn bennaf trwy ofalu am agweddau technegol rhaglenni, oedd O. T. Edwards a Tudwal Roberts. Ymunodd y naill 'ar ddydd Llun Diolchgarwch 1941' a'r llall ar Ragfyr 3, 1943. Fe gofia Tudwal

Roberts y cyfweliad a gafodd â Sam Jones, y 'Come in!', y mop o
wallt brith a'r sbectols yn ei law, 'a'r bregeth arferol am wneud fy
ngorau a gweithio'n galed' ac am ei gyflog dechreuol o £1. 9. 6 (yn yr
hen arian) 'a thri swllt a chwe cheiniog o bres teithio'. Ymunodd y
ddau dechnegydd â'r Lluoedd Arfog, O. T. Edwards yn Rhagfyr 1944 a
Tudwal Roberts yn Ionawr 1946, gan ailymuno â'r BBC yn Llundain
cyn dychwelyd i Fangor, wedi profiadau mewn gwahanol adrannau.
Darlledu Allanol oedd prif hoffter O. T. Edwards. Fe'i lleolwyd yn
Wembley a bu ynghlwm wrth ddarlledu rhai o brif ddigwyddiadau
Prydain, yn briodasau brenhinol, angladdau rhwysgfawr, coroni'r
Frenhines ac agoriad y Senedd, tra oedd Tudwal Roberts wedi ei anfon
i gyfeiriad Adloniant yn yr Aeolian Hall yn Llundain lle cyfarfu â
phobl a fu ym Mangor rhwng 1940 ac 1943, a phawb yn holi '"How's
Sam?" Roedd pawb yn adnabod Sam'. Dychwelodd Tudwal Roberts i
Fangor yn 1949, wedi treulio cyfnod ym Manceinion, i gydweithio ar
y panel sain efo Victor Williams, a oedd wedi dychwelyd o'r Awyrlu,
ac yntau hefyd wedi treulio cyfnod yn y BBC yn Llundain. Ni ddaeth
O. T. Edwards yn ôl i Fangor hyd 1954.

Yn y cyfnod 1944-46, pan oedd prinder technegwyr ym Mangor,
ymhlith y rhaglenni a ddarlledid oddi yno yr oedd nifer o gyfresi a
fwriadwyd yn benodol ar gyfer y rhai oedd oddi cartref yn y Lluoedd
Arfog neu a oedd yn Gymry alltud. Ymhlith y cyfresi hynny yr oedd
Welsh Half Hour, Strike a Home Note a *Welsh Interlude*. Rhaglenni
cerddorol a fyddai'n cynnwys cyfarchion o adref oedd y rhain a
chymerid rhan gan unawdwyr fel David Lloyd a Henryd Jones, a chan
gorau fel y Cymric Gleemen o Benmaen-mawr, Wythawd Eryri (dan
yr enw Eryri Mixed Octet) gyda Sandy Macpherson wrth yr organ a
Mai Jones a Ffrancon Thomas yn bianyddion. Cyfres o atgofion
cerddorol oedd *Souvenirs*, ac eto yn Saesneg yr oedd *Harvest Home*
yn gyfres o ymweliadau â gwahanol aelwydydd yng Nghymru ar
gyfer y Gwasanaeth Tramor. Ymhlith y rhaglenni eraill o'r un cyfnod
yr oedd *Senedd yr Ifanc* (barn pobl ieuanc ar bynciau amrywiol),
Trwy Gil y Drws (ymweliadau â mannau gwaith, fel Hufenfa Dyffryn
Clwyd), *Fy Nghasbeth I* (sgyrsiau byrion gan wahanol unigolion fel
J. O. Williams a Dr Thomas Richards, Llyfrgellydd Coleg Prifysgol
Bangor), *Yr Wythnos yng Nghymru* (sgyrsiau gan E. Morgan
Humphreys); *A Countryman's Log* (cofnod o fyd natur) ac yn
Gymraeg raglen yn yr un arddull, *Cefn Gwlad*.

Yr oedd gwasanaethau crefyddol, *Oedfa* o gapeli ac eglwysi'r Gogledd, yn digwydd yn gyson, a rhai rhaglenni nodwedd gan W. D. Williams fel *Croeso Wanwyn, Mis y Mêl, Rhaglen Gŵyl Badrig, Gwylio'r Gwanwyn* a *Boddi'r Cynhaeaf.* Cyfres o raglenni byrion oedd *Munudau Gyda'r Beirdd* (darlleniadau o farddoniaeth), *Clwb Garddio, Clwb Amaeth, Cylchgrawn y Merched* a *Housewife's Exchange, Crwydro'r Wlad* (ardaloedd a'u cymeriadau), *Works Wonders* (amrywiad o *Workers Playtime,* adloniant o ffatrïoedd), *Quiz At Quarry* a *Herio'r Ysgolion* (cwisiau), ac i blant darlledid *Awr y Plant* ac *A Glywsoch Chi'r Rhain?* (sgriptiau gan Marjorie Wynn-Williams).

Ar Fedi 29, 1945 fe recordiwyd y rhaglen gyntaf o'r gyfres *O Law i Law* (T. Rowland Hughes), hanes y mangl a'r harmoniwm, gyda Sam Jones yn cyfarwyddo. Yn ôl dyddiaduron Myfanwy Howell bu cryn chwilio am actor i chwarae rhan John Davies. Y mae 'na lawenydd a rhyddhad yn y nodyn 'October 3, [1945] At last found right John Davies for *O Law i Law* – Robin Williams, Llanystumdwy'.

Cyn y darllediad Cymraeg o'r nofel yr oedd Alun Watkin Jones, y Pennaeth Rhaglenni yng Nghaerdydd, hefyd wedi cynnig *William Jones* ac *O Law i Law* (dan yr enw *From Hand to Hand)* i Olygydd *Saturday Night Theatre* yn Llundain. Gwrthododd Val Gielgud sgript *William Jones* ar gyfer *Saturday Night Theatre* 'but considering it for a possible space elsewhere in the Home Service'. A barn Lindsay Wellington am *From Hand to Hand* oedd: 'I have always understood *Saturday Night Theatre* to be the place for adaptations of successful plays and films of *well-known* novels – and English novels at that!'

Daeth Nan Davies yn ei hôl i'r byd darlledu, am gyfnod, yng ngwanwyn a haf 1945 fel Prif Gynhyrchydd Cymru o'r rhaglenni radio i Ddathlu Buddugoliaeth. Tri chyfraniad a ddisgwylid o'r Gogledd i ddathliadau diwedd y rhyfel:

North Wales O. B.'s [Outside Broadcasts]
Mr Sam Jones has arranged for lines to be installed at two points near Bangor,
The Square, Caernarfon Castle + Military Band + Crowd singing Welsh hymns. The commentator is Mr Morgan Humphreys.
High St., Bangor with the Bugle Band of H.M.S. Conway. Mr William Aspden to do short commentary. Possibly:
A small rural village in Anglesey.

Dychwelyd i Geredigion am gyfnod pellach a wnaeth Nan Davies ar ôl y prosiect arbennig hwn.

Ym mis Hydref 1945 fe gafodd Sam Jones ysgrifenyddes newydd. Dechreuodd Mair Chambers Hughes weithio fel ysgrifenyddes iddo ar Hydref 8, a gadawodd Lorna Thomas am Gaerdydd bum niwrnod yn ddiweddarach. Cyn ymddeol yng Ngorffennaf 1947 yr oedd Mair Chambers Hughes wedi priodi. Mrs Mair Evans oedd ei henw pan drosglwyddwyd y gwaith i Laura Jones ym Medi 1947. Miss Jones oedd ysgrifenyddes Sam Jones am weddill ei yrfa yn y BBC. Bu'n gefn mawr iddo a chawn sôn mwy am ei chyfraniad yn nhrefn amser.

Yn 1945 yr oedd Mair Sivell, a ddaeth wedyn yn wraig i'r Athro Thomas Jones, Aberystwyth, ac wedi ei farw ef yn wraig i'r Athro Gwyn Jones, ym Mangor yn gofalu am *Awr y Plant*. Yn nyddiaduron Myfanwy Howell fe gofnodir ambell ymweliad o Gaerdydd gan Lorraine Jameson (Lorraine Davies, gwraig Hywel Davies, wedi hynny) a oedd â gofal *Awr y Plant* yn y De, yn ogystal â sawl ymweliad gan Mai Jones ar gyfer y rhaglenni cerddorol o'r Gogledd.

Bu 1946 yn flwyddyn o newid ac o dyfu. Symudodd Sam Jones ei swyddfa o Fryn Meirion i Fron Castell ar Ebrill 15, 1946 (er na chafwyd parti 'in Sam's new room' hyd Orffennaf 25 y flwyddyn honno). Nid band un dyn oedd Bangor mwyach. Gyda Rhys Hopkin Morris wedi dychwelyd eisoes i'r byd gwleidyddol – fe'i hetholwyd yn Aelod Seneddol Caerfyrddin yn Etholiad Cyffredinol 1945 – aeth ei olynydd, Alun Oldfield-Davies, ati gyda Sam Jones i benodi dau Gynhyrchydd newydd i wahanol adrannau yn y BBC ym Mangor. Ar Fai 6, 1946 'Alun Llywelyn-Williams started work at Bangor' ac yn y llyfr *Babi Sam* y mae Alun Llywelyn-Williams yn sôn am y Cynhyrchydd arall: 'roedd Elwyn Thomas, a ddaeth i Fangor tua'r un adeg â mi, yn gynhyrchydd rhaglenni i ysgolion'. Ym Mron Castell yr oedd eu swyddfeydd hwythau ac yno hefyd y lleolwyd y Cyrnol Humphrey Williams, swyddog addysg y BBC yng ngogledd Cymru. Fe'i cofir ef am ei wrhydri yn Burma yn arwain ei filwyr i ddiogelwch rhag y Siapaneaid, trwy sicrhau fod pob un *radio operator* dan ei ofal yn siarad Cymraeg, a thrwy hynny ddrysu'r gelyn oedd yn gwrando.

Tros y blynyddoedd dilynol o deyrnasiad Sam Jones ym Mangor fe ychwanegir enwau John Gwilym Jones (y dramodydd), Ifan O. Williams, John Owen Jones, Mair Sivell, Evelyn Williams, Nan Davies, Wilbert Lloyd Roberts, Dyfnallt Morgan, James Williams,

Ifor Rees, Gwyn Williams, David Watkins, Ruth Price, Alwyn Samuel ac Islwyn Ffowc Elis (am gyfnod) at rengoedd y cynhyrchwyr, a Wyn Williams ac Idris Roberts at restr y newyddiadurwyr ym Mron Castell a Bryn Meirion.

Rhag i'r baich o ofalu'n dechnegol am y rhaglenni cynyddol o Fangor fynd yn dreth ar y ddau dechnegydd stiwdio, Victor Williams a Tudwal Roberts, fe benodwyd dau arall i'w cynorthwyo yn y gwaith, sef Nancy Lloyd Jones ac yna Robin Griffith. Yr oedd modd rhannu'n ddau dîm o dechnegwyr wedyn, gyda'r ddau ddiweddaraf i ymuno yn dod o dan adain y ddau brofiadol. Yn y cefndir yr oedd y tîm peirianyddol sef Sidney Hett, Goronwy Wyn Rowlands, E. D. Jones, Denys Jones, Sid Ahl, Mervyn Hale, O. T. Edwards, Fred Davies, Emrys Williams, Glyn Wheldon Williams, Emyr Williams, Meurig Griffiths, Elwyn Williams, Emrys Wyn Williams ac, am gyfnod byr yn ystod y rhyfel, Bill Thomas, un a fu'n beiriannydd ar drosglwyddydd Marconi yn Waunfawr.

Oherwydd y cynnydd yn aelodau'r staff, a thrwy hynny y cynnydd mewn oriau darlledu o Fangor, bu Sam Jones yn pwyso am well adnoddau yn y stiwdios ym Mryn Meirion ac yn Neuadd y Penrhyn. Cododd y mater i sylw yn Nhachwedd 1948. Aeth y rhan orau o flwyddyn heibio cyn i benaethiaid Caerdydd gytuno:

> We seem to be generally agreed by now that these studios need bringing up-to-date if the standard of broadcasting at Bangor is not only to be maintained but improved with additional facilities.

Ym Mai 1948 bu datblygiad pellach i rychwant rhaglenni'r Gogledd:

> 'Dyma'r tro cyntaf erioed i Gerddorfa Gymreig y BBC ddod i Ogledd Cymru,' meddai'r cerddor Mansel Thomas wrth *Y Cymro*. Cafodd y gerddorfa wrandawiad 'astud a deallus' ym Mhwllheli (mewn neuadd yng Ngwersyll Gwyliau Butlins).

Darlledid rhwng pump a chwech awr yn wythnosol o Fangor yn niwedd y pedwardegau ar gyfer y Welsh Home Service, gydag ambell raglen ychwanegol ar gyfer y gwasanaeth tramor. Yr oedd cryn bwyslais ar raglenni gwledig yn y cyfnod hwn, ac ar fynd â'r meicroffon at y bobl. Ymhlith rhaglenni cyffredinol Sam Jones ceid y teitlau *Mi Heriwn Ni Chi* (cwis gwybodaeth gyffredinol), *Cefn Gwlad* (diddordebau pobl cefn gwlad), *Barn y Bobl* (darllediad allanol i glywed barn y bobl ar bynciau'r dydd), *'Stalwm* (cyfres o seiadau i hen bobl sôn am hen bethau), *Newydd Sbon* (rhaglen o chwarae recordiau a gyflwynid gan Sam Jones), *Hen a Newydd* (egwyl yng nghwmni corau meibion), *Senedd y Pentre* (trafodaethau rhwng gwahanol bentrefi ar bynciau'r dydd; rhaglen a gyflwynid gan W. T. Williams, o Ddyffryn Nantlle, un o ffrindiau coleg Sam Jones; gŵr amlwg efo Undeb Cenedlaethol yr Athrawon (NUT). 'Hwn oedd arwr Sam Jones' ym marn Cledwyn Jones). Mae'r rhaglenni uchod yn ychwanegol at brif raglenni Sam Jones a gafodd sylw yn y bennod flaenorol. Fe sonnir am raglenni'r cynhyrchwyr eraill dan eu henwau yn ddiweddarach yn y gyfrol hon.

Yn nechrau'r pumdegau, gyda'r *Noson Lawen* yn dirwyn i ben yn y patrwm cyson o ddarlledu, dechreuodd Sam Jones grwydro'r Gogledd i gynhyrchu *Pawb yn ei Dro*. Rhaglen o drin geiriau oedd hon – gorffen limrigau a llunio brawddegau a thasgau tebyg – lle byddai tîm y BBC, ar y dechrau, yn herio ardaloedd eraill. Rhaglen ydoedd hon a gododd o atgof Sam Jones am nosweithiau o aeaf pan fyddai'n mynd yn grwtyn i'r 'Band of Hope' i festrïoedd capeli Clydach i gystadlu am geiniogau:

> A chofiodd yn arbennig am y munudau hirion a dreuliai yn y cyntedd, weithiau yn nannedd gwynt a glaw, yn disgwyl ei dro i fynd i'r llwyfan i ddweud ei bwt – codi papur o het a thraddodi araith ar y pryd neu adrodd stori ddigrif.

Tîm y BBC ar y gyfres hon oedd Bob Lloyd (Llwyd o'r Bryn), R. E. Jones a John O. John. Cyflwynydd y rhaglenni oedd Ifan O. Williams, a byddai gan Nan Davies ac Elwyn Thomas eu dyletswyddau, y naill fel ysgrifenyddes a'r llall fel cofnodydd a sgoriwr. Y beirniad oedd William Morris. Llithrodd *Pawb yn ei Dro* yn ddisylw ar donfeddi'r awyr. Fe gofnoda'r *Radio Times* fod rhai adolygwyr wedi mynegi syndod:

> . . . that the programme had been unheralded and unannounced. It can now be admitted that this was deliberate, for the producer himself [Sam Jones] was so doubtful of being able to follow up his successful *Noson Lawen* with another show of similar calibre that he thought it best to slip it in unobtrusively in the way film producers hold sneak previews of their epics.

Yn y man hepgorwyd tîm parhaol y BBC, a datblygodd y gyfres yn gystadleuaeth rhwng ardaloedd. Yn y Rownd Derfynol yn Ebrill 1952 yr oedd Bethesda a Blaenau Ffestiniog, dwy ardal chwarelyddol, lle ceid y caban-chwarel: 'noted for breeding skilful debaters, ready wits and fluent raconteurs'. Mewn erthygl yn y *Wrexham Leader* y mae'r dramodydd o ardal Blaenau Ffestiniog, John Ellis Williams, yn cymharu llwyddiant y gyfres radio â phoblogrwydd y 'Penny Readings'. Â yn ei flaen i ddyfynnu Sam Jones:

> I aim at the ordinary listener. There are plenty of clever fellows in the colleges and universities to provide radio for the highbrows. But 90% of the listeners to my programmes are ordinary people like myself, and they want to listen to programmes they can enjoy and understand. This series gives them an entertainment which makes them laugh without insulting their intelligence. And, what's more, it is typically Welsh entertainment. Can you imagine anything like this on English radio?

Hwyrach mai'r peth tebycaf gan y Saeson ar y pryd oedd cyfres boblogaidd Wilfred Pickles *Have a Go!*, pan fyddai unigolion yn mentro i'r llwyfan i ateb cwestiynau ac i siarad efo Pickles, gŵr a ddisgrifiwyd yn y *BBC Handbook* 1950 fel 'the most popular radio artist'.

Wrth fynd heibio, gellir nodi'r ffaith i Wilfred Pickles gael 'stand-up row' efo'r BBC ar ôl i Sam Jones godi tâl o dri swllt a chwe cheiniog ar y rhai a aeth i glywed cyngerdd gan Gerddorfa Gymreig y BBC ym Mlaenau Ffestiniog yn 1949, a thrwy hynny gael mynediad hefyd i sinema'r Forum yn y dref i glywed *Have a Go!* rai dyddiau'n ddiweddarach. Yr oedd Pickles yn gwrthwynebu'r 'preferential treatment. Never before, in more than 100 shows has anything of this kind occurred. Mr [Sam] Jones's reply was "Distribution of admission tickets is the BBC's business".'

Doedd pethau ddim yn esmwyth rhwng y ddau hyn ynglŷn â llogi gwestyau 'chwaith. Roedd Sam Jones wedi llogi gwestyau'r North Western a'r Commercial iddynt ym Mlaenau Ffestiniog, ond fe newidiodd Pickles y trefniadau ar ôl cyrraedd a mynd â'r cyfan o'i bobl i'r Queen's. Ond fe wellodd y berthynas, ac mewn toriad (di-ddyddiad) o'r *Empire News* a gedwir ym mhapurau Sam Jones yn Archifdy'r Brifysgol ym Mangor, fe gofnodir ymweliad Wilfred Pickles â Bethesda:

I'd hardly got out of the train at Bangor before Sam threw himself
upon us and roared in a voice you could have heard over half the town:
'Wilfred, if only you could speak the Welsh language you'd be the idol
of the Welsh people'.

O'r cymharol ychydig o lythyrau ymateb i raglenni a gadwyd gan
Sam Jones y mae un cerdyn post gan wraig o Harlech yn mynegi ei
siom. 'I have just had new wireless. I am every disappoint [sic] at not
hearing *ITMA*.' Atebodd Sam Jones trwy esbonio fod Tommy Handley
wedi marw ac na ddarlledid *ITMA* eto. Yn ôl arfer y Cymry, bryd
hynny o leiaf, yr oedd y rhan fwyaf o'r llythyron dan ffugenw, 'Fed-
up: Rhosgadfan' a 'Disgusted, Lerpwl' yn ddwy enghraifft. Ni ellid
ateb llythyrau felly. Y syndod yw eu bod wedi eu cadw. Ond byddai'r
cwmni bychan ym Mryn Meirion wedi sylwi mai ansawdd y
rhaglenni ysgafn oedd un o'r targedau; cwyno am yr un hen leisiau y
byddai eraill ac ambell un yn cwyno fod darlledu *Ymryson y Beirdd*
am 7.15 ar nos Lun yn tarfu ar rai oherwydd 'mai dyna adeg
cydnabyddedig cynnal y Cyfarfod Gweddi yn y Gogledd'.

Yn nechrau'r pumdegau yr oedd 'yr un hen leisiau' yn poeni'r
Pennaeth Rhaglenni yng Nghaerdydd hefyd ac fe anfonodd Alun
Watkin Jones nodyn at gynhyrchwyr Bangor yn nodi enwau'r
cyfranwyr hynny a fyddai'n torri eu cytundeb efo'r BBC er mwyn
darlithio yr un noson yn rhywle arall, 'calmly assuming that once
more the good old BBC can be squared'. Y mae'n cynghori'r
cynhyrchwyr i beidio â phwyso mor drwm ar nifer cymharol fychan o
actorion a pherfformwyr oherwydd 'the inevitable danger of
familiarity breeding contempt' yn ogystal â'r perygl arall fod rhai
artistiaid yn credu 'that they are indispensable and can therefore begin
to state their own terms'. Gan mai at gynhyrchwyr Bangor yr
anfonwyd y nodyn mae'n ymddangos fod y broblem yn waeth yno
nag yn y canolfannau eraill.

Cynigiwyd rhaglen adloniant arall i Sam Jones, wedi i'r *Noson
Lawen* ddod i ben, gan Robin Williams, Islwyn Ffowc Elis a J. R.
Owen, y tri bryd hynny yn fyfyrwyr yng Ngholeg Y Bala. *Smalio*
oedd y teitl a roddwyd iddi; sgit ar y rhaglen dditectif boblogaidd ar y
Light Programme, *Dick Barton, Special Agent* oedd hi. Er nad oedd
Sam Jones yn frwdfrydig iawn ynglŷn â'r syniad, pan alwodd y tri
heibio i'w swyddfa ei ddyfarniad oedd 'I'll take it'. Dilyn
anturiaethau Yr Anhygoel Huws, ditectif o ryw fath, oedd y cynllun.

Ifan O. Williams fyddai'n cynhyrchu. Bu cymaint o ladd ar *Smalio* nes i Sam Jones gomisiynu dwy raglen arall at y chwech wreiddiol, gan fod yr ymatebion lluosog yn profi fod yna wrando. Byddai pob rhaglen yn gorffen efo golygfa cnoi ewinedd (*cliff-hanger*). Mewn un sgript gorffennodd y bennod gyda'r arwres wedi ei chlymu i'r cledrau, a'r trên 11.55 o Gaer yn rhuthro i'w chyfeiriad. Derbyniodd Sam Jones lythyr cas, meddai Islwyn Ffowc Elis, gan orsaf-feistr yn y Gogledd yn dweud y drefn am yr olygfa hon gan nad oedd yna 11.55 o Gaer yn ôl ei amserlen ef! Fe chwarddodd Sam Jones yn harti, a rhoi'r bechgyn ar waith i sgriptio mwy o raglenni *Smalio*.

Yr oedd ganddo'r hawl bryd hynny i gomisiynu cyfresi. Gofyn i Fangor lenwi hyn a hyn o oriau a wnâi'r penaethiaid yng Nghaerdydd, ac yr oedd cryn ryddid yn lleol i benderfynu pa fath o adloniant a fyddai'n dderbyniol. Byddai syniadau rhwng y canolfannau darlledu, Abertawe – Bangor – Caerdydd, yn cael eu trafod mewn 'Hook-up' (cyfarfodydd cynllunio rhwng gwahanol stiwdios) a'r cynhyrchwyr i gyd yn bresennol yn eu canolfannau hwy.

Yn 1951 bu Sam Jones yn pwyso ar Alun Oldfield-Davies, Rheolwr Cymru, am well adnoddau darlledu allanol i'r Gogledd. Y flwyddyn honno gwnaed ymgyrch arbennig i dreiddio i'r Canolbarth gan recordio rhaglenni o Faldwyn ac o Feirionnydd. Bu'n rhaid ad-drefnu cryn lawer oherwydd y diffyg adnoddau technegol oedd ar gael a'r diffyg llinellau cyswllt peirianyddol rhwng Gogledd a Chanolbarth Cymru. Testun anfodlonrwydd i'r gwrandawyr o hyd oedd diffygion derbyniad radio mewn ardaloedd Cymreig gan fod y trosglwyddyddion yn rhy wan ac yn rhy bell i gario'r rhaglenni Cymreig i'w clyw. Yr oedd pobl, arferol fwyn, Sir Drefaldwyn yn groch eu barn ar y mater hwn

Rhan o ymgyrch cysylltiadau cyhoeddus y BBC, felly, oedd 'penetrating into Montgomeryshire'. Gwnaeth Sam Jones gais am gael peiriant Presto i'w alluogi i ddarlledu rhaglenni o'r Canolbarth. Peiriant recordio disgiau oedd Presto. Nid oedd dyddiau tâp magnetig wedi gwawrio eto yng Nghymru. Am nad oedd y peiriant hwnnw ar gael methwyd darlledu rhaglen *Pobl yr Ardal* o Ddinas Mawddwy. Gan bwyso ar y profiad anhapus hwnnw pwysleisiai Sam Jones wrth y penaethiaid fod y Presto yn anhepgorol ar gyfer rhaglenni *Barn y Bobl* o Langadfan a *Country Magazine* o Lanbryn-mair.

Fisoedd yn ddiweddarach, yn Nhachwedd 1951, yr un oedd y gri o

Fangor. Yr oedd taer angen y Presto, meddid, i gyfresi fel *Llwybr y Mynydd, Dyna Beth Od, Mangre Hynod* (i gyd yn rhaglenni crwydro gwlad) ac i recordio *Hen Faledi*. 'Parts of the country, particularly Merioneth, Montgomeryshire and Lleyn are inaccessible by line and we are convinced that Presto gear is essential for North Wales.'

Oherwydd y trafferthion hyn daeth awgrym o Gaerdydd fod y ddau gynhyrchydd o Fangor a fyddai debycaf o ddefnyddio'r offer newydd yn gorweithio. Atebodd Sam Jones: 'I do feel that the programmes Programmes Assistant [Nan Davies] and I have scheduled are of vital importance to our output. Do pardon the conceit!'

Ni ellid amau ei brysurdeb. Comisiynwyd toreth o raglenni eisoes gan W. D. Williams a chyda'r goreuon o'r felin honno fe ddaeth cyfres o raglenni *Galwad i'n Gŵyl* a fyddai'n codi'r hwyl at yr Eisteddfod Genedlaethol. W. D. Williams ei hun fyddai'n gyfrifol am y cynnwys, a'r teitlau – *Hoff Alwad i Gaerffili* (1950), *I Lanrwst Eleni'r Awn* (1951), *Byr Osteg i Aberystwyth* (1952), *Cloch y Rhyl, Clywch yr Alwad* (1953) – a Sam Jones yn cynhyrchu.

Pan oedd ar ei ffordd adref i ginio un diwrnod ganol Chwefror 1952, fe herwgipiwyd Sam Jones gan griw o fyfyrwyr fel hwyl 'Rag'. Aed ag ef i guddfan, a hawlio £20 am ei ryddhau. Yr oedd y myfyrwyr dan yr argraff mai ef oedd i gynhyrchu'r rhaglen *Old and New* o Fangor y noson honno. Wedi iddo wagio'i boced, 'but that wasn't very much', ac egluro i'r myfyrwyr nad ef oedd y cynhyrchydd, cafodd ei ryddhau a brysiodd adref i rybuddio'r cynhyrchydd go iawn, Ifan O. Williams, o'r perygl. Newidiodd y myfyrwyr eu tactegau a herwgipio'r pêl-droediwr Billy Higgins yn ei le, er mawr siom i'r Clwb Pêl-droed lleol a oedd wedi talu ffortiwn fechan am wasanaeth cyn-seren Everton a Bogota.

Yn Ebrill 1952 bu'n rhaid i Sam Jones gael triniaeth lawfeddygol, yn Ysbyty Gorseinon. Gwelsai'r penaethiaid yn y Tŷ Darlledu yng Nghaerdydd yr arwyddion o'r gor-weithio (a'r gor-ysmygu), ac fe wnaethant eu gorau i'w rybuddio. Mewn llythyr at ei hen gyfaill 'Wil Tom' (W. T. Williams, prifathro Ysgol Gynradd Pen-y-groes, Dyffryn Nantlle) ym mis Mawrth 1952 y mae Sam Jones yn cyfaddef:

> I have not been up to scratch of late and, as a matter of fact, I have got to go away for treatment next Saturday. I am going as a private patient to a hospital in South Wales and will be there for four or five weeks. It is nothing serious I assure you, merely a suggestion of an ulcer, and haven't we all?!! All I need is rest and quiet and the Doctors assure me

that after this treatment I shall have a complete clearance. As a matter of fact, I am going to South Wales so as to get away from my pals, and that includes you.

Y meddyg a fu'n ei drin oedd Dr W. Esmond Rees, a oedd â chysylltiad â Dr Glyn Jones, nai Sam Jones. Wedi'r driniaeth fe aeth Sam a Maud Jones i aros ac i orffwyso am rai dyddiau ym mwthyn T. Mervyn Jones (Bwrdd Nwy Cymru), bwthyn a safai ryw ddwy filltir i'r gorllewin o Dyddewi yn Sir Benfro. Buont yno o Fai 2 hyd Fai 16, a bu Sam Jones o'i swyddfa am gyfnod o naw wythnos. Yn ystod ei absenoldeb o Fangor, John Gwilym Jones oedd yn arwyddo llythyrau a sieciau yn ei le. Er i Sam Jones fwrw ati ar unwaith wedi iddo ddychwelyd i Fron Castell ganol Mai, 1952 mae'n deg dweud na allodd ddangos yn union yr un egni â chynt o hynny ymlaen hyd ei ymddeoliad. Parodd y driniaeth iddo arafu ei gam ryw gymaint.

Yn fuan wedi iddo ddychwelyd o'r ysbyty, yn nechrau'r haf 1952, fe gafodd Sam Jones lythyr gan ei hen gyfaill Bob Owen, Croesor. Cymerodd y brawd hwnnw arno'i hun i roi marciau i raglenni'r cyfnod hwnnw o ddarlledu, gan ychwanegu ambell sylw:

> Rhaglen R. S. Hughes 98%. Seiat holi'r Naturiaethwyr 100%. *Gair yn ei Le* 100%. Rhaglen y Sul diwethaf gan Kate Roberts yn dda dros ben; Parry-Williams hefyd yn odidog. Ond, fachgen, nid oeddwn yn hidio dim am Crwys, ei lais a'i stwff yn ddigon diflas gennyf.

Ac felly ymlaen, gydag *Ymryson y Beirdd* yn cael 99%, *Llwybr y Mynydd* 98%, ond nid oedd ganddo ddim yn dda i'w ddweud am opera sebon y cyfnod – *Teulu Tŷ Coch.* Yr oedd eraill, hefyd, yn cadw golwg ar gynnyrch yr orsaf:

> While the Bangor studio has still to achieve real attack and polish in play production and acting I cannot praise highly enough the essential Welsh quality of some programmes.

Dyna oedd barn adolygydd radio y *South Wales Evening Post* mewn erthygl a ymddangosodd pan oedd Sam Jones yn Ysbyty Gorseinon.

Cafodd y Gogledd flas o deledu yn 1953, blwyddyn coroni'r Frenhines Elizabeth II. Rhwng Gorffennaf 12 ac 14 y flwyddyn honno fe drefnwyd telediadau o *Pawb yn ei Dro, Voice of the People* (fforwm ar bynciau cyfoes) ac *Oedfa* o gapel Engedi, Caernarfon.

Mewn nodyn gan Alun Watkin Jones at Sam Jones y mae'r Pennaeth Rhaglenni o Gaerdydd yn dweud ei fod yn awyddus i Gynrychiolydd y BBC yn y Gogledd drefnu cinio i ddathlu'r achlysur o ymweliad cyntaf Uned Deledu Allanol y BBC â'r Gogledd:

> As you may guess we are taking this first visit of the TV Outside Broadcast to Caernarfon very seriously and want to make it quite an occasion for the BBC in North Wales. Coupled with the fact that it will be the first time for us to do TV programmes in Welsh from the district, there is the spectacular Link, which the technicians have now proved possible, to carry the picture to Holme Moss via the top of Snowdon.

Fe wnaed y trefniadau angenrheidiol, ond ni allai Sam Jones deimlo mor gyffrous ynglŷn â theledu ag ydoedd ynghylch radio. Fe fyddai, rwy'n tybio, wedi gwenu wrth dderbyn llythyr, di-ddyddiad, gan wraig o Lanfihangel Glyn Myfyr yn sôn am hen gymeriad o'r ardal a ymatebodd i'r newyddion am farwolaeth y Brenin Siôr VI trwy ddweud "'Damio'r hen Frenin 'na. Chawn ni ddim *Pawb yn ei Dro* ar y radio heno".'

Ni fu llawer o ddatblygu rhaglenni newydd ym mhatrwm cynhyrchu Sam Jones ei hun yn negawd olaf ei gyfrifoldebau ym Mangor. Rhoddodd fwy a mwy o sylw i *Ymryson Areithio* y colegau ac i *Ymryson y Beirdd* ac *Wedi'r Oedfa*. Yr oedd hynny ynddo'i hun yn ddigon o goflaid ochr yn ochr â gofynion gweinyddol ei swydd.

Yn 1955 fe deipiodd Laura Jones lythyr at swyddfa'r Prif Weinidog yn gwrthod yr MBE a gynigiwyd i Sam Jones. Ni roddwyd rheswm am wrthod, dim ond dweud yn gwrtais na allai dderbyn yr anrhydedd 'at this stage of my career'. Ni chafodd ail gynnig.

1958 oedd y flwyddyn iddo ddathlu chwarter canrif o wasanaeth i'r BBC ac ni fu Sam Jones yn brin o ddweud wrth y wasg am gyrraedd y garreg filltir:

> The years don't seem to condemn Mr Sam Jones of the BBC as they do less ebullient people. He's just as volatile now as he was 25 years ago when he came bouncing into North Wales, every hair on his thatched head standing up like a challenging aerial.
>
> Wales owes him a great deal – and should be ready to discharge her debt . . . In the face of intensive competition from television he's now planning a new golden age for steam radio. And with Sam in the offing there's plenty of steam about.

Nid yw'r erthygl yn manylu am yr 'oes aur newydd'. Ond mae'n wir i ddweud fod Sam Jones yn ymwybodol o'r gystadleuaeth a fodolai bellach rhwng radio a theledu, er nad teledu Cymraeg hyd yma.

Roedd *Y Cymro* hefyd yn sôn am ei ddyfodiad i'r Gogledd 'fel storm o fellt a tharanau'. Fel arall yn union y dywedodd ef ei hun wrth y *Liverpool Daily Post*. 'When I came to North Wales to open the studio [yn 1935] I was rather timid and diffident.' Ond i un o golofnwyr y papur hwnnw, ac un a fu'n darlledu'n bur rheolaidd o Fangor, sef Jean Ware, corwynt o ddyn oedd Sam Jones. Dyna esbonio pennawd ei herthygl amdano, 'Whirlwind of Welsh radio'. Er nad oedd hi'n deall Cymraeg y mae ei phortread o Sam Jones yn y golofn 'People in Wales' yn dangos adnabyddiaeth drwyadl o'r dyn. Dyn ydyw, meddai, na all oddef ffyliaid yn dawel:

> 'A man,' as Dr Thomas Parry once said, 'who is far too active to make a poet.' While he is merciless to snobs and fools he reaches out a strong hand to the lonely and deprived. His complete integrity and childlike faith in his fellow men inspire in the North Wales staff of the BBC something more akin to love than loyalty.

Yn yr un cyfnod fe gyhoeddodd *Y Faner* lythyr agored ato a'i alw'n 'ŵr o weledigaeth'.

Ar Orffennaf 14, 1958 fe dderbyniodd Sam Jones lythyr gan Reolwr Cymru, Alun Oldfield-Davies yn ei hysbysu: 'Your engagement with the Corporation is due to expire on 30th November 1958'. Ar y dyddiad hwnnw fe fyddai'n drigain oed. Yn yr un llythyr fe gynigiwyd iddo estyniad o ddwy flynedd o wasanaeth. Yr oedd cynnig o'r fath yn anarferol i bobl ar ei raddfa gyflog ef: mwy anarferol fyth oedd fod yr estyniad wedi ei ymestyn am bum mlynedd yn y pen draw. Nid oedd Sam Jones yn awyddus i ymddeol, ac fe dderbyniodd yr estyniadau.

Yn Awst 1958 Sam Jones oedd un o Lywyddion y Dydd yn yr Eisteddfod Genedlaethol yng Nglyn Ebwy. Ar y dydd Mawrth, Awst 5, fe ddechreuodd ei anerchiad ar lwyfan y Pafiliwn trwy ddyfalu pam y dewiswyd ef ar gyfer y fath anrhydedd onid am y ffaith ei fod wedi cwblhau chwarter canrif yng ngwasanaeth radio Cymru. Uno'r genedl oedd thema ganolog ei anerchiad:

> Un genedl ydym, un teulu mawr ydym ni, ac felly rwy'n methu deall pam y mae yna raniad arwynebol rhwng De a Gogledd a'm apêl i y

pnawn 'ma yw i bawb ohonom roi pen ar y busnes annifyr hwn . . .
Mae 'na nifer o fudiadau yng Nghymru heddiw sydd wedi, ac yn, uno'r
genedl. Yn y cyswllt hwn ni fu erioed well mudiad na'r Urdd, sydd
wedi gwneud cymaint i ddod â phlant Cymru at ei gilydd. Mae gennym
ni Brifysgol, gwahanol Undebau a Chymdeithasau, a'r Eisteddfod
Genedlaethol ei hun. Ie, ac mae gennym y radio . . . Mae radio Cymru
wedi gwneud cymaint ag unrhyw fudiad y ganrif hon i uno Cymru – i
ddod â ni at ein gilydd a gwneud i ni deimlo ein bod yn perthyn i un
genedl.

Fe orffennodd yr anerchiad trwy sôn am deledu, ac am y tonfeddi
ychwanegol oedd ar fin dod yn rhydd i'w dosbarthu. Gofynnodd, yn
rhethregol, 'A oes modd gwasgu ar y Llywodraeth i ofalu bod rhai o'r
tonfeddi newydd hyn yn cael eu neilltuo i wasanaethu Cymru gyfan?'
Rhybudd oedd ei air olaf rhag colli'r cyfle i sicrhau cyfiawnder i
Gymru a gofalu bod y genedl yn cael chwarae teg.

Ymhlith y rhai a ysgrifennodd i'w longyfarch ar yr anerchiad yr
oedd Islwyn Ffowc Elis:

Rhoesoch galon newydd yn eich cenedl, a gobaith am weld Cymru yn
cael ei hawliau eto mewn maes newydd. Coeliwch fi, yr oedd y geiriau
yn cario mwy o rym oddi wrthych chi nag oddi wrth neb, gyda'ch
profiad a'ch gwasanaeth maith ym myd radio.

Ym marn *Y Ddraig Goch* siaradwyd llai o nonsens gan Lywyddion y
Dydd yng Nglyn Ebwy nag erioed o'r blaen yn hanes yr Eisteddfod.

Ddeng mlynedd ar hugain ar ôl ymuno â'r BBC, yn hydref 1961, yr
oedd Sam Jones yn trefnu darllediad ar achlysur cau Pafiliwn
Caernarfon. Caewyd y Pafiliwn ar Hydref 21, 1961 a threfnodd Sam
Jones basiant ar y noson, i'w ddarlledu ar Dachwedd 12 y flwyddyn
honno; awr o ddarllediad ar achlysur cau un o'r adeiladau hynotaf yn
y Gogledd. Codwyd y Pafiliwn yn wreiddiol i leoli'r Eisteddfod
Genedlaethol yn 1887. Ynddo, yn 1909, y traddododd Lloyd George
ei araith ysgubol ar Gyllideb y Werin. Bu'r Pafiliwn yn ganolfan
cyngherddau, cyfarfodydd gwleidyddol, a chymanfaoedd pregethu
rhyfeddol – fel y cyfarfod hwnnw y cyfeiriwyd ato eisoes, i ddathlu
canmlwyddiant marw Christmas Evans. Bu'n llwyfan eisteddfod a
gwyliau o bob math ac, er 1939, yn storfa i'r Weinydd-iaeth Fwyd.

Meuryn a luniodd Pasiant Cau Pafiliwn Caernarfon. Wilbert Lloyd
Roberts oedd yn cynhyrchu, a Sam Jones yn trefnu. Yn nyddiau

cynnar cynllunio'r rhaglen yr oedd Wilbert Lloyd Roberts ar gwrs teledu chwe mis yn Llundain. Ar gais Sam Jones, ac yn groes i bob rheol, cafodd ei ryddhau o'r cwrs i weithio ar basiant Caernarfon, gyda'r gorchymyn 'You get the programme and I'll get the chairs!'. Cyfrinach fawr y trefnydd a'r cynhyrchydd at y noson oedd ymddangosiad Megan Lloyd George ar y llwyfan, a hynny er mwyn cael tinc llais ei thad yn yr hen adeilad. Aed i gryn drafferth i gadw'r gyfrinach rhag y gynulleidfa hyd ei hymddangosiad dramatig, a bu'n brofiad emosiynol i bawb oedd yno.

Doedd y rhaglen, pan ddarlledwyd hi, ddim heb ei beirniaid. I rai a holwyd gan *Audience Research* y BBC cafwyd cymalau fel 'too many lengthy speeches', 'We in Wales offer nothing but hymn-singing and tub-thumping', ond i eraill yr oedd yr hyn a glywyd yn cyfleu 'atmosphere of past glories' ac yn 'splendidly evocative and nostalgic'.

Ar wahân i'w gynnyrch cyson o raglenni, a fyddai'n parhau hyd ei ymddeoliad, hon oedd ymdrech fawr olaf Sam Jones ar y radio.

Ni fu iddo ran mor amlwg yng ngweinyddiaeth y BBC, er iddo wneud pob dim a ddisgwylid ganddo yn y cyfeiriad hwnnw ym Mangor. Yn 1947 daethai Trydydd Siarter y BBC i fodolaeth. Yn ystod y flwyddyn honno penodwyd pump ar hugain o bobl, dan gadeiryddiaeth Syr T. H. Parry-Williams, i wasanaethu ar Y Cyngor Ymgynghorol Cymreig. Y Cyngor hwn oedd rhagflaenydd Cyngor Darlledu Cymru. Fe gynhaliwyd cyfarfod cyntaf y Cyngor Ymgynghorol Cymreig ym Mangor ar Fedi 26, 1947 a 'materion Gogledd Cymru a gafodd fwyaf o sylw' yn y cyfarfod hwnnw, yn ôl y wasg. Nid oes cofnod fod Sam Jones yn bresennol yn y cyfarfod, fel yr oedd y prif swyddogion o Gaerdydd, ond cafodd ei wahodd atynt i ginio. Yr oedd naw o aelodau'r Cyngor yn byw yn y Gogledd ar y pryd, ac o weld yn eu plith enwau Enid Parry (gwraig Thomas Parry), Margaret Copland (cyn gyd-olygydd Sam Jones ar gylchgrawn y Coleg), Bob Lloyd (Llwyd o'r Bryn), Huw T. Edwards a Kate Roberts y mae'n rhesymol credu fod Sam Jones wedi cael cyfle i enwebu rhai pobl ar gyfer y Cyngor a bod ei awgrymiadau wedi eu derbyn.

Yn ôl Enid Parry, nid oedd gan y Gyngor ddim awdurdod 'dim ond siop siarad, a gwneud awgrymiadau am wella rhaglenni'. Un o'r dadleuon cyntaf a gafwyd oedd ar sut y dylai'r gwasanaeth radio o Gymru orffen y darllediadau dyddiol. Chwarae 'God Save the Queen' oedd yr arfer ar y pryd ond mynnodd y Cyngor Ymgynghorol Cymreig y dylid defnyddio 'Hen Wlad Fy Nhadau'. Eto yn ôl Enid Parry, 'Sam Jones oedd yn rhoi syniadau i mi a mi fyddwn i yn mynd yn ôl ato fo i ddweud beth oedd wedi digwydd'. Ei chof hi am y cyfarfodydd, a gynhelid fel arfer yng Nghaerdydd ac yn achlysurol ym Mangor ac Abertawe, oedd y byddai'r cyfarfodydd yn danbaid ac, o'r herwydd, y byddai'r uchel-swyddogion o'r BBC yn Llundain a fyddai'n bresennol 'wrth eu boddau'.

Pan ddaeth Siarter newydd i fodolaeth yn 1952 dilynwyd y Cyngor Ymgynghorol Cymreig gan y Cyngor Darlledu Cenedlaethol, dan gadeiryddiaeth yr Arglwydd Macdonald o Waunysgor. Yr oedd hwn yn Gyngor llai o ran nifer ond mwy o ran awdurdod. O Fangor, ar Ragfyr 29, 1952 y darlledodd yr Arglwydd Macdonald sgwrs yn egluro hawliau'r Cyngor Darlledu i'r gwrandawyr:

> Y Cyngor newydd fydd yn llywio polisi a chynnwys y Gwasanaeth Cartref, Cymru, gyda golwg ar ddiwylliant, diddordebau a chwaeth pobl Cymru. Fe fydd gan y Cyngor hawl i gael gwybod, gyda manylrwydd, yr arian a werir ar ddarlledu yng Nghymru. I'r Cyngor y bydd staff y Gorfforaeth sy'n gofalu am gynllunio a chynhyrchu rhaglenni y Gwasanaeth Cartref, Cymru, yn gyfrifol, ac fe fydd gan y Cyngor lais ym mhenodiad y staff.

Wyth o aelodau yn ychwanegol i'r Cadeirydd oedd ar y Cyngor hwn ac fe'u henwebwyd yng ngoleuni ystyriaethau 'daearyddol, addysgiadol, ieithyddol a chymdeithasol'. Cyfarfu'r Cyngor Darlledu am y tro cyntaf yn Ionawr 1953 a byddai datblygiadau teledu, yn ogystal â radio, yn rhan allweddol o'r trafod. Pwysleisia'r hanesydd, Dr John Davies, fod hwn yn gyfnod newydd yn hanes y BBC:

> In the history of BBC broadcasting in Wales, the importance of the victory won in sound radio in the mid 1930s can scarcely be exaggerated. All the subsequent recognition of Wales in the field of broadcasting (and, it could be argued, in other fields also) stemmed from that victory.

Oherwydd yr ymwybyddiaeth o'r cyfnod newydd fe ddaeth awgrym o'r Alban y dylai penaethiaid gorsafoedd lleol y BBC gael y teitl 'Station Director'. Anfonwyd gair gan bennaeth y BBC yn Aberdeen at benaethiaid Southampton, Newcastle, Leeds, Plymouth, East Midlands,

Bangor ac Abertawe yn awgrymu mai da o beth fyddai cynnal cyfarfodydd rheolaidd cyn cyfarfodydd y Rheolwyr Uwch gan fod yna faterion yn gyffredin i bob gorsaf, a thrwy fod yn unedig ar faterion felly y gellid cael sylw iddynt gan y Rheolwyr Rhanbarthol. Tra oedd yn cytuno fod pwrpas i gyfarfodydd o'r fath, credai Sam Jones na fyddai'r teitl 'Cyfarwyddwr Gorsaf' yn 'appropriate in Wales'.

Fe fynychodd un neu ddau o'r cyd-gyfarfodydd yn 1953/54 ond ni ddaeth llawer o fudd o'r cyfarfodydd hynny am nad oedd digon yn gyffredin rhyngddynt mewn maint gorsaf na chynnyrch rhaglenni.

Yr hoelen yn arch y syniad o ffrynt unedig fu diflaniad brysiog pedwar cynrychiolydd o gyd-gyfarfod yn Abertawe ym mis Mai 1954. Gan fod Alun Oldfield-Davies yn 'unfavourably impressed' fe gymerodd Sam Jones arno'i hun i ysgrifennu ar ran penaethiaid Aberdeen, East Midlands, Bangor ac Abertawe at y rhai a fu'n euog o ddiflannu'n gynnar (Newcastle, Plymouth, Leeds a Lerpwl) i fynegi anfodlonrwydd:

> These get-togethers were only wrung from the Regional Controllers by persistent nagging, and any failure on our part to take advantage of them unquestionably diminishes our status in the eyes of the hierarchy.

Fe'i cynghorwyd gan A. H. S. Paterson o Aberdeen, prif ysgogwr y syniad gwreiddiol, i beidio ag anfon y nodyn. Aeth y syniad o ffrynt unedig i'r gwellt, ac ni fu cyd-gyfarfodydd pellach.

Yn nes adref, yr oedd galw ar i Sam Jones oruchwylio'r cynlluniau i addasu swyddfa'r Prif Beiriannydd (Sidney Hett) ym Mangor yn gaban technegol i Stiwdio Un, gan ychwanegu 'observation window and echo room. Two rooms freed would be formed into a self-contained Talk Suite'. Gwnaed y gwaith hwn yn weddol brydlon a hwylus yn nechrau'r pumdegau, ond oedi ac oedi pellach oedd hanes adnewyddu adnoddau yn Neuadd y Penrhyn. Ystyriwyd y mater gyntaf yn 1948. £9,000 oedd y gost gychwynnol bryd hynny i ychwanegu 'siambr eco' yn nho'r adeilad ac i godi stiwdio gysylltu fechan (*narration suite*) wrth gefn y llwyfan. Erbyn cael yr hawl i fynd ati i wneud y gwelliannau yn Ionawr 1953 (bum mlynedd yn ddiweddarach) yr oedd y gost gychwynnol wedi cynyddu i £12,960. Bwriadwyd dechrau ar y gwaith ym mis Mawrth 1953. Aeth yn fis Mai cyn gwneud dim ac yna fe ddefnyddiwyd Ysgoldy'r Tabernacl fel stiwdio dros-dro tra cwblhawyd y gwaith. Bu'n brosiect chwe mis i addasu Neuadd y Penrhyn. 'We ceased using the Tabernacle Schoolroom on 30, November [1953], and all our gear etc., was moved from there by the end of that week ending 5, December.'

Yr oedd y BBC yn y cyfnod yma o addasu adeiladau hefyd yn llygadu'r Ficerdy oedd am y wal â Bryn Meirion fel estyniad posibl i'r swyddfeydd, yn ogystal â symud o Fron Castell i Neuadd Hafren, un o hosteli'r Coleg Normal a oedd union gyferbyn â Bryn Meirion. Bu trafod hefyd am 'acquiring a site outside the city where a new broadcasting centre could be built'. Ni ddaeth dim o'r cynlluniau hynny ond, fel y digwydd hi, fe bwrcaswyd Neuadd Hafren gan y BBC yn 1978 ar gyfer anghenion ychwanegol datblygu Radio Cymru. Yr adeilad hwnnw bellach yw cartref presennol y BBC ym Mangor. Gwerthwyd Bryn Meirion i Undeb y Bedyddwyr i'w ddatblygu'n gartref i'r henoed.

Bu trafod manwl yn niwedd y saithdegau am adeiladu canolfan ddarlledu o'r newydd ym Mhorth Penrhyn, ar gyrion dwyreiniol y ddinas, ond ni ddaeth dim o'r cynllun hwnnw. Gallai fod dau reswm am hynny; un oedd canlyniad Refferendwm 1979 ar Ddatganoli, a'r rheswm arall oedd awydd y BBC i wario'r arian a glustnodwyd ar gyfer Caeredin a Bangor at ddibenion datblygu'r gwasanaeth teledu amser-brecwast ac i gael y blaen ar deledu masnachol.

Ehangwyd y rhwydwaith trosglwyddo tros y blynyddoedd trwy osod mastiau yn Nhywyn (Meirionnydd) yn Ionawr 1953 ac yn Llangollen yn Rhagfyr 1958. Yn yr un mis fe symudwyd y prif waith o drosglwyddo rhaglenni o Benmon i Landdona, eto ar Ynys Môn. Yn ddiweddarach y deuai trosglwyddyddion Llŷn a Moel y Parc i gryfhau'r patrwm trosglwyddo yng Ngogledd Cymru. Codwyd trosglwyddydd Llŷn yn 1962 a throsglwyddydd Moel y Parc, i ddibenion cwmni masnachol TWWN (Television Wales (West and North) Ltd.), yn 1963. (Yr oedd cwmni teledu masnachol Granada wedi dechrau cynhyrchu rhaglenni Cymraeg awr o hyd ddwywaith yr wythnos o'r stiwdio ym Manceinion ym Medi, 1957 ar gyfer gwylwyr yng Ngogledd Cymru a'r alltudion a oedd o fewn cyrraedd i drosglwyddydd Winter Hill.) O 1969 ymlaen fe rannwyd trosglwyddydd Moel y Parc â'r BBC gan ychwanegu 350,000 o wylwyr i'r gwasanaeth o Gymru.

Ym mlwyddyn olaf Sam Jones fel Cynrychiolydd y BBC yn y Gogledd, sef 1963, yr oedd cyfanswm y trwyddedau darlledu yn y Canolbarth a'r Gogledd yn 175,968 – 40,505 yn y Canolbarth (a gynhwysai siroedd Aberteifi, Maldwyn, Meirionnydd a Maesyfed) a 135,463 yn y Gogledd (a gynhwysai siroedd Môn, Caernarfon, Dinbych a Fflint).

Gyda'i yrfa'n tynnu i'w therfyn, cafodd Sam Jones wybod gan yr Athro Thomas Parry fod anrhydedd i ddod i'w ran o du'r Brifysgol. Ar amlen a farciwyd 'Personol a Chyfrinachol', ar Fawrth 25, 1963 daeth llythyr i'r cartref yn Cyncoed, Lôn Meirion, Bangor:

> Annwyl Sam,
>
> Dyma un o'r pethau mwyaf dymunol a wnes ers tro byd, sef ysgrifennu atat i ddweud fod y Brifysgol wedi penderfynu rhoi i ti y radd o D. Litt., er anrhydedd. Os bydd i hyn roi cymaint o bleser i ti ag mae'n ei roi i mi, fe fyddi'n ddyn hapus dros ben. Carwn gael gwybod gennyt, mor fuan ag y gelli, a wyt am dderbyn y radd.
>
> Yn gywir iawn, Tom.

Yr oedd Sam Jones wedi cael achlust fod rhyw anrhydedd i ddod i'w ran gan y Brifysgol, ond yr oedd Doethuriaeth y tu hwnt i'w ddisgwyl. Mewn llythyr ataf fe ddywed Elwyn Evans mai Alun Llywelyn-Williams, ar ei dystiolaeth ef ei hun mewn sgwrs ag Elwyn Evans, a feddyliodd gyntaf am anrhydeddu Sam Jones â doethuriaeth, 'ac mai ef, Alun, a fu'n arwain yr ymgyrch academaidd i'w chael hi iddo'.

Cyflwynwyd y radd iddo mewn cynulliad o'r Brifysgol yn Neuadd y Brenin, Aberystwyth, ar ddydd Iau, Gorffennaf 11, 1963. Y Gwir Anrhydeddus yr Arglwydd Morris o Borthygest oedd yn llywyddu a derbyniwyd y graddedigion trwy anrhydedd i'w graddau gan yr Athro Thomas Parry, a oedd erbyn hynny'n Brifathro Coleg y Brifysgol, Aberystwyth. Syr Emrys Evans, Prifathro Coleg y Gogledd, oedd yn cyflwyno Sam Jones i dderbyn gradd Doethur mewn Llên. Gorffennodd ei gyflwyniad gyda'r geiriau:

> Cyflawna'i waith trwy gyfuniad anghyffredin o deithi personol – asbri ac egni diflin, aflonydd; dychymyg byw; chwilfrydedd y morwr, y slymiwr, y newyddiadurwr; brwdfrydedd heintus; natur hoffus. Y mae ganddo reddf sicr i ddilyn trywydd talentau a'u dwyn i gyfrannu gwir ddifyrrwch. Dyma brif impressario Cymru. Am bopeth a wnaeth, derbynied heddiw gydnabyddiaeth ei brifysgol a'i wlad.

Sam Jones oedd yr aelod cyntaf o staff y BBC i dderbyn doethuriaeth gan Brifysgol Cymru. Fe nodwyd yr anrhydedd yng nghofnodion

Bwrdd Llywodraethwyr y BBC 'in recognition of his contribution to Welsh language programmes' ac yng nghofnodion y Bwrdd Rheoli yn Llundain 'in recognition of his services to Welsh literature'.

Ffromodd Sam Jones yn arw at y cofnod olaf gan roi'r bai ar Alun Oldfield-Davies am gamarwain y Bwrdd Rheoli. Mae'n bwrw ei fol wrth Elwyn Evans mewn llythyr ato:

> Rwy'n gwybod eich bod chwi wrth eich bodd oherwydd yr anrhydedd a ddaeth i mi. 'Chi'n gweld, mae'r achos am hyn yn mynd yn ôl i'r hen ddyddiau – y dyddiau cynnar rheini pan roedd yn werth brwydro dros achos oedd yn agos iawn at ein calon . . .
>
> Bydd gennyf lot i'w ddweud wrthych am fusnes yr Anrhydedd yma pan gawn gyfle. The Pennaeth in Cardiff never informed London of the honour. Indeed the Establishment does not know officially of the award. It is now – this very week – I've heard from Grisewood, writing on behalf of the D.G. [Director General] who is abroad. Grisewood got the information from the puny paragraph in *Ariel* [cylchgrawn staff y BBC] and – judging from his letter – he is under the impression that I got the D.Litt for my 'services to Welsh Literature!' whereas the citation reads 'Distinguished services to the cultural life of Wales through the medium of Broadcasting'. I never dreamed that the Pennaeth would carry the vendetta to this extent. God knows, the shabby treatment I received during the 40th celebrations [dathliad deugain mlynedd o ddarlledu o Gymru 1923-63] touched a 'new low' but to withold information of this nature is despicable. And there is a lot more fel y cewch chi glywed pan gaf gyfle.

Y mae yma islais o ddrwgdeimlad a oedd yn ymestyn yn ôl tros flynyddoedd lawer. Yr argraff a gafodd Elwyn Evans yn y blynyddoedd ar ôl y rhyfel, cyn iddo ef ei hun adael Caerdydd am Affrica, oedd:

> . . . bod Alun Oldfield-Davies yn awyddus i drin Sam 'strictly in accordance with his place in the pecking order', heb gydnabod, neu fyth gyfeirio at y ffaith fod cyfraniad Sam yn unigryw.

Mewn darlith a draddododd Alun Oldfield-Davies gerbron y Cymmrodorion yng Nghaerdydd ar Dachwedd 5, 1971, gyda Dr Iorwerth Peate yn y gadair, y mae'n arwyddocaol, meddai Elwyn Evans, fod y darlithydd, wrth gyfeirio at ddarlledu fel yr oedd cyn creu Rhanbarth Cymru, yn sôn am:

four hours a week at most of programmes in Welsh, no news of Wales, no reception of radio programmes in mid and north Wales, 186,000 radio licences (an estimated 9% of the population), no Welsh staff except for Mr Sam Jones . . .

A dyna i gyd – 'ond does yr un gair ganddo i awgrymu mai personoliaeth Sam, a llwyddiant ysgubol ei raglenni, a wnaeth ddyfodiad y rhanbarth yn anochel'. Mae'n hawdd dychmygu penbleth Alun Oldfield-Davies. Pe bai'r awdurdodau yn Llundain yn gwybod pam y rhoddwyd y ddoethuriaeth i Sam Jones 'sut y gallai [Alun Oldfield-Davies] esbonio pam y bu ef mor ddi-sylw o Sam ar hyd y blynyddoedd?' Nid yw Elwyn Evans yn awgrymu fod y bai am y berthynas wael rhwng y ddau yn deillio o un ochr. 'Eto i gyd rwy'n bur sicr y buasai'r berthynas rhyngddynt yn wahanol pe bai'r "pennaeth" wedi ymddwyn yn wahanol.'

Bellach, mae'n anodd mynd at wreiddyn y 'shabby treatment' y cyfeiriodd Sam Jones ato ynglŷn â dathliadau deugain mlynedd darlledu yng Nghymru. Yr unig awgrym yw fod gan Alun Oldfield-Davies erthygl yn *Radio Times* ar Chwefror 7, 1963, dan y pennawd 'The contribution to Welsh Life' lle nad enwir Sam Jones na Bangor o gwbl – hwyrach am fod erthygl gan Sam Jones ei hun ar yr un dudalen yn sôn am ddarlledu o Fangor ar hyd y blynyddoedd.

Tybed a oedd Sam Jones yn cadw'i feddyliau iddo'i hun yn hytrach na thrafod ei anfodlonrwydd gyda'i bennaeth? Nid oes unrhyw awgrym o anesmwythyd yn llythyr Alun Oldfield-Davies ato i'w hysbysu o ddyddiad terfynol ymddeoliad Sam Jones. Wedi sôn am 'courageous enthusiasm' ac 'youthful zest' y dyddiau cynnar y mae'r llythyr yn gorffen:

> I congratulate you most warmly on a splendid record and thank you very sincerely for your loyal support.

Nid oedd lle i amau teyrngarwch Sam Jones i'r BBC, ond nid oedd yr un teyrngarwch yn bod, yn breifat, i unigolion o fewn y sefydliad. Fe ymddeolodd o'r BBC ym Mangor ar Dachwedd 30, 1963.

Ar ei ymddeoliad fe holwyd Sam Jones gan Harri Gwynn, ar gyfer *Heddiw*. Mewn ateb i gwestiwn am ddylanwad radio ar iaith a diwylliant Cymru fe danlinellodd y ffaith mai'r rhieni a arferai benderfynu pa raglenni oedd i'w derbyn ar aelwydydd. Felly, yr oedd yn rhaid i'r plant wrando hefyd. Golygai hynny fod plant yn gwrando ar raglenni Cymraeg. Ond gyda dyfodiad teledu roedd rhieni a phlant yn troi cefn ar y radio 'ac yn edrych ar y set yna yn y gornel; yn derbyn popeth oedd yn dod a rheiny'n rhaglenni Saesneg bron i gyd'. Yn y cyd-destun hwnnw y dywedodd:

> Y mae'n rhaid i raglenni teledu fod yn Gymraeg a Chymreig. Hynny yw, 'waeth i ni heb â chopïo'r Saeson. Ddaru ni adael y Saeson ar radio sain a chynhyrchu stwff oedd yn wirioneddol Gymreig. Ac mae'n rhaid i'r bechgyn fydd yn gyfrifol am raglenni teledu wneud yr un peth, neu trasiedi fydd hi.

Ar wahân i fynd i stiwdio, neu i'w swyddfa, ni fyddai Sam Jones yn mentro allan ryw lawer yn ei flynyddoedd olaf yn y BBC. Yn y swyddfa ac ar ei aelwyd ei hun yr oedd o hapusaf. Mae'n rhyfedd na fu'n gysylltiedig â Chymdeithas y Cyn-fyfyrwyr ac yntau'n byw ym Mangor ac o fewn taro i'r coleg. Yn ôl Menna ap Thomas, yr oedd yna 'agweddau Seisnig yn y Gymdeithas honno ar un adeg, ac yntau [Sam Jones] yn ymddiddori yn yr hyn a ddeuai â grawn i'w felin o'. Wedi iddi hi raddio yn 1936 yng Ngholeg y Brifysgol, Bangor, bu Mrs Ap Thomas yn ysgrifenyddes yn Adran Addysg Oedolion y BBC yng Nghaerdydd. Dychwelodd i Fangor a phriodi yn Awst 1940. Fe'i penodwyd gan y BBC i swydd ran-amser yn swyddfa'r Prif Beiriannydd, Mr Hett. Nid yw'n cofio fod Sam Jones yn cymdeithasu ryw lawer, na bod llawer o bobl yn mynd i'r tŷ. Ond y mae hi'n cofio ei raglenni 'am fod blas ar y gwrando'.

CYNHYRCHWYR ERAILL BANGOR

Cyd-ddigwyddiad yw hi fod cynifer o'r cynhyrchwyr rhaglenni a fu'n gweithio ym Mangor yn ystod y cyfnod 1935-63 yn hanu o'r De, fel y gwelir isod:

Elwyn Evans

Ganed Elwyn Evans yn 1912 ym Mhen-y-bont ar Ogwr, yn fab i'r Archdderwydd Wil Ifan, ac fe'i haddysgwyd yn Rhydychen lle graddiodd yn 1933 mewn Hanes Modern. Ei swydd gyntaf, yn 1934, oedd swydd Cyhoeddwr gyda'r BBC yng Nghaerdydd ac yna fe'i penodwyd i ofalu am *Awr y Plant* (yn olynydd i Raymond Glendenning, a ddaeth yn enwog fel sylwebydd chwaraeon).

Symudodd i Fangor yn 1938 fel Cynorthwy-ydd Rhaglenni gan ganolbwyntio ar fyd adloniant a chynhyrchu sgyrsiau radio. Ei hoffter oedd rhaglenni nodwedd ac ymhlith y rhaglenni nodwedd a gynhyrchodd o Fangor yr oedd un am Eglwys Gadeiriol Bangor ac un arall am achos cyfreithiol ym Môn. Yn 1939 fe ymunodd â Sam Jones yn Llundain fel un o'r rhai a gyfieithai'r newyddion i'r Gymraeg. Ymunodd â'r Royal Corps of Signals yn ystod y rhyfel ac, yn y Dwyrain Canol, daeth yn swyddog yn yr Army Educational Corps.

Ailafaelodd yn ei yrfa ddarlledu yn 1946 fel Cynhyrchydd Sgyrsiau yng Nghaerdydd cyn cael ei benodi'n Gyfarwyddwr Rhaglenni i Gorfforaeth Ddarlledu Nigeria ar gytundeb tair blynedd (1956-59). Gorffennodd ei yrfa yn Adran Hyfforddiant y BBC yn Llundain, i ddechrau fel Prif Hyfforddwr (Sain) ac yna'n Bennaeth Hyfforddiant Radio. Ymddeolodd yn 1972.

Alun Llywelyn-Williams

Ganed Alun Llywelyn-Williams yn 1913 yng Nghaerdydd, yn fab i feddyg, ac fe'i haddysgwyd yng Ngholeg y Brifysgol, Caerdydd, lle graddiodd mewn Cymraeg a Hanes. Ei swydd gyntaf oedd swydd Cyhoeddwr a Threfnydd Sgyrsiau Radio (dros dro) gyda'r BBC. Yna fe'i penodwyd i staff Llyfrgell Genedlaethol Cymru yn 1936. Yn ystod yr Ail Ryfel Byd, bu'n gwasanaethu gyda'r Ffiwsilwyr Brenhinol Cymreig ac wedyn fe ddychwelodd i'r BBC i fod yn gynhyrchydd radio.

Penodwyd Alun Llywelyn-Williams i swydd Trefnydd a Chynhyrchydd Sgyrsiau ym Mangor, ac fel ei gyfaill a'i gyd-gynhyrchydd Elwyn Evans yng Nghaerdydd yr oedd y ddau'n gyfrifol am drefnu darllediadau yn y ddwy iaith, Cymraeg a Saesneg:

> a dyma sut y bu imi fy nghael fy hun yn croesawu i'r stiwdio ym Mangor bobl fel yr athronydd a'r heddychwr mawr Bertrand Russell (a fu'n byw am sbel tua'r adeg hwnnw [sic] yn ymyl Ffestiniog), a'r nofelydd Richard Hughes a Clough Williams Ellis y pensaer, a chymeriadau diddorol eraill. Ac yr oedd ym Mangor y pryd hwnnw gwmni rep. yn chwarae yn y *County Theatre*. Cefais lawer o help gan aelodau ifanc hoffus y cwmni bach hwnnw gyda darlleniadau o farddoniaeth ac ambell raglen nodwedd megis cyfres o *Imaginary Conversations* a drefnais gyda Llewelyn Wyn Griffith.

Achlysurol oedd y darllediadau Saesneg. Roedd mwy o gyfle ym Mangor i drefnu sgyrsiau amrywiol a diddorol yn Gymraeg. Troi at y doniau profiadol a oedd wrth law yng Ngholeg y Brifysgol a wnaeth Alun Llywelyn-Williams gan wybod y gallai ddibynnu'n gyson am sgyrsiau difyr gan Syr Ifor Williams, Dr Thomas Richards, R. Alun Roberts a Thomas Parry. Gwnaeth ddefnydd o David Thomas, golygydd *Lleufer,* ac E. Morgan Humphreys hefyd. Dyma a ddywedodd am ei bolisi darlledu:

> Gosodai'r rhain y patrwm ond yr oedd yn rhaid hefyd chwilio am leisiau a chynnig arlwy mor amrywiol ag y bo modd. Roeddwn yn awyddus i gael pobl gyffredin at y meicroffon i sôn am eu gwaith, a cheisiais drefnu cyfres a gynhwysai, er enghraifft, sgwrs gan yrrwr trên a ofalai am yr *Irish Mail* o Gaergybi i Lundain a chyfres arall, rwy'n cofio, o hunan-fywgraffiadau gyda'r teitl *Y Dyn a'i Dylwyth.* Cyfres wedyn o drafodaethau ar ad-drefnu llywodraeth leol, pwnc amserol wedi'r rhyfel, a roddais yng ngofal yr economegydd ifanc Dylan Pritchard . . . Ar drywydd arall, newydd yn Gymraeg ar y pryd, gwahoddais Thomas Parry i addasu *Gwen Thomas* [sic], nofel Daniel Owen, i'w darllen ar y radio yn rhannau wythnosol. Islwyn Ffowc Elis oedd y darllenwr, ef yn fyfyriwr yn y Coleg yr adeg honno, a chredaf mai dyna sut y dechreuodd ar ei yrfa fel darlledwr. Tua'r adeg yma hefyd y dechreuodd Frank Price Jones ar y radio, ac eraill a gofiaf fel darlledwyr tra chymeradwy o'r cyfnod hwn yw Ernest Roberts ac H.T. Edwards, yr undebwr llafur.

Fe ddywed mai'r rhaglen a roddodd fwyaf o fwynhad iddo fel cynhyrchydd ym Mangor oedd *Cornel y Llenor,* rhaglen gylchgrawn lenyddol hanner awr o hyd a ddarlledid unwaith y mis:

> Yng *Nghornel y Llenor,* os iawn y cofiaf, bu Emyr Humphreys yn croesawu llyfr newydd chwyldroadol John Gwilym Jones, *Y Goeden Eirin.* Roeddwn yn ffodus fod gennyf wrth law ddynion fel Huw Griffith a W. H. Roberts fel darllenwyr barddoniaeth. Roedd Sam Jones wrth gwrs eisoes wedi darganfod talent fawr W. H. Roberts fel darlledwr. Gyda'i lais hyfryd cyfoethog, a'i ddeallusrwydd hydeiml, rhaid ei fod yn un o'r adroddwyr barddoniaeth gorau a fu erioed yng Nghymru.

Ffrwyth y gyfres *Cornel y Llenor* a arweiniodd at gyhoeddi dwy gyfrol, sef *Y Bardd yn ei Weithdy* (Gwasg y Brython, 1948) a *Crefft y Stori Fer* (Y Clwb Llyfrau Cymraeg, 1949). Golygwyd y gyfrol gyntaf o'r ddwy gan Syr T. H. Parry-Williams, a fu'n holi'r beirdd yn y darllediadau, a golygwyd yr ail gyfrol gan Saunders Lewis, a luniodd gyfres fer gyda'r storïwyr byrion, Kate Roberts, D. J. Williams, J. O. Williams, Islwyn Williams a John Gwilym Jones.

John Gwilym Jones

Pan hudwyd Alun Llywelyn-Williams yn haf 1948 o fyd y radio i Goleg y Brifysgol, Bangor, yr un a benodwyd yn Gynhyrchydd Sgyrsiau yn ei le oedd John Gwilym Jones. Yr oedd hwn yn benodiad a blesiodd Alun Trygarn, adolygydd radio tra beirniadol *Y Cymro*:

> Llawenydd yw clywed bod Radio Cymru [er nad oedd y gwasanaeth yn bod dan yr enw hwnnw ar y pryd] i gael gwasanaeth Mr John Gwilym Jones yng ngorsaf Bangor, a gallwn edrych ymlaen at raglenni gwreiddiol, a theimlwn y bydd ei waith yn cyfuno disgleirdeb a dyfalbarhad . . . Ym marn Mr T. J. Morgan 'the most profound, the most polished literary artist writing Welsh prose today'.

Ganed John Gwilym Jones yn 1904 yn Y Groeslon, Arfon. Wedi cyfnod fel athro-dan-hyfforddiant, aeth i Goleg Prifysgol Gogledd Cymru, Bangor. Bu'n athro yn Llundain o 1926 hyd 1930 pryd y dechreuodd ymddiddori yn y theatr broffesiynol ac yr oedd yn ymwelydd mynych â'r West End. Wedi dychwelyd i Gymru, bu'n athro yn Llandudno (1930-44), Pwllheli (1944-48) a Phen-y-groes (1948-49), cyn cael ei benodi'n gynhyrchydd dramâu radio gyda'r BBC ym Mangor.

Dechreuodd John Gwilym Jones ar ei waith i'r BBC yn Ionawr 1949:

> Roedd y gwaith yn gwbl, gwbl newydd imi. Roeddwn yn adnabod y pennaeth, Sam Jones, o bell gan ei fod yn y coleg yr un pryd â mi, ond nid oeddwn yn gyfarwydd iawn ag o . . . Rhoddodd groeso imi fel pe baem yn gyfeillion mynwesol ar hyd y blynyddoedd a theimlais yn hapus y munud y cyrhaeddais Ganolfan y Gorfforaeth ym Mangor . . . Roedd gennyf gydweithwyr ardderchog yno, pawb yn hapus braf gyda'i gilydd a'r lle yn gwbl Gymreig.

Erbyn hydref y flwyddyn honno yr oedd y BBC yn creu swydd Cynhyrchydd Rhaglenni Nodwedd a Drama ym Mangor, ac mewn cyfweliad yng Nghaerdydd, ar Hydref 7, 1949, fe benodwyd John

Gwilym Jones i'r swydd. Roedd newydd-deb y gwaith ar y dechrau yn gyffro afieithus iddo, ac eto yr oedd yn anesmwyth ei fyd:

> . . . yn fwy na dim fedrwn i ddim ymddihatru o'r teimlad fy mod i'n gwastraffu f'amser. Darllen ugeiniau ac ugeiniau o ddramâu a oedd, i mi, beth bynnag, yn gwbl anobeithiol; a gorfod ysgrifennu'n gwrtais i gyfiawnhau eu gwrthod, ac wrth eu gwrthod yn anorfod yn creu drwg deimlad.

Collodd gwsg, ar ei gyfaddefiad ei hun, yn gwrthod gweithiau a fyddai, o bosibl, yn rhoi pleser i wrandawyr. Ond dyna'r cyfrifoldeb sydd gan gynhyrchydd; y mae ei air yn derfynol. Cafodd John Gwilym Jones y pleser o ddarlledu rhai o gomedïau cynnar Huw Lloyd Edwards – *Yr Orffews*, er enghraifft. Trefnodd gyfresi hefyd, un i ddilyn tyfiant y ddrama Gymraeg o'r Dramâu Moes, trwy Twm o'r Nant a'r Anterliwtiau, at gyfnod D. T. Davies, R. G. Berry a W. J. Gruffydd. Yna cafwyd trosiadau gan Gareth Alban Davies ac Ifor Davies o ddramâu Sbaeneg a Ffrangeg. Cyfarwyddodd addasiadau o nofelau fel *Gŵr Pen y Bryn* (E. Tegla Davies), a chynhyrchodd *Llywelyn Fawr* (Thomas Parry). Yn Ebrill 1950 fe gynhyrchodd gyfaddasiad radio o *Gwen Tomos* (Daniel Owen). Yn y ddrama honno, a ddarlledwyd yn chwe rhan, yr oedd 33 o actorion – y cast mwyaf a fu mewn drama radio ym Mangor erioed.

Soniwyd eisoes am y dramâu annigonol a anfonid ato, ac am ddiffygion technegol Neuadd y Penrhyn. Yr oedd yna hefyd brinder o actorion proffesiynol yn yr ardal. Un o'r ychydig actorion hynny oedd Charles Williams. Bu'n actio mewn nifer o gynyrchiadau radio John Gwilym Jones:

> Yr hyn a wnaeth John Gwilym Jones oedd ein tywys ni drwy'r hen ddramâu Groegaidd a'r Clasuron Saesneg a'u haddasu a'u cyfieithu nhw mewn iaith lafar raenus . . . Mi fuasa'i gyfraniad o'n amhrisiadwy heddiw, i fyd teledu. John Gwilym oedd ein coleg ni, mi ddysgodd o gymaint i ni.

Yn 1953 fe dderbyniodd swydd fel Darlithydd yn Adran y Gymraeg yn ei hen Goleg ym Mangor; yn ddiweddarach fe'i penodwyd yn Ddarllenydd. Ymddeolodd yn 1971.

Elwyn Thomas

Brodor o Ddowlais oedd Elwyn Thomas; gŵr addfwyn a chynhyrchydd cadarn ei gyfarwyddyd. Fe'i haddysgwyd yng Ngholeg y Brifysgol, Caerdydd a bu'n athro yn Ysgol Uwchradd Aberhonddu. Alun Llywelyn-Williams a'i cymhellodd i ystyried swydd fel cynhyrchydd radio, a phan hysbysebwyd swydd yn yr Adran Ysgolion fe gynigiodd amdani a'i chael.

Ymunodd â'r staff ym Mangor ar Fedi 1, 1946. Yr un oedd profiadau Islwyn Ffowc Elis, yn gynnar yn ei yrfa fel darlledwr, â'm profiad innau rai blynyddoedd yn ddiweddarach o 'gael *drill* iawn gan Elwyn [Thomas] a wnaeth y byd o les i mi'.

Darllen yr ail bennod o addasiad Thomas Parry o *Gwen Tomos* yr oedd Islwyn Ffowc Elis ar y pryd, a chan nad oedd Alun Llywelyn-Williams ar gael y diwrnod hwnnw fe ofynnwyd i Elwyn Thomas gynhyrchu'r myfyriwr ifanc. 'Doedd o ddim yn fodlon o gwbl â'r hyn a glywodd o yn y rihyrsal. "Mi awn ni drwyddi fesul brawddeg," meddai. A dyna'r peth gorau ddigwyddodd i mi erioed.'

Fe wn i'n bersonol am y manyldeb hwnnw gan i Elwyn Thomas, yn 1955, ofyn i mi aros yn y stiwdio ar ôl rihyrsal un o'i raglenni i ysgolion a dangos yn glir i mi beth oedd fy ngwendidau fel darlledwr, a'm helpu i roi pethau'n iawn. Y cyfresi a gynhyrchai o Fangor oedd cyfresi hirion fel *Ar Grwydr yng Nghymru, Hanes Cymru, Cwrs y Byd, Ein Plwyf* a *Tro Trwy Gymru.* Ysgogodd sgriptwyr ac actorion yn ei gynyrchiadau, ar ffurf dramâu byrion gan amlaf, ar gyfer y gwasanaeth i ysgolion, ac yn ychwanegol at ei gyfresi ei hunan fe fyddai Elwyn Thomas hefyd yn helpu Sam Jones trwy gadw marciau yn *Ymryson y Beirdd* a thrwy gadw amser ar y gyfres *Pawb yn ei Dro.* Yr oedd yn aelod gwerthfawr o'r tîm cynhyrchu ym Mangor.

Ar benwythnosau fe'i gwelid, yng nghwmni pobl fel Alun Llywelyn-Williams a'r addysgwr-actiwr Edwin Williams, yn crwydro llechweddau Eryri. Dyna oedd ei bleser. Gadawodd Bangor yn 1959 gan barhau â'i yrfa fel cynhyrchydd teledu yn yr Adran Ysgolion yn y BBC yng Nghaerdydd. Cynhyrchodd gyfresi fel *O Nerth i Nerth* (cyfres am Ynni); *Lledu Gorwelion* (cyfres am ddulliau o anfon negesau); dwy gyfres ddiwydiannol, sef *Cymru a'i Phobl* a *Dyn a'i Waith,* a chyfres am adar ac anifeiliaid, sef *Byd Natur.* Ymddeolodd ym Medi 1970.

Myfanwy Howell

Soniwyd eisoes am gysylltiad Myfanwy Howell â Sam Jones ac â'r BBC ym Mangor, ac am ei chyfraniad i'r *Noson Lawen.*

Ar Fai 26, 1941 fe'i penodwyd i swydd Cynorthwy-ydd Rhaglenni ym Mangor, yn rhan-amser i ddechrau ac o Hydref 1, 1942 ymlaen yn llawn-amser. Fe ystyriodd adael y BBC ym Mai 1942 ac wedi cyfweliad yn swyddfa leol y Weinyddiaeth Lafur fe gynigiwyd iddi'r swydd o 'Womanpower Officer'. Gwrthododd y swydd honno gan barhau gyda'r BBC. Daeth y cyfnod fel Cynorthwy-ydd i ben ar ddydd olaf Gorffennaf 1946.

Yr oedd bod yn Gynorthwy-ydd trwy gyfnod yr Ail Ryfel Byd yn golygu gwaith cyhoeddi ar yr awyr yr holl raglenni a ddeuai o'r Gogledd, sgriptio cyfresi i ysgolion fel *Byw yn y Wlad,* sgriptio *Awr y Plant,* teithio'r Gogledd i gyhoeddi rhaglenni fel *Sut Hwyl* ac i Rosllannerchrugug 'to record Proclamation Concert' (Cyngerdd Cyhoeddi Eisteddfod Genedlaethol 1945), ac i roi help llaw yn gyffredinol i Sam Jones. Fe fyddai hi hefyd yn taro i mewn i glywed sioeau fel *ITMA.* Ar ddydd Gwener, Hydref 24, wedi bod yn gyhoeddwr i sgwrs radio gan E. Morgan Humphreys yn y bore a galw yn Ffair Borth (Porthaethwy) yn y prynhawn, y mae hi'n cofnodi hyn yn ei dyddiadur:

> Went to *ITMA* show. Stopped. Bombs at Bangor. My first real raid. 5 people killed including BBC chauffeur.

Gweithiai'n gyson efo 'Hogiau'r Gogledd' ac 'Wythawd Merched Eryri', ac yn achlysurol efo artistiaid byd-enwog fel y gantores Kathleen Ferrier a'r pianydd Benno Moiseiwitsch yn ystod darllediad o Fangor o'r 'Sir Henry Wood Concert'. Ar achlysur agor trosglwyddydd newydd yn Wrecsam fis Mawrth 1946, Myfanwy Howell oedd y cyhoeddwr i'r cyngerdd gyda'r-nos i ddathlu'r digwyddiad.

Er i'w swydd Cynorthwy-ydd ddod i ben ar Orffennaf 31, 1946 fe barhaodd i sgriptio rhaglenni ar gyfer ysgolion ac *Awr y Plant.* Erbyn canol mis Mawrth 1947 yr oedd hi'n ôl ym Mron Castell. 'March 24, Re-started at Bangor as temporary CHO. [*Children's Hour* Organiser]' Hynny yw, fe fyddai'n olynu Mair Sivell fel Trefnydd *Awr y Plant.* Bu yn y swydd dros-dro honno hyd Ragfyr 11, 1947 pan benodwyd Ifan O. Williams yn Drefnydd Cynorthwyol *Awr y Plant* o

Fangor. Wedi rhai wythnosau o'i roi ef ar ben y ffordd yr oedd Myfanwy Howell, ar Chwefror 3, 1948, 'back in my old job as Programme Assistant'. A bu yn y swydd honno, swydd helpu-pawb-efo-pob-peth, hyd ddiwedd 1948. Yn nyddiadur y flwyddyn honno mae'n nodi: 'Dec. 14, [1948] Heber [Jenkins, swyddog gweinyddol] up in Bangor. Asked me to stay on at BBC – hopeless.' Wedi treulio'r Nadolig ym Môn ar aelwyd ei mam fe ddychwelodd i Gasnewydd ar Ionawr 14, 1949. Chwe diwrnod yn ddiweddarach, bu farw ei mam. 'Jan. 20 [1949], Mama died in the early hours of the morning. Too late to see her.' Collodd ei brawd, Gwilym, hefyd tua'r un adeg; dwy ergyd greulon.

Fe wnaeth Myfanwy Howell gyfraniad disglair i ddarlledu o Fangor. Fe wnaeth hi, trwy gyfnod y rhyfel ac wedi hynny, yr hyn a wnaeth Nan Davies o'r dechrau ym Mangor sef mynd i gyngherddau, dramâu, nosweithiau llawen ac eisteddfodau i glywed y doniau oedd ar gael. Byddai'n awgrymu enwau darlledwyr posibl i Sam Jones. Byddai, yn ogystal, yn fwrlwm o syniadau am raglenni a chyfresi, a defnyddiai Sam Jones hi fel carreg ateb i'w syniadau ei hun. Yr oedd hi'n egnïol, fel yntau, ac yn cael gwefr o gyfarfod â'r bobl a ddeuai i Fryn Meirion i ddarlledu, neu a gymerai ran mewn darllediadau allanol. Yr oedd ganddi'r gallu i gymell ac i danio dychymyg. Nid yn unig yr oedd hi'n sgolor – ac nid ar chwarae bach y ceir gradd dosbarth cyntaf yng Nghaergrawnt – ond roedd hi hefyd yn credu fod darlledu'n bwysig. Wedi dychwelyd i'r De, fe'i cofir yn niwedd y pumdegau a'r chwedegau cynnar fel wyneb cyfarwydd a chyflwynydd cartrefol ar raglen TWW, *Amser Te.*

Mair Sivell

Ganed yn Brechfa, Sir Gaerfyrddin yn 1924. Fe'i haddysgwyd yn Ysgol y Merched, Caerfyrddin ac yn 1942 yng Ngholeg Prifysgol Cymru, Aberystwyth. Graddiodd yn y Gymraeg yn 1945 a'i phenodi'r haf hwnnw i gynhyrchu *Awr y Plant* yn y BBC ym Mangor. Byr fu ei harhosiad yno gan iddi ddychwelyd i Aberystwyth yn 1947 i briodi.

Ifan O. Williams

Ganed Ifan O. Williams yng Nghaergybi yn 1911 a chafodd ei addysg yn Ysgol Sir, Caergybi. Yn 1929 daeth yn fyfyriwr i Goleg y Gogledd, Bangor, lle graddiodd yn 1934. Yna, dilynodd gwrs diwinyddol yng Ngholegau Aberystwyth a'r Bala ac ennill y radd BD yn 1938.

Ers dyddiau Hogiau'r Gogledd yr oedd Sam Jones ac Ifan O. Williams yn adnabod ei gilydd yn dda. Wedi gadael coleg fe ordeiniwyd Ifan O. Williams yn weinidog yn Nantglyn, Dyffryn Clwyd yn 1938. Bu'n gaplan yn y fyddin yn ystod yr Ail Ryfel Byd gan wasanaethu ym Mhalesteina, Swdan a'r India, lle cyfarfu â Gandhi. Pan ddychwelodd i Gymru yn 1945 derbyniodd alwad i Rehoboth, Llandudno a Pheniel, Deganwy. Fe'i penodwyd i'r BBC yn 1947 i ofalu am *Awr y Plant.*

Ni fu'n hir yn gofalu am *Awr y Plant* cyn symud i gynhyrchu rhaglenni nodwedd ac fe'i holynwyd gan Evelyn Williams yn 1950. Ar ei farwolaeth, ychydig dros ei hanner cant oed, ar y Sul Chwefror 16, 1964, ac yntau bellach wedi symud i Gaerdydd ac i fyd teledu, talodd Sam Jones deyrnged iddo yn *Y Cymro:*

> Yn fy marn i, dyma'r holwr gorau a gawsom ar radio sain yng Nghymru. Roedd ganddo ryw reddf naturiol i wneud pobl gyffredin yn gartrefol a hapus. Ni welais neb tebyg iddo am gael y gorau o bobl swil.
>
> Y gyfrinach fawr oedd trylwyredd y paratoi . . . Deuai fflachiadau byrfyfyr ambell dro – ond yr oedd y sylfaen wedi ei pharatoi'n ofalus. Dyna guddiad ei gryfder. Credaf y dylai fod wedi aros gyda'r radio sain. Enillodd y teledydd gynhyrchydd, mae'n wir, ond collodd radio sain holwr penigamp . . . Os cefais dipyn o lwyddiant efo rhaglenni cefn gwlad wedi'r rhyfel, rwy'n fwy dyledus nag y gŵyr neb i Ifan O. am y llwyddiant hwnnw.

Y rhaglenni cefn gwlad a gynhyrchwyd yn nechrau'r pumdegau oedd cyfresi fel *Ar Doriad Dydd, Llwybr y Mynydd* a *Pobl yr Ardal.* Byddai'r rhaglen gyntaf a enwyd wedi ei threfnu ymlaen llaw. Rhaglen oedd hi am bobl wrth eu gwaith, ac yn eu plith gwnaed rhaglen o Nefyn gyda physgotwyr cewyll, un arall o Gyffordd Llandudno gyda gyrwyr trenau, ac un eto o Uned Mamolaeth Ysbyty Dewi Sant ym Mangor am eni babanod. Ond gwahanol oedd y drefn, os trefn hefyd, gyda *Llwybr y Mynydd.* Ar y rhaglen radio *Dyddiau Cynnar* y mae Tudwal Roberts yn dwyn i gof fynd allan efo Ifan O. Williams yn y car recordio i gasglu deunydd ar gyfer *Llwybr y Mynydd* gan 'daro ar gymeriadau ar ochr y lôn' ac yn eu plith un trempyn a ddefnyddiai iaith anweddus. Nid gwaith hawdd oedd golygu'r rhegfeydd ar ddisgiau meddal!

Os mai taro ar gyfranwyr yn ddirybudd a wneid yn *Llwybr y Mynydd,* mynd allan i chwilio am dalentau yr oedd y cynhyrchydd yn *Pobl yr Ardal,* gan ddarganfod doniau ymhlith 'pobl anfedrus mewn crefft mor broffesiynnol', meddai Islwyn Ffowc Elis. 'Yr oedd Ifan yn dilyn llwybrau Sam yn ffyddlon. Ei nerfau yn dynn a'r rihyrsio yn drylwyr.' Credai Ifan O. Williams bod yn rhaid i raglenni fod yn boblogaidd trwy gael nifer o'r werin i gymryd rhan. Wrth gyfeirio ato fel arloesydd yn dwyn rhaglenni Cymraeg i aelwydydd, fe ychwanega Islwyn Ffowc Elis y sylw mai 'Ifan oedd y cyntaf i fynd allan â'r fath egni i chwilio am dalentau a chael yr ardal gyfan i wrando'.

Yn ei gyfnod cynnar fel cynhyrchydd *Awr y Plant* o Fangor fe fyddai Ifan O. Williams yn cymell Islwyn Ffowc Elis i ysgrifennu sgriptiau – 'Fedra i ddim.' 'Medri'n Tad!'. Dyna'i ffordd gwta o gymell, gan ychwanegu syniadau am raglenni fel *Carafán ar y Comin* (drama-gerdd am y sipsiwn, a gynhwysai'r gân 'Dashenka' a ddaeth wedi hynny yn ffefryn gan gorau meibion), a *Santa a'r Tri Cabalero* (ffantasi Nadolig a leolwyd yn y Wladfa). Os oedd ynddo fai, fe awgryma Islwyn Ffowc Elis mai 'godro'r un yn lle datblygu tîm' oedd y bai hwnnw.

Beth bynnag am deitl y bennod hon o beidio â dynwared y Saeson, yn ôl R. E. Jones ar *Dyddiau Cynnar,* 'Ifan ddywedodd fod raid cael rhaglen fel *ITMA* yn Gymraeg'. Nid dynwared y Saeson oedd ei fwriad ond, yn hytrach, llunio rhaglen gyfatebol i'r math hwnnw o adloniant. Fe drawodd R. E. Jones ar y teitl *Camgymeriadau.* Syniad Ifan O. Williams oedd cael y cyfan i droi o gwmpas 'yr Academi Gyflym', a dyfeisiwyd cymeriadau 'i siwtio Charles [Williams], Ieuan [Rhys Williams], Emrys [Cleaver] a Richard Hughes'. Yr oedd cymeriadau fel Mrs Vacuum Evans, Cyrnol Sandbach, Sali Folatili chwaer Amonia, Proffesor Perkins a Mistar Sami (o bob enw posib!) yn dangos dylanwad uniongyrchol *ITMA,* ac anelai'r rhaglen, wedi i gyfnod y *Noson Lawen* ddod i ben, at sefyllfa gomedi a oedd yn ddibynnol ar yr un math o gellwair a chamddeall ac ar yr ymadroddion parod (*catchphrases*) hynny a frithai'r rhaglen Saesneg.

Oherwydd y nerfau tynn gallai Ifan O. Williams 'fod yn llym a chas gyda'r medrusaf' ond, yn union fel y Sam Jones a fyddai'n fflamio a gwreichioni yn Neuadd y Penrhyn pan âi pethau o le, ni fyddai Ifan O. Williams 'chwaith yn berson i ddal dig. Byddai'n dweud ei farn yn blaen, ac yna anghofio'r helynt.

Ar gofrestr y myfyrwyr yng Ngholeg Bangor fel Evan Owen Williams y cyfeirir ato. Ond fel 'Ifan O.' y cofir cyflwynydd ffraeth *Pawb yn ei Dro* ac *Ymryson y Beirdd* gyda'i ddawn i gymell, fel cynhyrchydd, wedi troi'n ddawn barod y darlledwr. Ei gred ysol oedd mai 'y bobl biau'r cyfrwng'. Nid dweud hynny a wnâi ond mynd at y bobl, a chymell y bobl hynny i fod yn greadigol, nid yn glebranllyd. Yr oedd, fel eraill o'i gyfnod, yn credu fod rhywbeth a oedd yn werth ei glywed yn werth ei ddweud yn dda:

> Gŵr defosiynol ei anian ydoedd; medrai benlinio yn y cwrdd gweddi bychan ac yn yr Eglwys Gadeiriol fawr gyda'r un cywirdeb calon ac ysbryd. Tu ôl i'r ifengwr hwyliog yr oedd cymeriad tipyn hŷn a mwy difrifol – ni welai pawb mo hwnnw, ac ni ddadlennai yntau'r gyfrinach ond i'w gydnabod.

Fel y dywedwyd, ei olynydd ym Mangor fel cynhyrchydd *Awr y Plant* oedd Evelyn Williams.

Evelyn Williams

Fel actores y daeth Evelyn Williams gyntaf i gyffyrddiad ag *Awr y Plant*. Yn enedigol o'r Rhondda, fe'i derbyniwyd yn aelod o'r Cwmni Drama cyntaf i'w sefydlu gan y BBC yng Nghymru, a hynny yn 1946. Cymerai ran mewn pob math o raglenni, o ddramâu mawr Groeg i hanesion difyr Tommy Trouble yn *Welsh Rarebit*. A phob wythnos roedd yna raglenni *Awr y Plant*. Yn ystod y cyfnod hwnnw y dechreuodd y ditectif enwog Gari Tryfan ar ei gampau, yn y ddrama-gyfres hynod o boblogaidd gan Idwal Jones, *S.O.S. Galw Gari Tryfan*. Y ferch oedd yn gweithio efo'r ddau dditectif, Gari ac Alec, oedd Elen. A'r Elen wreiddiol oedd Evelyn Williams.

'Atgofion peraidd' sydd ganddi am y deng mlynedd a dreuliodd hi ym Mangor. Yno y dechreuodd ar ei gyrfa ddisglair fel cynhyrchydd yn 1950, er iddi ddod i Fangor yn groes i'w hewyllys am ei bod yn ofni na fedrai ddarganfod digon o awduron i ysgrifennu dramâu-cyfres. Y gyfres gyntaf iddi hi ei chynhyrchu oedd cyfaddasiad o'i gwaith hi ei hun o nofel gyffrous E. Morgan Humphreys, *Yr Etifedd Coll*. Ymhlith yr awduron a gomisiynwyd ganddi yr oedd Aelwyn Roberts, Victor John, Ernest Dudley a Huw Lloyd Edwards. O ganlyniad i gymell Huw Lloyd Edwards y crewyd y gyfres *Bogo y Bwgan Brain*, a Charles Williams wrth ei fodd yn creu cymeriad yr hen Bogo.

Cyfres nesaf Huw Lloyd Edwards i *Awr y Plant* oedd *Plant y Mynachdy*:

> Bob dydd Mawrth, roedd yna awr o raglen Gymraeg: stori neu sgwrs, ac yna'r ddrama gyfres. Dydd Mercher, pennod o ddrama Saesneg efallai. Dydd Iau, hanner awr yn Saesneg a hanner awr yn Gymraeg, a Chaerdydd a Bangor eto yn darparu bob yn ail.

Amrywiaeth o bob math a fyddai yn y rhaglenni hynny, a doedd dim un rhaglen yn fwy poblogaidd na *Wil Cwac Cwac* gan Jennie Thomas. 'Cofir hi fel cyd-awdur, gyda J. O. Williams, *Llyfr Mawr y Plant* [bu pedair cyfrol] . . . Y mae'r ddau brif gymeriad o'r llyfr, Siôn Blewyn Coch a Wil Cwac Cwac, mor gyfarwydd i blant Cymru heddiw â Mickey Mouse a Donald Duck oherwydd bod rhaglenni teledu wedi eu seilio arnynt.' Yn y cwmni hwyliog o actorion a gymerai ran yn y gyfres honno ar y radio ym Mangor yr oedd Megan Rees, a oedd yn chwaer i Jennie Thomas, ac Aelwyn Roberts, Huw Jones, Richard Hughes, Emily Davies, Ieuan Rhys Williams, Nesta Harris a John Hugh-Jones. Rhaglen arall o'r cyfnod hwn oedd *Jim Cro Crwstyn*, (rhaglen i'r plant lleiaf) rhaglen a redodd yn gyson am dros bymtheg mlynedd ar y radio, a'r teledu hefyd yn ddiweddarach. Sheila Huw Jones oedd piau'r sgript a'r gantores-gyflwynydd i'r gyfres oedd Sassie Rees gyda Maimie Noel-Jones yn cyfeilio.

Evelyn Williams a gynhyrchodd y gyfres ddramatig *Cerddorion Mawr y Byd* a ysgrifennwyd gan y Parchedig Harri Williams, *Dilyn Afonydd* (rhaglenni nodwedd, o grwydro broydd yng nghwmni Hywel D. Roberts), *Bandit yr Andes* (drama-gyfres gyffrous) gan Bryn Williams, a'r teithiau *O Sir i Sir* a luniwyd gan Myfanwy Howell. Cynhyrchodd doreth o raglenni Saesneg hefyd, ac eitemau ar gyfer *My Part of the World* (sgyrsiau a ddeuai o wahanol rannau o Brydain) a *Request Week* (rhaglenni o Ogledd Cymru i *Children's Hour*) a *Daffy-Down-Dilly* ('gyda Meredydd Evans a Phyllis Kinney yn cyflwyno caneuon gwerin yn eu dull dihafal nhw eu hunain'). Ac yn ystod ei blynyddoedd ym Mangor y dechreuodd y gyfres arbennig honno i blant dan bump, *Ar Lin Mam*. Amy Parry-Williams oedd y gyntaf i ysgrifennu a chyflwyno'r rhaglen trwy gân a stori. Yna daeth cyfraniadau Sheila Huw Jones, Olwen Rees a Dilys Gunston Jones. Yr oedd hon eto'n gyfres a drosglwyddodd yn llwyddiannus i deledu.

Gadawodd Evelyn Williams Bangor yn 1960 i fynd yn Bennaeth Adran Teledu *Awr y Plant* yng Nghaerdydd.

Nan Davies

Soniwyd eisoes am Nan Davies, ysgrifenyddes gyntaf Sam Jones ym Mangor yn 1935. Yna fe'i dyrchafwyd yn Gynorthwy-ydd iddo. Wedi cyfnod allan o'r BBC yn gyfan gwbl daeth Nan Davies yn ei hôl i Fangor fel Cynorthwy-ydd Rhaglenni yn 1950. Fe'i ganed yn Nhregaron yn 1910, a'i bedyddio yn 'Annie'. Fe raddiodd yng Ngholeg y Brifysgol, Aberystwyth yn 1933. Bu am gyfnod ar staff Llyfrgell Dinas Caerdydd, a dod i'w swydd gyntaf yn y BBC ym Mangor yn Nhachwedd 1935. O 1939 hyd 1949 bu'n gofalu am y teulu yn Nhregaron ac yn gweithio i Urdd Gobaith Cymru, fel y nodwyd eisoes.

Yr oedd Nan Davies wedi dychwelyd i Fangor fel Cynorthwy-ydd Rhaglenni ac yn fuan wedi dychwelyd cafodd lythyr gan Alun Oldfield Davies ar Dachwedd 3, 1949:

> Deallaf yn awr nad oedd ceisiadau addawol iawn am y swydd o Drefnydd Sgyrsiau [y swydd a wacawyd gan John Gwilym Jones] ac felly fe gewch ddarn o bapur maes o law yn eich trawsblannu o'r un swydd i'r llall.

Nid oedd codiad yn ei chyflog, ac yr oedd hi i aros ym Mangor. Fe dderbyniodd hi'r swydd, gan aros ym Mangor hyd 1955.

Fel Cynhyrchydd Sgyrsiau fe wahoddodd hi ei ffrind, Myfanwy Howell, i gyfrannu at un o'i chyfresi, ac o Gasnewydd fe ddaeth ateb gyda'r troad:

> Diolch o galon i chi am ofyn i mi 'neud hyn – rydw i *wrth* fy modd cael fy mys yn y pwdin o hyd!! Mae'n well gen i fod wrthi hi i'r BBC na dim yn y byd. Mae Sam yn iawn – clwy' ydi o, nad oes modd cael llwyr iachâd oddi wrtho.

Â yn ei blaen i awgrymu eitemau i *Cornel y Merched* (cylchgrawn radio i'r merched yn bennaf) a *Woman's Hour* (cylchgrawn Saesneg a gynhyrchid yn rheolaidd o Lundain, ond a gynhyrchid mewn canolfannau rhanbarthol yn achlysurol). Cystal oedd rhaglenni'r merched o Fangor nes cael cydnabyddiaeth yr oedd Sam Jones yn falch o'i gofnodi mewn nodyn at y Rheolwr:

> In *Woman's Hour,* Week 14, Miss Nan Davies was placed second to Violet Carson (North) as a compere in the Listener's Research Appreciation Indices . . . *Daffy-Down-Dilly* (produced by Miss Evelyn Williams) goes from strength to strength. The following teleprinter from David Davies, Head of *Children's Hour:-* Yesterday's *Daffy-Down-Dilly* was superb. Sassie Rees moved me to tears.

Nan Davies a ddechreuodd y cylchgrawn radio *Llafar,* cylchgrawn o sgyrsiau a thrafodaethau ar bynciau cymdeithasol a llenyddol, a redodd am gyfnod maith. Bu'r rhaglen hon yn fagwrfa ddarlledu i rai fel Gwyn Erfyl, a ddaeth yn un o ddarlledwyr mwyaf praff cenedl y Cymry. Nan Davies hefyd oedd cynhyrchydd cyntaf y gyfres *Byd Natur,* a hynny yn 1951, gyda Ffowc Williams yn y gadair. Ar y panel, yn eu tro, byddai naturiaethwyr fel yr Athro R. Alun Roberts, Henry Lloyd Owen, Ted Breeze Jones, R. D. Parry, G. Elwyn Morris, T. G. Walker ac R. E. Vaughan Roberts. Parhaodd y gyfres hon dan ofal gwahanol gynhyrchwyr hyd 1994. Cyflwynydd *Byd Natur* am y blynyddoedd olaf oedd Robin Williams.

Symudodd Nan Davies i Gaerdydd yn 1955 i weithio ar raglenni radio am rai blynyddoedd cyn cymryd un o'r camre pwysicaf yn ei bywyd, a mentro i fyd teledu. Os oedd hi wedi arbrofi ac arloesi o'r blaen yr oedd y cyfrwng 'newydd' yn fwy o her na dim. Hywel Davies ac Aneirin Talfan Davies a'i gwahoddodd i fod yn Olygydd y rhaglen deledu *Heddiw* (yr un teitl â'r cylchgrawn misol a olygid gan Aneirin Talfan Davies gynt) yn nechrau'r chwedegau. Pan fu farw Nan Davies ar Fai 7, 1970, mewn ysbyty yn Abertawe, yn 59 oed, ysgrifennodd Sam Jones i gydymdeimlo â'r teulu:

> Mae'n ergyd bersonol i mi oherwydd, fel y gwyddoch, roeddem yn ffrindiau mawr ers blynyddoedd . . . yr oedd yn un o'r swyddogion galluocaf a gafwyd yn y BBC yng Nghymru.

Fe'i claddwyd ym mynwent capel Bwlchgwynt, Tregaron ar Fai 11, 1970. *Prynhawn o Fai* oedd teitl un o'i ffilmiau mwyaf cofiadwy, ac fel ffilm arall o'i heiddo, *Bugail Cwm Prysor*, y mae'n gofnod o'r bywyd cefn gwlad a ddangosai ei pharch hi at bobl oedd yn trin y tir, ac at y gymdeithas amaethyddol a'i magodd.

John Owen Jones

Ymunodd John Owen Jones â'r BBC y Mangor yn 1952 fel Is-Drefnydd Rhaglenni Crefyddol. 'Ioan Tywyn' oedd ei enw yng Ngorsedd y Beirdd, a hynny am mai yn Nhywyn, Meirionnydd, y'i ganed yn 1908. Symudodd y teulu'n ddiweddarach i'r Felinheli, ac yna i Rostryfan cyn sefydlu yng Nghaernarfon. Yno, yn Ysgol yr Higher Grade, y cafodd John Owen Jones ei addysg uwchradd cyn mynd i Goleg y Brifysgol, Bangor yn 1926, lle graddiodd yn 1929 yn BA a BSc, yn ôl y cofnod yn Llyfr Cofnodi'r coleg. Yn ôl ei ferch, Mrs Janet Powney, fe gofrestrodd am gwrs gwyddoniaeth, ond graddiodd yn y celfyddydau yn unig. Yna aeth yn ei flaen i Goleg Fitzwilliam, Caergrawnt, lle'r enillodd y *Tripos* a'i radd Meistr yn y Celfyddydau. Graddiodd yn allanol mewn Diwinyddiaeth ym Mhrifysgol Llundain tra oedd yn weinidog yn Shebbear, yn Nyfnaint, lle'r oedd hefyd yn darlithio yng Ngholeg y Wesleaid.

Fe'i hordeiniwyd yn weinidog gyda'r Methodistiaid Wesleaidd yn yr Wyddgrug a bu'n symud yn gyson, yn ôl y drefn Wesleaidd, i Ddinas Mawddwy, Llanberis a Phontardawe gan ddychwelyd i'r Gogledd yn 1939 i weinidogaethu ym Methesda, Arfon. Ymatebodd i'r alwad i fynd yn gaplan ar y milwyr o Gymru gan wasanaethu'n gyntaf yng Ngogledd Iwerddon ac yna'r Aifft. Ef, meddai un o'i frodyr wrthyf, a sefydlodd y Clwb Cymraeg yng Nghairo yn 1943, ac ar gyfrif y cyfraniad hwnnw yr urddwyd ef gan Orsedd y Beirdd yn Eisteddfod Bae Colwyn 1947. Gwasanaethodd fel caplan hefyd yng Ngogledd Affrica ac yn yr Eidal.

Wedi'r rhyfel bu'n weinidog yn Shebbear, ac oddi yno y daeth i'r BBC ym Mangor yn 1952.

Oherwydd y rhaglenni defosiynol rheolaidd o'r capeli a'r eglwysi, yr Adran Ddarlledu Crefyddol oedd yr adran a ddaliai'r cyswllt agosaf â'r cyhoedd bryd hynny (does dim Adran Ddarlledu Crefyddol yn bodoli yn y BBC yng Nghymru ers blynyddoedd lawer, er ei bod yn bodoli mewn rhannau eraill o'r BBC). Byddai'r cynhyrchydd – y Cynorthwy-ydd Darlledu Crefyddol, a rhoi iddo ei deitl swyddogol – yn teithio bob bwrw'r Sul i ofalu am *Oedfa'r Bore, Caniadaeth y Cysegr, Morning Service* a *Sunday Half Hour* o gapeli ac eglwysi'r wlad, ac yn trefnu a darlledu'r defosiynau o'r stiwdio – *Newyddion Da, Lighten our Darkness*. Yn 1955, ar y cyd â'i Bennaeth Adran, y Parchedig Glyn Parry-Jones, fe olygodd y llyfr gwasanaeth *Addolwn ac Ymgrymwn.* John Owen Jones oedd yn cynhyrchu'r rhaglen gylchrawn grefyddol *Y Ddolen* a ddarlledid yn fisol o Fangor. Cafodd flwyddyn o estyniad i'w gytundeb ac ymddeolodd yn 1969. Dychwelodd i'r weinidogaeth Gristnogol yn Sunderland gan ddod yn ei ôl i Fangor yn 1974. Yno y bu farw yn 1978.

Wilbert Lloyd Roberts

Gŵr o Lanberis oedd Wilbert Lloyd Roberts. O Ysgol Brynrefail daeth i Goleg Bangor yn 1947. Yno fe ddaeth dan gyfaredd John Gwilym Jones, a oedd wedi cytuno i gynhyrchu dramâu i Chwaraewyr Coleg y Gogledd flynyddoedd cyn ei benodi ar staff y coleg hwnnw. Wedi graddio dechreuodd Wilbert Lloyd Roberts ddarlithio i ddosbarthiadau allanol Coleg Bangor yn gyntaf, cyn cael swydd yng Ngholeg Technegol Wrecsam fel Pennaeth yr Adran Ddrama. O fewn tair blynedd derbyniodd swydd Cynhyrchydd Rhaglenni Nodwedd a Drama, ar gyflog o £1,065 y flwyddyn, gyda'r BBC ym Mangor. Yn 1953 y bu hynny. Ef oedd olynydd John Gwilym Jones yn y swydd.

Nid oedd Wilbert Lloyd Roberts yn ŵr dieithr i Sam Jones gan iddo ddarlledu cryn dipyn fel myfyriwr ac, yn wir, cyn ei benodi'n gynhyrchydd, fe fu ar staff ran-amser y BBC ym Mangor fel porthor. Swydd dros yr haf yn unig oedd honno, a'r unig gyfarwyddyd a dderbyniodd gan Sam Jones wrth ddechrau arni oedd 'Use your common sense!'.

Pan benodwyd ef i'r swydd Ddrama, un o'r pethau cyntaf a ddysgodd y cynhyrchydd newydd oedd nad oedd y Pennaeth yn fodlon ar agwedd cynhyrchwyr oedd yn amharod i weithio ar foreau Sadwrn yn ogystal â dyddiau eraill yr wythnos. Byddai Wilbert Lloyd Roberts yn gorfod gweithio gyda'r nosau hefyd am ei fod yn lled-ddibynnol ar actorion amatur – athrawon, darlithwyr a gweinidogion yr efengyl – yn ogystal â'r actorion proffesiynol a berthynai i Gwmni Repertori y BBC a ffurfiwyd yn 1947.

Ymhlith y dramâu radio a gyfarwyddodd o Fangor yr oedd *Yr Iarlles Cathleen* (cyfieithiad Thomas Parry o ddrama W. B. Yeats), *Ffarwel Weledig* (Cynan), *Yr Ias Oer* (Idwal Jones), *The Way Lies West* (seiliedig ar lyfr Wyn Griffith), *Mountain Road* (Glyn Griffiths), *O Gorlannau y Defaid* (addasiad Gruffudd Parry o nofel Gwyneth Vaughan) a'r 'opera-sebon' wythnosol *Teulu'r Siop* (sef Siop y Bont

ym mhentref dychmygol Llanfwynach) a ysgrifennid gan Idwal
Jones, Islwyn Ffowc Elis a Gruffudd Parry. (Yn *Teulu'r Siop* y
dechreuodd Hywel Gwynfryn ar ei yrfa fel darlledwr, er iddo gymryd
rhan mewn cwis i ysgolion dan gyfarwyddyd Ifan O. Williams yn
1953.) Cynhyrchodd Wilbert Lloyd Roberts nifer o raglenni nodwedd
hefyd fel *Tysilio Sant* (Gerallt Davies), *Yr Esgob Morgan* (G. J.
Roberts), a *Priodas Twm o'r Nant* (Gwilym T. Hughes).

Pan gynhyrchodd Wilbert Lloyd Roberts y pasiant radio *Cau'r
Pafiliwn* (Caernarfon) yn 1961, yr oedd ef ar gwrs cynhyrchu dramâu
teledu yn Llundain a dychwelodd i Fangor i fod yn gynhyrchydd y
ddrama-gyfres Gymraeg gyntaf ar deledu'r BBC, sef *Rhai yn
Fugeiliaid* (cyfres am fyfyrwyr ac athrawon yng Ngholeg Diwinyddol
Talechryd) gan Islwyn Ffowc Elis. Charles Williams a chwaraeai ran
Gofalwr y coleg diwinyddol dychmygol. Mewn cyfres deledu arall a
gynhyrchodd Wilbert Lloyd Roberts dywedodd am Charles Williams:

> Mae'n siwr mai fi a'i cam-gymeriadodd fwya o neb. Yn y gyfres
> deledu *Mostyn a'r Cryman Bach* oedd hynny. Cyfreithiwr da ei fyd
> oedd Mostyn, un bychan, trwsiadus, glanwaith, twt ei gerddediad, barf
> fechan siapedig, a sbectol hanner gwydrau. Sbats hefyd am ei fferau i
> danlinellu ei fod yn barchus draddodiadol, a ffon ysgafn wedi'i
> haddurno ag arian. Dyma'r cymeriad dapyr a destlus yn ei holl ffyrdd a
> drafodais ymlaen llaw efo Charles. Un tra gwahanol i'w ymddangosiad
> gwerinol y bore hwnnw.

Cytunodd Wilbert Lloyd Roberts i dderbyn y gwahoddiad i fod yn
rhan o sefydlu Adran Ddrama Deledu Gymraeg o fewn y BBC 'ar yr
amod y byddai'r adran honno wedi ei lleoli ym Mangor ynghanol
Cymreictod naturiol'.

Y drefn bryd hynny oedd ymarfer y dramâu yng nghyffiniau
Bangor (yn festri capel Mount Street i ddechrau ac yna yn Neuadd y
Felinheli) yn ystod yr wythnos; teithio i Gaerdydd ar ddydd Gwener a
thele-recordio yn stiwdio Broadway ar y Sadwrn a'r Sul.

Cynlluniai Wilbert Lloyd Roberts agweddau technegol ei waith yn
fanwl mewn ymarfer ac anaml y byddai galw am newid braidd ddim
ar y cynhyrchiad ar lawr y stiwdio. Bu cyfnod pan gymerai Wilbert
Lloyd Roberts le Sam Jones mewn gwahanol gyfarfodydd cyhoeddus,
gan nad oedd y Pennaeth yn or-hoff o'r agwedd honno ar ei waith.
Pan gymerodd Wilbert Lloyd Roberts ei le yn swyddfa'r Pennaeth am

gyfnod o ddeufis, yr un gorchymyn a gafodd gan Sam Jones â'r
cyngor a roddwyd iddo fel porthor dros-dro: 'Use your common
sense. Fe wyddai Sam y cawn i bob cymorth posib gan Miss Laura
Jones. Roedd ganddo ffydd yng ngallu ei ysgrifenyddes, beth bynnag
amdana' i.'

Gadawodd ei swydd yn y BBC i sefydlu Cwmni Theatr Cymru yn
1967 fel rhan o Adran Gymraeg y 'Welsh Theatre Company'. Bu farw
Wilbert Lloyd Roberts yn 1996.

Dyfnallt Morgan

Fe aned Dyfnallt Morgan yn Nowlais yn 1917 a chafodd ei addysg
golegol yng Ngholeg y Brifysgol, Aberystwyth, 1935-40. Graddiodd
gydag anrhydedd mewn Cymraeg a Saesneg ac enillodd Ddiploma
mewn Addysg (Dosbarth Cyntaf). Yn ei flwyddyn golegol olaf yn
Aberystwyth ef oedd Llywydd Undeb y Myfyrwyr. A hithau'n adeg
rhyfel bu'r gwrthwynebydd cydwybodol hwn i ryfel o flaen tribiwnlys
a'i dedfrydodd i weithio fel labrwr mewn coedwig ger Llanymddyfri.
Yna bu'n 'Hospital Orderly' mewn ysbyty yn Birmingham. O dan
nawdd y Crynwyr aeth i weithio gyda'r ffoaduriaid yn yr Eidal ac yn
Awstria gydag Uned Ambiwlans y Crynwyr. Bu'n gweithio i'r un
Uned yn China, lle torrodd ei iechyd.

Wedi dilyn cwrs dwy flynedd ym Mhrifysgol Caeredin, 1949-51, ei
swydd gyntaf yn ôl yng Nghymru oedd swydd darlithydd yn Adran
Addysg Coleg Aberystwyth. Bu yno am dair blynedd, 1951-54, cyn ei
benodi i'r BBC yn Abertawe yn 1954 fel Cynhyrchydd Rhaglenni
Cyffredinol. Pan symudodd Nan Davies o Fangor i Gaerdydd yn 1955
gofynnwyd i Dyfnallt Morgan i fynd i Fangor yn ei lle hi fel Trefnydd
Sgyrsiau a Rhaglenni Nodwedd. Yn anfoddog y daeth i Fangor, am ei
fod newydd ddechrau ymgartrefu yn Abertawe, ond ym Mangor yr
oedd y swydd wag. Yno yr oedd pan enillod Goron yr Eisteddfod
Genedlaethol yn Llangefni, 1957, am ei ddrama fydryddol fer *Rhwng
Dau.*

Yr oedd Dyfnallt Morgan wedi cyfarfod â Sam Jones mor bell yn
ôl â 1933/4 pan aeth, yn hogyn ifanc o Ddowlais, i Ganolfan y BBC
yn Park Place, Caerdydd i chwarae rhan yng nghynhyrchiad Sam
Jones o un o ddramâu Leyshon Williams, *Be' Wnawn Ni?*

Ym Mangor, un o'r rhaglenni a etifeddodd Dyfnallt Morgan gan
Nan Davies oedd *Byd Natur:*

a phrofiad i'w drysori oedd bod gyda Ffowc Williams, Dr Alun
Roberts, R. E. Vaughan Roberts ddall ac R. D. Parry yn y stiwdio bob
wythnos a gwrando arnynt yn traethu mewn dull mor awdurdodol ac
mor gartrefol yr un pryd.

Pan fu farw R. D. Parry daeth T. G. Walker i gymryd ei le fel 'adarwr'
a chymerwyd ei le yntau yn nhreigl amser gan Ted Breeze Jones – y
tri'n wybodus iawn yn eu meysydd ac yn ffefrynnau gan y
gwrandawyr. Ffefryn arall am flynyddoedd lawer oedd Henry Lloyd
Owen gyda'i 'Mistar Cadeirydd' a'i 'rŵan den', a'i wybodaeth ddifyr
am fywyd cefn gwlad.
     Bu Dyfnallt Morgan yn gyfrifol am fyrdd o raglenni eraill, yn
gylchgronau a thrafodaethau, yn rhaglenni nodwedd a sgyrsiau. Yr
oedd yn un o'r rhai cyntaf i fentro, yng nghwmni Dr Glyn O. Phillips,
i fyd gwyddoniaeth a thechnoleg pan grewyd y gyfres gylchgronol
Cwmpas y Gwyddonydd a'i dilyn efo *Galwadau Gwyddonol*. Ym myd
llenyddiaeth fe gynhyrchodd gyfresi trafod fel *Llwybrau Llên,
Llwyfan y Llenor, Gwŷr Llên*, a roes fod i'r ddwy gyfrol a olygodd a'u
cyhoeddi, *Gwŷr Llên y Ddeunawfed Ganrif* (1966) *a Gwŷr Llên y
Bedwaredd Ganrif ar Bymtheg* (1968), a'r rhaglen o adolygu llyfrau,
Silff Lyfrau. Crwydrodd y wlad yn cynhyrchu *Codi Cwestiwn* (panel
yn ateb cwestiynau cyfoes a godwyd gan gynulleidfaoedd) gyda
Frank Price Jones yn cadeirio, a chyfres arall ar faterion cymdeithasol
oedd *Problemau Bywyd* dan gadeiryddiaeth Islwyn Ffowc Elis. Bu
Gwyn Erfyl a Frank Price Jones hefyd yn gyflwynwyr ar y rhaglen
honno ar wahanol adegau ac Aled Rhys Wiliam yn cadeirio'r
cylchgrawn *Llafar.*
     O blith ei raglenni Saesneg mae'n nodi'n arbennig *Fall-Out and
Strontium 90* (rhaglen i'r amaethwyr) dan gadeiryddiaeth Bob Reid.
Rhaglen a recordiwyd yn Llundain oedd honno:

> I succeeded in recruiting three experts, Dr J. F. Loutit, Dr W. G. Marley
> and Dr R. Scott Russell. They constituted a panel fielding searching
> questions put to them by seven professionals from various walks of life.

Rhaglen amaethyddol arall dan ei ofal oedd *Rural Roundabout* gyda
Harry Soan yn cyflwyno'r gyfres honno. 1959 oedd Blwyddyn y
Ffoaduriaid, a chynhyrchodd Dyfnallt Morgan raglen nodedig am
blant o Hamburg a Luebeck a fu ar ymweliad â Blaenau Ffestiniog fel

rhan o ddathliadau'r flwyddyn. Teitl y rhaglen honno oedd *Now we can live!* Rhaglen wyddonol oedd *The Healing Knife,* pan fu Dyfnallt Morgan ar ofyn yr Athro P. M. S. Blackett, enillydd Gwobr Nobel (oedd â chartref yn Llanfrothen), a Syr Clement Price, i holi'r arbenigwr meddygol, H. Morriston Davies, a fu'n dweud am ei lwyddiant ym maes arloesol llawfeddygaeth y frest.

Parhaodd cysylltiad Dyfnallt Morgan â Nan Davies gan iddo deithio'n rheolaidd i Gaerdydd i gyflwyno'r gyfres deledu *Cwmpas* i Nan Davies. Cylchgrawn ar y celfyddydau oedd y gyfres hon a ddarlledid wedi canol nos. Dyna oedd y drefn arferol i raglenni teledu Cymraeg ar y pryd. Pan ddechreuwyd teledu'r cylchgrawn dyddiol *Heddiw* ddechrau'r chwedegau, dyletswydd Dyfnallt Morgan am gyfnod byr oedd gohebu o'r Gogledd gan ffeindio person diddorol 'a mynd ag ef (neu hi) gyda mi yn y car i Fanceinion erbyn canol dydd'. Yn fuan iawn penodwyd Harri Gwynn yn ohebydd parhaol i *Heddiw.*

Ymddeolodd Dyfnallt Morgan o'r BBC yn 1964, ychydig fisoedd wedi ymddeoliad Sam Jones, a chafodd swydd yn Adran Efrydiau Allanol Coleg y Brifysgol ym Mangor.

Ef a wahoddwyd yn 1985 gan y BBC i olygu'r gyfrol *Babi Sam* adeg dathlu hanner canrif o ddarlledu o Fangor. Bu farw Dyfnallt Morgan yn 1994.

James Williams

Fis Hydref 1955 hysbysebodd y BBC am Gynhyrchydd Cerdd i Fangor. Yr oedd popeth ynglŷn â darlledu yn newydd i'r Cynhyrchydd Cerdd a ddaeth i Fangor o Belffast. James Williams oedd ei enw. Ar Ebrill 1, 1956 yr ymunodd James Williams â'r staff, a chred fod y dyddiad hwnnw'n arwyddocaol!

Fe'i ganed yn 1921 yn Abergwynfi ym mhen eithaf Cwm Afan. Symudodd y teulu i Ben-y-bont ar Ogwr yn 1930 pan oedd James Williams yn naw oed. Astudiodd Gerdd yng Ngholeg y Brifysgol, Aberystwyth, gan raddio yn y pwnc hwnnw yn 1944. Yna aeth yn ei flaen i astudio Daearyddiaeth yn yr un coleg a graddio eto yn 1945. Ar ôl dilyn cwrs Diploma mewn Addysg bu'n Bennaeth yr Adran Gerddoriaeth yn Ysgol Ramadeg Woking, Swydd Surrey, o 1946 hyd 1950. Yn 1950 cafodd ei benodi'n ddarlithydd yng Ngholeg Stranmillis, Belffast, a threuliodd bum mlynedd a hanner yno cyn dychwelyd i Gymru yn 1956.

Un o'r tasgau cyntaf a gafodd James Williams gan Sam Jones oedd nid gwneud dim yn ei faes ei hun ond mynd i gynhyrchu drama, ar fyr rybudd, i Neuadd y Penrhyn. Doedd protestio na wyddai ddim oll am ddrama ddim yn tycio. 'Good experience for you, my boy,' oedd y gair terfynol ar y mater.

Os mai hwnnw oedd ei ymweliad cyntaf â'r lle, fe fyddai James Williams yn treulio cryn lawer o oriau yn Neuadd y Penrhyn dros y blynyddoedd yn cynhyrchu *With Heart and Voice* (corau'n canu emynau yn null Sankey a Moody gan mwyaf). Dechreuwyd recordio'r gyfres gan ddefnyddio côr o blith myfyrwyr Coleg y Brifysgol, Bangor 'and it can truly be said that they established the popularity of the series in the first six programmes'. Dyma raglen y gallai Sam Jones uniaethu â hi o'i gefndir ac o'i blentyndod, ac yr oedd *With Heart and Voice,* a gyflwynid gan Dic Hughes, yn gyfres boblogaidd gan y cyhoedd yn ogystal. Am bedair blynedd ar ddeg fe ddeuai corau o bell ac agos i gymryd rhan yn y rhaglen. Ar gorn y gyfres y daeth James Williams yn ymgynghorydd cerddorol i *Wedi'r Oedfa.*

Cynhyrchodd lawer o raglenni cerddorfaol ac o gerddoriaeth siambr o'r Gogledd ar gyfer Radio 3. Pan ddeuai Cerddorfa Gymreig y BBC i'r Gogledd yn ei thro, James Williams oedd yn cynhyrchu'r cyngherddau cyhoeddus a drefnid.

Fe gynhyrchodd gyfres o raglenni *All Together* (corau meibion) gan deithio'r wlad efo John Morgan a Mary Kendal, gydag Alun Williams yn cyflwyno. Byddai James Williams yn gweithio'n agos hefyd gyda'r Parchedig John Owen Jones, a oedd yn gyfaill agos iddo, i baratoi Wythawd y Gogledd ar gyfer y rhaglenni defosiynol o'r stiwdio:

> Often a smaller canvas and a less dramatic setting can give great pleasure to the listener and immense satisfaction to the interpreter. Thus I look back with the deepest affection and gratitude to that small group of only eight singers who provided the music for the Studio Services for over twenty years.

Cystal oedd safon canu'r wythawd fel iddynt gael gwahoddiad yn 1973 i ganu yn y Gwasanaeth o Ddiolchgarwch yn Eglwys Gadeiriol Llandaf ar achlysur agoriad dathliadau hanner canmlwyddiant darlledu yng Nghymru.

Ffurfiodd James Williams Gantorion Gwynedd yng nghanol y

saithdegau, côr o 35 o leisiau, ar gyfer canu *repertoire* o gerddoriaeth, traddodiadol neu fodern. Darlledwyd perfformiadau ganddynt o *St. Matthew Passion* (Bach), y perfformiad cyntaf o *Sant Teilo* (William Mathias a Gwynno James, cyfieithiad Cymraeg gan Gwyn Thomas) ac hefyd weithiau gan Smith-Brindle, David Wynne, Robert Smith a Dilys Elwyn Edwards.

Fel cynhyrchydd cerdd byddai disgwyl iddo fynd i'r Eisteddfodau i gynhyrchu rhaglenni. O'r rhain, Eisteddfod Llangollen oedd ei ffefryn o ddigon. 'Here were to be found adjudicators of international stature and music of the highest quality.' Cafodd flas ar gynhyrchu cyfresi fel *Fy Newis I* (personoliaethau gwahanol yn dweud eu hanes ac yn dewis recordiau), yn bennaf am ei fod yn cydweithio â chyfaill arall iddo ar y gyfres honno, sef Dyfnallt Morgan, a fyddai'n holi'r gwesteion.

Yng Nghaerdydd yr oedd pawb arall o staff yr Adran Gerdd yn gweithio, a'r sialens i James Williams oedd profi fod 'a more significant and sophisticated facet of music-making' yn bosibl yn y Gogledd na chanu cerdd dant a chanu gwerin yn unig. Fe ymddeolodd James Williams o'r BBC yn 1981.

Ifor Rees

Ar ddydd coroni Dyfnallt Morgan yn Brifardd Eisteddfod Môn 1957 y cafodd Ifor Rees ei gyfweliad ym Mangor ar gyfer swydd Cynhyrchydd Rhaglenni Ysgafn. Ef a gafodd y swydd, a doedd fawr ryfedd o gofio am ei gyfraniad gloyw o stiwdio Abertawe yng nghwmni Dafydd Evans ac eraill o ddiddanwyr y gorllewin.

Ganed Ifor Rees ym Mynydd-bach, Abertawe ar Fawrth 1, 1921 ac fe'i haddysgwyd yng Ngholeg Prifysgol Abertawe, 1939-43, ac yng Ngholeg y Presbyteriaid, Caerfyrddin, 1943-47. Graddiodd yn y ddau goleg a chafodd ei ordeinio'n weinidog gyda'r Annibynwyr yng Ngwynfe yn 1947. Bu'n weinidog yno am ddeng mlynedd cyn troi am Fangor, a'r BBC.

Dechreuodd ddarlledu yn 1944 ar gymhelliad Aneirin Talfan Davies, a glywsai Dafydd Evans ac Ifor Rees yn canu deuawd mewn noson o ddiddanwch yng Nghymdeithas Twm o'r Nant, Abertawe. Trefnwyd *audition* i'r ddau yn y stiwdio-dros-dro yn Stryd y Frenhines, Caerfyrddin (gan fod stiwdio Abertawe wedi ei difrodi gan fomiau yn ystod y cyrchoedd awyr ar y ddinas honno), a buont yn darlledu'n gyson fel deuawdwyr ar gyfresi adloniant fel *Sut Hwyl, Raligamps* a *Hwyl a Miri* o'r Gorllewin gyda Mai Jones yn trefnu'r gerddoriaeth ysgafn y byddai Ifor Rees wedi ei chyfansoddi. Bu hefyd yn darlledu'n gyson o Abertawe mewn cyfresi 'opera-sebon' fel *Teulu Tŷ Coch,* a *Teulu'r Mans* dan gyfarwyddyd John Griffiths.

Yn ystod ei gyfnod byr ym Mangor, 1957-59, bu Ifor Rees yn gysylltiedig â rhaglenni fel *Sêr y Siroedd* (cystadleuaeth adloniant rhwng siroedd Cymru), *Dewch i'r Llwyfan* (rhaglen o adloniant), *Ymryson y Beirdd* (fel cyflwynydd), *Asbri* (cylchgrawn i bobl ifanc a roddai lwyfan i'w dawn fel ysgrifenwyr a pherfformwyr – mewn rhifyn o *Asbri* y gwnaeth Ryan Davies a Rhydderch Jones eu darllediad cyntaf), a *Llon a Difyr* (a recordid gerbron cynulleidfa yn Neuadd y Dref, Dinbych a Pharti Menlli yn gantorion sefydlog i'r gyfres).

Troi at deledu'r BBC yng Nghaerdydd a wnaeth Ifor Rees yn 1959 a bu'n un o gynhyrchwyr cynnar *Heddiw.* Ymddeolodd o'r BBC yn 1981. Fe'i dilynwyd ym Mangor gan Gwyn Williams.

Gwyn Williams

Ganed Gwyn Williams ym Mangor yn 1925. Ef, yn sicr, oedd y cyntaf a aned ym Mangor ei hun i ddod yn gynhyrchydd yno. Ymunodd â staff y BBC ym Mangor ar Hydref 5, 1959, fel cynhyrchydd Rhaglenni Ysgafn. O Ysgol Friars aeth Gwyn Williams i Goleg Selly Oak, Birmingham, yn 1945 i ddilyn cwrs Arweinydd Ieuenctid. Bu'n Drefnydd yr Urdd ym Maldwyn ac yn Drefnydd Ieuenctid dan Awdurdod Addysg Sir Fflint ac yna ym Mhenllyn ac Edeyrnion o dan Awdurdod Addysg Sir Feirionnydd.

Fe'i bwriwyd i mewn yn y pen dwfn ym Mangor, ond nid oedd dim yn newydd yn y drefn honno. Yn brin o brofiad, ac nid oedd cyrsiau cynhyrchu yn bod ar y pryd hwnnw, fe anfonwyd Gwyn Williams allan i gynhyrchu rhaglen ar ei ddiwrnod cyntaf. Dechreuodd ar ei waith yn y BBC ar fore Llun yn Hydref 1959. Ar y nos Lun honno yr oedd yng Ngwalchmai, Môn, yn cynhyrchu a chyflwyno *Sêr y Siroedd.* Credai Sam Jones nad oedd ffordd well o ddysgu na bod yn y tresi.

Rhaglenni oedd yn mynd â'r gwrandawr allan o'r stiwdio oedd prif gynnyrch Gwyn Williams ar un cyfnod. Yn ychwanegol at ofalu am *Byd Natur* fe gynhyrchodd gyfresi fel *Hwylio'r Glannau* (ar gwch o gwmpas yr arfordir), *Dilyn Afon, Llafar Gwlad* (casglu caneuon ac arferion gwerin), a *Canu'n Llon* (efo Meibion Menlli).

Ar ôl dyddiau Sam Jones ym Mangor bu'n rhan o'r tîm newyddion oedd yn cynhyrchu *Bore Da* a *Cymru Heno*, dwy raglen gylchgronol efo'r pwyslais ar faterion cyfoes. Ei gyfraniad pennaf wedi dyfodiad 'Radio Cymru' fel gwasanaeth ag iddo ei olygydd a'i staff ei hun oedd cynhyrchu a chyflwyno *Talwrn y Beirdd*. Y gwahaniaeth pennaf -rhwng y rhaglen hon ac *Ymryson y Beirdd* oedd fod llai o bwyslais ynddi ar y ddawn barod, a bod mwy o amrywiaeth yn rhychwant y tasgau. Doedd y gyfres ar ei newydd wedd ddim yn gwbl ddibynnol ar y gynghanedd; byddai gofyn hefyd am delynegion a thribannau a limrigau. Tros y blynyddoedd ymestynnwyd y tasgau a daeth galw am benillion mawl a dychan, trioledau, penillion ymson, caneuon (ysgafn at ei gilydd), englynion cil-dwrn ac englynion cywaith. Y 'meuryn' ers dechrau'r *Talwrn* yw Gerallt Lloyd Owen ac, wedi i Gwyn Williams ymddeol o'r BBC ym mis Mawrth 1985, cyflwynydd y rhaglen hon yw Dic Jones.

David Watkins

Ymunodd David Watkins â'r staff ar Ddydd Calan 1960, gan ganolbwyntio ar y traddodiad cyfoethog o gynhyrchu rhaglenni addysgol o Fangor. Fe'i ganed yn Nhreorci, yn y Rhondda Fawr, a'i addysgu yn Ysgol Ramadeg y Porth (lle'r addysgwyd Alun Oldfield-Davies) ac yng Ngholeg Prifysgol Cymru, Aberystwyth o 1948 hyd 1952. Wedi graddio yn y Gymraeg a Hanes Cymru bu'n hyfforddi yn Adran Addysg y Fyddin am ddwy flynedd. Yn 1955 fe'i penodwyd i swydd athro yn Ysgol Ramadeg Bae Colwyn ac wedyn yn Bennaeth yr Adran Gymraeg yn Ysgol Syr Thomas Jones, Amlwch, cyn ymuno â'r BBC ym Mangor fel Cynhyrchydd Rhaglenni Radio i ysgolion yn 1960.

Bu cynnydd cyson yn nifer yr ysgolion yng Nghymru oedd yn gwrando ar raglenni a gynhyrchwyd yn benodol ar eu cyfer. Yn 1945/46 1,036 o ysgolion oedd yn gwrando. Erbyn 1955/56 yr oedd y ffigur wedi bron ddyblu i 2,017. Pan ymunodd David Watkins â'r Adran Ysgolion yn 1960 yr oedd y ffigur wedi gostwng ychydig o dan y ddwy fil i 1,937.

Yr oedd yna agweddau gwahanol ynglŷn â darlledu addysgol gan fod yn rhaid darparu a chynllunio fisoedd, os nad flynyddoedd, ymlaen llaw. Fe fyddai'r Adran Ysgolion yn darparu rhaglenni Cymraeg a Saesneg, gan baratoi nodiadau i athrawon i gyd-fynd â'r darllediadau. Nid darlledu o'r llaw i'r genau mo hwn. Yr oedd y cyfan wedi ei drefnu'n fanwl a byddai swyddogion addysg yn ymweld ag ysgolion dros Gymru gyfan i fesur ymateb plant i'r rhaglenni, ac i glywed y trafod yn y dosbarth a ddilynai'r darllediad.

Yr oedd y math yma o ddarlledu yn ychwanegu dimensiwn arall i'r math o ddarlledu a ddeuai o orsaf Bangor, yn ddramâu, cerddoriaeth, sgyrsiau, trafodaethau, adloniant, newyddion, rhaglenni nodwedd a dogfen.

Y rhaglenni-cyfres a gynhyrchai David Watkins oedd *Hanes Cymru, Natur o'n Cwmpas* a'r *Gwasanaeth Crefyddol i Ysgolion.* Ymddeolodd o'r gwaith yn 1968 pan leolwyd y cyfan o'r Adran Ysgolion yng Nghaerdydd. Adferwyd y presenoldeb addysgol yn ddiweddarach ym Mangor, a hynny er budd i gymeriad yr orsaf ddarlledu, ac, yn sicr, er budd i ysgolion Gogledd Cymru.

Ruth Price

Ganed Ruth Price yn 1924 ym Mathri, Sir Benfro. Fe'i hyfforddwyd i fod yn athrawes yng Ngholeg Hyfforddi Abertawe, 1942-44. Wedi cyfnodau o ddysgu ym Maldwyn, Penfro a Chaerdydd bu'n Brifathrawes Ysgol Gymraeg Pontarddulais o 1955 hyd 1961. Oddi yno y daeth i Fangor yn 1961, i ofalu am *Awr y Plant* yn bennaf.

Cyn gadael Bangor am waith teledu efo'r BBC yng Nghaerdydd yr oedd hi wedi dechrau cyfres radio i bobl ifanc, ar fore Sadwrn, o ganu pop dan y teitl *Clywch, Clywch.* Er mai tua diwedd cyfnod Sam Jones y daeth Ruth Price i Fangor gwelodd fod 'ei ofal tadol yn parhau ac roedd ganddo ffordd hynod garedig o ddangos mai fe oedd y bòs!' Ym mlwyddyn ymddeoliad Sam Jones, 1963, wedi cyfnod byr ym Mangor fe symudodd Ruth Price i Gaerdydd fel Cynhyrchydd Teledu yn yr Adran Adloniant Ysgafn.

Alwyn Samuel

Yn niwedd 1963 penodwyd Alwyn Samuel i gynhyrchu *Awr y Plant* o Fangor. Roedd ganddo brofiad helaeth, fel prifathro ysgol a Threfnydd yr Urdd, o weithio gyda phlant a phobl ieuanc. Ymunodd â'r staff yn Ebrill 1964. Fe'i ganed yng Nghwmafon yn 1925 ac fe'i haddysgwyd yn y cyfnod 1942-44 yng Ngholeg Caerleon. Wedi chwe mis o ddysgu yn Berkshire ymunodd â'r fyddin yn yr RASC rhwng 1944 ac 1946. Bu'n athro yn Birmingham, 1946-48 ac yna yn Ysgol y

Bryn, Port Talbot o 1948-50. Treuliodd bedair blynedd ar staff yr Urdd, 1950-54, cyn cael ei benodi'n Brifathro Ysgol Gymraeg Pont-rhyd-y-fen. Bu'n Brifathro yno am ddeng mlynedd.

Er nad oedd yn ymuno â'r staff hyd Ebrill 1, 1964, a Sam Jones bellach wedi ymddeol, fe gafodd Alwyn Samuel y profiad o gydweithio ag ef ar y gyfres *Ymryson Areithio,* a oedd i'w chwblhau. Ar gais Aneirin Talfan Davies, y Dirprwy Bennaeth Rhaglenni, Alwyn Samuel fyddai'n recordio'r *Ymryson* yn y colegau a Sam Jones yn golygu'r areithiau yn ôl ym Mryn Meirion. Yna deuai Dic Hughes i mewn i'r stiwdio i gysylltu'r dyfyniadau wrth i'r rhaglen gael ei darlledu.

Yn *Awr y Plant* fe gynhyrchodd Alwyn Samuel nifer o straeon, yn seiliedig ar lyfrau T. Llew Jones, wedi eu dramateiddio i bwrpas radio. Taith o gylch yr ysgolion oedd *Ein Hysgol Ni* a chynhyrchwyd cwisiau i blant ysgol. Rhaglen o recordiau i bobl ifanc oedd *Wrth y Ford Gron* ac yn *Pwt o Lythyr* byddai plant yn sôn am eu hobïau. I blant hŷn byddai'n cynhyrchu *Tipyn o Fynd* (ar batrwm y siartau pop *Top Ten*) ac fe anelai *Brysiwch Adref* at gleifion mewn ysbytai.

Fel Gwyn Williams, bu Alwyn Samuel hefyd yn rhan o'r tîm a gynhyrchai *Bore Da* a *Cymru Heno* dan olygyddiaeth Wyre Thomas a T. Glynne Davies yn cyflwyno. O 1977 ymlaen hyd ei ymddeoliad bu Alwyn Samuel yn Gynhyrchydd yn yr Uned Rhaglenni Cyffredinol. Yn y cyfnod hwn fe gynhyrchodd amrywiaeth o raglenni fel *Rhwng Gŵyl a Gwaith* (sgyrsiau ar nos Sul), *Taro Deuddeg* (Huw Jones yn chwarae recordiau), *Llun ar y Radio* (adloniant amser cinio), *Miri gyda Morien* (rhaglen ysgafn yng nghwmni Morien Phillips), *Jazzaragarôl* (recordiau jazz), rhaglenni o gerddoriaeth bandiau fel *Sain yr Utgorn* a *Gwerth Eich Pres* a rhaglenni o'r Eisteddfodau a'r gwyliau cenedlaethol. Byddai Alwyn Samuel hefyd yn gofalu am agweddau cerddorol y rhaglen ddychan *Pupur a Halen.*

Ymddeolodd o staff y BBC ym Mangor fis Gorffennaf 1985.

Dylid nodi fod **Islwyn Ffowc Elis** wedi bod yn gynhyrchydd dros-dro ym Mangor am dri chyfnod gwahanol ar wahoddiad Sam Jones. Bu'n Gynhyrchydd Rhaglenni Cyffredinol am saith mis yn 1957/58 pan fu'n rhaid cael rhywun profiadol i gymryd lle Dyfnallt Morgan, a gafodd driniaeth feddygol mewn ysbyty yn Lerpwl. Yn y cyfnod hwnnw cynhyrchodd Islwyn Ffowc Elis *Llais y Llenor;* cyfres i'r alltudion dan y teitl *Cymry Oddi Cartref;* ac yn Saesneg, *Short Story* (cyfres i'r rhwydwaith gyda chyfraniadau lleol) a *Mirror*, sef cyfres o raglenni misol a grewyd ganddo ar gais Hywel Davies i adlewyrchu'r sefyllfa lenyddol yn y Gogledd.

Bu Islwyn Ffowc Elis hefyd yn gynhyrchydd dros-dro am fis wedi ymadawiad Ifor Rees am Gaerdydd, ac am gyfnod arall o bum mis cyn penodi Ruth Price i ddilyn Evelyn Williams. Gweinidog yn Niwbwrch oedd Islwyn Ffowc Elis ar y pryd.

Y Gwasanaeth Newyddion

O ystyried cefndir newyddiadurol Sam Jones, mae'n rhyfedd nad oedd ym Mangor ddarpariaeth ar gyfer darlledu newyddion o'r Gogledd. Yr unig ffordd o gael sylw i eitemau newyddion o Fangor oedd trwy i ohebwyr papurau lleol ffonio'r BBC ac fe fyddai Miss Laura Jones yn teipio'r hanesion hynny ac yn ffonio'r wybodaeth i'r Stafell Newyddion yng Nghaerdydd. Yn ystod y pumdegau hwyr y daeth **Wyn Williams**, o Lanfairfechan yn wreiddiol, o Gaerdydd i Fangor fel 'Chief News Assistant, Bangor' ac yna **Idris Roberts** fel 'News Assistant, Bangor' i helpu yn y gwaith o ffonio eitemau i'r rhaglen deledu Saesneg *Wales Today*. Fe fyddai'r golygyddion Newyddion yng Nghaerdydd sef, yn eu tro, Ifan Puw, Tom Richards ac Alan Protheroe, yn comisiynu ambell adroddiad gan ohebwyr gogleddol fel Angus McDermid. Ond yn union fel yr oedd, ac y mae, y gwasanaeth newyddion wedi ei ganoli ar Lundain yr oedd, ac y mae, y gwasanaeth newyddion yng Nghymru wedi ei ganoli ar Gaerdydd. Deallai Sam Jones y drefn ac nid oedd am ei herio. Gwyddai nad oedd honno'n frwydr y gallai ei hennill.

Nid hyd y saithdegau yr addaswyd stiwdio radio ym Mangor, yr hen Stiwdio Dau, at ofynion newyddion teledu o'r Gogledd. Teledwyd y rhifyn cyntaf o *Heddiw*, a gynhwysai elfennau newyddiadurol, ar Ebrill 17, 1961. Wedi cyfraniad cychwynnol Dyfnallt Morgan i'r rhaglen honno, a'r defnydd o stiwdio deledu'r BBC ym Manceinion, daeth **Harri Gwynn** yn haf 1961 i ofalu am ffilmio eitemau i *Heddiw* o'r Gogledd. Y drefn ar y dechrau oedd anfon y ffilmiau i lawr i Gaerdydd gyda Willie Owen, mewn car, neu John Williams o Flaenau Ffestiniog ar gefn moto beic yn teithio'n ddyddiol yn ôl a blaen i Landaf gan gario'r ffilmiau o'r lleoliadau a ddewisai Harri Gwynn. Golygai'r pellter o Gaerdydd fod y ffilmio'n dod i ben bob dydd tuag amser cinio.

Chwaraeon

Bu adroddiadau chwaraeon mewn bwletinau newyddion yn rhan gyson o'r patrwm darlledu o Fangor cyn gynhared â'r flwyddyn 1947 gyda gohebwyr fel A. W. McDermid, Martin Rees, Norman Stewart, A. R. Hughes, Nesta Crossley, Douglas Hall a Tommy Eyton Jones yn rhoi adroddiadau byrion ar y gwahanol gampau. Pan sefydlwyd Adran Chwaraeon yng Nghaerdydd ar gyfer radio a theledu yn nechrau'r chwedegau, cynyddodd y galw ar adnoddau'r Gogledd i ddarparu adroddiadau yn y ddwy iaith.

Y mae agwedd Sam Jones at y datblygiadau teledu, oedd yn dod yn fwy-fwy amlwg iddo o 1957 ymlaen, yn anodd i'w ddehongli. Ar un wedd ymddengys y gwelai sut y gallai'r gwasanaeth teledu cyflawn gryfhau'r ddarpariaeth a ddechreuwyd ganddo ar y radio yn y tridegau. Tystiolaeth eraill yw ei fod yn llugoer ei ymateb.

Yn ôl Dyfnallt Morgan:

> 'Chymerai Sam Jones fawr ddim diddordeb ynddynt [eitemau o'r Gogledd i *Heddiw*, a *Cwmpas*], ond i gwyno mai meddwl yn nhermau radio sain oedd pobl y cyfrwng newydd, gormod o siarad a rhy fach o ddeunydd i'r llygad.

Ond eto ym Medi 1957 fe anfonodd Sam Jones air at Wyn Roberts, y gwleidydd Syr Wyn Roberts wedi hynny, a oedd ar y pryd yn un o swyddogion TWW (Television West and Wales – sylwer fod 'West' yn bartner i 'Wales' mewn teledu masnachol er gwaethaf profiad chwerw radio cyhoeddus):

> A sôn am TV – mae'n amlwg fod pethau mawr yn digwydd y dyddiau hyn. Yn gyfrinachol, y mae'r hysbysiadau ynglŷn â swyddi gyda Granada wedi ein syfrdanu. Heddiw'r bore gwelir eu bod yn gofyn am 'Welsh Programme Director'. Y mae'n amlwg, felly, eu bod, h. y. Granada, yn bwriadu rhoi gwasanaeth i ni yng Ngogledd Cymru tu hwnt i bob disgwyliad . . .
>
> Ond beth am TWW? A fyddwch chwi yn 'joining forces' efo Granada? Os felly, bydd gennym 'coverage' cyflawn yng Nghymru, a'r genedl ar ei hennill. Diolch byth am hynny.
>
> Ond rwyf yn gobeithio ac yn hyderu y bydd i'r Granada ddewis y bobl iawn. Y mae peryg ofnadwy i 'charlatans' (ac y mae digon ohonynt yng Nghymru) gael gafael ar yr awenau.

Dyma Ifor Rees wedyn, yn ei gyfrol *Gwgwrus*, yn cyfeirio at un achlysur penodol pan nad oedd hi'n ymddangos fod dyfodiad Granada yn gymaint o destun diolch:

> Pan ddechreuodd Cwmni Granada deledu rhaglen wythnosol Gymraeg (*Dewch i Mewn*) fe ystyriai Sam bob Cymro a ymddangosai ar y rhaglen honno yn ddim llai na bradwr – gan gymaint oedd teyrngarwch Sam i'r BBC er gwaethaf pawb. Yr adeg honno yr oeddwn i wedi dyfeisio'r gyfres radio *Sêr y Siroedd* ac fe enillwyd cwpan y gystadleuaeth gyntaf gan ddoniau sir Ddinbych. I ddathlu'r fuddugoliaeth fe drefnodd aelodau tîm sir Ddinbych ginio yng ngwesty'r Ceffyl Gwyn yn Llanfair Dyffryn Clwyd a gwahodd Sam a minnau yno i gydlawenhau gyda hwy. Pan aethom i gyd i fewn i'r ystafell fwyta sylwais fod y muriau wedi eu plastro â lluniau 'sêr' y rhaglen *Dewch i Mewn* Granada. Yno yn syllu arnom o'r waliau yr oedd Rhydwen Williams, Huw T. Edwards, Gwilym R. Jones, Kate Roberts ac eraill. Cefais gryn drafferth i'w berswadio i aros. Ond noson go ddiflas oedd honno i Sam – er bod pawb arall wrth eu bodd.

Anodd credu mai'r unigolion a barai ddiflastod iddo gan ei fod yn gyfaill personol iddynt ac, fel Huw T. Edwards, yr oedd yn un o Ymddiriedolwyr cronfa achub *Y Faner* (Golygydd: Gwilym R. Jones) a ffurfiwyd yn Awst 1958.

Yn nechrau'r chwedegau, fe sefydlwyd gorsaf deledu fasnachol TWWN (Television Wales (West and North) Ltd.) gan Dr Haydn Williams ac eraill. Y syniad oedd y byddai'r Cwmni yn fwy Cymreigaidd na Chwmni TWW. Yr oedd Sam Jones yn gyfeillgar â Dr Haydn Williams ac, yn ôl Elwyn Evans 'yn gwybod am y cynlluniau ac yn bleidiol iddynt'. Hwyrach mai bygythiad teledu masnachol i ddarlledu cyhoeddus, yn fwy na theledu fel cyfrwng, oedd wrth wraidd ei agwedd.

Y ddau le ble'r oedd Sam Jones ddedwyddaf – ar ei aelwyd gyda Maud a Dafydd . . .

. . . ac wrth ei ddesg ym Mron Castell (a llun o E. Morgan Humphreys yn y cefndir).

Sam Jones – Llywydd y Dydd yn Eisteddfod Genedlaethol Glyn Ebwy 1958.

Dathlu chwarter canrif Sam Jones ym Mangor 1960.
Yn sefyll (o'r chwith): Dyfnallt Morgan; Ifor Rees; John Owen Jones; Elwyn Thomas;
Islwyn Ffowc Elis; Wilbert Lloyd Roberts; James Williams.
Yn eistedd: Evelyn Williams; Laura Jones; Sam Jones a Mrs Jones; Victor Williams;
Willie Owen.

Sam Jones ynghanol criw o ysgrifenyddesau BBC Bangor yn y chwedegau.

Staff BBC Bangor ar achlysur Ymweliad y Rheolwr, Alun Oldfield-Davies.

Staff BBC Bangor adeg ymddeoliad Sam Jones 1963.

Tîm cynhyrchu Pasiant Cau Pafiliwn Caernarfon – Wilbert Lloyd Roberts (cynhyrchydd),
Meuryn (awdur y sgript) a Sam Jones (trefnydd y noson).

Panel 'Byd Natur' 1961. (O'r chwith i'r dde): G. Elwyn Morris, T. G. Walker,
Ffowc Williams ac R. E. Vaughan Roberts.

Sam Jones yn cael ei
gyflwyno am
y radd D.Litt gan
Syr Emrys Evans yn
Neuadd y Brenin,
Aberystwyth,
Gorffennaf 11, 1963.

Sam Jones ar fin cyflwyno cwpan *Sêr y Siroedd* i Rhiannon Morris o dîm Sir Ddinbych.

Y Doctor Sam Jones – seremoni'r graddio 1963.

'Coeden sy'n Aros'

1964-1974

Yn *Ariel*, papur staff y BBC, ysgrifennodd Alun Oldfield-Davies yn Ionawr 1964 am y rhesymau dros anrhydeddu Sam Jones gan Brifysgol Cymru, gan restru:

> his devotion to his work, his continued resilient vitality and enthusiasm, his ardent interest in young people and his long record of successful programmes. He is not an easy man to follow.

Y sawl a gafodd y dasg honno yn y lle cyntaf oedd W. R. Owen. Nid y bwriad yma yw manylu am hanes y BBC ym Mangor yn y cyfnod a ddilynodd ymddeoliad Sam Jones. Fe sonnir yn unig am yr agweddau hynny y mae a wnelo Sam Jones â nhw, hyd ei farwolaeth.

Ganed W. R. Owen yng Nghaergybi ac fe'i maged ym Mhenbedw. Dychwelodd y teulu i Fangor ar ddiwedd y Rhyfel Mawr, ac ymhen amser daeth W. R. Owen yn Llyfrgellydd yn y ddinas. Cyn ei benodi i olynu Sam Jones yr oedd wedi treulio ugain mlynedd mewn gwahanol adrannau o'r BBC. Am y chwe blynedd yn union cyn dod yn Gynrychiolydd y BBC yn y Gogledd, ef oedd Cynrychiolydd y BBC yng Ngorllewin Cymru gyda'i swyddfa yn Abertawe.

I rai o'r staff, ac yn eu plith Richard Gwynedd Roberts – un o'r porthorion – tra oedd Sam Jones yn arweinydd tîm, dull mwy unbenaethol oedd eiddo W. R. Owen. I eraill, yr oedd y Pennaeth newydd yn ymddangos yn fwy trefnus ac yn fwy cymdeithasol. Profiad Alwyn Samuel, er enghraifft, oedd fod W. R. Owen yn ddyn Cysylltiadau Cyhoeddus ardderchog. Ond y mae cytundeb rhwng y rhai a oedd ym Mangor ar y pryd nad oedd W. R. Owen yn or-awyddus i weld Sam Jones yn troi i mewn i Fron Castell.

Gan ei fod ar gytundeb i gynhyrchu rhai rhaglenni ar ei liwt ei hun byddai Sam Jones yn mynd yn gyson i'r stiwdio ym Mryn Meirion i gynhyrchu *Bord y Beirdd* ('5 progs. at 20 gns.'), *Wedi'r Oedfa* ('12 progs. at 20 gns.') a'r *Ymryson Areithio* ('5 radio editions at 25 gns.'). Daliodd ati i gynhyrchu'r rhaglenni hyn hyd 1965.

Yr oedd ei weinidog, y Parchedig Ifor Williams, wedi bod yn ymwelydd cyson â Sam Jones, tros y blynyddoedd y bu yntau ym Mangor, ym Mron Castell. 'Os nad oeddwn i wedi galw, byddai'n ffonio ac y holi "Lle mae'r bugail?". Roedd e'n mynnu 'mod i'n galw yn y swyddfa unwaith y mis.' Wedi'r ymddeoliad byddai'r gweinidog yn galw yn y cartref, a chael yr argraff yno nad oedd Sam Jones yn medru dygymod â'i ymddeoliad. 'Yr oedd 'na rywfaint o surni ac anfodlonrwydd yn dod yn amlwg, ac yr oedd yn siomedig yn yr hyn a ddilynodd ei batrymau fe yn y BBC.'

Un anfantais i Sam Jones ddygymod ag ymddeoliad oedd nad oedd ganddo hobi o fath yn y byd. Byddai'n gwylio chwaraeon, rygbi yn arbennig, ar y teledu. Bu cyfnod yn ei yrfa ym Mangor pan ysgrifennai Sam Jones lythyrau at sawl person ym myd chwaraeon yn crefu am docynnau i gêmau rygbi cydwladol. 'I will take as many tickets as you can give me,' meddai wrth ysgrifennydd Cymdeithas Rygbi'r Gogledd. Holai am docynnau i'r 'Swansea International', y 'Scottish match' a 'the French match at Cardiff'. Rhoddodd docyn ar gyfer gêm Seland Newydd yn Rhagfyr 1935 i R. Williams Parry:

> Ddeng munud cyn y diwedd yr oedd Seland Newydd 12 i 10 ar y blaen; anafwyd un o'r chwaraewyr a bu'n rhaid ei gludo o'r cae. Aeth y tyndra'n drech na Williams Parry. 'Os arhosa' i yma, mi gaf *heart attack*,' meddai wrth Sam Jones. Cododd o'i le ac allan ag o.

Tua diwedd ei yrfa, ni fyddai Sam Jones yn mentro i ganol y dorf, ac ni fyddai galw arno i Gaerdydd i gyfarfodydd staff ond yn achlysurol iawn.

Byddai'n treulio tipyn o'i amser wedi ymddeol, fel y gwnaeth yn y swyddfa o bosib, yn darllen colofnau buddsoddi arian yn y papurau dyddiol. Yr oedd y farchnad stoc yn cynnal ei ddiddordeb.

Wrth ymddeol, yr hyn a ddywedodd wrth ohebydd *Y Cymro* oedd:

> Bwriadaf ddiogi, mynd am dro efo Sion, y ci; mynd i'r bwthyn yn Sir Fôn gyda'r wraig yn yr haf i grwydro'r glannau a'r creigiau, a gwneud ambell raglen fel bo'r awydd.

Yn ei gyfweliad i *Portreadau* (TWW) ym Mehefin 1965 y mae'n pwysleisio eto ei awydd i ddiogi:

> Wyddoch chi, o ran natur rwy'n ddyn diog dros ben a dwi wrth fy modd yn diogi. Hynny yw, os na fydd gen i rywbeth i'w wneud fydda i'n gwneud dim, ac yn hapus iawn yn ei wneud o!
>
> ... Ond pan ddaw'r gwanwyn a'r haf dwi'n treulio llawer o f'amser yn yr awyr agored. Bydd y teulu – Mrs Jones, Dafydd, a Sion, y corgi, – yn mynd draw i fwthyn bach sydd gen i yn Sir Fôn. Fe fuo' ni'n ffodus dros ben; ffermwr caredig yn cynnig y bwthyn bach i ni ger draeth hyfryd yn Sir Fôn [ym Mae Cemlyn], a mi fydda i wrth fy modd yn cerdded y creigiau ac yn hel broc môr. A dyna lle byddwn ni'n tri; Dafydd yn 'sgota dipyn oddi ar y creigiau a minnau'n cerdded ar hyd y traeth.

Ar ôl ei salwch yn 1952 fe ddysgodd Sam Jones fod yn rhaid gorffwys yn ogystal â gweithio. Cadarnhaodd ei ysgrifenyddes, Miss Laura Jones, y byddai Sam Jones yn treulio'r bore yn pori drwy'r papurau dyddiol a ddeuai i'r BBC. I'w swyddfa ef y byddai'r papurau i gyd yn cael eu dosbarthu. Tros ginio byddai'r cynhyrchwyr (ond nid y peirianwyr a'r ysgrifenyddesau) yn ymuno ag ef wrth y bwrdd cinio yn y ffreutur fechan ym Mron Castell i sgwrsio a thrafod syniadau am raglenni. Yn nechrau'r prynhawn âi i'w swyddfa am gyntun.

Os oedd yna agweddau hamddenol yn y patrwm gwaith, yr oedd disgwyl i bawb fod yn egnïol ynglŷn â'u rhaglenni. Doedd neb yn cyfri'r oriau; os oedd rhaglen yn hawlio gweithio'n hwyr a theithio ymhell, dyna fyddai'n digwydd.

O edrych yn ôl ar eu perthynas ymhen blynyddoedd dywedodd Wilbert Lloyd Roberts mai dyn papur newydd oedd hefyd yn actor oedd Sam Jones:

> Yr oedd yr olwg brysur, bwysig yn rhoi gwedd ddifrifol ar ei wyneb; yr het ar ei wegil ar osgo tua'r chwith, y ddau gantal, ffrynt a chefn, tuag i fyny. Roedd rhywbeth yn artistig, ddeniadol ynddo fo. Bwndel o bapurau yn ei law; wyneb diddorol a rhychau dwfn a chrychni, ac yn siarad efo llais uchel dros y lle; llais unigryw, bloesg. Dyn emosiynol oedd Sam, ac yn methu rheoli teimlada', ac roedd ganddo'r ddawn i newid ei ymarweddiad yn ôl yr amgylchiada'. Roeddech chi'n gwybod o'i wedd sut oedd yr hwyl.

Cawsai Ifor Rees y gwmnïaeth ym Mangor yn glòs a difyr odiaeth:

Ein tad ni oll wrth gwrs oedd y Dr Sam Jones [yn 1963 y cafodd Sam
Jones y Ddoethuriaeth, flynyddoedd wedi i Ifor Rees adael Bangor] . . .
a weinyddai'r ganolfan fel unben teuluol, a thad cyffes annwyl.
Rhoddai Sam bob rhyddid a llonydd i ni fwrw i'n gwaith heb
ymyrraeth oddi wrtho, a gwerthfawrogid hynny gennym i gyd. Ond
pan fyddai gan Sam ei hun gyfres o raglenni ar y gweill, dyna'r unig
a'r pennaf peth oedd yn bwysig. Disgwylid i ni gyd fod at ei alwad, a
gwiw i neb beidio ag ymddiddori yn y gyfres honno.

Beth oedd profiad y peirianwyr a staff y Tŷ? Yr oedd disgwyliad
arnynt hwythau i gymryd diddordeb yn rhaglenni Bangor, yn
arbennig. Bryd hynny, drwy'r BBC yn gyffredinol, yr oedd y
gwahaniaeth rhwng y peirianwyr a'r cynhyrchwyr yn 'ddyfn iawn' yn
ôl Glyn Wheldon Williams, peiriannydd a roddodd ddeugain mlynedd
o wasanaeth gwych i'r BBC, 'ond gan fod llawer o'r peirianwyr ym
Mangor yn Gymry Cymraeg roedd croesi'r llinell yn rhwydd'. Fe
gytuna'r peirianwyr y bûm yn eu holi mai 'gweddol' oedd y berthynas
rhwng Sam Jones a Sidney Hett, y Prif Beiriannydd a fu ym Mangor
o'r dechrau. Nid oedd Hett yn ddyn rhaglenni ac, fel eraill ar ei ôl, ei
ymateb greddfol i unrhyw gais oedd ei wrthod.

Gŵr diwylliedig a heddychlon o'r enw Henry Lewis oedd garddwr
y BBC er 1951. Bu yn y gwaith am ymhell dros ddeng mlynedd ar
hugain cyn ymddeol. Byddai Sam Jones yn rhoi llyfrau i'r garddwr,
nid llyfrau ar arddio; yr oedd cynnyrch yr ardd, un sylweddol ei maint
yn y pumdegau, yn ddigon o brawf o allu Henry Lewis yn y cyfeiriad
hwnnw. Ei gymell i ddarllen llyfrau Morrisiaid Môn, ac yntau o'r un
ardal â hwy, a wnâi Sam Jones. Byddai'r cyfweliadau blynyddol
ffurfiol a gynhelid rhwng y Pennaeth a'i gyd-weithiwr o arddwr yn
troi'n seiadau am gyfrifoldeb dyn, boed mewn gardd neu mewn
stiwdio:

> Yr oedd ganddo lygad i weld unrhyw ddawn neu allu. Cofiaf unwaith i
> mi gael cyfle i newid fy ngwaith, a galwodd fi ato. 'Ydych chi'n hapus
> yn eich gwaith?' 'Ydw!' meddwn inna'. 'Peth mawr ydi bod yn hapus
> yn eich gwaith 'machgen i. Meddyliwch am rywun yn codi'n y bore,
> yn gas ganddo fynd i'w waith. Meddyliwch drosto.' Darbwyllodd fi yn
> y fan.

Unwaith y Sul y gwelid Sam Jones ym Mhenuel, capel y Bedyddwyr,
Bangor. Mynychu oedfa'r bore fyddai ei arfer. Am flynyddoedd lawer

golygai'r gwaith o gynhyrchu *Wedi'r Oedfa* mai ym Mryn Meirion y byddai ar nos Sul. Ymhlith ei bapurau personol y mae cerdyn oddi wrth ei athro Ysgol Sul, Mr D. E. Rees, yn nodi ei absenoldeb o Benuel y Sul cynt ac yn gofyn iddo agor ar y Rhagarweiniad i'r Epistol at y Phillipiaid 'y Sul nesaf'. Nid oes cofnod a wnaeth hynny ai peidio.

Roedd James Williams hefyd yn aelod yng nghapel Penuel ar un adeg a chofiodd am ei gyfaill John Owen Jones yn dweud wrtho nad oedd Sam Jones yn ffyddlon yn y capel ar un cyfnod. Taerai fod Mrs Maud Jones wedi dweud wrth ei gŵr ei bod hi'n poeni fod Dafydd, y mab, yn cael ei ddwyn i fyny fel pagan gan fygwth ''Dwi'n credu yr â i ag o i'r capel Wesle heno. A Sam yn rhoi ei gôt amdano ar unwaith a mynd â Dafydd i Penuel.' Dylid cofio mai Wesle oedd y Parchedig John Owen Jones!

Delfryd Sam Jones, yn ôl T. M. Bassett a oedd yn gyd-aelod ym Mhenuel, oedd gweld Dafydd yn cael ei ddewis yn Drysorydd Undeb y Bedyddwyr. Soniodd Sam Jones am ei fab wrth y rheolwr stiwdio Victor Williams gan honni 'He reads the *Financial Times* like *Comic Cuts*!'

Cafodd Dafydd Jones ei addysg yn Abermâd, ysgol breswyl yn Llanfarian, Ceredigion, wedi i'w ddyddiau yn ysgol Cae Top, Bangor ddod i ben.

Yn Ionawr 1953 fe ysgrifennodd Sam Jones at O. E. Roberts yn Lerpwl gan awgrymu enw'r Parchedig Noel Evans, Prifathro Abermâd, fel siaradwr i'w Clwb Cinio ac mae'n ychwanegu am yr ysgol ei hun:

> Y mae hon yn ysgol ddiddorol dros ben, sef yr Ysgol Breswyl Gymraeg gyntaf yn hanes Cymru . . . Dysgir iddynt [y plant] Gymraeg fel iaith gyntaf . . . y pwynt pwysig yw eu bod yn cael eu dysgu mewn awyrgylch hollol Gymreig. Rwy'n gwybod llawer am yr ysgol oherwydd bod fy mab yno ers blwyddyn ac rwy'n gwybod fod yr ysgol yn gwneud y byd o les iddo fel Cymro.

Ychydig cyn mynd am y driniaeth a gafodd yn 1952 yn Ysbyty Gorseinon, fe ysgrifennodd Sam Jones lythyr yn sôn am Abermâd at Syr John Cecil-Williams, ysgrifennydd Cymdeithas y Cymmrodorion:

> Dafydd is getting on famously at Abermâd . . . I think it is an excellent school and I am very glad indeed that I sent Dafydd there. Abermâd may well become an institution of importance in Welsh life. We have

not yet decided where to send him after Abermâd; this is quite a problem.

Er holi Prifathro Ridgemount, Ysgol Breswyl yn Amwythig, am le i Dafydd ymhen amser, ni ellid addo dim yno. Synnwyd ffrindiau personol Sam Jones ym Mangor, a neb yn fwy na'i gymydog Thomas Parry, pan anfonwyd Dafydd, ar ddiwedd ei gyfnod yn Abermâd, i Ysgol Breswyl Harrow. 'Pam Harrow, ddyn?' oedd cwestiwn union-gyrchol yr academydd. Ond nid oedd newid meddwl i fod.

Ar y Sul cyntaf o Fedi, 1957 cafodd y rhieni lythyr o Sychdyn wedi ei arwyddo gan 'Huw Tom' (H. T. Edwards). Fe ddywedai'r llythyrwr 'Mae Dafydd yn tyfu i fyny yn fachgen hyfryd. Roeddwn yn amheus ar y dechrau beth fyddai dylanwad Harrow, ond nid wyf yn pryderu rhagor. Ni chollir mab Maud a Sam i'r genedl.'

Erbyn gaeaf 1960 yr oedd Dafydd Jones, er mawr lawenydd i Syr David James, wedi mynd i'r 'City of London to become a Merchant Banker'. Mewn llythyr at y teulu, adeg y Nadolig 1960, rhybuddiodd ef rhag y perygl o ddechrau ar y brig a gorffen ar y gwaelod. Yr oedd yn falch o weld fod Dafydd am ddechrau ar y gwaelod ac anelu at i fyny. Nid aeth y cyngor hwn yn angof gan Dafydd, na'r deyrnged i'w mab yn angof gan ei rieni.

Oherwydd y galw yn nechrau'r pumdegau am ledu'r ffordd ar ochr ddeheuol Ffordd y Garth, bu'n rhaid dymchwel hen gapel Penuel a chodwyd capel newydd, bron gyferbyn, ar gost o £23,000 i'r 270 o gynulleidfa. Agorwyd y Penuel newydd ar Orffennaf 2, 1952. Cafwyd grant o £7,000 gan y Weinyddiaeth Drafnidiaeth a thrwy ymdrechion a haelioni'r aelodau codwyd £14,000 ato erbyn yr agoriad. Ceisiodd Sam Jones 'werthu'r stori' am agor capel newydd i Olygydd Newyddion y BBC ar y pryd, Tom Richards, gan ddweud y byddai'r esiamplau o 'extraordinary enthusiasm and sacrifice' ar ran yr aelodau'n gwneud stori dda. Bu ef ei hun yn hael ei gyfraniad at y gost o godi'r capel newydd a threfnodd gofnod ar ffilm o'r 'tynnu yma i lawr' a'r 'codi draw'. Rhoddodd fenthyg camera ffilm i'r gwas ffyddlon hwnnw o ddreifar y BBC, Willie Owen, a oedd hefyd yn aelod ym Mhenuel, i ffilmio dymchwel yr hen adeilad ac, yn bwysicach, i ffilmio codi'r adeilad newydd sydd bron gyferbyn ar ochr ogleddol Ffordd y Garth.

Nid oedd y gwaith camera yn ddim ond un o fynych gymwynasau Willie Owen i'w feistr. Bu'n gyrru'r car staff ac yn troi ei law at dipyn o bopeth oedd angen sylw o gwmpas y Tŷ Darlledu. Gofynnwyd iddo ryw dro, gan uchel-swyddog o Lundain, beth oedd natur ei waith gyda'r BBC, a'r ateb hyderus, yn ôl traddodiad llafar, oedd 'Ninety per cent programmes and ten per cent administration'.

Ni chodwyd Sam Jones yn ddiacon ym Mhenuel ond ni bu pall ar ei haelioni i'w gapel, a hynny mewn ffyrdd ymarferol. Pan oedd angen *projector* yn y festri ymhen blynyddoedd, ar gyfer y plant a'r bobl ifanc yn bennaf, fe addawodd Sam Jones, meddai ei weinidog, 'bunt am bunt i godi'r £100 angenrheidiol, a sicrhawyd yr offer'. Gan na fyddai hi'n mynychu'r capel Wesle fe benderfynodd Mrs Maud Jones ymaelodi ym Mhenuel pan gytunodd yr eglwys i dderbyn yn aelodau rai heb eu bedyddio trwy fedydd trochiad. Golff a garddio oedd ei phleserau hi yn ystod yr wythnos.

Yn ei phortread o Sam Jones mewn cystadleuaeth yn Eisteddfod Genedlaethol Caerdydd, 1978, fe ddywed 'Siwan':

> Y tro diwethaf i mi ei weld, ryw ddeng mlynedd yn ôl, roedd eisoes wedi mynd yn hen ŵr eiddil ei olwg. Roedd wedi bod yn drwm ei glyw ers blynyddoedd, ond ar ôl i Mrs Jones esbonio'n glir pwy oeddwn, dychwelodd gwefr yr hen wên dreiddgar – cusan i mi, a'i law yn ei boced ar unwaith am arian i'w rannu rhwng y plant

Er bod yr anadl yn fyrrach, ac effaith smocio'n caethiwo ei frest, yr un oedd yr haelioni a'r croeso ag erioed.

Yn ei gornel, byddai'n hel atgofion ac yn eu plith yr achlysur hwnnw, ar ddiwrnod gwyntog a gwlyb gynddeiriog, pan aeth i gyfarfod dadorchuddio cofeb Bob Tai'r Felin. Ebrill 5, 1961 oedd y dyddiad. Cafwyd anerchiad gan Enid Parry. Lluniwyd y gofeb gan Jonah Jones a'r ysgrifen arni, ar lechen las, gan Laurie Cribb. Tynnwyd y gorchudd gan Sam Jones, 'the man who saved one of the last Welsh ballad and folk-singers from oblivion'.

Cymdogion agosaf y Jonesiaid oedd yr Athro Bleddyn Jones Roberts a Dr Miriam Jones Roberts. Gwyddai Dr Miriam yn dda am ofal Mrs Maud Jones am y tŷ, am yr ardd, am yr arian – ond yn bennaf oll am Sam Jones. Doedd y dwsin o dai sydd o ddeutu'r rhiw i fyny am 'Roman Camp' ddim yn gymdogaeth glòs, meddai Dr Miriam. 'Maud used to frighten some people. She was direct. She had no side to her character. Dim nonsens!' Rhoddasai'r gorau i'w golff er mwyn gofalu am Sam Jones.

Syndod i'r byd, felly, oedd clywed ar ddydd Iau, Ionawr 3, 1974, fod Mrs Maud Jones wedi marw. Galw am help ei gymydog, Dr Miriam, a wnaeth Sam Jones yn gyntaf. Galwodd hithau am feddyg teulu oedd yn byw yn ymyl. Roedd y meddyg mewn cinio Rotary ac addawodd y byddai nyrs yn 'Cyncoed' cyn dau o'r gloch. Ni sylweddolodd y meddyg pa mor wael oedd Mrs Jones. Am hanner awr wedi un fe ffoniodd Dafydd gyda'r neges sobreiddiol, 'Mam is dead, Dr Miriam'.

Kate Roberts a ysgrifennodd y deyrnged i Mrs Maud Jones yn y *Faner.* Gwyddai amdani'n gyntaf yn nyddiau coleg fel 'Maud y Goat' (merch tafarn y Goat, Llanwnda), ac yna fel Miss Maud Griffith a ddaeth yn athrawes dros-dro i Ysgol Sir y Merched, Aberdâr, athrawes a chanddi'r gallu i wneud y pwnc a ddysgai yn ddiddorol i'r plant:

> Cymerai ddiddordeb yn ei disgyblion. Cofiaf hi'n dweud yn ystafell yr athrawesau am eneth wedi cyfieithu 'O, na bawn fel 'deryn bach' fel hyn, 'There's nice to be a little bird.' Yr oedd rhyw sbonc ynddi, wrth gerdded y coridorau ac wrth ddysgu plant, rhyw fywiogrwydd heintus.

Ym mis Mawrth y flwyddyn honno, mewn seremoni yn Neuadd Prichard Jones, Bangor, cyflwynwyd i Sam Jones (ac ar yr un noson yr un anrhydedd i'w gymydog, yr Athro Bleddyn Jones Roberts) ryddfraint Dinas Bangor. Ni allod fod yn bresennol ac fe'i cynrychiolwyd gan ei fab, Dafydd, a chan Owen Edwards, Rheolwr BBC Cymru. Cyflwynwyd Dr Sam Jones i dderbyn y rhyddfraint gan y Cynghorydd Richard Gwynedd Roberts, cyn-borthor y BBC. Yn ei anerchiad fe gyfeiriodd Mr Roberts at goeden brin yng ngardd Bryn Meirion:

> Mynnai rhai ei thorri i lawr i wneud lle i stiwdio deledu. Mynnai Sam Jones fod lle i'r ddau. Mae'r stiwdio deledu wedi dod, ac mae'r goeden hithau yn aros.
>
> Coeden sy'n aros yw'r Dr Sam Jones. Am iddo ymwreiddio mor ddwfn yn ein serchiadau yr estynnwn iddo heddiw, gyda phob dymuniad da, ryddfraint dinas Bangor.

Er na fedrodd Sam Jones fod yn bresennol yn y seremoni yr oedd eisiau'r hanes yn llawn pan alwodd Owen Edwards i'w weld. Ystyriai'r fraint yn gymaint i'r BBC ym Mangor ag iddo ef ei hun.

Byddai Owen Edwards yn debygol o fod wedi sôn wrtho am fwriad Cyngor Darlledu Cymru, o fewn y mis, i argymell i Bwyllgor Crawford i sefydlu Radio Cymru a Radio Wales fel dau wasanaeth annibynnol ar ei gilydd. Pwyllgor oedd hwn, dan gadeiryddiaeth Syr Stewart Crawford, a sefydlwyd gan y Llywodraeth ar y pryd i archwilio cynlluniau'r awdurdodau darlledu ar gyfer eu gwasanaethau yn yr Alban, Cymru, Gogledd Iwerddon a chefn gwlad Lloegr. Derbyniwyd yr argymhellion o Gymru yn llawn gan y Pwyllgor. Yr oedd yr hyn a gyflawnwyd gan y BBC yng Nghymru o 1935 ymlaen yn llythrennol ar fin dwyn ffrwyth ar ei ganfed gan mai darlledu can awr yr wythnos ar Radio Cymru oedd y bwriad. Ond, gan na chyhoeddwyd Adroddiad Crawford hyd Dachwedd 1974, ni chafodd Sam Jones fyw i glywed i'r cynlluniau hynny gael eu cadarnhau.

Cofio ei weld am y tro olaf, mewn ward breifat yn Ysbyty Môn ac Arfon, a wna'r Parchedig Ifor Williams, ac mae'r atgof yn un a barodd loes iddo:

> Doedd e ddim eisiau 'ngweld i. Roedd e'n flin gyda fi. Pam, alla' i ddim egluro. Roedden ni wedi bod yn ffrindie am ddeng mlynedd a mwy. Ond doedd Sam ddim eisiau 'ngweld i. Oedd e eisiau marw mewn tawelwch? Roedd e wedi suro; o'dd Maud wedi mynd yn ddifrifol o sydyn, a Maud oedd popeth iddo fe. Ges i sioc yn yr ysbyty. O'dd e'n grac, ac meddai'n wyllt wrth y nyrs 'Na! dwi ddim eisiau gweld neb.' O'r foment y bu farw Maud, o'dd Sam ddim yn Sam.

Ar ddydd Iau, Medi 5, 1974 bu farw Sam Jones yn yr ysbyty yn bymtheg a thrigain mlwydd oed.

Bu'r angladd ar ddydd Llun Medi 9, 1974, gyda'i weinidog yn gwasanaethu yn y cartref ac yna yn Amlosgfa Bangor. Claddwyd y llwch yn yr un bedd â'i briod. Cynhaliwyd gwasanaeth coffa i Dr Sam Jones yng nghapel Penuel ar nos Wener, Medi 20, 1974 gyda'r gweinidog yn llywyddu. Darllenodd W. H. Roberts ddetholiad o gyfieithiad E. Tegla Davies o *Taith y Pererin* (John Bunyan); canodd Meredydd Evans, yn ddigyfeiliant, drefniant o'r dôn 'Caernarfon' (Joseph Parry) i'r emyn 'Adenydd colomen pe cawn' (Thomas William, Bethesda'r Fro), trefniant a glywsai W. H. Roberts yn ei ganu gyntaf, a hwnnw'n drefniant a hoffai Sam Jones; offrymwyd gweddi gan y Parchedig Desmond Davies, gweinidog Calfaria, Clydach, a thalwyd teyrngedau gan Edward Rees, John Roberts Williams ac Owen Edwards.

Siaradai Edward Rees fel un a oedd yn gyd-fyfyriwr â Sam Jones yn y dauddegau, ac fel cyfaill a chyd-aelod yng nghapel Penuel. Talodd deyrnged 'i un o wŷr mawr ein cyfnod ni, un o gymwynaswyr pennaf ein cenedl'. Llawenhau yr oedd Owen Edwards fod Sam Jones 'yn meddu'r ddawn i weithio ar dair tonfedd allweddol', sef y ddawn i fod ar yr un donfedd â'i gynulleidfa, ar yr un donfedd â'r doniau a ddarganfu, ac ar yr un donfedd â'r staff yr oedd yn eu harwain.

Fe gyhoeddwyd teyrnged John Roberts Williams i Sam Jones yn ddiweddarach, yn ei gyfrol *Annwyl Gyfeillion.* Siaradai ef, fel Pennaeth y BBC ym Mangor ar y pryd, ar ei ran ei hun ac ar ran y staff ym Mryn Meirion ac ym Mron Castell. Soniodd am arbenigrwydd Sam Jones, am y rhywbeth anniffinadwy hwnnw y mae Saeson yn ei alw'n *flair:*

> Mi welodd Sam yr hyn oedd dan ei draed o – pridd y ddaear Gymreig.
> Oddi yno y tyfodd ei gynhaea toreithiog, goludog, gwerinol.

Er torri i lawr y 'goeden' y cyfeiriodd Richard Gwynedd Roberts ati chwe mis cyn marw Sam Jones, y mae gwreiddyn y peth byw, a'i ddylanwad yn parhau ym mhridd y ddaear Gymreig.

'Y Dyn Iawn, yn y Lle Iawn, ar yr Adeg Iawn'

Yn y gwasanaeth coffa ym Mhenuel, yn eu teyrngedau, yr un oedd dyfarniad Edward Rees ac Owen Edwards am gyfraniad Sam Jones i ddarlledu – 'Y dyn iawn, yn y lle iawn, ar yr adeg iawn' – ac fe ychwanegodd Owen Edwards y geiriau 'a Chymru yn elwach o'r herwydd'. Gan mai ym Mangor y dywedwyd hyn, y duedd amlwg yw credu mai Bangor oedd 'y lle iawn', ac mai'r cyfnod 1935-63, felly, oedd 'yr adeg iawn'.

Tybed nad yw'n wir i ddweud fod Sam Jones wedi bod 'yn y lle iawn ar yr adeg iawn' trwy gydol ei yrfa, ac eithrio'r cyfnod yn y Llynges, cyfnod na soniai braidd ddim amdano. Ar yr aelwyd, fel y bachgen ieuengaf yn y teulu, fe gafodd y cyfle i fynd ymlaen â'i addysg. Aeth i'r coleg ar adeg o dwf yn rhif y myfyrwyr, ac eto yr oedd Coleg Bangor yn ddigon bach i roi sylw personol i bob myfyriwr. Yr oedd hi'n adeg o obaith newydd am ddyfodol heddychlon wedi i'r 'rhyfel i ddileu rhyfeloedd' ddod i ben. Fe gyflawnodd Sam Jones y lleiafswm o flynyddoedd o ddysgu, cyn dilyn ei reddf a chael cyfle annisgwyl i fod yn newyddiadurwr, gan fwrw ei brentisiaeth ym maes y gair printiedig mewn da bryd cyn troi at y gair llafar.

Yn sicr, yr oedd Sam Jones yng Nghaerdydd 'ar yr adeg iawn', yr adeg i ddod i adnabod y bobl hynny a oedd wedi bod o fewn clyw i radio o'r dechrau; pobl y mae Dr John Davies yn cyfeirio atynt fel y 'group of Cardiff cultural nationalists' a oedd yn aelodau o Gylch Dewi, ac a oedd wedi synhwyro y gallai'r cyfrwng hwn fod yn fodd i uno cenedl, a phobl fel Ernest Hughes a Henry Lewis yn Abertawe a W. J. Gruffydd yng Nghaerdydd a oedd yn effro i bosibiliadau creadigol darlledu.

Cymhellion gwleidyddol fyddai gan eraill yn y syniad o genedl unedig, a hithau'n gyfnod sefydlu Plaid Genedlaethol Cymru. Pwysleisio agweddau diwylliannol y byddai Iorwerth C. Peate wrth gynorthwyo Sam Jones 'i newid seiliau Saesneg y darlledu' ac uno'r genedl Gymraeg ei hiaith. Wedi'r gwahanu oddi wrth Orllewin Lloegr ac agor trosglwyddydd Penmon, y trosglwyddydd cyntaf gan y BBC ar ddaear Cymru, radio oedd y cyfrwng mwyaf gobeithiol i greu'r ddelwedd o undod gwlad, gan ddwyn y Wenhwyseg a'r Ddyfedeg, y Bowyseg a'r Fonwyseg, i glyw ei gilydd.

Gellir ystyried blynyddoedd cyntaf Sam Jones mewn darlledu, yng Nghaerdydd, yn gyfnod allweddol i ddatblygiad rhaglenni Cymraeg ar y radio. Hwn, o bosibl, oedd adeg bwysicaf ei fywyd. Meddai Alun Llywelyn-Williams, a fagwyd yng Nghaerdydd, am y cyfnod hwn yn *Gwanwyn yn y Ddinas*:

> Os tebygwn gyfnod Sam Jones i oes y Cynfeirdd, gallwn gymharu blynyddoedd cynnar y Rhanbarth Cymreig ag oes y Gogynfeirdd. Oes arwrol y radio yng Nghymru oedd y tridegau ... Y pwynt i'w bwysleisio yw fod y cwmni bychan o wŷr a gwragedd a gasglwyd at ei gilydd yng Nghaerdydd i wasanaethu'r cyfrwng newydd yn gwmni ymroddgar, yn ymwybodol iawn o bwysigrwydd y radio ac yn llawn brwdfrydedd dros ei bosibiliadau mewn adloniant ac addysg a diwylliant.

Nid oes dadl o gwbl na chafodd y radio ddylanwad mwy nag unrhyw gyfrwng arall, yn ei ddydd, ar y ffordd o fyw. Un peth yn arbennig a wnaeth radio yng Nghymru oedd helpu i ddatblygu chwaeth y Cymry yn y celfyddydau, mewn cerddoriaeth i ddechrau, yna'r ddrama, ac, yn eu tro, mewn newyddiaduraeth ac adloniant.

Cyn bod radio yr oedd yna draddodiad amatur cryf yn y celfyddydau perfformiadol, mewn neuaddau mawr a bach, mewn capeli ac eglwysi a festrïoedd, ac ar lwyfan eisteddfod a chyngerdd. Traddodiad corawl a lleisiol oedd hwn yn bennaf ac, yng nghefn gwlad y Gymru Gymraeg yn arbennig, elfen ddieithr oedd cerddoriaeth offerynnol a cherddorfaol. Y gegin oedd cefndir y rhan fwyaf o'r dramâu ac, yn aml, yn y Llyfrgell Gyhoeddus y darllenid papurau dyddiol a chylchgronau. Trwy gyfrwng y radio daeth dimensiwn mwy personol i'r ymateb, ac er bod hwn yn gyfnod pell iawn oddi wrth y 'walkman' a'r stereo-personol, a bod teulu cyfan yn crynhoi o gwmpas y set radio, eto i gyd doedd dim rhaid teithio i'r canolfannau i weld a chlywed. Deuai'r adloniant i'r aelwyd.

Yng Nghaerdydd y dechreuodd Sam Jones osod y seiliau hyn oll trwy afael mewn diwylliant a oedd yn bod eisoes, yn eithaf eang yn y Gymru Ymneilltuol, a'i roi ar y radio. Gwnaeth hynny yn wyneb pob math o anawsterau, yn bennaf oll am ei fod yn cynhyrchu rhaglenni Cymraeg eu hiaith. Dyma ei gyfnod mwyaf arwrol. Dyma hefyd ei gyfnod mwyaf anodd, ond anturus. Nid yn unig yr oedd yn rhaid iddo brofi y gellid cynhyrchu rhaglenni Cymraeg, yr oedd yn rhaid iddo hefyd brofi fod yna alw am raglenni Cymraeg; bod yna gynulleidfa i raglenni o'r fath a bod yna ddigon o ddoniau i gynnal y gwasanaeth hwnnw. Ac yr oedd yn rhaid profi hyn i benaethiaid a oedd, ar y gorau, yn anwybodus ynghylch y sefyllfa, ac ar eu gwaethaf yn ddirmygus o'i ymdrechion. Brwydrai yn erbyn ystyfnigrwydd a diffyg gwelediad rhai o fawrion y Gorfforaeth Ddarlledu bryd hynny ar hawliau Cymru a'r Gymraeg yn y cyfrwng newydd.

Cafwyd digon o dystiolaeth i'r mathau o wrthwynebiad a barodd i Sam Jones fod yn bur unig yn y Tŷ Darlledu yn Park Place. Fe'i hystyrid gan rai o'i gydweithwyr yn hurtyn, a chan eraill yn enigma oedd yn ceisio cyflawni'r amhosibl. I rai oddi allan i'r Tŷ Darlledu, ar y llaw arall, ef oedd gobaith mawr y genedl gan mai ef oedd yr unig un a oedd mewn sefyllfa i wrthbrofi'r syniad fod darlledu trwy gyfrwng yr iaith Gymraeg yn wastraff ar adnoddau. Fe'i penodwyd mewn hinsawdd pan oedd yr amheuwyr yn gobeithio y byddai'n methu yn ei fwriad. Pe byddai hynny wedi digwydd fe fyddai'r rhai ystyfnig, a chyndyn eu cefnogaeth, wedi cyfiawnhau eu barn. Onid oedd pawb yn gytûn, ac eithrio'r rhai na phenodwyd i'r un swydd, mai Sam Jones oedd yr union ddyn ar gyfer y gwaith? Yr oedd fel rhyw Ddaniel yn ffau'r llewod Prydeinig. Byddai ei fethiant ef yn rhoi taw, unwaith ac am byth, ar y rhai oedd ucha'u cloch ynghylch diffygion y BBC a'i ddiffyg Cymreictod.

Tra oedd yn ymwybodol o oblygiadau methiant, yr oedd Sam Jones yn fwy ymwybodol o'r cyfle i lwyddo. Nid oedd am i'r cyfle fynd i golli. Dyna pam y gweithiodd mor galed i lenwi pob munud a roddwyd iddo, ac i hawlio munudau prin eraill i'r Gymraeg. Yr oedd yn creu angen ac nid yn diwallu angen, fel y dywedodd un o'i gydweithwyr cynnar, Dafydd Gruffydd. Am ei fod yn dechrau o ddim ni allai obeithio diwallu angen ei gynulleidfa. Yn yr amgylchiadau hynny fe chwiliai Sam Jones am bob deunydd posib a oedd gerllaw i gyfiawnhau llenwi'r amser a ganiateid mor grintachlyd iddo, ac fe lwyddodd i gyflwyno rhaglenni Cymraeg, yn aml gyda thalentau digon amrwd. Ni bu erioed yn brin o syniadau, nac o benderfyniad:

> Chwiliodd allan ysgrifenwyr, dramodwyr, cerddorion a digrifwyr wrth eu crefft i ddarparu'r rhaglenni. Mynnodd siaradwyr, actorion a chantorion i'w darlledu.

Gwyddai Alun Llywelyn-Williams, o brofiad personol, am y mynnu hwn. Nid oedd cyfnod Sam Jones yn y BBC yng Nghaerdydd yn un cysurus, ac fe ofalodd ef nad oedd yn un cysurus i neb arall yno chwaith!

Mewn erthygl deyrnged ar ei ymddeoliad, yn *Ariel* (papur staff y BBC), fe nododd Rheolwr Cymru ar y pryd, Alun Oldfield-Davies, mai Sam Jones a osododd y sylfeini i ddarlledu Cymraeg:

> and established the tradition of a regular service of broadcast programmes in Welsh, despite indifference, discouragement, hostility and even contempt from many quarters, including his own colleagues in the BBC.

I wrthwynebu dirmyg a gelyniaeth unigolion, ynghyd â grym sefydliad tra phwerus, 'os na bydd gryf, bydd gyfrwys' oedd arwyddair Sam Jones o reidrwydd.

Cyfrwystra oedd ei ymwneud dirgel â gwleidyddiaeth darlledu. Yn y tridegau fe ddefnyddiodd, i'r eithaf, ei gysylltiadau â'r wasg i gadw'r drafodaeth ynghylch darlledu Cymraeg yn amlwg. Fel y gwelwyd, fe wnaeth yn siŵr fod E. Morgan Humphreys yn deall beth oedd yn digwydd a chafodd bob cefnogaeth gan y gŵr hwnnw ym mhapurau'r Gogledd, a chan Prosser Rhys yn *Y Faner*. Y gefnogaeth honno yn y blynyddoedd cynnar, ond odid, oedd rheswm pennaf Sam Jones am ei gefnogaeth i'r *Faner* pan oedd y papur hwnnw mewn argyfwng ariannol yn niwedd y pumdegau. Yn Awst 1958 fe ffurfiwyd cronfa Achub *Y Faner* rhag colledion ariannol. Yr Ymddiriedolwyr oedd Huw T. Edwards, Syr Daniel Davies, Jenkin Alban Davies, Syr Clayton Russon, Sam Jones ac, yn ddiweddarach, Emlyn Williams.

Breuddwyd yn y tridegau oedd sicrhau gwasanaeth cyflawn ar y radio trwy gyfrwng yr iaith Gymraeg. Heb donfedd arall ar wahân i'r Donfedd Ganol, lle gosodid ambell raglen Gymraeg ynghanol rhaglenni Saesneg o Gymru ar y 'Welsh Home Service', fe sylweddolai Sam Jones nad oedd gwasanaeth Cymraeg, cyflawn, yn bosibl yn ystod ei yrfa ef ei hun. Ddeufis wedi ei farwolaeth, a deng mlynedd ar ôl iddo ymddeol, y cafwyd cadarnhad Pwyllgor Crawford i argymhellion Cyngor Darlledu Cymru i sefydlu Radio Cymru yn wasanaeth can awr yr wythnos. Ond yr oedd Sam Jones wedi gwneud popeth o fewn ei allu i baratoi'r ffordd at ddatblygiad felly.

Arfau Sam Jones yn ei ddydd oedd ei egni diddiwedd a'i frwdfrydedd heintus. Fe'i doniwyd ag egni o'i blentyndod. Yng Nghlydach yr oedd yng nghanol pob cwmni, ar yr aelwyd, yn y capel, mewn cyngerdd ac eisteddfod; ar lethrau'r mynydd ac ar lan y gamlas a'r afon, yr oedd 'Sammy bach' yn cyfrannu i'r hwyl. Erbyn cyrraedd yr ysgol uwchradd yr oedd eisoes yn newyddiadura, ac yn ymfalchïo ei fod yn ennill ceiniog neu ddwy i helpu ei deulu i gael dau ben llinyn ynghyd. Ar ei gyfaddefiad ei hun, yr oedd yn rhy brysur yn y coleg i weithio; chwarae rygbi, hoci a chriced, areithio yn y *Literary and Debating Society*, ysgrifennu pytiau i'r wasg y bu, casglu a golygu *The Bangor Book of Verse,* golygu cylchgrawn y myfyrwyr *UCNW College Magazine*, canu yng nghôr y coleg, a gweithredu fel ysgrifennydd y *Christian Union*. Wedi cyrraedd Lerpwl cyflawnai dair swydd: roedd yn athro ysgol gynradd liw dydd, yn gweithio yn yr *University Settlement* gyda'r nos, ac yn newyddiadura yn ei amser sbâr. 'A'r aflonyddwch a fu'n rhan mor fawr o'i holl fywyd yn ei annog i fynd yn nes at y werin na'r ddesg yn yr ysgol.'

Yr oedd, wrth natur, yn berson egnïol. Pan oedd yn fyfyriwr Prifysgol barnodd yr Athro Archer ei fod yn dioddef o ormodedd o egni direol ac y byddai o fantais iddo, ambell dro, sefyll a meddwl yn ddadansoddol am y syniadau hynny oedd yn gwibio trwy ei ben. Bu ei brofiadau yn y *Settlement* yn Lerpwl yn gymorth iddo ddysgu'r wers honno, ond ni pheidiodd yr egni. Ni welwyd hynny'n gliriach yn unman nag yn ei gynnyrch o raglenni radio yn y blynyddoedd cynnar, arloesol, yng Nghaerdydd, ac eto, o'r dechrau ym Mangor; egni a bylodd rywfaint ar ôl ei driniaeth lawfeddygol yng ngwanwyn 1952.

Credodd ef, ac eraill, fod ei egni a'i frwdfrydedd yn ddigon o rinweddau i sicrhau iddo'r swydd o Gyfarwyddwr Rhaglenni yng Nghaerdydd. Yr oedd ei alluocach i gael, pobl o ddiwylliant ehangach, yn ôl y pwyllgor dewis. Un a ymgeisiodd oedd yr addysgwr D. W. T. Jenkins. Un arall oedd y bardd a'r llenor A. G. Prys-Jones. Yr oedd yntau'n ddarlledwr go brofiadol, yn Saesneg yn bennaf, er bod digon o Gymraeg ganddo. Ond, ym mhenodiad William Hughes Jones (Elidir Sais) i'r swydd honno yn 1935, fe wnaed dewis trychinebus, fel y profodd amser. Ac fe wnaed tro gwael â Sam Jones. Digwyddiad ffodus, yn hytrach na bwriad anrhydeddus, oedd y tu ôl i'w benodiad i Fangor. Yn *Y Faner*, mae'r newyddiadurwr a ysgrifennai dan y ffugenw 'Daniel', sef Frank Price Jones, yn dweud am wrthwynebwyr Sam Jones: 'Synnwn i ddim nad oedd rhai ohonynt yn tybio y caent lonydd gan y swmbwl hwn trwy ei alltudio i Batmos Bangor'. Fel y digwyddodd pethau, rhoes y symud fwy o gyfle iddo wireddu ei freuddwydion.

A fyddai wedi gwneud Cyfarwyddwr Rhaglenni llwyddiannus? Dyn rhaglenni, dyn stiwdio yn hytrach na gweinyddwr mewn swyddfa oedd Sam Jones. Ei wendid fel Cyfarwyddwr Rhaglenni, yn ôl Alun Oldfield-Davies ar raglen radio, fyddai meddwl:

> y bydde fe yn gallu gwneud yn well na neb arall . . . Doedd gan Sam ddim y rhinwedd o farnu'n oeraidd ar ddim byd. Dyn gwresog, tanllyd, brwdfrydig ac hunanol – rhy hunanol i fod yn Bennaeth Rhaglenni da.

Dyna farn gŵr a allai fod wedi dyrchafu Sam Jones mewn cyfnod diweddarach, sef y cyfnod pan oedd Alun Oldfield-Davies yn Rheolwr Cymru o'r BBC. Arall yw barn Aneirin Talfan Davies, a fu'n Bennaeth i'r BBC yn Abertawe ac yna'n Bennaeth Rhaglenni yng Nghaerdydd:

> Diau y gwnaethai [Sam Jones] Bennaeth Rhaglenni da, ond rhagluniaeth garedig a'i hanfonodd i Fangor, ac mae darlledu yng Nghymru yn dal i fedi ffrwyth ei weithgarwch.

Yr oedd y ddau'n mynegi eu barn yn fuan wedi marwolaeth Sam Jones. Ychwanegodd Alun Oldfield-Davies:

> Peth arall wrth gwrs, mi fyddai Pennaeth Rhaglenni yn gorfod trin â phobl Llundain, a doedd Sam ddim yn hapus yn Llundain. Doedd e ddim yn leicio ymhel llawer â Saeson. 'Byddigions' oedd Saeson iddo fe. Roedd e'n llawer hapusach yn y Gymraeg.

Eto i gyd, yn Saesneg y byddai Sam Jones yn cyfarwyddo'i raglenni ac, fel y gwelwyd droeon, yn Saesneg y byddai'n ysgrifennu. A phan ddaeth hi'n fater o ddewis ysgolion i'r mab, Dafydd, ysgolion preswyl oedd y dewis, gan gynnwys un o'r sefydliadau mwyaf Seisnig-fonheddig o'r cyfan, sef Harrow. Cymraeg fyddai iaith yr aelwyd pan oedd Sam Jones yn fachgen yng Nghlydach; Cymraeg oedd iaith ei aelwyd yntau ym Mangor, ond mae'n siŵr mai Saesneg oedd iaith yr addysg a dderbyniodd mewn ysgol a choleg.

Ond yn ei swyddfa ym Mron Castell, tystiolaeth Gwyn Williams oedd mai 'yn Saesneg y byddai o'n annerch. Thorra fo yr un gair o Gymraeg efo'r merched nac efo staff y Tŷ. Ond yn Gymraeg y byddai'n siarad efo rhai o'r cynhyrchwyr'. Awgrym Gwyn Williams yw mai Sam Jones oedd yn rheoli awyrgylch y BBC ac mai Seisnig oedd yr awyrgylch honno pan ymunodd ef â'r staff yn 1959. Wedi treulio blynyddoedd yng ngwasanaeth Urdd Gobaith Cymru yr oedd hyn yn beth dieithr iddo ef. Ddeng mlynedd cyn hynny, yn 1949, yr oedd John Gwilym Jones yn dweud fod y lle 'yn gwbl Gymreig'. Ai mater o ddau berson yn ymateb yn wahanol sydd yma, neu a oedd yna newid yn agwedd Sam Jones, o ran ei weinyddiaeth, erbyn diwedd y pumdegau?

Nid yw'r cwestiwn yn berthnasol i gynnwys ei raglenni. 'Cynhyrchu stwff oedd yn wironeddol Gymreig' oedd ei fwriad, meddai mewn cyfweliad teledu efo Harri Gwynn. Dywedodd yr un peth, bron air am air, mewn cyfweliad teledu efo Gwyn Erfyl: ei fwriad, meddai, oedd 'gwneud rhaglenni oedd yn Gymreigaidd; rhaglenni Cymraeg, nodweddiadol ohono' ni fel Cymry'.

Y rhyfeddod yw iddo ef lwyddo i gynhyrchu'r rhaglenni Cymraeg hynny trwy gyfrwng yr iaith Saesneg! Saesneg oedd iaith gweinyddu'r BBC, a bu felly am flynyddoedd wedi ymddeoliad Sam Jones. Iddo ef, Saesneg oedd iaith cynhyrchu hefyd – Saesneg, ys dywed Elwyn Evans, mewn acen Gymraeg:

> Dylid cofio nad oedd neb yn meddwl yn y Tridegau fod y Gymraeg mewn perygl, na neb felly'n ymlafnio i'w defnyddio hi ar bob achlysur posibl – gellid symud o'r naill iaith i'r llall wrth siarad, neu wrth 'sgrifennu at gyfeillion, mor ddidaro a dieuog â'r Morrisiaid gynt.

Pan lefarai Sam Jones Gymraeg yr oedd ei iaith, wrth gwrs, yn dafodieithol raenus a rhywiog. Yr oedd ei iaith yn dangos asbri gwŷr Clydach, ac yn enghraifft drawiadol o lefaru dyfeisgar ffraeth a chraff cymdeithas gynnes y cwm glofaol a Chymreigaidd hwnnw pan fagwyd Sam Jones.

Y mae Geraint Stanley Jones, a ddaeth ei hun yn Rheolwr BBC
Cymru yn yr wythdegau, wrth nodi mewn llythyr ataf ei ddyled
bersonol 'anferthol' i Sam Jones, yn mynd â'r ddadl ieithyddol a
gweinyddol i gyfeiriad gwahanol:

> Doedd Sam ddim yn ffitio i mewn i gonfensiynau rheolaeth cyfundrefn
> mor fawr â'r BBC. Doedd o ddim yn wleidydd corfforaethol . . . O
> safbwynt confensiynau arferol dyrchafiad yn y BBC y dyddiau hynny
> yr oedd Sam yn fethiant. Wedi'r cyfan, ni chafodd wahoddiad i fod yn
> Bennaeth Rhaglenni ac ni chafodd ei ystyried o ddifri i fod yn
> Rheolwr, ac roedd dyrchafiad y tu allan i Gymru fel petai allan o'i
> gyrraedd. Ond yr oedd yn eilun i'r rhan honno o'r genedl oedd yn
> siarad Cymraeg, ac i nifer fawr yn y proffesiwn o ddarlledu a
> eisteddodd wrth ei draed ac a gafodd y fraint o dderbyn ei gefnogaeth.

Nid yw'r Corfforaethau mawr ar hyd y blynyddoedd, gan gynnwys y
BBC, wedi gallu dygymod â phobl anghonfensiynol yn eu systemau
rheoli. Y mae agwedd unrhyw gyfundrefn fawr yn y maes hwn o fesur
llwyddiant a methiant, fel arfer, yn rhy gaeth i fod yn gyffrous. Mae
Geraint Stanley Jones yn iawn yn awgrymu na fyddai Sam Jones am
ildio ei annibyniaeth, tros ei grogi.

Oddi mewn i gyfundrefn deuluol y gweithredai Sam Jones, ac ef yn
dad ar y teulu. Yn y drefn honno yr oedd rhyddid iddo weithredu mor
annibynnol ag y mynnai, a bod mor anghonfensiynol ag y mynnai.
Cyfeiriai at ei gydweithwyr ym Mangor yn gwbl naturiol fel ''y
mhlant i.' Doedd neb yn cael hynny'n chwithig i'r glust nac yn
nawddoglyd o ran agwedd. Wedi'r cyfan, fe fagwyd Sam Jones mewn
cefndir teuluol cadarn, clòs yng Nghlydach; y math o deulu lle'r oedd
gan bawb barch i'w gilydd, a'r fam yn benteulu naturiol. Dyna oedd
trefn cymunedau diwydiannol y cymoedd, a'r teuluoedd mawr,
oherwydd cyni, yn fawr eu gofal am ei gilydd. Wrth sôn am ei
blentyndod ni fyddai Sam Jones yn celu'r caledi na'r tlodi; ond am
fod pawb yn dlawd, doedd neb yn teimlo eu bod mor dlawd â hynny.

Mae modd gorliwio'r patrwm teuluol a fodolai ym Mangor. Ei
hanfod yn nyddiau Sam Jones, fel mewn cyfnodau diweddarach, oedd
agosrwydd y cydweithio a chonsýrn pobl am ei gilydd y tu allan i
ofynion gwaith. Un arall o'r hanfodion oedd parch i'r penteulu.
Byddai'r chwech ohonom a gafodd y fraint o fod yn benaethiaid ym
Mryn Meirion yn dymuno credu fod yr agwedd honno wedi parhau

dros y blynyddoedd. Mewn lle o faint Bangor y mae hynny'n bosibl i fwy graddau nag mewn llefydd mwy eu maint. Yn sicr ddigon, yr oedd y parch hwnnw'n amlwg yn ystod teyrnasiad 'Arwr hygar yr hogiau', chwedl W. D. Williams yn ei gywydd coffa i Sam Jones.

Hyd y gwn i, 'wnaeth Sam Jones ddim chwennych dyrchafiad ar ôl ymgais Rhys Hopkin Morris i gynnig iddo ryw fath o iawn yn 1938 am ei siom dair blynedd ynghynt. Y mae ei lythyr, bryd hynny, o Gaerdydd at E. Morgan Humphreys – llythyr y dyfynnwyd ohono ym Mhennod Tri – ' I have a perfect horror of returning to Cardiff' – a'r gri am gael dod yn ôl i'r Gogledd, yn brawf fod Bangor, fel y dywedodd Alun Oldfield-Davies, 'yn ei siwtio fe'n well'.

Ond onid oedd yn rhaid wrth elfen o weinyddu ym Mangor hefyd? Wedi'r cyfan bu'n Bennaeth llwyddiannus ar y ganolfan honno, i bob golwg, am dymor o wyth mlynedd ar hugain. Ym marn Alun Oldfield-Davies yr oedd:

> ar yr wyneb yn weinyddwr sâl oherwydd ei fod yn rhy wresog; gormod o dymer mewn ffordd, ac yn siarad ar ei gyfer; yn siarad yn gyflym iawn. Achos dyn cyflym-cyflym oedd Sam o ran meddwl. Ond, yn y bôn, roedd e'n gallu treiddio, ac roedd barn dda gyda fe yn y pen draw.

Ni fyddai'r cyflymder parabl, na'r dafodiaith, yn ddieithr i Alun Oldfield-Davies ac yntau'n fab i weinidog gyda'r Annibynwyr yng Nghlydach ei hun. Hwyrach mai'r hyn sydd wrth wraidd y sylw uchod oedd arddull hyd-braich y Rheolwr, a chyndynrwydd Sam Jones i deithio i Gaerdydd i gyfarfodydd gweinyddol. Pan fyddai'n mynychu cyfarfodydd o'r fath, byddai'n amharod i dderbyn beirniadaeth ar ei raglenni ef ei hun nac, yn wir, unrhyw raglen o Fangor. Ei ymateb naturiol oedd amddiffyn y cynnyrch, 'yn rhy wresog'. Ac ni fyddai llwyddiant ei raglenni wedi ei anwylo yng ngolwg ambell un y tu allan i Fangor.

Byr ac i bwrpas oedd unrhyw nodyn ganddo ar bapur, er gwaetha'r llifeiriant llafar. Ac os mai blêr oedd ei ymddangosiad ar brydiau, roedd yn drefnus ei feddwl ynglŷn â'i raglenni. Diau fod ei ddisgyblaeth newyddiadurol o orfod cwrdd â llinell-derfyn-amser wedi rhoi min ar y meddwl hwnnw.

Os dyddiau Caerdydd oedd ei ddyddiau mwyaf arwrol, yna does dim amheuaeth nad dyddiau Bangor oedd y mwyaf cynhyrchiol, a'r cyfnod yn union ar ôl y rhyfel oedd y mwyaf llwyddiannus o bell ffordd. Erbyn hynny, o 1945 ac ymlaen, yr oedd wedi bod wrthi, ers blynyddoedd, yn cynhyrchu amrywiaeth o raglenni, yn Gymraeg ac yn Saesneg, o'r Gogledd. Yn y cyfnod penodol hwnnw fe gafodd fwy o ryddid i benderfynu ar gynnwys y rhaglenni, hyd yn oed i gomisiynu cyfresi, nag oedd yn bosibl yn ddiweddarach pan oedd y gyfundrefn ganolog yn cryfhau yng Nghaerdydd.

Mantais fawr iddo ef oedd ei fod wedi bod yn y swydd ym Mangor o'r dechrau. Ef a osododd y seiliau, ac nid ar chwarae bach y byddai neb yn dweud wrtho sut i redeg ei sioe. Mantais arall iddo oedd fod ei awdurdod, yng ngolwg y staff, yn absoliwt. Er mai'n ddiweddarach o lawer y daeth yr enw 'Canolfan Gynhyrchu' i ddynodi Bangor, dyna a fu o'r dechrau. A chynhyrchu rhaglenni, nid gweinyddu, na chyflawni'r dyletswyddau cyhoeddus wrth gynrychioli'r BBC yn y Gogledd, oedd cryfder Sam Jones. Ar ei gyfaddefiad ei hun bu'n euog o anwybyddu'r gwaith cyhoeddus. Diau fod a wnelo'i fyddardod rywfaint â'r peth. Yn ôl John Roberts Williams yn *Annwyl Gyfeillion*:

> Mae 'na wahaniaeth sylfaenol rhwng siarad yn gyhoeddus a siarad wrth y cyhoedd. Peth i'w osgoi ydy'r siarad yn gyhoeddus ac fe gynlluniodd Sam Jones i wneud hynny'n llwyddiannus iawn.

Ei arbenigrwydd oedd rhaglenni adloniant, ac er iddo ddechrau ar y trywydd hwnnw cyn yr Ail Ryfel Byd, mae'n rhaid priodoli ei lwyddiant pennaf i dri pheth sef, yn gyntaf, yr hyn a ddysgodd am adloniant proffesiynol gan Adran Adloniant Llundain tra bu'r artistiaid hynny ym Mangor; yn ail, ei ddawn i adnabod pobl yn gyflym ac i synhwyro doniau cudd; yn drydydd, ei reddf i wybod beth fyddai'n apelio at y bobl hynny yr oedd yn paratoi ar eu cyfer – y gwrandawyr.

Digwyddodd, eto fyth, fod yn y lle iawn ar yr adeg iawn i fanteisio ar y doniau proffesiynol a anfonwyd i Fangor o Lundain. Rhan o'i gynhysgaeth naturiol ei hun oedd y ddwy ddawn arall. Doniau prin yw'r naill a'r llall ym myd darlledu. Mae'r cyfuniad o'r ddwy'n brinnach fyth, ond yr oeddynt ym meddiant Sam Jones. Ei drwyn newyddiadurol a'i arweiniodd i adnabod pobl yn gyflym. Er ei fod yn edrych yn fanwl ar y ffigurau gwrando a gynhyrchid gan Adran *Audience Research* y BBC, yn ei fabandod yr oedd y gwasanaeth hwnnw ar y pryd. Greddf, nid *audience research,* a ddywedai wrtho yr hyn a fyddai at ddant ei wrandawyr. Roedd y werin yr anelai ef ati yn y pedwardegau a'r pumdegau yn werin bur ddiwylliedig, er mai pethau prin oedd llyfrau Cymraeg, yn enwedig nofelau. Ar gyfer y werin honno y lluniai Sam Jones ei wleddoedd mwyaf poblogaidd – y *Noson Lawen, Ymryson y Beirdd, Wedi'r Oedfa* a'r *Ymryson Areithio.*

Hyd yn oed yn ei raglenni cynharaf, o Gaerdydd ac o Fangor, yr oedd iddo, hefyd, fantais yr arloeswr o fod yn torri tir newydd. Ond nid yw arloesi, ynddo'i hun, yn gyfystyr â llwyddo. Er gwaethaf ei fyddardod (trwm ei glyw oedd o, nid byddar, ac fe ddywedai rhai ei fod yn clywed popeth yr oedd yn dymuno ei glywed) yr oedd ganddo glust i ofynion mwyafrif y gwrandawyr. Fe'u gwelai yn llygad ei ddychymyg. Fe wyddai beth oedd eu chwaeth, a cheisiodd ateb y gofyn drwy fynnu'r safonau uchaf posibl. Rhoddai arweiniad pendant, Reithaidd, unbenaethol, Ymneilltuol Gymreig, i'w berfformwyr ar yr hyn a oedd yn dderbyniol o ran geirfa a chynnwys. Roedd ei ddisgyblaeth yn llym ar y sawl na pharchai amser ac nad oedd yn ymroddedig. Byddai'n rhybuddio unwaith, ac os troseddid yr eildro, doedd dim trydydd tro i Gymro.

Ei gamp o ran ei berfformwyr, a'i gyfrinach o bosibl, oedd cael pobl at ei gilydd a oedd am wneud eu gorau iddo fo fel person oherwydd eu parch tuag ato. 'Gweithio i Sam oeddan ni,' meddai Dr Meredydd Evans, 'gweithio i berson ac nid i sefydliad.' Yr oedd o'n disgwyl teyrngarwch diamod. 'Yr oedd cael gwneud rhaglenni i Sam yn beth personol.' Mater o anrhydedd oedd bod ar eich gorau, er mwyn y cynhyrchydd ac er mwyn gweddill y tîm. Fe fyddai hynny ynddo'i hun yn ffordd o sicrhau safon. Y gorau, a'r gorau yn unig, oedd piau hi.

'Dyw hynny, o reidrwydd, ddim yn gyfystyr â dweud fod pob un rhaglen yn rhaglen dda. Yr oedd yna elfennau digon amrwd yn brigo i'r wyneb o ran techneg. Doedd gan Sam Jones ddim amgyffred ar bethau technegol. Ymddiriedai'r gwaith hwnnw i dechnegwyr. Yn y tridegau cyfeiriodd Dafydd Gruffydd at y rhaglenni Cymraeg prin bryd hynny 'fel rhyw fath o botes maip heb fawr o drefn na chwaeth'.

Rhyfeddodau prin oedd rhaglenni Cymraeg yn y pedwardegau a'r pumdegau hefyd. Er enghraifft, yn yr wythnos y dathlwyd pum mlynedd ar hugain o ddarlledu o Gymru, Chwefror 8, 1948 hyd Chwefror 14, ar wahân i fwletinau newyddion o chwarter awr bob nos am hanner awr wedi chwech, rhaglenni i ysgolion ac ysgolion Sul (Sul, Llun a Mawrth), ac *Awr y Plant* (bnawn Mawrth ac Iau), yr unig raglenni i oedolion oedd

Oedfa (dwy ar y Sul) a'r gwasanaethau boreol a hwyrol (Mawrth a Gwener), dwy raglen nodwedd *Y Sgolor Mawr* a *Dyddiau Cynnar ym Mangor*, dau gylchgrawn *Byd y Ffermwyr* a *Cyfres y Colegau*, tair sgwrs fer *Trem ar Ddarlledu, Y Mis yn y Senedd*, a *Dyfalu Hanes* ac un raglen adloniant sef *Sut Hwyl?* gyda Bois y Frenni – cyfanswm o ddeg awr a hanner o ddarlledu Cymraeg mewn wythnos o ddathlu. Ac yr oedd pobl yn gwrando ar y rhaglenni am mai rhyfeddodau prin oeddynt.

Ystyrier rhai o lwyddiannau Sam Jones. Cymerer y *Noson Lawen* fel yr enghraifft orau o raglen ac ynddi hiwmor diniwed a glân. Rhaglen a ddarlledid unwaith y mis ar ambell dymor o'r flwyddyn oedd hi. Ni fu, na chynt na chwedyn, raglen radio mor boblogaidd â hi, ac nid yw'r *Noson Lawen* gyfredol ar S4C yn ddim ond cysgod gwan o'r hyn a gafwyd o Fangor hanner canrif yn ôl. Fel y rhaglen radio, cyfres o eitemau, a chyfuniad o gerddoriaeth ac o hiwmor, yw'r patrwm ar deledu hefyd. Ond eitemau parod yw'r rhain, nid eitemau a grewyd ar gyfer y gyfres. Does yma mo'r gwreiddioldeb a nodweddai'r gyfres radio gynt, nac unrhyw ymdrech i greu tîm o ddiddanwyr. Ac yr oedd yr ymdeimlad o berthyn i dîm yn hanfod yr hiwmor a lifai o Neuadd y Penrhyn. Dyna un arall o gyfrinachau Sam Jones – medru dewis tîm diguro. Yr oedd diddanwyr y rhaglen yn gyfuniad o goleg a gwerin, canwr baledi yn ei bedwar-ugeiniau a chriw o fyfyrwyr yn eu glasoed; adroddwr digrif wynebsyth a chyflwynydd oedd yn llond côl o ddireidi; côr o chwarelwyr, a chyfeilyddion sgilgar a allai greu harmoni i ganeuon gwreiddiol, y math o ganeuon yr oedd y gwrandawyr yn eu hymian a'u chwibanu weddill y mis cyn deuai'r *Noson Lawen* nesaf.

Er cymaint o hwyl a gafodd ef ei hun yn cynhyrchu *Ymryson y Beirdd* byddai, mi dybiaf, yn llwyr gytuno â'r datblygu a fu ar y rhaglen honno dan y teitl *Talwrn y Beirdd*. Hawdd iawn yw ei ddychmygu'n rhyfeddu at ddawn gwbl arbennig Gerallt Lloyd Owen, at amseru greddfol ei hiwmor, a dwyster angerddol ei werthfawrogiad o ddawn gwir fardd. Fel un a hoffai glyfrwch geiriau fe fyddai Sam Jones wrth ei fodd fod y gyfres hon wedi goroesi ac wedi ei haddasu at ofynion darlledu diwedd y ganrif. Byddai'n dda ganddo feddwl fod y rhai sy'n tyrru i'r Babell Lên ar faes y Brifwyl i'r rowndiau terfynol o *Ymryson y Beirdd* yn cofio pwy a ddyfeisiodd y difyrrwch hwn ar gyfer y radio yn 1937/8.

Pwyslais bwriadol arall gan Sam Jones yn ei raglenni cynnar oedd ar yr elfen wledig, er mwyn adlewyrchu'r math o gymdeithas yr oedd ef bellach yn byw ynddi. Pe byddai'n Bennaeth Abertawe mae'n siŵr mai diwydiannol fyddai'r pwyslais. Ond Pennaeth Bangor oedd o, a'i nod, yn y cyfeiriad hwnnw, oedd cael darlledu i berthyn i'r Gogledd. Yn hanesyddol, rhywbeth a ddigwyddai ym mhen arall y wlad, neu dros y dŵr yn Iwerddon, fu darlledu, a hynny, at ei gilydd, mewn iaith fain. Llwyddodd Sam Jones i gael pobl y Gogledd i weld gorsaf ddarlledu Bangor fel rhywbeth yn perthyn iddynt hwy. Doedd pobl y De ddim yn gweld gorsaf Caerdydd fel rhywbeth a oedd yn perthyn iddynt hwy. Fe wnaed ymdrech i gael pobl gorllewin Cymru i weld gorsaf ddarlledu Abertawe fel rhywbeth a oedd yn perthyn iddynt hwy, ac fe lwyddwyd i wneud hynny, ond nid i'r un graddau â'r llwyddiant yn y Gogledd. 'O ganlyniad,' meddai Dr Meredydd Evans, 'fe aeth y Gogledd yn gryfach nag oedd y Sefydliad yn ei ddymuno.'

Byddai hynny'n dod yn amlwg yn agweddau rhai pobl oddi mewn i'r Sefydliad a'u ffordd o gyfeirio, yn nawddoglyd, at 'Good old Sam!'. Nid yn unig yr oedd ei raglenni'n fwy poblogaidd na rhaglenni'r canolfannau eraill ond, drwyddynt, yr oedd ef ei hun yn dod yn bersonoliaeth boblogaidd iawn yn y Gogledd. Ystyrier geiriau Syr Emrys Evans wrth ei gyflwyno am ei ddoethuriaeth:

> Yno fe wrteithiodd yr ardd, dewisodd iddi had cymwys, ac enillodd ohoni amrywiaeth gyfoethog o flodau gwahanol eu lliw a'u llun.

A oedd hi'n bosibl fod Sam Jones wedi bod yn rhy blwyfol? Ai'r Gogledd, neu Gymru gyfan, oedd yr ardd? Er bod y cyfrwng radio, fel cyfrwng dylanwadol ar ddiwylliant cymdeithas, wedi helpu'r broses o uno gwlad, ac er gwaethaf cri Sam Jones o lwyfan yr Eisteddfod Genedlaethol yng Nglyn Ebwy am undod y genedl, ymhyfrydu yn ei annibyniaeth a wnaeth ym Mangor, fel pe bai am brofi i'r byd ragoriaeth ei deyrnas ef. Gresynu y mae Geraint Stanley Jones na fynnodd Sam Jones ehangu ei orwelion a'i ddylanwad:

> Ychydig iawn mewn gwirionedd tu allan i'w gylch Gogleddol, a'i wrandawyr, a wyddai amdano. Prin fod y gwrandawyr di-Gymraeg wedi clywed amdano a phrin fod neb o'i gyfoedion yn y BBC yn gyffredinol yn gwybod dim amdano'n amgenach na'i fod yn 'North Wales Representative', yn cadw'r trigolion yng Ngogledd Cymru'n weddol hapus. Pe tae nhw ond yn gwybod beth a olygai hynny i Sam, a'r fath dalent rhaglenni yr oedden nhw'n ei anwybyddu, fe fyddai

wedi cael ei wahodd i ysbrydoli ryw Adran rwydweithiol yn Llundain, ac mae'n debyg wedi gwrthod mynd – efallai!

Yn ystod blynyddoedd olaf ei yrfa y mae hi'n wir i ddweud i'w holl egni fynd i ddifyrru'r gynulleidfa Gymraeg. Er ei bod hi'n hysbys i bawb mai o'r De y deuai mae'n ymddangos nad oedd ganddo ymdeimlad cryf o gyfrifoldeb at greu rhaglenni i'r di-Gymraeg yn y cymoedd glofaol. Dyna yw gofid Geraint Stanley Jones:

> Fe allai fod wedi dod â gweledigaeth i raglenni Saesneg ei gyfnod, yn arbennig fel gŵr ffraeth o Gwm Tawe. Gresyn na chafodd gyfle i brofi ei hun mewn maes mwy. Gresyn hefyd na welodd y posibilrwydd o ehangu ei raglenni i fod yn wasanaeth cyflawn yn y Gymraeg cymaint cyn creu Radio Cymru. Ond nid un i wneud y pethau hynny oedd o. Yn sicr, doedd o ddim yn wleidydd darlledu fel y gorfu i rai ohonom fod.

Fe gafodd Sam Jones y cyfle 'i brofi ei hun mewn maes mwy' i'r graddau ei fod wedi cynhyrchu cryn lawer o raglenni Saesneg yn nechrau'r pedwardegau, y rhan fwyaf ohonynt, fel *Welsh Half Hour, Welsh Interlude, Strike a Home Note* a *Souvenirs*, yn rhaglenni adloniant ar gyfer y rhai oedd oddi cartref yn y lluoedd arfog. Doedd ganddo fawr o ddiddordeb mewn apelio at y gynulleidfa ehangach gan fod 'na gymaint o bobl eraill ar gael yn y BBC a allai gyflawni hynny. Fe gadarnhaodd Dyfnallt Morgan yn ei Ragymadrodd i *Babi Sam* nad oedd gan Sam Jones ddim llawer iawn o ddiddordeb mewn paratoi rhaglenni Saesneg eu hiaith, er bod cynhyrchwyr Bangor wedi cynhyrchu eu siâr o'r rheini drwy'r blynyddoedd ar gyfer Cymru ac ar gyfer rhwydwaith y Deyrnas Unedig. 'Ond mae'n siŵr bod rhai, fel minnau, nad ystyriant bod gwneud y peth olaf yna yn haeddu mwy o *kudos* na chyfathrebu'n effeithiol â'n pobol ni ein hunan. Rwy'n tybio mai dyna oedd agwedd Sam yn y bôn. Pobol Cymru oedd defaid ei borfa ef, ac yr oedd yn eu deall i'r dim.'

Bu monopoli radio, cyn dyfod teledu i gystadlu am gynulleid-faoedd, yn amlwg ym mlynyddoedd ffurfiannol Sam Jones fel cynhyrchydd rhaglenni. Y gyfundrefn fwyaf oedd y BBC ac erbyn sefydlu'r Gorfforaeth yn 1927 yr oedd dros filiwn o drwyddedau radio wedi eu gwerthu. Ond yr oedd gwasanaethau eraill o fewn clyw i'r boblogaeth. Sefydlwyd Radio Éireann yn 1927, ac fe welwyd eisoes pa mor arloesol a dylanwadol fu rhaglenni Cymraeg 2RN yng ngogledd-orllewin Cymru. Doedd Radio Normandie, a lansiwyd yn 1931, na

Radio Luxembourg, a lansiwyd yn 1933, ddim yn darlledu yn Gymraeg ond yr oedd yna wrando sylweddol ar raglenni Saesneg Radio Luxembourg yn ne Cymru, yn arbennig felly ar y Sul.

Er bod y BBC wedi cynnal gwasanaeth teledu arbrofol yn 1936 caewyd y gwasanaeth yn 1939, oherwydd yr Ail Ryfel Byd, a'i agor yr eildro yn 1946. Cyn i'r gystadleuaeth am gynulleidfa rhwng radio a theledu gynyddu (amlhaodd y trwyddedau teledu o bron i bedair miliwn yn 1954 i dros bymtheg miliwn yn 1968) gyda'r nos y darlledid llawer o'r rhaglenni radio a ddaeth i'r brig. Rhaglenni at ddiwedd dydd oeddynt; rhaglenni oriau hamdden. Ar y rhaglenni radio y ceid adloniant, hwyl, chwerthin, sylwedd, defosiwn, ac addysg.

O ran adloniant Saesneg gyda'r nos, y rhaglenni radio a ddenai'r mwyaf o wrandwyr yn 1950-51 oedd *Take It From Here, Much-Binding-in-the-Marsh, Ray's a Laugh, Breakfast with Braden, Variety Bandbox* a *Have a Go!*. Erbyn 1955 yr oedd Llawlyfr Blynyddol y BBC yn categoreiddio'r adloniant, gan fod cymaint ohono, i benawdau fel 'The Broad Comedy Show'(*Star Bill, Top of the Town, Take It From Here*), 'Domestic' (*Life with the Lions, Meet the Huggetts, A Life of Bliss*), 'Act-type Show' (*Variety Playhouse* a *Henry Hall's Guest Night*), 'The Light-Dramatic Show' (*P.C. 49* a *Journey into Space*) ac 'Interest Programmes' (*In Town Tonight, Scrapbook* a *Top of the Form*). Yn 1957 dan 'Broad Comedy' yr oedd *The Goon Show* ('fairly sophisticated humour') a *Hancock's Half Hour, The Frankie Howerd Show* ac *Educating Archie* ('less sophisticated').

Bu gostyngiad dramatig o 84% yng nghynnyrch adloniant Rhanbarthau'r BBC yn y cyfnod 1954-64 'because it is felt,' meddai Hywel Davies, Pennaeth Rhaglenni Cymru, mewn darlith yn Llundain, 'that in the realm of entertainment the local element is of no great account.' Chwilio am yr adloniant gorau y byddai'r gwrandawyr, heb dalu sylw i darddiad yr adloniant hwnnw. Y rhaglenni adloniant Cymraeg o'r cyfnod oedd *Camgymeriadau, Pawb yn ei Dro, Raligamps, Shw mae Heno* ac *Aelwyd y Gân*.

Fe fyddai Sam Jones yn gwbl gytûn â Hywel Davies pan honnodd yn yr un ddarlith, 'The fundamental obligations of a region are deeper towards its community than towards its central organization'.

Traddodwyd y ddarlith hon yn Ionawr 1965, yn fuan wedi sefydlu gwasanaeth teledu BBC Cymru (1964). Dyma'r cyfnod hefyd pan oedd pump o orsafoedd radio anhrwyddedig, fel Radio Caroline, Radio City a Radio Invicta, yn darlledu cerddoriaeth boblogaidd oddi ar longau a angorwyd y tu allan i diriogaeth Prydain. Fe'u herlynwyd yn y llysoedd, a rhoddwyd taw arnynt. Er mwyn ceisio denu'r gynulleidfa ieuanc a oedd wedi ei meithrin ar arlwy'r gorsafoedd 'pop', ailgynlluniodd y BBC ei wasanaeth radio yn 1967. Pwrpas Radio 1 a Radio 2 oedd darparu cerddoriaeth gyfoes a rhaglenni ysgafn; pwrpas Radio 3 oedd darparu cerddoriaeth glasurol yn bennaf, a phwrpas Radio 4 oedd bod yn sianel lafar yn bennaf. Y cam nesaf oedd sefydlu gorsafoedd radio lleol. Yn 1970 awdurdododd y Llywodraeth rwydwaith o orsafoedd lleol masnachol yn ogystal. Erbyn 1974 yr oedd y BBC wedi colli'r monopoli ar raglenni radio yn ogystal â theledu.

Golygai poblogrwydd teledu, a'r cynnydd i'r gwasanaethau wedi i'r Ddeddf Deledu yng Ngorffennaf 1954 ganiatáu dyfodiad teledu masnachol yn 1955, fod gwariant y BBC ar deledu yn datblygu i fod yn dri chwarter yr incwm blynyddol. Ofnai Sam Jones, fel y credodd eraill a oedd yn nes nag ef at wleidyddiaeth darlledu yn niwedd y pumdegau, nad oedd dyfodol i radio. Yr un oedd y sefyllfa yng Nghymru â'r patrwm Prydeinig. Aeth y pwyslais, a'r cyllid, ar ddatblygu teledu. Bu bron i hynny ddigwydd ar draul y cyfrwng a'r lleoliad y rhoddodd Sam Jones ei oes i'w gwasanaethu. Lleihaodd y gynulleidfa radio'n sylweddol pan ddechreuodd teledu afael. Cynulleidfa gyda'r nos oedd targed amlwg teledu, ac roedd ei afael ar y gwylwyr yn cau fel crafanc wrth i'r ddarpariaeth drosglwyddo gynyddu.

Saesneg oedd yr iaith. Yr un oedd y frwydr i gael y Gymraeg ar y teledu â'r frwydr i gael y Gymraeg ar y radio gynt. Dechrau o'r dechrau oedd hi, ond nid dechrau o ddim ychwaith. Yr oedd bodolaeth radio am ugain mlynedd wedi sicrhau fod yna gynulleidfa Gymraeg wedi ei meithrin. Ond, gydag eithriadau prin, ni bu'n gynulleidfa deyrngar i'r cyfrwng hwnnw. Troi cefn ar y radio a wnaeth mwyafrif y gynulleidfa honno gyda dyfodiad teledu. Yr oedd darparu ar gyfer cynulleidfa radio a oedd yn lleihau yn golygu fod y gost, yn ôl y pen, yn mynd yn fwy. Y perygl, a radio'n colli ei llais, oedd y byddai'r gost yn ormod i'w chynnal. Gan mai canolfan radio oedd Bangor, yr oedd y bygythiad o gau'r orsaf wedi i Sam Jones ymddeol yn un real. Er nad oes modd profi hynny'n ddogfennol, nid yw y tu hwnt i reswm i awgrymu mai'r ansicrwydd am ddyfodol Bangor ar y pryd oedd wrth wraidd yr ymestyniad cwbl anghyffredin o bum mlynedd i gytundeb Sam Jones.

Yr orsaf ddarlledu ym Mangor oedd unig bresenoldeb y BBC yng Ngogledd Cymru (ar wahân i feicroffon agored yn Wrecsam), a byddai cau canolfan a gyfrannodd mor gyfoethog i ddatblygiad darlledu yn y wlad yn gam gwleidyddol gwag. Tra oedd pellter Caerdydd o Fangor wedi bod, ar brydiau, yn rhwystredigaeth, fe drodd y pellter rhwng Bangor a Chaerdydd yn waredigaeth. Y mae'r berthynas rhwng y pencadlys a chanolfan sydd ddau can milltir i ffwrdd yn berthynas anodd ar y gorau. Presenoldeb yn y Gogledd oedd y rheswm gwleidyddol i gadw Bangor; y rheswm artistig dros beidio â chau'r lle oedd enw da Bangor a grewyd gan Sam Jones a'i dîm.

Mewn cyfweliad â Sam Jones wedi iddo ymddeol, gofynnodd Gwyn Erfyl iddo a oedd yna rywbeth y gallai radio sain ei wneud yn well na theledu, yn ei farn ef. Atebodd drwy ddweud ei fod yn gofidio wrth y golled a ddioddefai pobl oedd yn troi cefn ar radio gan mai rhywbeth i'r glust yw gwrando ar farddoniaeth, ac mai rhywbeth i'r ymennydd yw myfyrio ar drafodaeth. Ni welai fod y llygad yn ychwanegu dim at brofiad y glust yn y cyswllt hwnnw. Dyma ymateb a oedd yn adlewyrchu'r math o raglenni a welid ar deledu bryd hynny; rhaglenni stiwdio, rhaglenni lle'r oedd y llun yn rhy ddibynnol ar y gair llafar.

Ystyriaethau cyllidol, yn eironig rywsut, a olygodd fod datblygu'r gwasanaeth radio yn niwedd y saithdegau'n fwy ymarferol. Teledu, bryd hynny, oedd mewn merddwr. Cynyddodd y dadlau am nifer tebygol y gwylwyr, a chost y pen, i ehangu'r ddarpariaeth ddarlledu yn Gymraeg. Yr hyn a boenai rai, fel yr addysgwr Dr Jac L. Williams, oedd y posibilrwydd o osod yr iaith ar sianel lle gellid osgoi'r Gymraeg. Yr oedd amheuwyr eraill yn gryf o'r farn nad oedd digon o dalentau yn y wlad fechan hon i ateb y gofyn. Y talentau gweinyddol, a'r cyllid, oedd brinnaf – fel yn hanes methiant TWWN (Television Wales (West and North) Ltd.), y cwmni masnachol Cymreig a aeth i'r wal yn 1963.

Yr oedd radio, ar y llaw arall, yn hyblyg ac yn rhad, a phan ddaeth hi'n dechnegol bosibl i lunio rhwydwaith ar y donfedd uchel iawn (VHF) fe aed ati i ddarparu rhaglenni ar gyfer y bore, gan fod hwnnw'n adeg o'r dydd pan fyddai mwy o bobl yn gwrando'n hytrach na gwylio.

Yn raddol, fe ddatblygodd y gwasanaeth radio Cymraeg yn wasanaeth radio trigain awr yr wythnos ac fe lansiwyd Radio Cymru, wrth yr enw hwnnw, yn 1977 (ac fel gwasanaeth darlledu llawn yn Nhachwedd 1979) pan benodwyd un o olynwyr Sam Jones fel pennaeth ym Mangor, sef Meirion Edwards, yn Olygydd cyntaf Radio Cymru.

Yr oedd Bangor fel canolfan yn allweddol i ddatblygiad o'r fath. Tra oedd yn cynhyrchu rhaglenni ar y cyd efo Caerdydd ac Abertawe yr oedd Bangor, trwy draddodiad, yn cymryd pen trymaf y baich ac yn cynhyrchu rhaglenni amrywiol. Dan arweiniad golygyddol craff Meirion Edwards daeth cyfle newydd i Fangor fod yn rhan o batrwm cynhyrfus o ddarlledu gwasanaeth o raglenni radio, gwasanaeth a oedd yn canolbwyntio ar gynulleidfa'r bore a'r prynhawn. Erbyn hyn yr oedd cydio rhaglen wrth raglen, ac etifeddu cynulleidfa o'r rhaglen flaenorol, yn rhan o'r cynllunio i'r Cymry Cymraeg. Daeth gwaed newydd i lifo trwy'r hen wythiennau, a Bangor, er pob newid, yn parhau i arbenigo ar ddrama a rhaglenni nodwedd, ar raglenni i blant ac i'r ifanc, ar grefydd ac ar gerddoriaeth, ar amaeth ac ar addysg, ac ar fyd natur a'r ardd, ac yn cyfrannu'n helaeth i adloniant a newyddion.

Erbyn 1982, yn rhannol ar gyfrif llwyddiant Radio Cymru, fe grewyd sianel deledu S4C. Yr oedd y galw o du'r gynulleidfa, a'r gallu i gyflenwi o du'r darlledwyr, wedi cyrraedd carreg filltir arall. Yn raddol, fe ddaeth adnoddau teledu pwrpasol i Fangor ac, er i hynny gael ei gyfyngu i faes newyddion yn bennaf, o'r diwedd yr oedd yr arloesi a'r braenaru tir gan Sam Jones yn y tridegau'n dwyn ffrwyth.

Dan y pennawd 'Impressario Radio Amryddawn' yn ei golofn 'Ar Ymyl y Ddalen' yn *Barn*, rhifyn Hydref 1974, fe fynega Aneirin Talfan Davies ei farn am Sam Jones:

> Mae un peth yn sicr, ei ddyfodiad – neu ei ail-ddyfodiad – ef i Fangor, a droes y lle hwnnw yn ffatri deledu, ac yn arweinydd ac yn esiampl i staff ieuanc y BBC yr adeg honno.

Er mai y radio oedd ei gyfrwng a'i gariad, does dim rhithyn o amheuaeth na fyddai Sam Jones wedi bod wrth ei fodd ym myd teledu pe bai wedi ei eni ddeugain mlynedd yn ddiweddarach.

Agwedd ei gyfnod oedd ganddo at deledu masnachol; agwedd un a oedd wedi arfer â monopoli ond, yn fwy perthnasol, agwedd un a gredai'n angerddol mewn darlledu cyhoeddus. Yn hyn o beth yr oedd mewn cytgord llwyr â phenaethiaid y BBC yng Nghaerdydd. Yr oeddynt yn amheus o'r egwyddor o ddarlledu masnachol. Yn eu barn hwy gwneud rhaglenni, nid gwneud elw, oedd pwrpas darlledu. Erbyn heddiw, yn y cyd-destun Cymraeg, mae'r hyn sydd yn ddarlledu cyhoeddus yn eang ei rychwant, yn yr ystyr nad perthyn yn unig i'r corff sy'n cael ei gynnal yn ariannol gan drwydded y mae. I'r graddau fod S4C yn cyfuno ffynonellau ariannol y cyhoeddus a'r masnachol, y mae'n ddi-ddadl y byddai cewri'r BBC o'r dyddiau cynnar yn fodlon cydnabod mai dyma'r unig fodd i gynnal sianel sydd yn wasanaeth cyhoeddus Cymraeg.

Os oedd Sam Jones yn 'y lle iawn ar yr adeg iawn' y mae'n deg dweud fod y ddau a dalodd deyrnged iddo yn y gwasanaeth coffa yn gywir wrth bwysleisio mai ef, hefyd, oedd 'y dyn iawn'. Dawn arwain ac ysbrydoli oedd dawn benna'r dyn. Trodd ei olygon tua'r colegau am mai yno y disgwyliai'n deg ddod o hyd i dalentau creadigol mwyaf gwreiddiol ei gyfnod. Yr oedd ganddo ffydd yn yr ieuanc a dawn i'w hysbrydoli. Bu'n ffodus, fel y cyfaddefai ei hun, yn noniau'r criw o fyfyrwyr a oedd ym Mangor yng nghyfnod y *Noson Lawen* yn arbennig.

Ond nid lwc oedd hynny. Mae lwc yn awgrymu fod pethau wedi digwydd heb ddim cyfraniad ganddo ef ei hun. Byddai hynny'n bell o'r gwir. Gwelodd y doniau a oedd yno, ac fe sianelodd y doniau hynny i gyfeiriad adloniant radio – yn ysgrifenwyr, yn gyfansoddwyr, yn gyfeilyddion, yn gantorion, yn gomedïwyr, yn gorau, yn feirdd a llenorion:

> Storm o ddyn, pwerdy o ddyn, trydan o ddyn. Tawel ei ymddangosiad, distaw ei lais, hynaws ac annwyl ei natur – ond o dan y cyfan yr oedd y tymhestloedd yn corddi, y brwdfrydedd heintus yn chwyddo fyth i'r lan, a'r anuniongrededd yn gorchfygu'r holl anawsterau.

Dyna sut y disgrifiwyd Sam Jones, ddeunaw mis cyn ei farw, gan John Roberts Williams pan oedd yntau'n bennaeth BBC Bangor. Ei gyfrinach, meddai ef, oedd 'personoliaeth a natur Sam ei hun. Dyn ar dân – a dyn proffesiynol ar dân'.

Y mae'n wir bod elfen o fyfïaeth yng nghymeriad Sam Jones hefyd, ond, fel y dywed Elwyn Evans amdano, 'diniwed dros ben oedd myfïaeth Sam.' Gwnaeth yn siŵr fod cyhoeddusrwydd helaeth i bob dim a ddeuai o Fangor oherwydd ei awydd i roi Bangor ar y map darlledu.

Diogelodd ddisgiau a thapiau o gynnyrch dyddiau cynnar Bangor. Yn hynny eto yr oedd yn ddyn o flaen ei oes, yn gweld gwerth mewn archif:

Dyna pam y clywir o hyd ar y radio ddogn helaeth o gynnyrch cynnar Bangor a dim sôn am y cwch gwenyn o brysurdeb, a'r arloesi, a fu yn Abertawe a Chaerdydd yn ystod yr un cyfnod.

Wrth grynhoi felly y mae Ifor Rees yn cyfeirio at yr hyn a eilw'n ddiweddarach, yn y gyfrol *Gwgwrus,* yn duedd a welai yn Sam Jones i fod yn 'hunan-hysbysebwr', cyhuddiad na ellid ei wadu. Beth bynnag oedd ei gymhelliad, yr hyn sy'n cyfrif yw ei fod wedi sylweddoli'r gwerth o gofnodi'r presennol hwnnw a oedd yn rhan bwysig o 'hanes' yr ugeinfed ganrif, trwy'r Gymraeg. Collwyd llawer o gynnyrch Abertawe pan gaewyd yr orsaf ar ddydd olaf Rhagfyr 1967. Collwyd llawer o gynnyrch Caerdydd oherwydd y diffyg ymwybyddiaeth o werth y disgiau a'r tapiau a oedd yno mewn corneli a chypyrddau, a phan oedd prinder lle yn Llandaf fe waredwyd y disgiau a'r tapiau hynny gan ddileu darnau o 'hanes'. Yr oedd yr hyn a ddigwyddodd yno yn y saithdegau yn ddim llai na fandaliaeth. Ym Mangor fe gymerodd y technegwr Tudwal Roberts arno'i hun i ddiogelu'r hyn a gadwodd Sam Jones a'u cyflwyno yn y gyfres *O'r Cwpwrdd Cornel.*

Mewn cyfresi eraill fel *Dyddiau Cynnar* a *Cloddio'r Aur* fe glywir yr hyn sy'n weddill o'r archifau. Penodwyd Iris Cobbe yn Nhachwedd 1979, pan lansiwyd Radio Cymru, i gael trefn ar y tapiau a gadwyd ac i ddechrau catalogio'r cynnyrch. Bu Meirion Edwards, Golygydd Radio Cymru 1977-91, yn gefn i'r angen i benodi un person i fod yn gyfrifol am yr archif.

Er iddo rag-weld y pwysigrwydd o gadw'r cynnyrch i'r dyfodol, dyn ei gyfnod a'i genhedlaeth ei hun oedd Sam Jones. Gwyddai yn union beth oedd y galw ac aeth ati'n ddiarbed i ateb y gofyn. Mewn rhaglenni fel *Noson Lawen, Pawb yn ei Dro,* a *Wedi'r Oedfa*, addasu i ofynion radio yr hyn a oedd yn bod eisoes a wnaeth ar gyfer cymdeithas ddigyfnewid cefn gwlad. Benthyca syniad o ddadleuon y 'Literary and Debating Society' a dadleuon radio'r NUS (National Union of Students) a wnaeth wrth greu'r *Ymryson Areithio.* Ei syniad mwyaf gwreiddiol oedd *Ymryson y Beirdd,* ac nid yw'n syndod mai'r syniad hwn, dan y teitl *Talwrn y Beirdd*, sy'n parhau ym mlynyddoedd olaf y ganrif.

Ar ôl ei salwch yn 1952, ni ddaeth syniadau newydd i'w ran. Erbyn hynny yr oedd ei gyfraniad pennaf wedi ei gyflawni. Wrth greu rhaglenni i gwrdd ag anghenion ei gynulleidfa (gwnaeth hynny am dros ddeng mlynedd ar hugain), fe brofodd yr angen am y datblygu pellach i ddiwallu angen y gynulleidfa Gymraeg ei hiaith heb, o reidrwydd, fod yn rhan o'r cynllunio ar gyfer y dyfodol hwnnw. Yr oedd yn rhan o genhedlaeth na ragwelodd y newidiadau technolegol syfrdanol a ddeuai i ran y diwydiant darlledu ym mlynyddoedd olaf yr ugeinfed ganrif.

Eto i gyd, yr un yw tystiolaeth pawb byw sy'n ei gofio; cofio ei lais-dyn-byddar, bloesg; cofio ei barablu cyflym; cofio ei garedigrwydd tuag at bobl a'i gonsýrn amdanynt; cofio ei safonau uchel a'i barch at chwaeth ei gynulleidfa. *Y Cymro,* wrth ei longyfarch ar ei ddoethuriaeth, a awgrymodd nad 'gŵr mawr ar wahân a anrhydeddwyd; yn hytrach gŵr â'i law ar guriad calon y Cymry a wasanaethai'.

Ac am ei raglenni, yr un geiriau a glywir dro ar ôl tro gan gyd-weithwyr a gwrandawyr fel ei gilydd – 'brwdfrydedd', 'egni', 'dychymyg', 'ysbrydoliaeth', 'gweledigaeth', 'greddf'. Ar ei gyfadd-efiad ei hun yr oedd hefyd yn fwli:

> Nid gofyn i rywun 'sgrifennu rhywbeth, ond dweud fod *raid* iddo fo ei wneud o, a thrïo rhoi tipyn o fy mrwdfrydedd *i* iddyn *nhw*; gwneud iddyn nhw deimlo fod y peth yn bwysig aruthrol, nid yn unig iddyn nhw a fi, ond i'r genedl.

Canodd Dyfnallt Morgan gerdd iddo:

I SAM JONES
wrth iddo ymddeol o staff y BBC, Nadolig 1963

> Rhag boddi dy dreftadaeth o dan lif
> Yr estron ddylanwadau, buost fawr
> Dy ymdrech yn y brwydrau blin di-rif:
> Daethost i'r bwlch ar dyngedfennol awr;
> Yn unig sefaist, heriaist fôr di-drai,
> Meddiennaist y 'tonnau radio' tros ein hiaith!
> Heddiw clodforwn, am na allwn lai,
> Dy wych arweiniad dros flynyddoedd maith.

Ni ddiorseddir byth bendefig doeth
O gof a chalon deiliaid yn ei dir;
Am ddiogelu'r 'morglawdd', am dy goeth
Gymwynas, am dy weledigaeth ir,
Sam Jones, cyflawnwr camp drech na Chaníwt,
Derbyn ein diolch, derbyn ein salíwt.'

Llyfryddiaeth a Ffynonellau

BBC Annual 1936-43.

Berry, David: *Wales & Cinema,* Gwasg Prifysgol Cymru, Caerdydd, 1994.

Burke's Peerage, Argraffiad 101.

Bwrdd Golygyddol y Caniedydd, Undeb yr Annibynwyr Cymraeg: *Y Caniedydd,* Gwasg John Penri, Abertawe, 1960.

Caneuon Noson Lawen, Cyfrol I a II, Llyfrau'r Dryw, Llandybïe, 1948.

Caneuon Radio, Cyfrol 1, Llyfrau'r Dryw, Llandybïe, 1957.

Chandler, George: *Liverpool Shipping – a short history,* Llundain, 1960.

Clwb Radio Amatur y Ddraig, *Club Newsletter,* Haf 1994

Davies, Aneirin Talfan: *Darlledu a'r Genedl,* Cyhoeddiadau'r BBC, Llundain, 1972.

Davies, Hywel: *The Role of the Regions in British Broadcasting,* BBC Llundain, BBC Lunch-time Lectures, Third Series, 1965.

Davies, Ithel: *Bwrlwm Byw,* Gwasg Gomer, Llandysul, 1984.

Davies, John: *Broadcasting and the BBC in Wales,* Gwasg Prifysgol Cymru, Caerdydd, 1994.

Davies, Rees John (gol.): *The first 50 years – Ystalyfera County School,* Caerdydd, 1946.

Edwards, Hywel Teifi: *Arwr Glew Erwau'r Glo,* Gwasg Gomer, Llandysul, 1994.

Elis, Islwyn Ffowc: *Cyn Oeri'r Gwaed,* Gwasg Aberystwyth, 1952.

Evans, T. J.: *Rhys Hopkin Morris, The Man and his Character,* Gwasg Gomer, Llandysul, 1958.

Evans, T. Valentine: *Clydach a'r Cylch,* Evans a Short, Tonypandy, 1901.

Evans, T. Valentine: *Y Ford,* Jones a'i Feibion, Treforus, 1911.

Gorham, Maurice: *Forty Years of Irish Broadcasting,* Gwasg Talbot, Dulyn, 1967.

Griffith, R.E.: *Urdd Gobaith Cymru,* Cyfrol 2, 1946-60, Gwasg Gomer, Llandysul, 1972.

Griffith, R. E. (gol.): *Blodau'r Ffair,* Rhif 39, Haf 1975, Cambrian News, Aberystwyth.

Griffith, Ernest S.: *Liverpool University Settlement Report 1923-25,* Llyfrgell Sydney Jones, Lerpwl.

Hughes, T. Rowland: *Cân neu Ddwy,* Gwasg Gee, Dinbych, 1948.

Hywyn, Gwenno (gol.): *Ar Draws ac ar Hyd,* Cyfres y Cewri, Rhif 7, Caernarfon, 1986.

Jones, Bedwyr Lewis (golygwyd a chwblhawyd gan Gwyn Thomas): *Dawn Dweud R. Williams Parry,* Gwasg Prifysgol Cymru, Caerdydd, 1997.

Jones, Gwilym R. (gol.): *Portreadau'r Faner*, Cyfrol I a II, Gwasg y Sir, Y Bala (d. d.)

Jones, Gareth Maelor (gol.): *Atgofion*, Cyfrol 1, Tŷ ar y Graig, Dinbych, 1972.

Jones, Sam (gol.): *A Bangor Book of Verse: Barddoniaeth Bangor*, Sackville, Bangor, 1924.

Kavanagh, Ted: *The ITMA Years*, Llundain, 1974.

King, Constance M. and Harold: *The Two Nations, the life and work of Liverpool University Settlement and its Associated Institutions*, Llundain, 1938.

Lucas, Rowland: *The Voice of a Nation*, Gwasg Gomer, Llandysul, 1981.

Llywelyn-Williams, Alun: *Gwanwyn yn y Ddinas*, Gwasg Gee, Dinbych, 1975.

Mellor, Hugh: *Welsh Folk Dances – an Inquiry*, Cymdeithas Dawns Werin Cymru, (d. d.).

Morgan, Dyfnallt (gol.): *Babi Sam*, Gwasg Gee, Dinbych, 1985.

Morgan, Dyfnallt: *Y Llen a Myfyrdodau Eraill*, Gwasg Gee, Dinbych, (d.d.).

Parry, R. Williams: *Yr Haf a Cherddi Eraill*, Gwasg y Bala, 1956.

Peate, Iorwerth C.: *Rhwng Dau Fyd*, Gwasg Gee, Dinbych, 1976.

Phillips, William (gol.): *Y Blwyddiadur – Eglwys y Methodistiaid Calfinaidd*, Caernarfon, 1965.

Rees, Edward: *Cofiant T. Rowland Hughes*, Gwasg Gomer, Llandysul, 1968.

Rees, Ifor: *Gwgwrus*, Gwasg Gomer, Llandysul, 1983.

Roberts, Guto (gol.): *Wel dyma fo . . . Charles Williams*, Cyhoeddiadau Mei, Caernarfon, 1983.

Siôn, Manon Wyn (gol.): *Bro a Bywyd Rhif 14 – John Gwilym Jones*, Cyhoeddiadau Barddas, Gwasg Dinefwr, 1993.

Stephens, Meic (gol.): *Cydymaith i Lenyddiaeth Cymru*, Gwasg Prifysgol Cymru ar ran yr Academi Gymreig, Caerdydd, 1986.

Thomas, R. J.: *Enwau Afonydd a Nentydd Cymru*, Gwasg Prifysgol Cymru, Caerdydd, 1938.

Watkin, W. R.: *Y Bedyddwyr yng Nghlydach*, Crown Printing Works, Treforus, 1944.

Whittington-Egan, Richard: *Liverpool Colonnade*, Phillip Son & Nephew, Lerpwl, 1955.

Williams G. J. (Trosiad), Y Bwrdd Addysg: *Y Gymraeg Mewn Addysg a Bywyd*, HMSO, Llundain, 1927.

Williams, J. Gwynn: *The University College of North Wales, Foundations 1884-1927*, Gwasg Prifysgol Cymru, Caerdydd, 1985.

Williams, John Roberts: *Annwyl Gyfeillion*, Gwasg Gomer, Llandysul, 1975.

Williams, Meirion Llewelyn: *Gwas yr Achos Mawr*, Gwasg Gee, Dinbych, 1991.

Williams, T. Ceiriog: *Hyn a'r Llall,* Gwasg Gomer, Llandysul, 1978.

Williams, W. D.: *Adlais Odlau,* Gwasg Gee, Dinbych, 1939.

Williams, W. D.: *Cerddi'r Hogiau,* Llyfrau'r Dryw, argraffwyd gan Llanelly Mercury, Llanelli, 1942.

Williams, W. R. (gol.): *Cyfrol Goffa Charles Williams 1915-90,* Argraffdy Arfon, 1990.

Worsley, Francis: *ITMA 1938-48,* Llundain, 1948.

Cylchgronau:

Barddas, Rhif 17 a Rhif 19, 1978.

Barn, Rhif 144, erthygl Aneirin Talfan Davies, Hydref 1974.

Hansard, Rhagfyr 2, 1931. HMSO, Llundain.

Radio Times (niferus).

The Welsh Nationalist, Cyfrol 2, Rhif 2, Chwefror 1933.

Y Cerddor Newydd (gol.) W.S. Gwynn Williams, Rhagfyr, 1922.

Y Delyn, Cyfrol 5, Rhif 2, erthygl D. Roy Saer, Ionawr 1989.

Y Dyfodol, papur myfyrwyr Bangor, 1963.

Y Ddraig Goch, Medi 1958.

Y Faner Newydd, Rhif 5, Hydref 1997.

Y Ford Gron, Mai 1931.

Y Genhinen, Chwefror/ Mawrth 1978 ac Ebrill 1978.

Y Goleuad, Mai 1963.

Y Rhedegydd, Mehefin 1950.

Ffynonellau heb eu cyhoeddi:

Portreadau o Sam Jones gan 'Siwan' a chan 'Eisus', Adran Llawysgrifau Llyfrgell Genedlaethol Cymru, Aberystwyth.

Darlith Elwyn Evans, *Dyddiau Cynnar Darlledu yng Nghymru.*

Dyddiaduron Myfanwy Howell.

Papurau Nan Davies.

Llythyrau personol.

Cyfweliadau llafar.

Atodiad

Syr Emrys Evans, MA, BLitt, LlD, yn cyflwyno MR SAM JONES i dderbyn gradd Doethur mewn Llên.

Anrhydeddus Is-Ganghellor,
Rhynged eich bodd gyflwyno ohonof Mr Sam Jones i dderbyn gradd Doethur mewn Llên er anrhydedd.
Dyma fraint neilltuol i mi. Deuwn o'r un pentref, yr un eglwys, yr un ysgol. Ar drothwy'r ganrif yng nghyrddau chwarter yr ysgol Sul clywais y crwt bach Sammy yn difyrru ei wrandawyr wrth adrodd yn nhafodiaith Cwm Tawe hanes Joseph yn y pydew a Moses yn ei gawell frwyn.
Y mae ôl menter yn drwm ar yrfa Sam Jones – yn y llynges yn y Rhyfel Byd Cyntaf, yng Ngholeg Bangor yn symbylu, casglu, a chyhoeddi cerddi ei gydfyfyrwyr, yn slymiau Lerpwl yn athro ysgol liw dydd ac yn Settlement y Brifysgol liw nos, ac yna yn newyddiadurwr amlwg ar y *Western Mail.*
Fe'i penodwyd ar staff yr orsaf radio yng Nghaerdydd pan oedd Radio Cymru eto ynghlwm wrth Orllewin Lloegr. Ei dasg unig oedd cynhyrchu rhaglenni Cymraeg – gorchwyl a ofynnai lewder a dyfalwch yn wyneb anghefnogaeth, ie, a dirmyg y gwŷr a oedd wrth y llyw y pryd hynny; eithr fe achubodd ei gyfle i chwilio, i ddarganfod, ac i ddatguddio i ni'r Cymry ac i'r awdurdodau anghrediniol fod i'r Gymru Gymraeg ei delw ei hun.
Hyrwyddodd ei waith ef ddyfodiad Rhanbarth Cymru, a phan aeth i Fangor yn bennaeth ar radio'r Gogledd, nid pennaeth yn unig mohono, ond crëwr peth na fuasai o'r blaen. Yno fe wrteithiodd yr ardd, dewisodd iddi had cymwys, ac enillodd ohoni amrywiaeth gyfoethog o flodau gwahanol eu lliw a'u llun. Un ohonynt oedd y noson lawen, a fedrodd gyfuno yn esmwyth ffraethineb y tri o'r Coleg, baledi cefn gwlad Tai'r Felin, clep y dre ar dafod y Co' Bach, a lleisiau meibion Dyffryn Nantlle. A dyna'r blodau ymryson, dau fath ohonynt, y naill a bair i filoedd ymddifyrru yng nghampau cerdd dafod, a'r llall a roes sêl ar huawdledd myfyrwyr. Felly y priododd Mr Sam Jones adloniant a diwylliant. A hithau'r oedfa wedi'r oedfa, blodyn â'i wreiddiau yn yr hen gartre gynt, ond y clywir ei arogl bellach mewn cartrefi lawer.
Cyflawna'i waith trwy gyfuniad anghyffredin o deithi personol – asbri ac egni diflin, aflonydd; dychymyg byw; chwilfrydedd y morwr, y slymiwr, y newyddiadurwr; brwdfrydedd heintus; natur hoffus. Y mae ganddo reddf sicr i ddilyn trywydd talentau a'u dwyn i gyfrannu gwir difyrrwch. Dyma brif impresario Cymru. Am bopeth a wnaeth, derbynied heddiw gydnabyddiaeth ei brifysgol a'i wlad.

Mynegai